A-Z HERTFORD

CONTENTS

Key to Map Pages	2-3	Index to Streets	168-206
Map Pages	4-165	Index to Hospitals	207-208
Index to Places	166-167		

REFERENCE

Motorway	M1	Local Authority Boundary	
A Road	A10	Posttown Boundary	
Under Construction		Postcode Boundary Within Posttown	
Proposed		Map Continuation	80
B Road	B1000	Car Park Selected	P
Dual Carriageway		Church or Chapel	†
One Way Street Traffic flow on A Roads is indicated by a heavy line on the driver's left		Cycle Route	
		Fire Station	■
		Hospital	H
Pedestrianized Road		House Numbers A & B Roads only	51 22 19 48
Restricted Access		Information Centre	i
Track and Footpath		National Grid Reference	535
Residential Walkway		Police Station	▲
Railway	Tunnel, Station, Level Crossing	Post Office	★
		Toilet	▽
Built Up Area	HIGH STREET	Toilet with Disabled Facilities	

SCALE approx. 3 Inches to 1 Mile

0 ¼ ½ ¾ Mile

0 250 500 750 Metres 1 Kilometre

1:20,267

Geographers' A-Z Map Company Limited

Head Office : Fairfield Road, Borough Green, Sevenoaks, Kent TN15 8PP Telephone 01732 781000
Showrooms : 44 Gray's Inn Road, London WC1X 8HX Telephone 020 7440 9500

EDITION 1 1997

EDITION 1A (part revision) 2000

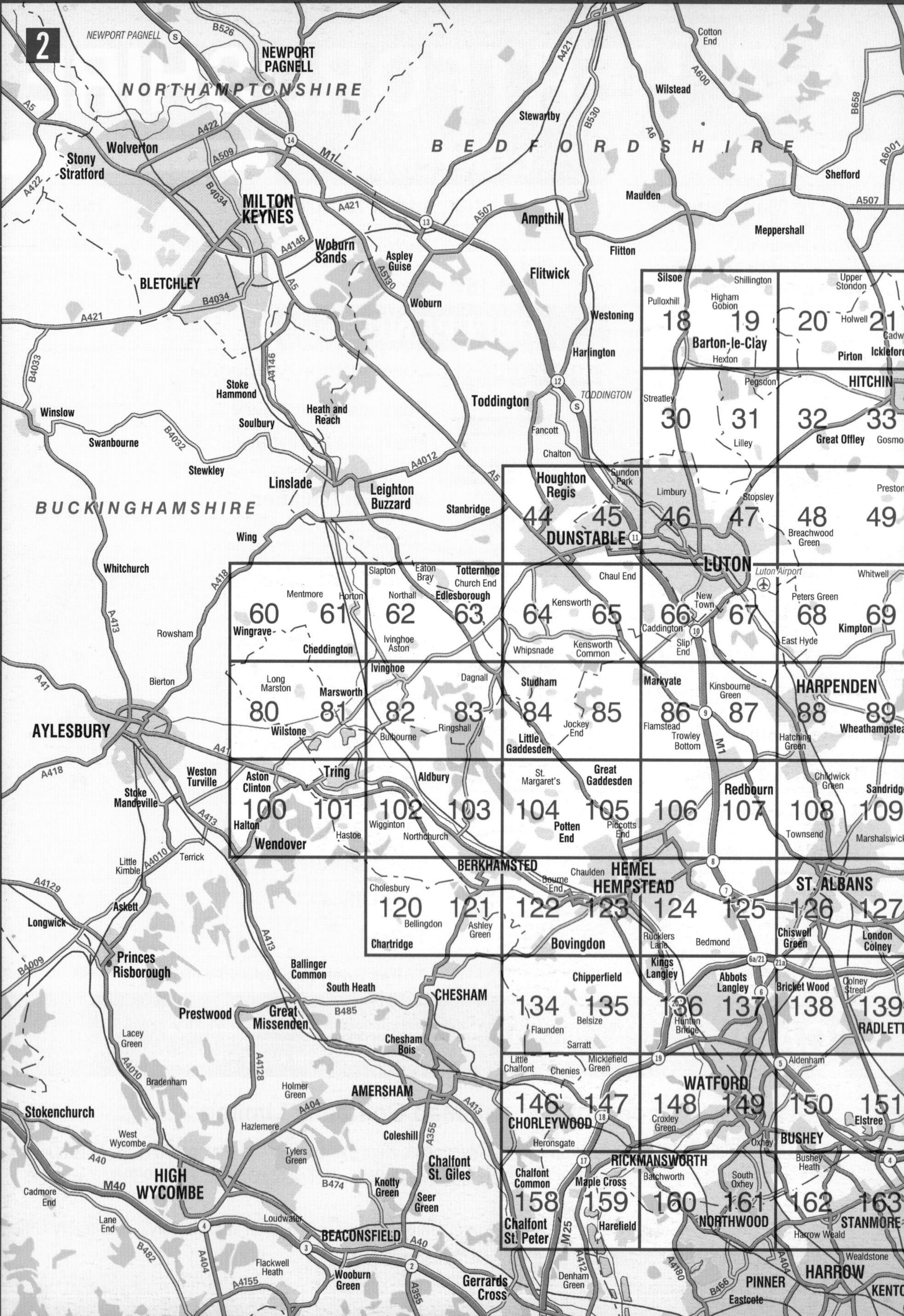
NORTHAMPTONSHIRE
BEDFORDSHIRE
BUCKINGHAMSHIRE
NEWPORT PAGNELL
MILTON KEYNES
Wolverton
Stony Stratford
BLETCHLEY
Woburn Sands
Aspley Guise
Woburn
Ampthill
Flitwick
Maulden
Flitton
Wilstead
Stewartby
Cotton End
Shefford
Meppershall
Westoning
Harlington
Toddington
Stoke Hammond
Soulbury
Heath and Reach
Winslow
Swanbourne
Stewkley
Linslade
Leighton Buzzard
Stanbridge
Wing
Whitchurch
Rowsham
Bierton
AYLESBURY
Weston Turville
Stoke Mandeville
Little Kimble
Terrick
Askett
Longwick
Princes Risborough
Ballinger Common
South Heath
CHESHAM
Prestwood
Great Missenden
Lacey Green
Bradenham
Chesham Bois
Holmer Green
AMERSHAM
Stokenchurch
West Wycombe
Hazlemere
Coleshill
Tylers Green
Chalfont St. Giles
Knotty Green
Seer Green
HIGH WYCOMBE
Cadmore End
Lane End
Loudwater
BEACONSFIELD
Flackwell Heath
Wooburn Green
Gerrards Cross
Silsoe
Shillington
Upper Stondon
Pulloxhill
Higham Gobion
Holwell
Barton-le-Clay
Hexton
Pirton
Ickleford
Pegsdon
HITCHIN
Streatley
Lilley
Great Offley
Gosmore
Fancott
Chalton
TODDINGTON
Houghton Regis
Sundon Park
Limbury
Stopsley
Preston
DUNSTABLE
Breachwood Green
LUTON
Luton Airport
Slapton
Eaton Bray
Totternhoe
Church End
Chaul End
Whitwell
Mentmore
Horton
Northall
Edlesborough
Kensworth
New Town
Peters Green
Wingrave
Cheddington
Ivinghoe Aston
Whipsnade
Kensworth Common
Caddington
Slip End
East Hyde
Kimpton
Long Marston
Marsworth
Ivinghoe
Dagnall
Studham
Markyate
Kinsbourne Green
HARPENDEN
Wilstone
Bulbourne
Ringshall
Little Gaddesden
Jockey End
Flamstead
Trowley Bottom
Hatching Green
Wheathampstead
Aston Clinton
Tring
Aldbury
St. Margaret's
Great Gaddesden
Redbourn
Childwick Green
Sandridge
Halton
Wendover
Hastoe
Wigginton
Northchurch
Potten End
Piccotts End
Townsend
Marshalswick
BERKHAMSTED
Bourne End
Chaulden
HEMEL HEMPSTEAD
ST. ALBANS
Cholesbury
Bellingdon
Ashley Green
Chartridge
Bovingdon
Rucklers Lane
Bedmond
Chiswell Green
London Colney
Chipperfield
Kings Langley
Abbots Langley
Bricket Wood
Colney Street
Flaunden
Belsize
Hunton Bridge
RADLETT
Sarratt
Little Chalfont
Chenies
Micklefield Green
Aldenham
WATFORD
CHORLEYWOOD
Croxley Green
Elstree
Heronsgate
Oxhey
BUSHEY
RICKMANSWORTH
Bushey Heath
Chalfont Common
Maple Cross
Batchworth
South Oxhey
Harefield
Chalfont St. Peter
NORTHWOOD
STANMORE
Harrow Weald
Wealdstone
Denham Green
PINNER
HARROW
Eastcote
KENTON
18 19 20 21
30 31 32 33
44 45 46 47 48 49
60 61 62 63 64 65 66 67 68 69
80 81 82 83 84 85 86 87 88 89
100 101 102 103 104 105 106 107 108 109
120 121 122 123 124 125 126 127
134 135 136 137 138 139
146 147 148 149 150 151
158 159 160 161 162 163
M1
M25
M40
A5
A6
A41
A413
A418
A421
A422
A507
A509
A600
A4010
A4012
A4128
A4129
A4146
A5130
A355
A404
A4155
A40
B526
B530
B658
B4032
B4033
B4034
B4009
B482
B474
B485
A6001
A4180
B466
A412

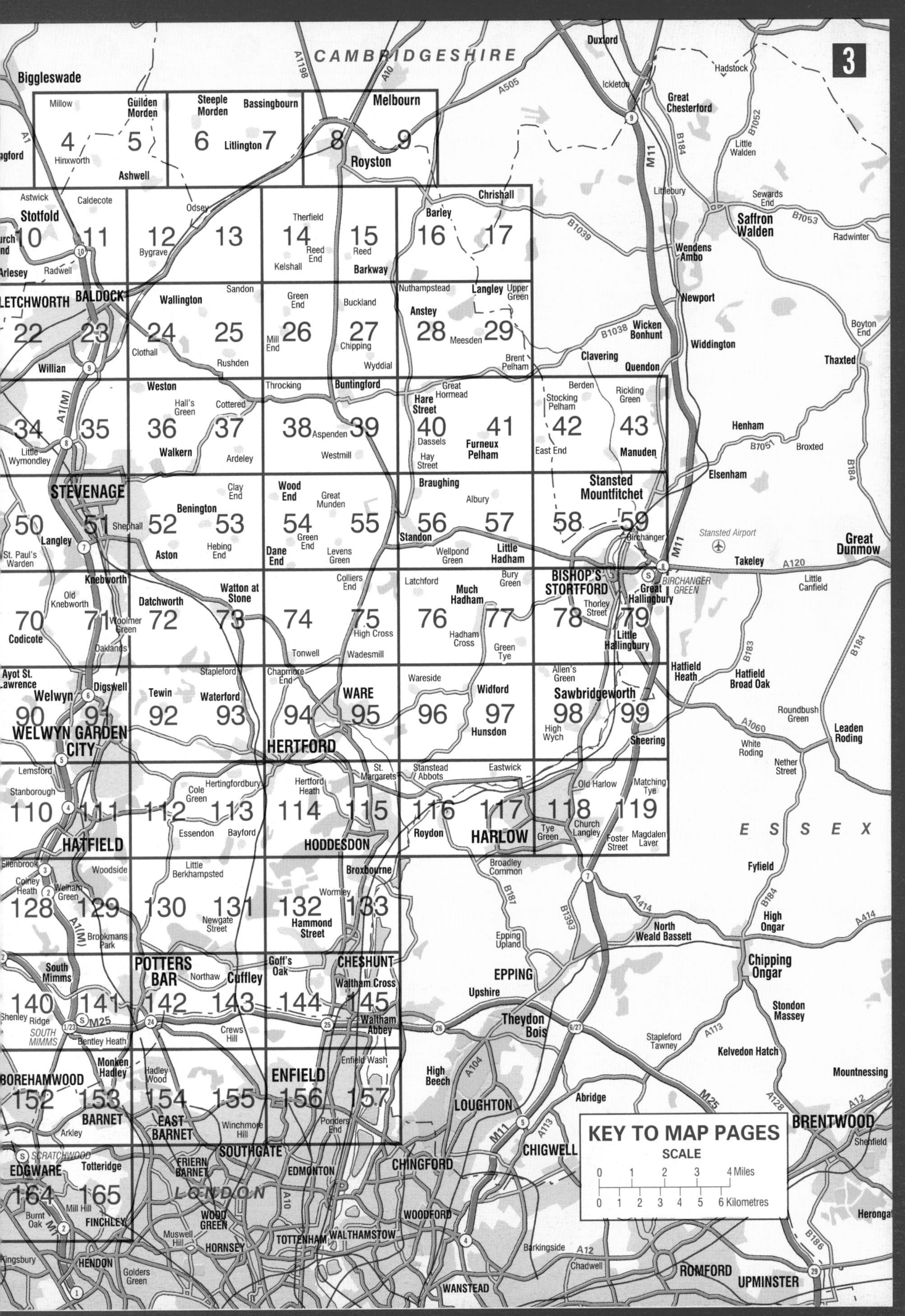
CAMBRIDGESHIRE
Biggleswade
Millow
Guilden Morden
Steeple Morden
Bassingbourn
Melbourn
4
5
6
Litlington 7
8
9
Hinxworth
Ashwell
Royston
Duxford
Ickleton
Hadstock
Great Chesterford
Little Walden
Astwick
Caldecote
Stotfold
Odsey
Therfield
Chrishall
Barley
10
11
12
13
14
15
16
17
Bygrave
Reed End
Reed
Kelshall
Barkway
Arlesey
Radwell
Littlebury
Sewards End
Saffron Walden
Radwinter
Wendens Ambo
LETCHWORTH
BALDOCK
Wallington
Sandon
Green End
Buckland
Nuthampstead
Langley
Upper Green
Anstey
Newport
22
23
24
25
26
27
28
29
Wicken Bonhunt
Boyton End
Mill End
Chipping
Meesden
Clothall
Rushden
Wyddial
Brent Pelham
Clavering
Quendon
Widdington
Thaxted
Willian
Weston
Throcking
Buntingford
Great Hormead
Berden
Rickling Green
Hare Street
Stocking Pelham
Hall's Green
Cottered
34
35
36
37
38
Aspenden
39
40
41
42
43
Henham
Dassels
Broxted
Little Wymondley
Walkern
Ardeley
Westmill
Hay Street
Furneux Pelham
East End
Manuden
Elsenham
STEVENAGE
Clay End
Wood End
Great Munden
Braughing
Albury
Stansted Mountfitchet
Benington
50
51
Shephall
52
53
54
55
56
57
58
59
Birchanger
Stansted Airport
Great Dunmow
Langley
Green End
Standon
St. Paul's Warden
Aston
Hebing End
Dane End
Levens Green
Wellpond Green
Little Hadham
Takeley
Knebworth
Colliers End
Latchford
Bury Green
BISHOP'S STORTFORD
Great Hallingbury
BIRCHANGER GREEN
Little Canfield
Old Knebworth
Datchworth
Watton at Stone
Much Hadham
Thorley Street
70
71
Woolmer Green
72
73
74
75
76
77
78
79
High Cross
Hadham Cross
Little Hallingbury
Codicote
Oaklands
Tonwell
Wadesmill
Green Tye
Ayot St. Lawrence
Stapleford
Chapmore End
Wareside
Allen's Green
Hatfield Heath
Hatfield Broad Oak
Welwyn
Digswell
Tewin
Waterford
WARE
Widford
Sawbridgeworth
90
91
92
93
94
95
96
97
98
99
Hunsdon
High Wych
Sheering
Roundbush Green
Leaden Roding
WELWYN GARDEN CITY
HERTFORD
White Roding
Nether Street
Lemsford
Cole Green
Hertingfordbury
Hertford Heath
St. Margarets
Stanstead Abbots
Eastwick
Old Harlow
Matching Tye
Stanborough
110
111
112
113
114
115
116
117
118
119
ESSEX
HATFIELD
Essendon
Bayford
HODDESDON
Roydon
HARLOW
Tye Green
Church Langley
Foster Street
Magdalen Laver
Ellenbrook
Woodside
Little Berkhampsted
Broxbourne
Broadley Common
Fyfield
Colney Heath
Welham Green
Wormley
128
129
130
131
132
133
Newgate Street
Hammond Street
North Weald Bassett
High Ongar
Brookmans Park
Epping Upland
South Mimms
POTTERS BAR
Northaw
Cuffley
Goff's Oak
CHESHUNT
Waltham Cross
EPPING
Chipping Ongar
Upshire
140
141
142
143
144
145
Theydon Bois
Stondon Massey
Shenley
Ridge
M25
SOUTH MIMMS
Bentley Heath
Crews Hill
Waltham Abbey
Stapleford Tawney
Kelvedon Hatch
Monken Hadley
Hadley Wood
Enfield Wash
ENFIELD
High Beech
Mountnessing
BOREHAMWOOD
152
153
154
155
156
157
LOUGHTON
Abridge
BARNET
EAST BARNET
Winchmore Hill
Ponders End
KEY TO MAP PAGES
SCALE
0 1 2 3 4 Miles
0 1 2 3 4 5 6 Kilometres
BRENTWOOD
Shenfield
Arkley
CHIGWELL
SCRATCHWOOD
SOUTHGATE
EDGWARE
Totteridge
FRIERN BARNET
EDMONTON
CHINGFORD
164
165
LONDON
Mill Hill
Burnt Oak
FINCHLEY
WOOD GREEN
WOODFORD
Herongate
Muswell Hill
HORNSEY
TOTTENHAM
WALTHAMSTOW
Barkingside
Kingsbury
HENDON
Golders Green
Chadwell
ROMFORD
UPMINSTER
WANSTEAD

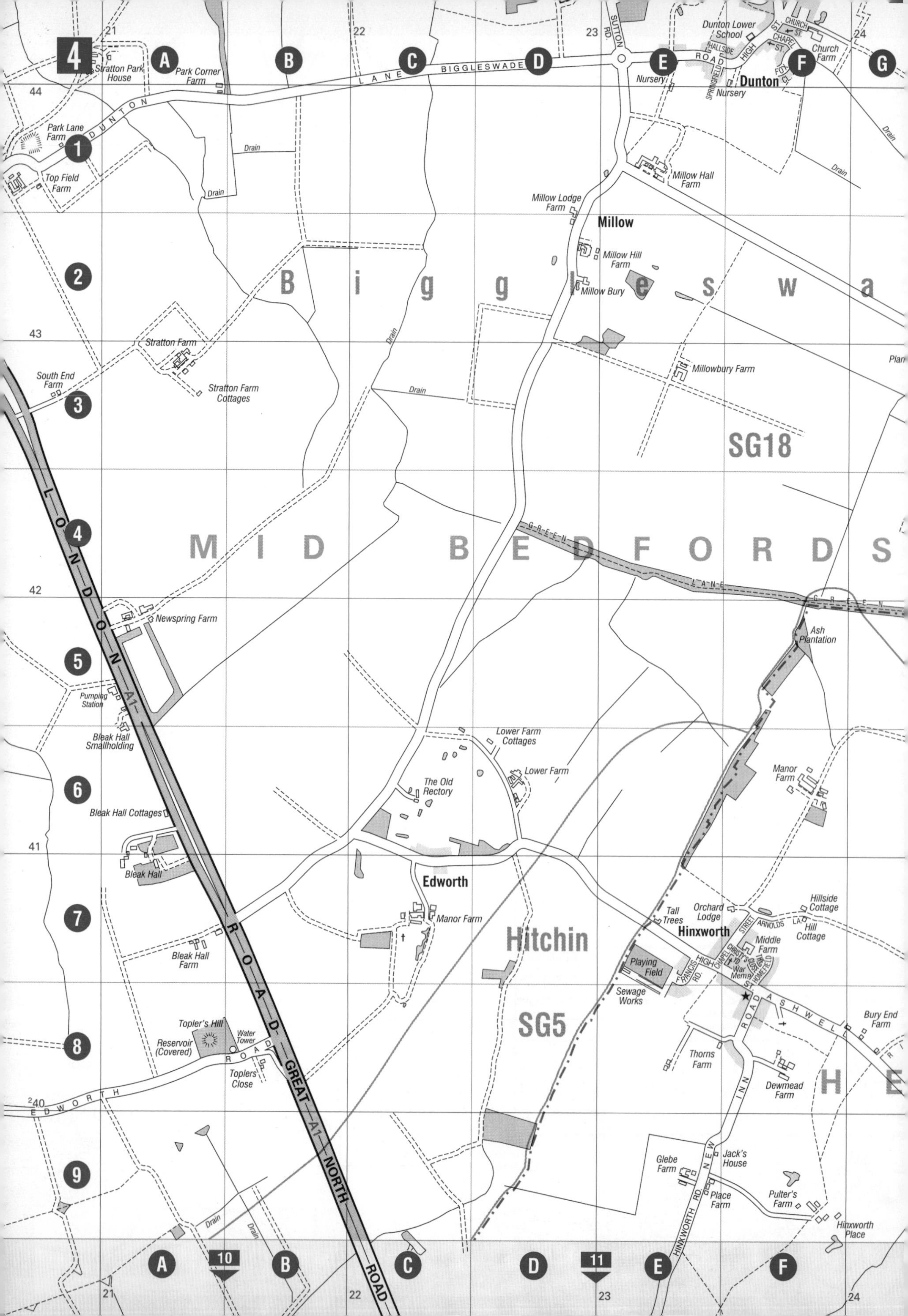

4
Stratton Park House
Park Corner Farm
Biggleswade Lane
Dunton
Park Lane Farm
Top Field Farm
Drain
Sutton Rd.
Dunton Lower School
Church St.
Chapel St.
Church Farm
High St.
Hallside
Road
Springfield
Fox Cl.
Nursery
Dunton
Millow Hall Farm
Millow Lodge Farm
Millow
Millow Hill Farm
Millow Bury
Biggleswa
Stratton Farm
South End Farm
Stratton Farm Cottages
Millowbury Farm
SG18
London Road
A1
Mid Bedfordshire
Green Lane
Newspring Farm
Ash Plantation
Pumping Station
Bleak Hall Smallholding
Lower Farm Cottages
Lower Farm
The Old Rectory
Manor Farm
Bleak Hall Cottages
Bleak Hall
Edworth
Manor Farm
Tall Trees
Orchard Lodge
Hinxworth
Hillside Cottage
Hill Cottage
Arnolds La.
Middle Farm
Hitchin
Bleak Hall Farm
Playing Field
Francis Rd.
High St.
Chapel St.
Christy's Close
Homefield
War Meml
Sewage Works
Ashwell Road
SG5
Bury End Farm
Topler's Hill
Reservoir (Covered)
Water Tower
Road
Toplers Close
Edworth Road
Great North Road
Thorns Farm
Dewmead Farm
Inn
H E
Glebe Farm
Jack's House
New
Hinxworth Rd.
Place Farm
Pulter's Farm
Hinxworth Place
A B C D E F G
1 2 3 4 5 6 7 8 9
21 22 23 24
44 43 42 41 240
10
11

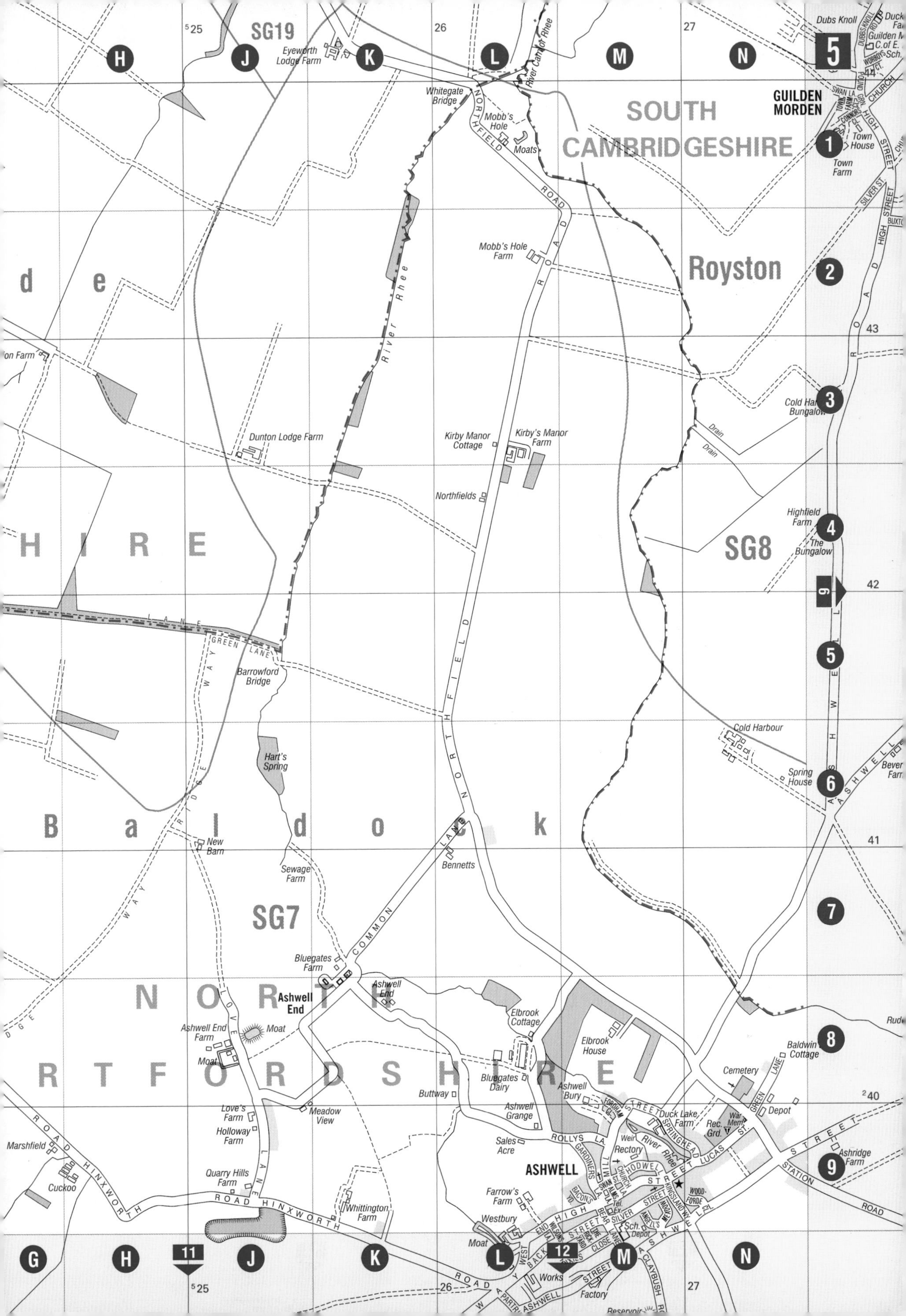

5
SG19
Eyeworth Lodge Farm
Whitegate Bridge
River Cam or Rhee
Mobb's Hole
Moats
NORTHFIELD ROAD
SOUTH CAMBRIDGESHIRE
GUILDEN MORDEN
Dubs Knoll
Town House
Town Farm
Mobb's Hole Farm
Royston
River Rhee
Dunton Lodge Farm
Kirby Manor Cottage
Kirby's Manor Farm
Northfields
Cold Harbour Bungalow
Highfield Farm
The Bungalow
SG8
Drain
9
GREEN LANE
Barrowford Bridge
Hart's Spring
Cold Harbour
Spring House
Baldock
New Barn
Sewage Farm
Bennetts
COMMON LANE
SG7
Bluegates Farm
Ashwell End
NORTH HERTFORDSHIRE
Ashwell End Farm
Moat
Elbrook Cottage
Elbrook House
Baldwin Cottage
Cemetery
Bluegates Dairy
Buttway
Ashwell Bury
Duck Lake Farm
Ashwell Grange
Meadow View
Love's Farm
Holloway Farm
Marshfield
Cuckoo
Quarry Hills Farm
HINXWORTH ROAD
Whittington Farm
Sales Acre
ROLLYS LANE
Rectory
Weir
Rec. Grd.
War Mem.
Depot
Ashridge Farm
STATION ROAD
ASHWELL
Farrow's Farm
Westbury
HIGH STREET
SILVER STREET
Sch.
Works
Factory
Reservoir
11
12
25
26
27
40
41
42
43
44
G
H
J
K
L
M
N
1
2
3
4
5
6
7
8
9

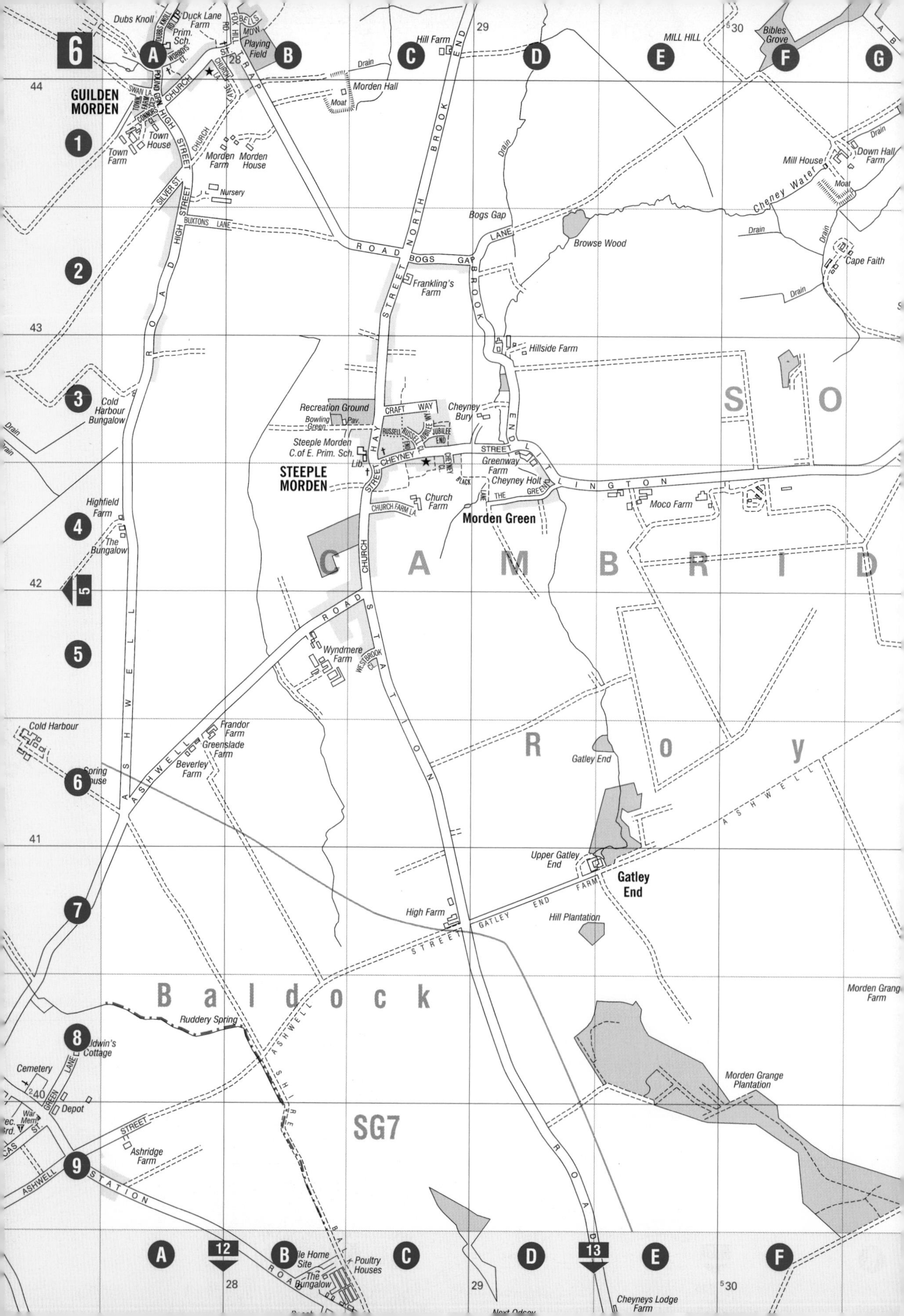

6
GUILDEN MORDEN
Dubs Knoll
Duck Lane Farm
Prim. Sch.
Playing Field
Hill Farm
MILL HILL
Bibles Grove
Morden Hall
Moat
Town Farm
Town House
Morden Farm
Morden House
Nursery
SILVER ST.
BUXTONS LANE
HIGH STREET
NORTH BROOK END
BOGS GAP
Bogs Gap
Browse Wood
Mill House
Down Hall Farm
Cheney Water
Cape Faith
Drain
Frankling's Farm
Hillside Farm
Cold Harbour Bungalow
Recreation Ground
Bowling Green
Pav.
CRAFT WAY
Cheyney Bury
RUSSELL END
JUBILEE END
Steeple Morden C.of E. Prim. Sch.
Lib.
STEEPLE MORDEN
CHEYNEY STREET
Greenway Farm
Cheyney Holt
LITLINGTON
Moco Farm
Church Farm
CHURCH FARM LA.
Morden Green
THE GREEN
Highfield Farm
The Bungalow
CAMBRIDGESHIRE
CHURCH STREET
STATION ROAD
ASHWELL ROAD
Wyndmere Farm
WESTBROOK CL.
Cold Harbour
Frandor Farm
Greenslade Farm
Beverley Farm
Spring House
Gatley End
Upper Gatley End
Gatley End
High Farm
GATLEY END FARM
Hill Plantation
ASHWELL STREET
Baldock
Royston
Morden Grange Farm
Ruddery Spring
Baldwin's Cottage
Cemetery
GREEN LANE
Depot
War Mem.
Ashridge Farm
ASHWELL STATION ROAD
SHIRE BALK
SG7
Morden Grange Plantation
Mobile Home Site
Poultry Houses
The Bungalow
Cheyneys Lodge Farm
12
13
5
28
29
30
41
42
43
44
A B C D E F G
1 2 3 4 5 6 7 8 9

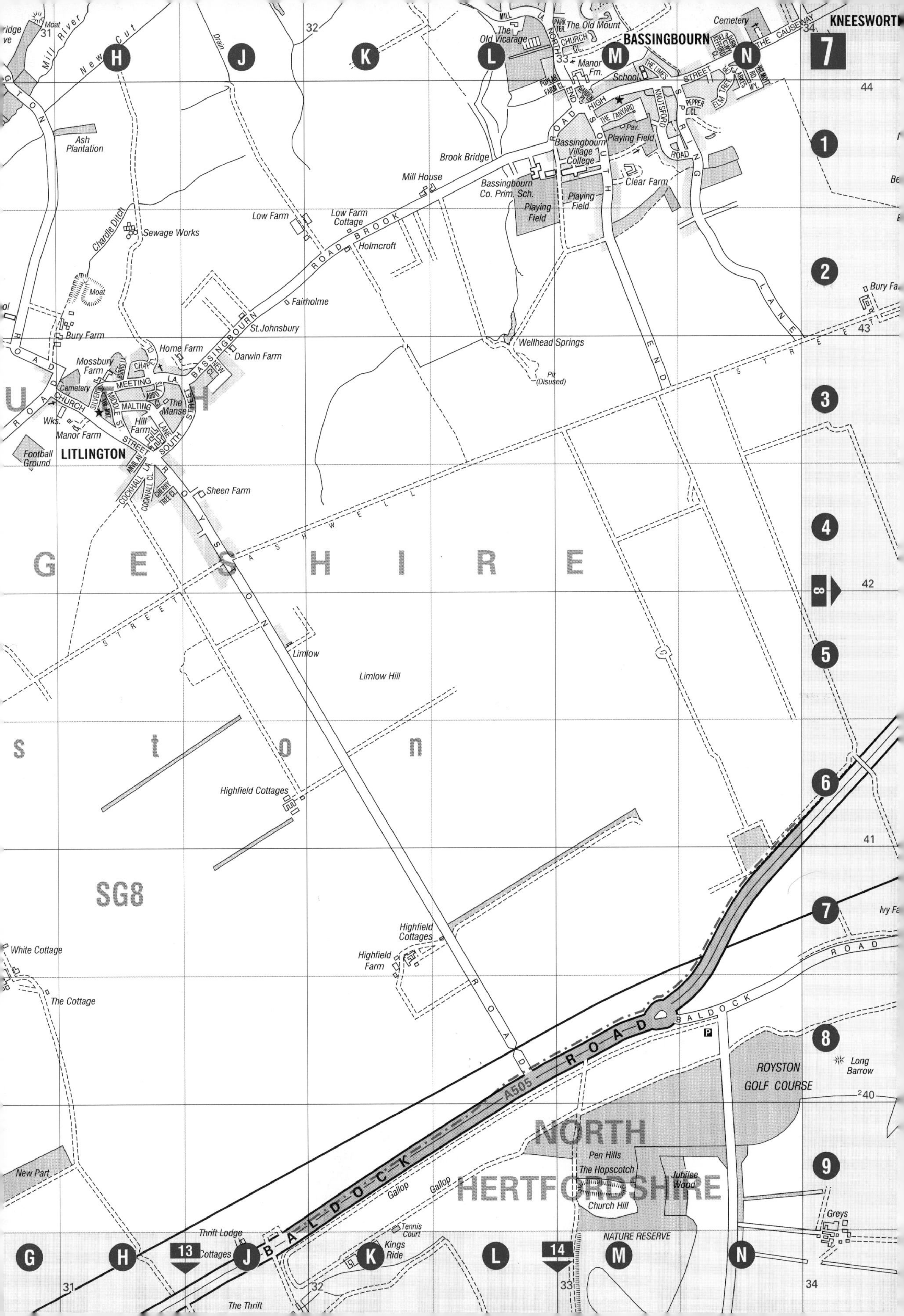

7
BASSINGBOURN
KNEESWORTH
LITLINGTON
The Old Vicarage
The Old Mount
Manor Fm.
School
Cemetery
THE CAUSEWAY
STREET
HIGH
SOUTH
END
NORTH
THE TANYARD
KNUTSFORD
PEPPER CL.
ELM TREE
SPRING LANE
ROAD
Pav.
Playing Field
Bassingbourn Village College
Clear Farm
Bassingbourn Co. Prim. Sch.
Brook Bridge
Mill House
Low Farm
Low Farm Cottage
Holmcroft
BROOK ROAD
Fairholme
St.Johnsbury
Darwin Farm
Home Farm
Wellhead Springs
Pit (Disused)
Ash Plantation
Moat
Mill River
New Cut
Drain
Chardle Ditch
Sewage Works
Bury Farm
Mossbury Farm
Cemetery
CHURCH
MEETING LA.
MALTING
CHAPEL
SILVER ST.
MIDDLE ST.
The Manse
Hill Farm
Manor Farm
Wks.
Football Ground
SOUTH STREET
BASSINGBOURN
COCKHALL LA.
CHERRY TREE CL.
ANVIL AV.
Sheen Farm
ASHWELL STREET
CAMBRIDGESHIRE
Limlow
Limlow Hill
Royston
Highfield Cottages
SG8
Highfield Cottages
Highfield Farm
White Cottage
The Cottage
New Part
Thrift Lodge
Cottages
The Thrift
Tennis Court
Kings Ride
Gallop
Gallop
BALDOCK ROAD
A505
NORTH HERTFORDSHIRE
ROYSTON GOLF COURSE
Long Barrow
Pen Hills
The Hopscotch
Jubilee Wood
Church Hill
NATURE RESERVE
Greys
Bury Farm
Ivy Farm
ROAD
13
14
8
G H J K L M N
1 2 3 4 5 6 7 8 9
31 32 33 34
40 41 42 43 44

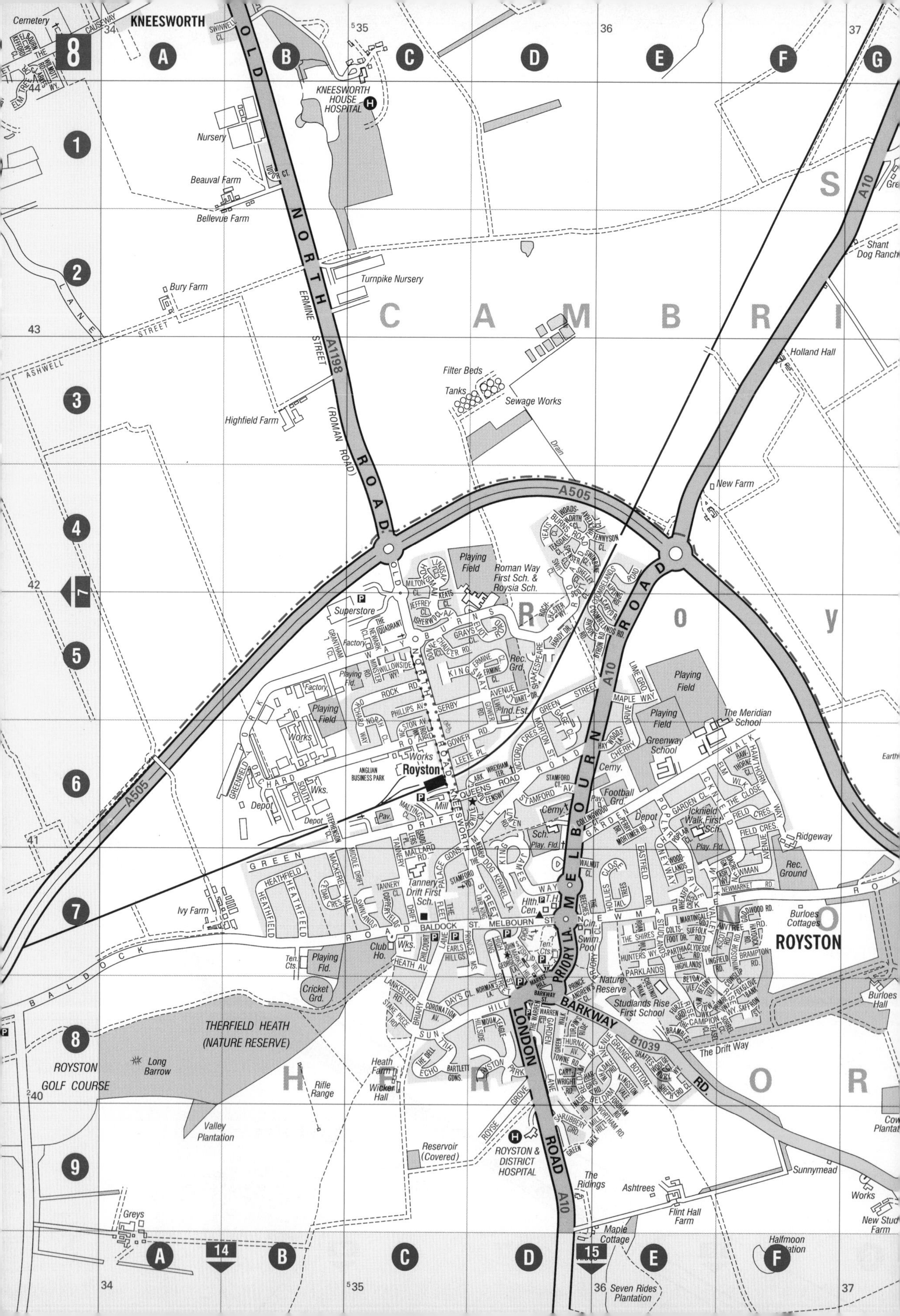

8
KNEESWORTH
Cemetery
Kneesworth House Hospital
Nursery
Beauval Farm
Bellevue Farm
Bury Farm
Turnpike Nursery
Highfield Farm
Filter Beds
Tanks
Sewage Works
Drain
Holland Hall
Shant Dog Ranch
New Farm
CAMBRIDGESHIRE
Royston
OLD NORTH ROAD
A1198
ERMINE STREET (ROMAN ROAD)
ASHWELL STREET
A505
A10
MELBOURN ROAD
Playing Field
Roman Way First Sch. & Roysia Sch.
Superstore
Factory
Works
Anglian Business Park
Depot
Ind. Est.
The Meridian School
Greenway School
Cemy.
Football Grd.
Icknield Walk First Sch.
Ridgeway
Rec. Ground
Burloes Cottages
ROYSTON
Burloes Hall
Ivy Farm
Tannery Drift First Sch.
Club Ho.
Ten. Cts.
Playing Fld.
Cricket Grd.
Hlth. Cen.
Swim. Pool
Nature Reserve
Studlands Rise First School
BALDOCK ROAD
BALDOCK ST.
MELBOURN ST.
NEWMARKET ROAD
PRIORY LA.
BARKWAY
B1039
BARKWAY RD.
LONDON ROAD
The Drift Way
THERFIELD HEATH (NATURE RESERVE)
Long Barrow
ROYSTON GOLF COURSE
Heath Farm
Wicker Hall
Rifle Range
Valley Plantation
Reservoir (Covered)
ROYSTON & DISTRICT HOSPITAL
The Ridings
Ashtrees
Flint Hall Farm
Sunnymead
Works
New Stud Farm
Halfmoon Plantation
Maple Cottage
Seven Rides Plantation
Greys
HERTFORDSHIRE
7
14
15
A B C D E F G
1 2 3 4 5 6 7 8 9
34 35 36 37
40 41 42 43 44

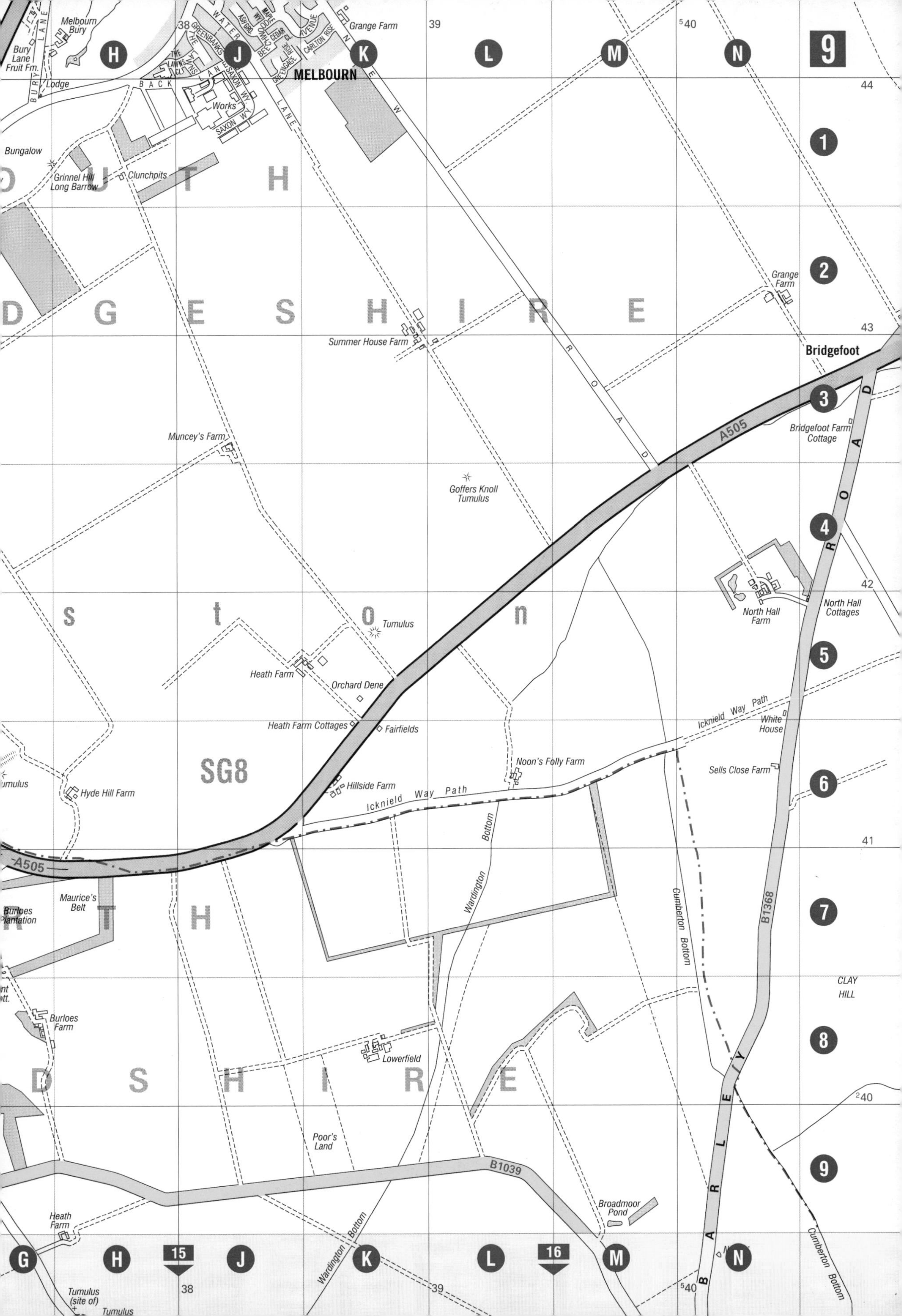

9
Melbourn Bury
Bury Lane Fruit Fm.
Lodge
BURY LANE
BACK LANE
WATER LANE
GREENBANKS
THE LAWNS
SAXON WY
Works
ASHGRO
MAPLE WY
GOODE WY
BEECH
CEDAR
GREENGAGE RISE
AVENUE
CARLTON RISE
Grange Farm
MELBOURN
NEW ROAD
Bungalow
Grinnel Hill Long Barrow
Clunchpits
Grange Farm
Summer House Farm
Bridgefoot
Bridgefoot Farm Cottage
A505
Muncey's Farm
Goffers Knoll Tumulus
North Hall Farm
North Hall Cottages
Tumulus
Heath Farm
Orchard Dene
Heath Farm Cottages
Fairfields
Icknield Way Path
White House
Noon's Folly Farm
Sells Close Farm
SG8
Hillside Farm
Hyde Hill Farm
Wardington Bottom
Cumberton Bottom
B1368
Maurice's Belt
Burloes Plantation
CLAY HILL
Burloes Farm
Lowerfield
BARLEY ROAD
Poor's Land
B1039
Broadmoor Pond
Heath Farm
Tumulus (site of)
Tumulus
15
16
38
39
540
44
43
42
41
240

10
Henlow
Biggleswade
SG16
SG18
SG15
SG5
Seedings Well
Sewage Works
HENLOW PARK
River Hiz
Hill Farm
Vine Farm
The Old Rectory
Church Farm
Astwick
Astwick Bury
Swallowfield
Old Mill Cottage
Mill Ho.
Sewage Works
Stotfold Common
Hitchin
Etonbury
Arlesey Bridge
ARLESEY RD.
A507
ARLESEY - STOTFOLD
Arlesey
Nursery
Waterloo Farm
Works
CHURCH END
Chase Farm
Playing Field
Swim. Pool
Tennis Courts
Etonbury Middle School
Pix Brook
Stotfold Green
Football Ground
STOTFOLD
Arlesey
Brook End
Shawmer Farm
Gothic Farm
Gothic Mead Lower Sch.
Comm. Cen.
Playing Field
Moorlands Farm
Industrial Estate
ARLESEY
MID BEDFORDSHIRE
BY-PASS
Crown Farm
Green Farm
Football Ground
Depot
Pig Development Unit
Nurses' Home
Tennis Court
Lodge
Norton Well
Sewage Works
Reservoir (Covered)
FAIRFIELD HOSPITAL
Cricket Ground
PORTLAND INDUSTRIAL ESTATE
22
4
GREAT NORTH
A1

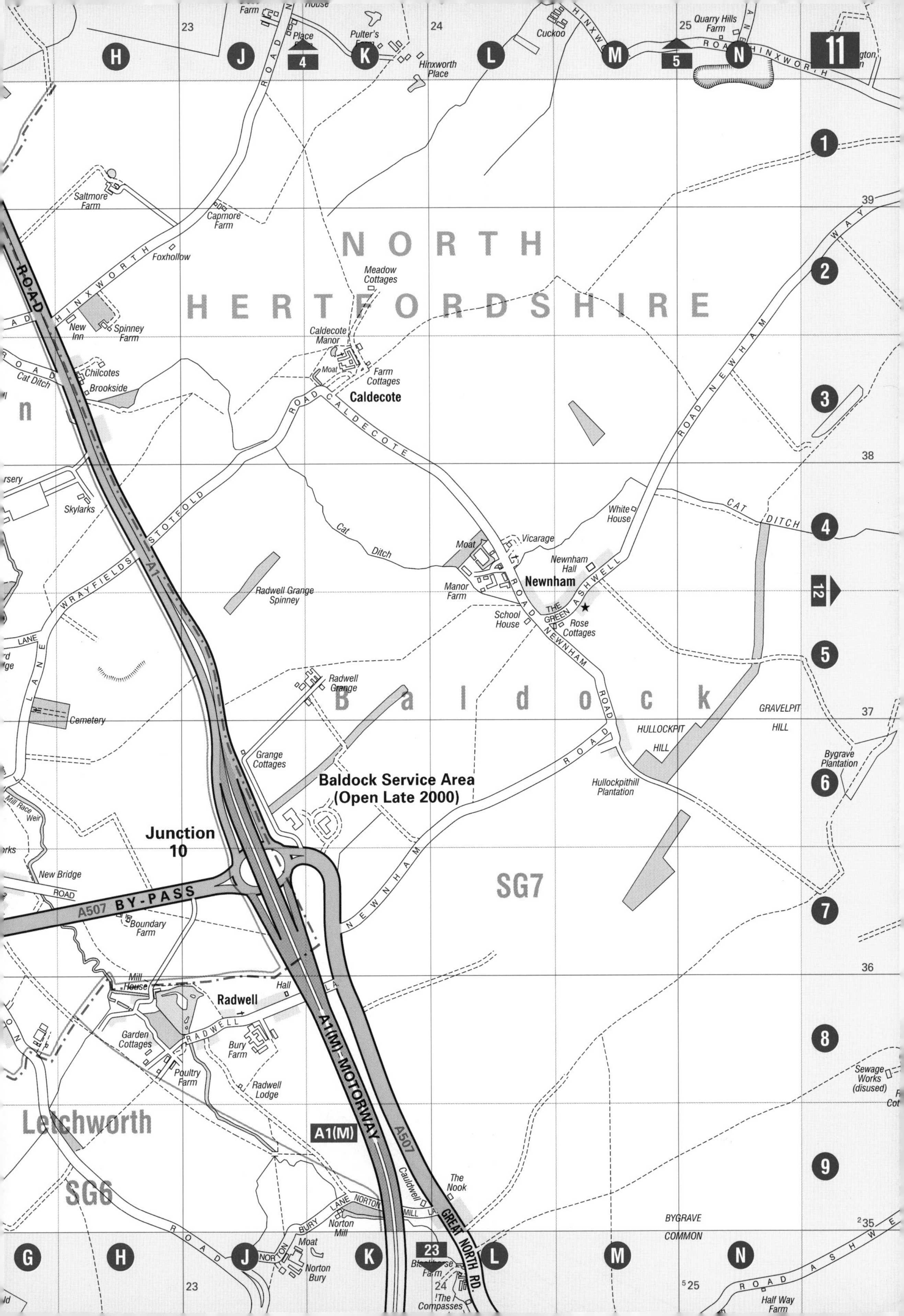
NORTH HERTFORDSHIRE
Baldock
Letchworth
SG6
SG7
Saltmore Farm
Capmore Farm
Foxhollow
HINXWORTH ROAD
New Inn
Spinney Farm
Chilcotes
Cat Ditch
Brookside
Meadow Cottages
Caldecote Manor
Moat
Farm Cottages
Caldecote
CALDECOTE ROAD
Hinxworth Place
Pulter's Farm
Cuckoo
Quarry Hills Farm
STOTFOLD ROAD
WRAYFIELDS
LANE
Skylarks
Cemetery
Radwell Grange Spinney
Radwell Grange
Grange Cottages
Baldock Service Area
(Open Late 2000)
Junction 10
A507 BY-PASS
A1
A1(M) MOTORWAY
A1(M)
A507
GREAT NORTH RD.
Mill Race Weir
New Bridge
ROAD
Boundary Farm
Mill House
Radwell
Hall
RADWELL
Garden Cottages
Bury Farm
Poultry Farm
Radwell Lodge
Cauldwell
The Nook
NORTON BURY LANE
Norton Mill
Moat
Norton Bury
Blackhorse Farm
The Compasses
NEWNHAM ROAD
ASHWELL ROAD
Moat
Vicarage
White House
Newnham Hall
Newnham
Manor Farm
School House
THE GREEN
Rose Cottages
CAT DITCH
HULLOCKPIT HILL
Hullockpithill Plantation
GRAVELPIT HILL
Bygrave Plantation
Sewage Works (disused)
BYGRAVE COMMON
Half Way Farm
ASHWELL ROAD
12
4
5
23

ASHWELL
Farrow's
Moat
Hall
Works
Factory
Reservoir (covered)
Partridge Hall
Adbury Banks
Claybush Hill
Ashwell Fields
Ash Hill
Mobile Home Site
The Bungalow
Poultry Houses
Beech House
Redlands Farm Cottages
Redlands Farm
Highley Hill
Tumulus
The Knoll
CAT DITCH
Baldoc
Pembroke Farm
Pembroke Cottages
Slip End Farm
GRAVELPIT HILL
Bygrave Plantation
MITCHELL HILL
SG7
Hare Park Farm
Hare Park Cottage
Sewage Works
Jubilee Cottages
Pomona
NORTH HER
Manor Farm
Bygrave
Park Wood
Old Rectory
Manor House
The Moat House
Earthworks
Parkwood Bungalow
Tumulus
Wireless Station
Masts
Sewage Works (disused)
Red Cottages
WEDON WAY
A505
ROYSTON ROAD
Wireless Station
METLEY HILL
Tumulus
Bygrave Lodge Farm
The Firs
Half Way Farm
HINXWORTH ROAD
NEWHAM WAY
ASHWELL STREET
CLAYBUSH ROAD
PARTRIDGE HILL
WEST END
BACK STREET
DIXIES CLOSE
HODWELL
STREET
STATION
ROAD
ASHWELL
11
5
6
24
26
27
28
39
38
37
36
35

SOUTH CAMBRIDGESHIRE
HERTFORDSHIRE
Royston
Buntingford
SG8
SG9
Ashwell & Morden
BALDOCK ROAD
A505
STATION ROAD
COOMBE ROAD
Chain Walk
New Part
Thrift Lodge
Thrift Cottages
Kings Ride
The Thrift
Thrift Farm
Jockey House Cottages
Lower Coombe Farm
Next Odsey
Cheyneys Lodge Farm
Cheyneys Lodge
Hill Farm
Railway Cottages
Penny Loaf Hill Plantation
Burial Ground
Odsey Corner
Odsey Meadows
Odsey
Odsey House Cottage
The Lodge
Gallows Hill
Heath Barn
Thrift Hill
Coombe Farm
Heath Farm
Gatleyway Farm
Chesara
Works
Slip Inn Hill
Poultry Houses
DEADMAN'S HILL
Crouch Hill
Stump Cross
Mount Hill
Pott's Hill
Ash Pollard
Lodge Farm
Tresillian
Bury Barns
Rain Hill
WHEAT HILL
Gannock Farm
Gannock Green
DRIFT WAY
Wheathill
Mount Eagle
Mill Hill
Cat Ditch
Partridge Hall Farm

6
7
14
25

BALDOCK ROAD
Gallop
Gallop
Tennis Court
Kings Ride
The Thrift
Thrift Farm
Pen Hills
The Hopscotch
Jubilee Wood
NATURE RESERVE
Greys
Chain Walk
Thrift Hill
Coombe Farm
COOMBE ROAD
Gatleyway Farm
Duckpuddle Bush
Pantile Farm
R o y
Icknield Way Path
Park Farm
MILL LA.
Slipes Wood
Hill Farm
THE CAUSEWAY
PEDLARS LANE
Therfield First Sch.
Burial Ground
Water Tower
Motte & Bailey
Hall
CHURCH LA.
FOX LA.
POLICE ROW
Hay Farm
THERFIELD
Stump Cross
North End
Rec. Grd.
Fish Pond
THE GRANGE
HOOPS LA.
GREEN
Hay Green
Wimsey Hall Plantation
N O R T H H E
Fox Hall
Kelshall
Grange Farm
Hagger's Farm
KELSALL STREET
Cross (Remains of)
Manor Farm
Cross (Remains of)
Hay Green Farm
HAYWOOD LANE
Haywood House
Washington Green
Brook House
River Rib
Mardleybury
Moat
Reed End
Pott's Hill
Pollard
ROOKS NEST LANE
DUCKS' GREEN
Sherlocks
Holborn Farm
Dane End
Chain Walk
KELSHALL GREEN LANE
FEARS GREEN
Rooksnest Farm
Dane End
Woodcotes
Hobb's Grove
SG9
Buntingford
Lords Wood
River Rib
Little Sark
The Homestead
Chapel Green
Philpott's Wood
COLLINS LANE
Partridge Hall Farm
Hawkins Wood
Sewage Works
Brandish

7
8
13
26

Labels visible on the map:

- (Covered)
- ROYSTON & DISTRICT HOSPITAL
- The Ridings
- Ashtrees
- Flint Hall Farm
- Sunnymead
- Works
- New Stud Farm
- Heath Farm
- **15**
- Wardington Bottom
- **H** **J** **K** **L** **M** **N**
- **8** **9**
- Maple Cottage
- Seven Rides
- Seven Rides Plantation
- Halfmoon Plantation
- **1**
- Tumulus (site of)
- Tumulus (site of)
- Whiteley Hill
- Settlement (site of)
- Tumulus (site of)
- 39
- Fox Farm
- Grange Farm
- Whiteley Hill Yard
- **2**
- Mile End Farm
- Windmill (disused)
- Fares Stables
- **s** **t** **o** **n**
- Field Barn
- Main Yard
- **3**
- Newsells Barn Farm
- STOCK BANK
- 38
- Long Penn Yard
- **SG8**
- Hatchpen
- Stockbank Bush
- **4**
- Long Pen
- Fox Lane
- **16**
- Welsh
- Cooper Green
- The Pump House
- West Wood Cottage
- **5**
- News
- The White House
- The Manor
- **R T F O R D S H I R E**
- Nature Reserve
- Stables
- **6**
- Obelisk
- Reed End Farm
- Wireless Station Mast
- THE
- Mill Corner Farm
- JACKSON'S LA.
- Wireless Station
- Mast
- JOINT ROYSTON
- Mast
- **7**
- Hall
- The Rookery
- BLACKSMITH'S LA.
- WILLOW CL.
- BRICKYARD LANE
- CHURCH LANE
- Reed First School
- HIGH STREET
- CROW LANE
- Wisbridge Farm
- Sallow Wood
- Periwinkle Hill
- Motte & Bailey
- PERIWINKLE CL.
- 36
- Mast
- Wireless Station
- Ckt. Grd.
- Reed Green
- **REED**
- WINDMILL CL.
- ROAD
- Southview
- Goodfellows Farm
- DRIFTWAY
- Moats
- Fish Ponds
- Bush Wood
- Moat
- Rokey Wood
- War Mem.
- Rec. Grd.
- **BARKWAY**
- Silo
- Church Farm
- Reed Hall
- Moat
- Gannock Grove
- Roundabout
- WHITEHOUSE CT.
- CHURCH LA.
- Elms Farm
- Moat
- Gannock Green
- Vic.
- Manor Farm
- Barkway First Sch.
- BURRS
- B1368
- B1368
- River Quin
- **8**
- **9**
- Reed Wood
- Strawberry Grove
- Poultry Farm
- Rushingwells
- ASH HILL
- HIGH STREET
- GAS LA.
- Sewage Works
- 35
- Howlet's Farm
- Hilly Wood
- **27**
- **G** **H** **J** **K** **L** **M** **N**
- Southfield Grove
- Greenways
- 36
- 37
- 38
- A10
- ERMINE STREET (ROMAN ROAD)

BARLEY
Smith's End
Shaftenhoe End
Newsells
NEWSELLS PARK
BARKWAY
SOUTH
ROYSTON
NORTH HERTFORDSHIRE
SG8
Newhill Pond
New Hill
Sewage Works
Chishill Windmill
CHISHILL ROAD BARLEY
Playstow
Barley First School
Picknage Corner
Margaret House
Lovely View
Churchfields
Horseshoe Farm
Smith End Farm
Standard Hill
Hillside Farm
Old Manor Farm
Putty Hall Cottages
Cricket Grd.
Pinner's Cross
Mincinbury Farm
Abbotsbury Farm
Abbotsbury House
Pondbottom Wood
Wigney Wood
Cross Leys
Rectory
Fares Stables
Main Yard
Long Penn Yard
Stockbank Bush
Long Pen
Duck's Nest
Ducks Nest Yard
Fox Cottage
Welsh Harp
The Pump House
Crab Plantation
West Wood Cottage
East Wood
The White House
The Manor
Stables
Obelisk
Barkway Hill
South Lodge
The Penns
The Clamp
Walk Wood
Cokenach
Five Acre Wood
Cricket Grd.
Hall
Rec. Grd.
War Mem.
Earl's Wood Cottage
Highmead Barn
Cowbrook's Grove
Brickhill Grove
Earl's Wood
The Grove
Messop's Grove
Sheepwash Grove
Trigg's Grove
Garden Grove
Wynnel's Grove
Ash Grove
Morrice Green Cottage
Morrice Green Farm
Little Cokenach
Moat
Bury Farm
Bell Farm
Caylers Farm
Depot
Elms Farm
Manor Farm
Vic.
Barkway First Sch.
Rushingwells
Sewage Works
River Quin
Howlet's Farm
Greenways
Wardington Bottom
Cumberton Bottom
STOCK BANK
LONDON RD.
HIGH STREET
ROYSTON ROAD
CAMBRIDGE ROAD
BARLEY ROAD
PICKNAGE ROAD
BAKERS LA.
HANAPER DR.
GREENBURY CL.
CHURCH END
SHAFTENHOE END ROAD
CROSSWAYS
PUDDING LA.
SCHOOL LA.
CHURCHFIELD
SMITH END LANE
BOGMOOR ROAD
LITTLE CHISHILL
WATER LANE
CAMBRIDGE ROAD
THE MOUNT
PERIWINKLE CL.
WINDMILL CL.
CHURCH LA.
WHITEHOUSE CT.
BURRS LA.
TOWNSEND CL.
ASH MILL
GAS LA.
B1039
B1368
A B C D E F G
1 2 3 4 5 6 7 8 9
9
15
28
39
540
41
38
37
36
35

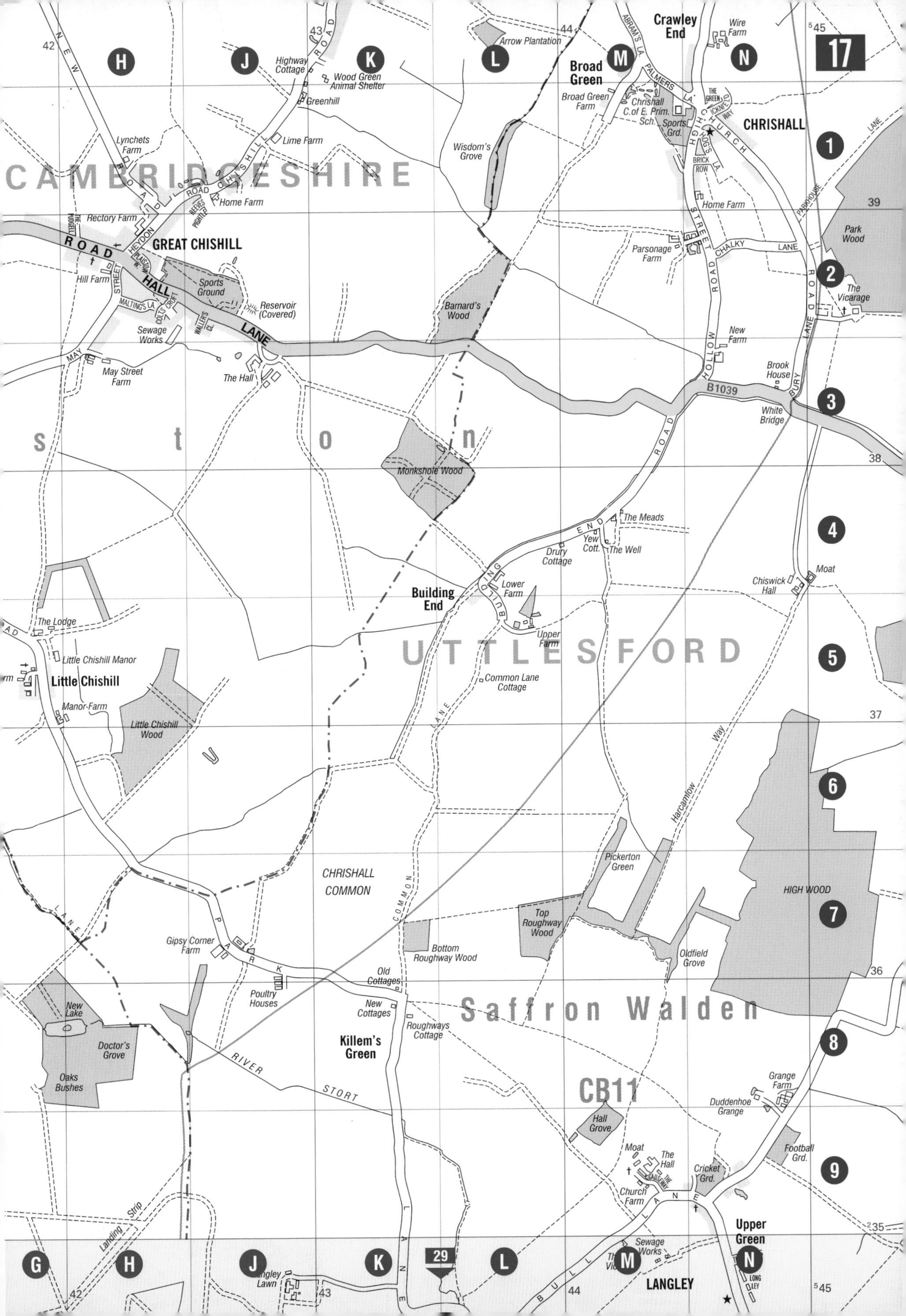
CAMBRIDGESHIRE
UTTLESFORD
Saffron Walden
CB11
Crawley End
Broad Green
CHRISHALL
GREAT CHISHILL
Building End
Little Chishill
Killem's Green
Upper Green
LANGLEY
CHRISHALL COMMON
HIGH WOOD
Wire Farm
Arrow Plantation
Highway Cottage
Wood Green Animal Shelter
Greenhill
Lime Farm
Lynchets Farm
Home Farm
Rectory Farm
Hill Farm
Sports Ground
Reservoir (Covered)
Sewage Works
May Street Farm
The Hall
Wisdom's Grove
Barnard's Wood
Monkshole Wood
Broad Green Farm
Chrishall C.of E. Prim. Sch.
Sports Grd.
Parsonage Farm
New Farm
Brook House
White Bridge
Park Wood
The Vicarage
The Meads
Drury Cottage
Yew Cott.
The Well
Lower Farm
Upper Farm
Chiswick Hall
Moat
Common Lane Cottage
The Lodge
Little Chishill Manor
Manor Farm
Little Chishill Wood
Pickerton Green
Top Roughway Wood
Bottom Roughway Wood
Oldfield Grove
Gipsy Corner Farm
Poultry Houses
Old Cottages
New Cottages
Roughways Cottage
New Lake
Doctor's Grove
Oaks Bushes
Grange Farm
Duddenhoe Grange
Football Grd.
Hall Grove
The Hall
Church Farm
Cricket Grd.
Sewage Works
Landing Strip
Langley Lawn
B1039
HEYDON ROAD
HALL LANE
CHISHILL ROAD
NEW ROAD
CHALKY LANE
HOLLOW ROAD
HIGH STREET
CHURCH ST.
BURY LANE
PARKHOUSE LANE
BUILDING END
COMMON LANE
PARK LANE
RIVER STORT
BULL LANE
Harcamlow Way
H J K L M N
G H J K L M N
1 2 3 4 5 6 7 8 9
42 43 44 545
39 38 37 36 35
29

Pulloxhill
Silsoe
BARTON-LE-CLAY
Sharpenhoe
MK45
MID BEDFORDSHIRE
SOUTH BEDFORDSHIRE
National College of Agricultural Engineering
Thrift Wood
Playing Field
Corn Fields
Taymer House
OLD PARK WATER
Old Park
Buckle Grove
Terrace Plantation
Leg O' Mutton Lake
West Half House
WREST PARK
Monument
Mithras Altar
Factory
PULLOXHILL BUSINESS PARK
Town Farm
The Gables
College Farm
Cricket Ground
Pond Farm
Pulloxhill Lower Sch.
Play. Fld.
Fryer Herne
Sparrow Hawk
Hilltop Cottage
Hillfoot Cottage
Hillfoot Farm
Gagmansbury Farm
Little Gagmansbury
Moats
Reservoir (Covered)
Blackhill
New Inn Farm
Pumping Station
Kitchenend Farm
The White House
Nursery
The Willows
Meadhook
Meadhook Wood
Earthworks
Sewage Works
Westhey Manor
BARTON INDUSTRIAL ESTATE
Faldo Farm
Moat
Willow End
Depots
Training Cen.
Barton Mill
Brook End Green Farm
Sharpenhoe Grove
Bury Farm
Brookmead Farm
Little Chantry
Priory Farm
Roberts Farm
Sharpenhoe Clappers
Football Ground
Telephone Exchange
Hall
Ramsey Manor Lower School
Arnold Middle School
Hyde Farm
Rectory Farm
Cemetery
Rec. Grd.
Ten. Cts.
Lib.
SAND ROAD
FLITTON ROAD
BARTON ROAD
GREENFIELD ROAD
HIGH STREET
CHURCH ROAD
BLACKHILL LANE
SAND LANE
A6 BEDFORD ROAD
HIGHAM ROAD
FALDO ROAD
MILL LANE
SHARPENHOE ROAD
HARLINGTON ROAD
SHARPENHOE RD.
B655 BEDFORD ROAD
HEXTON ROAD
LUTON ROAD
CHURCH ROAD
30

19
Lower Gravenhurst
Rectory Farm
The Old Rectory
Bury End
Sewage Works
Lordship Farm
New Farm
Upton End
Arkle House
Redhouse Farm
Cain Hill
Whitehall Lodge
Whitehall
East Half House
Whitehall Plantation
BROAD WATER
Ion Farm
The Kilns
Woodmer End
Ion Lodge
Little Ion
Shillington Lower School
Playing Field
Hillfoot End
Shillington
The Gables
Northley Farm
Moorhen Farm
Saldon
College Farm
College Farm Cottages
The Bungalow
Ion Bridge Poultry Farm
Archers Farm
The Old School
Parsonage Farm
Hanscombe End
Hanscombe End Farm
Earthwork
Fish Ponds
Hitchin
Chalkleybush Farm
Green Farm
Model Farm
Model Farm Nursery
Apsley End
Pirton Grange Farm
Manor Cottage
Higham Cottages
Manor Farm
Boa Vista
The Old Rectory
Temara
Higham Gobion
Pirton Grange
Moat
Pirton Hall
SG5
Apsleybury Wood
Lowerpiece Spinnies
Apsley Bury Farm
Ravendale Farm
Shillington Manor
Manor Cottages
Hexton Common
Kettledean
NORTH HERTFORDSHIRE
The Mill
Manor Farm
Sewage Works
Mill Lane Plantation
Pegsdon
New Cottages
Grange Fm.
Playing Field
Model Cottages
The Curl Paper
The Rookery
The Bungalow
New Cotts.
Hall
HEXTON
Dairy Cotts.
Church Wood
Model Farm
Pegsdon Belt
Bury Farm
Dower House
Hexton Manor
Belt Plantation
Hexton Jun.& Inf Sch.
Spring
The Gallows
Pegsdon Barns
Common Farm Cottages
Pegsdon
BARTON ROAD
Ravensburgh
Ravensview
31
20

20
Upton End
Shillington
Apsley End
Shefford
Upper Stondon
SG17
SG16
Henlow
MID BEDFORDSHIRE
NORTH HERTS
Hitchin
PIRTON
Burge End
New Farm
Caravan Site
Upton End Farm
Arkle House
Redhouse Farm
Clawders Hill Farm
Marquis House
Shillington Lower School
Playing Field
The Gables
Hall
The Old School
Parsonage Farm
Moat
Pirton Grange Farm
Pirton Hall
Wesley Spinney
Lowerpiece Spinnies
Shillington Manor
Chibley Farm
Chibley Cottages
Rosehill Cottage
Rosehill Farm
Tyne Hill Farm
TYNE HILL
Trinity College Farm
Mayfield Farm
Nursery
Stondon Lwr. Sch.
Mount Pleasant Farm
Club Ho.
Caravan Park
New Wrights Farm
Burge End Farm
Hammonds Farm
West Lane Farm
Wrights Farm
Rectory Farm
Northmead
Pirton Prim. Sch.
Toot Hill
Motte & Bailey
Water Tower
Hill Farm
Vicarage
Playing Field
Playground
Walnut Tree Farm
Kettledean Farm
Knocking Knoll Long Barrow
Pegsdon Common Farm
Icknield Way Path
Tingley Wood
High Down House
Highdown Farm
Highdown Cottages
Lower Plantation
Highdown Plantation
Hanginghill Plantation
Tumulus
Tingley Field
Common Farm Cottages
Punch's Cross
Drain
SHILLINGTON ROAD
MARQUIS HILL
HIGH ROAD
MEPPERSHALL ROAD
UPTON END ROAD
HOLWELL LANE
HAMBRIDGE WAY
WEST LANE
HIGH STREET
ROYAL OAK LANE
PRIORS HILL
HITCHIN ROAD
WOOD
STATION ROAD
HILLSIDE RD.
19
32
13
14
15
31
32
33
34
35
A B C D E F G
1 2 3 4 5 6 7 8 9

21
Lower Stondon
THREE STAR CARAVAN PARK
MOUNT PLEASANT GOLF COURSE
Cherry Tree Nurseries
Holwellbury Farm Cottages
Old Ramerick
Ramerick Cottages
Lodges
Holwellbury
The Chestnuts
Holwellbury Farm
Holwell Bury House
Little Orchard
Holwellbury Mews
Ramerick Bottom
Ramerick Nursery
A600
BEDFORD ROAD
Arlesey
Clay Pit
PORTLAND INDUSTRIAL ESTATE
Depot
Wks.
LONDON ROW
HITCHIN ROAD
RIVER HIZ
SG15
New Ramerwick Farm
Riddy Park Farm
North Farm
Meadow Farm
Sewage Works
HOLWELL ROAD
Ashcroft Farm
Playing Field
HOLWELL
Lordship Farm
Hall
Elmdene Farm
Ickleford Common
Pestol Farm
Fairfield Kennels
White Hill
Wilbury
WATERLOO LANE
Moat
PIRTON ROAD
Holme Farm
Whitsun House
Watercress Beds
Lower Green Farm
Caravan Park
Lowergreen Farm
St. Leonards
Cadwell
Cadwell Farm
Snailswell
SNAILSWELL LANE
Hillcrest
Hazelbury
Pinchgut Hall
Lower Green
Lynburn
Watercress Bed
The Bungalow
Sand Pit
Pound Farm
Ickleford Jun. & Inf. School
ICKLEFORD
SG5
HERTFORDSHIRE
Icknield Way Path
Icknield Way
Cadwell Crossing
SG4
Gas Works
Warehouse
Ickleford Manor
Mill
TURNPIKE LANE
Trout Farm
Burford Ray Bridge
Top Park
Old Westmill Cottages
Westmill Farm
River Oughton
Old Westmill Kennels
Weir
Playing Field
Priory School
Tennis Courts
Our Lady R.C. Jun. & Inf. School
HITCHIN
Sewage Works
Bus Depot
King George V Playing Field
Strathmore Inf. & Nursy. Sch.
Westmill
Oughtonhead Common
Sports Ground
Depot
Walsworth
33
22
G H J K L M N
1 2 3 4 5 6 7 8 9
16 17 18 19
31 32 33 34 35

22
Depot
LONDON ROW
Sewage Works
Reservoir (Covered)
10
Norton Well
Cricket Ground
FAIRFIELD HOSPITAL
Bowling Green
Green Lagoon
Arlesey
PORTLAND INDUSTRIAL ESTATE
JUBILEE CR.
Tanks
Grange Playing
Sewage Works
Filter Beds
Grange Jun. Sch.
Drain
SG15
Blue Lagoon
Stonehill Jun. & Inf. Sch.
Inf. Sch.
Fountain Cottage
Lower Wilbury Farm
MID BEDFORDSHIRE
White Hill
Fairfield Kennels
Standalone Farm
Pix Brook
Playing Field
SG5
NORTON COMMON
Swimming Pool
Bandstand
Tennis Courts
Wilbury Farm
ARLESEY ROAD
BEDFORD ROAD
LETCHWORTH
Letchworth
Fox Covert
Wilburyhill Farm
Wilbury Jun. Sch.
Icknield Inf. Sch.
Caravan Park
Hlth. Cen.
Neville Bridge
Watercress Beds
Recreation Ground
Cemetery
Magistrates Court
St. Leonards
Cadwell
Cadwell Farm
Cadwell Farm Cottages
Engineering Training Sch.
Nth. Herts. College
Council Offs.
Mus & Art Gall.
Gardens
Fearnhill School
HERTFORDSHIRE
Watercress Bed
The Bungalow
Icknield Way Path
Hitchin
Prim. Sch.
Sports Grd.
St. Francis Coll.
SG6
Pixmore Junior School
Depot
Rec. Grd.
Tumulus
Small Holding
Playing Field
Cadwell Crossing
St. Thomas More R.C. Prim. Sch.
Highfield School
Sports Grd.
St. Christopher School
Sports Ground
Pitch & Putt Course
Briar Patch (Children's Home)
Depots
SG4
Works
Warehouse
HITCHIN RD.
BALDOCK
Playing Field
ROSEHILL HOSPITAL
Nursery
Club House
Letchworth Hall Hotel
LETCHWORTH GOLF COURSE
Fiveways House
Sewage Works
Depot
Highover Farm
Lodge
Keysheath
CAMBRIDGE ROAD
A505
Play. Field
Play. Fld.
Highover Prim. Sch.
34
The Orchard
River Purwell
Walsworth Common
Walsworth
WILLIAN ROAD

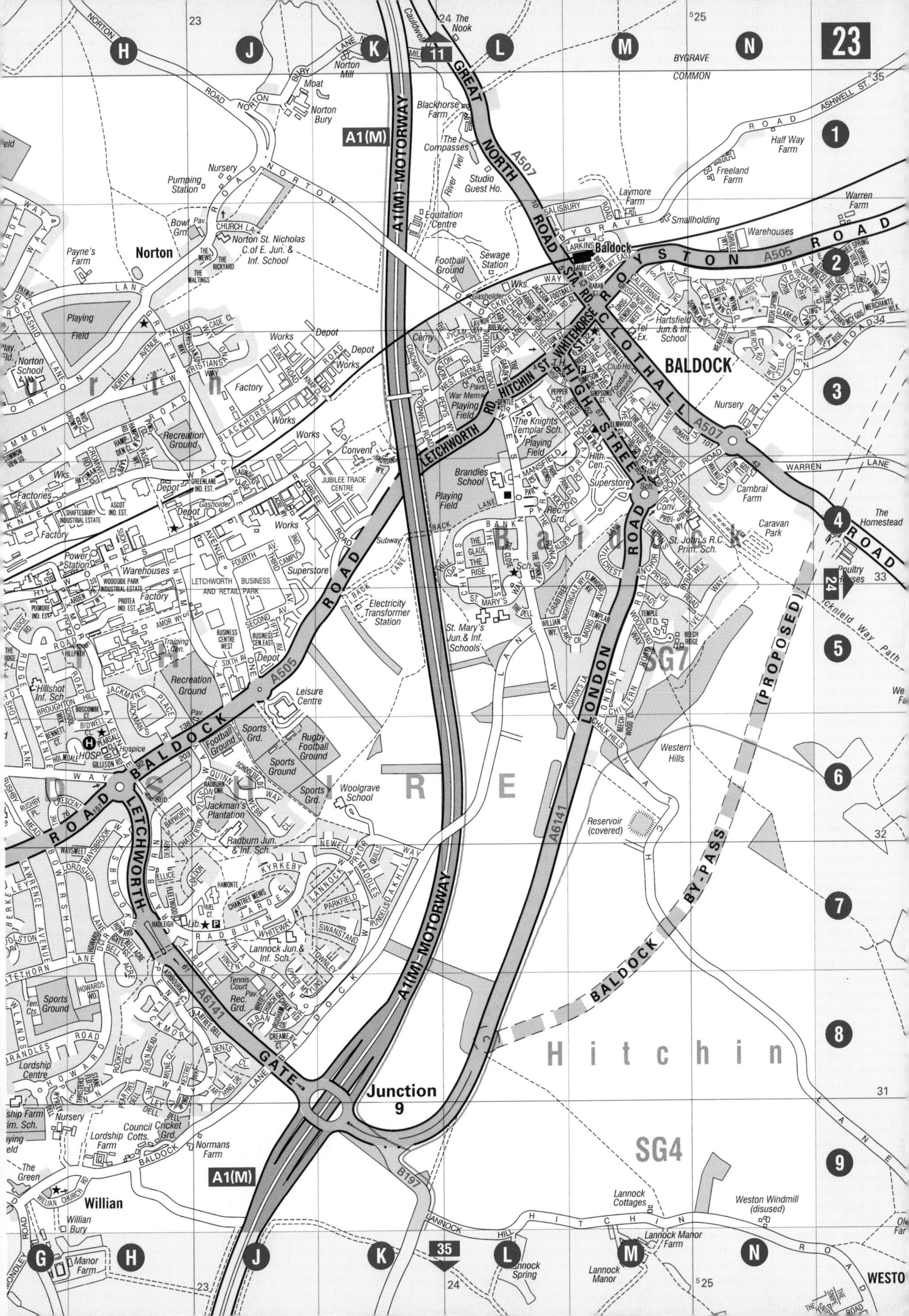
Norton
Baldock
BALDOCK
Willian
Junction 9
A1(M)
A1(M) MOTORWAY
GREAT NORTH ROAD
A507
ROYSTON ROAD
A505
CLOTHALL ROAD
LONDON ROAD
A6141
LETCHWORTH GATE
BALDOCK ROAD
BALDOCK BY-PASS (PROPOSED)
HITCHIN ROAD
Bygrave Common
SG7
SG4
Hitchin
Letchworth Business and Retail Park
Jubilee Trade Centre
Brandles School
St. Mary's Jun.& Inf. Schools
Electricity Transformer Station
Leisure Centre
Woolgrave School
Radburn Jun. & Inf. Sch.
Lannock Jun.& Inf. Sch.
Jackman's Plantation
Reservoir (covered)
Western Hills
Weston Windmill (disused)
Lannock Manor Farm
Lannock Cottages
Normans Farm
Lordship Farm
Council Cotts.
Manor Farm
Willian Bury
Norton St. Nicholas C.of E. Jun. & Inf. School
Payne's Farm
Norton Mill
Norton Bury
Blackhorse Farm
Studio Guest Ho.
Equitation Centre
Sewage Station
Laymore Farm
Half Way Farm
Freeland Farm
Warren Farm
Hartsfield Jun.& Inf. School
St. John's R.C. Prim. Sch.
The Knights Templar Sch.
Cambrai Farm
Caravan Park
The Homestead
Poultry Houses
Icknield Way Path
24
35
11

A
B
C
D
E
F
G
12
23
36
1
2
3
4
5
6
7
8
9
ROYSTON ROAD
A505
ASHWELL ROAD
BY-PASS
BALDOCK
CLOTHALL ROAD
A507
WALLINGTON ROAD
WARREN LANE
WARREN ROAD
ASHANGER LA.
HATCH LANE
HITCHIN ROAD
FORE STREET
MILL LANE
STREET
BURNTHOUSE LANE
Icknield Way Path
Baldock
NORTH HER
Hitchin
SG7
SG4
Freeland Farm
Warren Farm
Warehouses
The Firs
Bygrave Lodge Farm
HILL
Tumulus
CLOTHALL COMMON
Cambrai Farm
The Homestead
Poultry Houses
BIRD HILL
WINDMILL HILL
Welbury Farm
Quickswood Farm
Meadow Cottage
Farm Cottage
Ponds
Pond
Spital Wood
Prim Spring
Round Wood
Bush Spring
Clothallbury Wood
Clothall Bury
Fish Ponds
Kingswoodbury
ASHANGER HILL
Clothall
Clothall House
The Glebe House
Church Farm House
Tumulus
Parkfield Cottages
The Dell
The Gables
Moat
Hickman's Hill
Toggs Spring
Toggs
Kingswoodbury House
Westfield
Bush Wood
Green Grove
Green End
Darnall's Hall Farm
Weston Windmill (disused)
Old Farm
Water Tower
Horseshoe Farm
WESTON
Oakley's Farm
Weston Bury
Burymead
Coldash Wood
Rydals Wood
SALE
HURST CL.
BUSH SPRING
CLARK CL.
MERCIA RD.
WESTELL CL.
DRIVE
CONSTANTINE WAY
MERCHANTS WLK.
CHAUNCY GDS.
HARLEY RISE
LAXTON GDS.
Nursery
Caravan Park
26
27
28
235
34
33
32
31
43

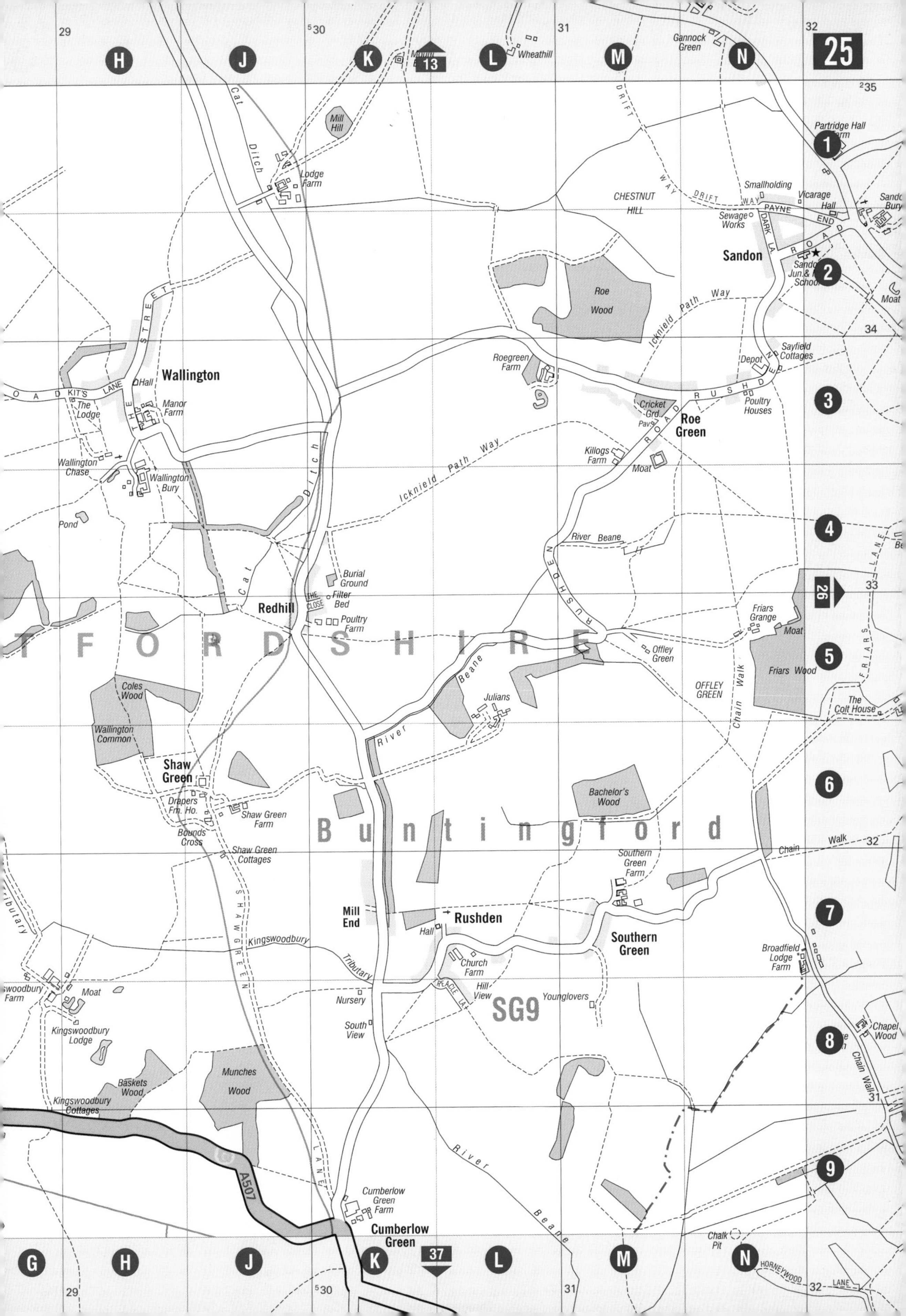

Wallington
Redhill
Sandon
Roe Green
Shaw Green
Rushden
Southern Green
Cumberlow Green
Mill End
Buntingford
SG9
Roe Wood
Friars Wood
Bachelor's Wood
Coles Wood
Wallington Common
Munches Wood
Baskets Wood
Mill Hill
CHESTNUT HILL
OFFLEY GREEN
Icknield Path Way
Cat Ditch
River Beane
Chain Walk
Drift Way
A507
Gannock Green
Wheathill
Lodge Farm
Partridge Hall Farm
Smallholding
Vicarage Hall
Sewage Works
Sandon Jun.& Inf. School
Payne End
Dark La.
Rushden Road
Roegreen Farm
Depot
Sayfield Cottages
Poultry Houses
Cricket Grd.
Killogs Farm
Moat
Kit's Lane
The Street
Hall
The Lodge
Manor Farm
Wallington Chase
Wallington Bury
Pond
Burial Ground
The Close
Filter Bed
Poultry Farm
Friars Grange
Offley Green
Julians
The Colt House
Friars Lane
Draper's Fm. Ho.
Shaw Green Farm
Bounds Cross
Shaw Green Cottages
Shaw Green Lane
Kingswoodbury Tributary
Southern Green Farm
Church Farm
Hill View
Reacie La.
Younglovers
Nursery
South View
Broadfield Lodge Farm
Chapel Wood
Kingswoodbury Farm
Kingswoodbury Lodge
Kingswoodbury Cottages
Cumberlow Green Farm
Chalk Pit
Hornywood Lane
13
26
37

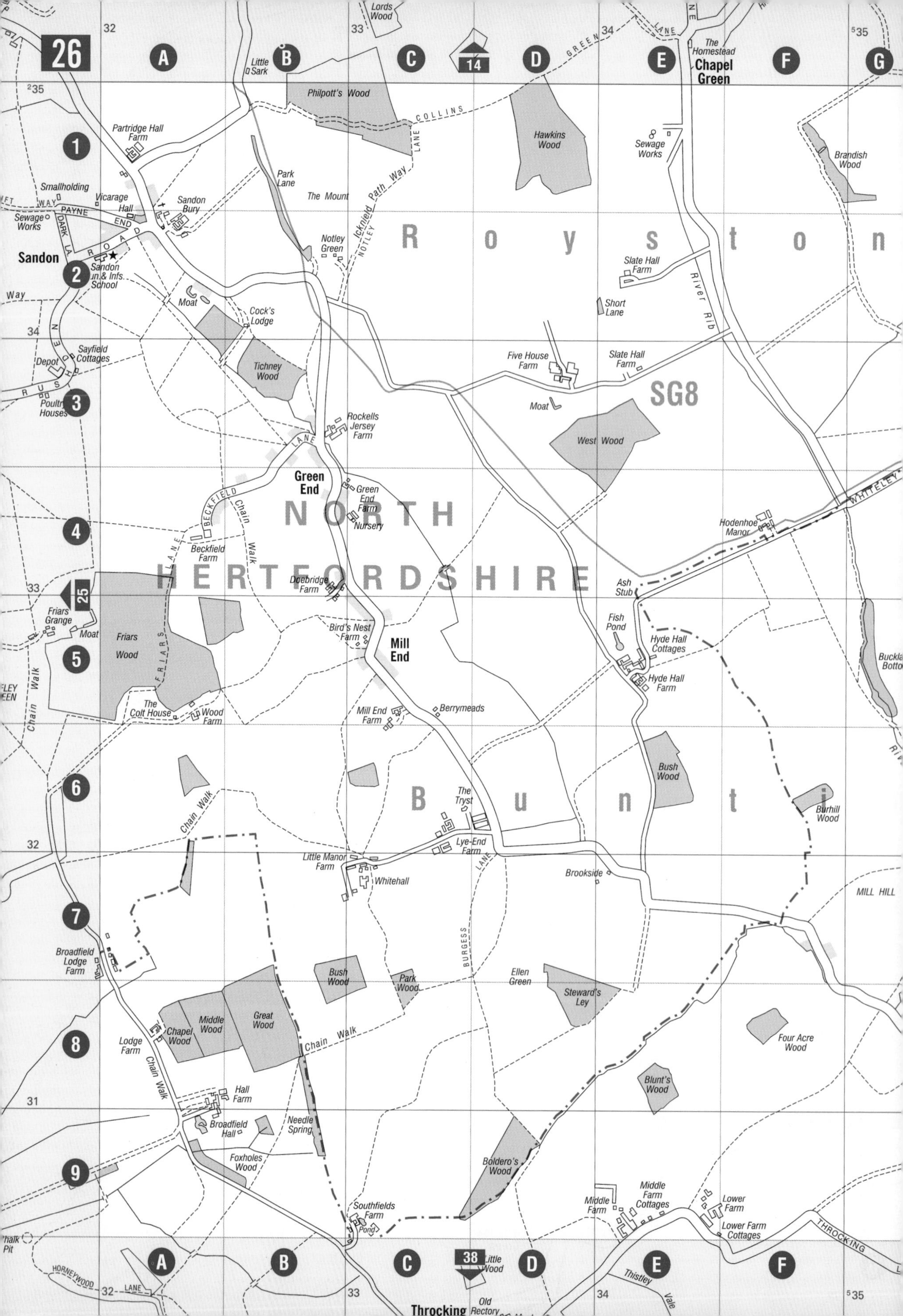
26
A
B
C
D
E
F
G
14
25
38
Lords Wood
Little Sark
The Homestead
Chapel Green
Philpott's Wood
COLLINS LANE
GREEN LANE
Hawkins Wood
Brandish Wood
Partridge Hall Farm
Smallholding
Vicarage Hall
Sandon Bury
Sewage Works
PAYNE END ROAD
DARK LANE
Sandon
Sandon Jun.& Infs. School
Park Lane
The Mount
Icknield Way Path
NOTLEY LANE
Notley Green
Royston
Slate Hall Farm
Short Lane
River Rib
Moat
Cock's Lodge
Sayfield Cottages
Depot
RUSHEN
Tichney Wood
Five House Farm
Slate Hall Farm
SG8
Poultry Houses
Rockells Jersey Farm
West Wood
LANE
Green End
Green End Farm
Nursery
NORTH HERTFORDSHIRE
BECKFIELD LANE
Chain Walk
Beckfield Farm
WHITELEY LANE
Hodenhoe Manor
Doebridge Farm
Ash Stub
Friars Grange
Moat
Friars Wood
FRIARS
Bird's Nest Farm
Mill End
Fish Pond
Hyde Hall Cottages
Hyde Hall Farm
The Colt House
Wood Farm
Mill End Farm
Berrymeads
Bush Wood
Buntingford
The Tryst
Burhill Wood
Lye-End Farm
Little Manor Farm
Whitehall
Brookside
MILL HILL
BURGESS LANE
Broadfield Lodge Farm
Bush Wood
Park Wood
Ellen Green
Steward's Ley
Chapel Wood
Middle Wood
Great Wood
Lodge Farm
Four Acre Wood
Blunt's Wood
Hall Farm
Broadfield Hall
Needle Spring
Foxholes Wood
Boldero's Wood
Middle Farm
Middle Farm Cottages
Lower Farm
Lower Farm Cottages
Southfields Farm
Pond
THROCKING LANE
Chalk Pit
HORNEYWOOD LANE
Little Wood
Thistley Vale
Throcking
Old Rectory
32
33
34
35
31

H J K **15** L M N

1

2

SG8

3

4

28

5

6

7

8

9

Reed Wood

Hilly Wood

A10

Southfield Grove

Greenways

Poultry Farm

HIGH ST.

HIGH LONDON ROAD

B1368

Howlet's Farm

GAS LA.

Sewage Works

King's Buildings

BIGGIN HILL

Moat

Biggin Manor

Biggin Bridge

Weir

Cave Bridge

Cave Hall Cottages

Cavehall Plantation

Bull Moat

Depot

BULL LANE

Brick Cottages

Buckland House

Buckland Bury

BACK LANE

DAW'S LANE

Buckland

Dades's Wood

E A S T

H E R T F O R D S H I R E

n g f o r d

CHIPPING HILL

Reservoir (covered)

Pumping Station

THE SQUARE

Chipping

Chipping Bridge

Chipping Hall

Chipping Hall Cottages

ERMINE STREET (ROMAN ROAD)

A10

RIB

Capons Wood

Forty Acre Plantation

Cherry Orchard Plantation

Wyddial Hall

Wyddial Park

Wyddial

The Old Rectory

Wyddial Bury Farm

Peartree Field Wood

Bushleys Grove

SG9

Dalefield Spring

Home Farm

Southside

Moat

Beauchamps

Brown's Corner

Moles Farm

Little Butter Hill

Brick Bridge

Arcadia

PARKSIDE

Corney Bury

Parkhill Plantation

River Rib

THROCKING LA.

Beauchamp's Plantation

Beauchamp's Wood

G H J K **39** L M N

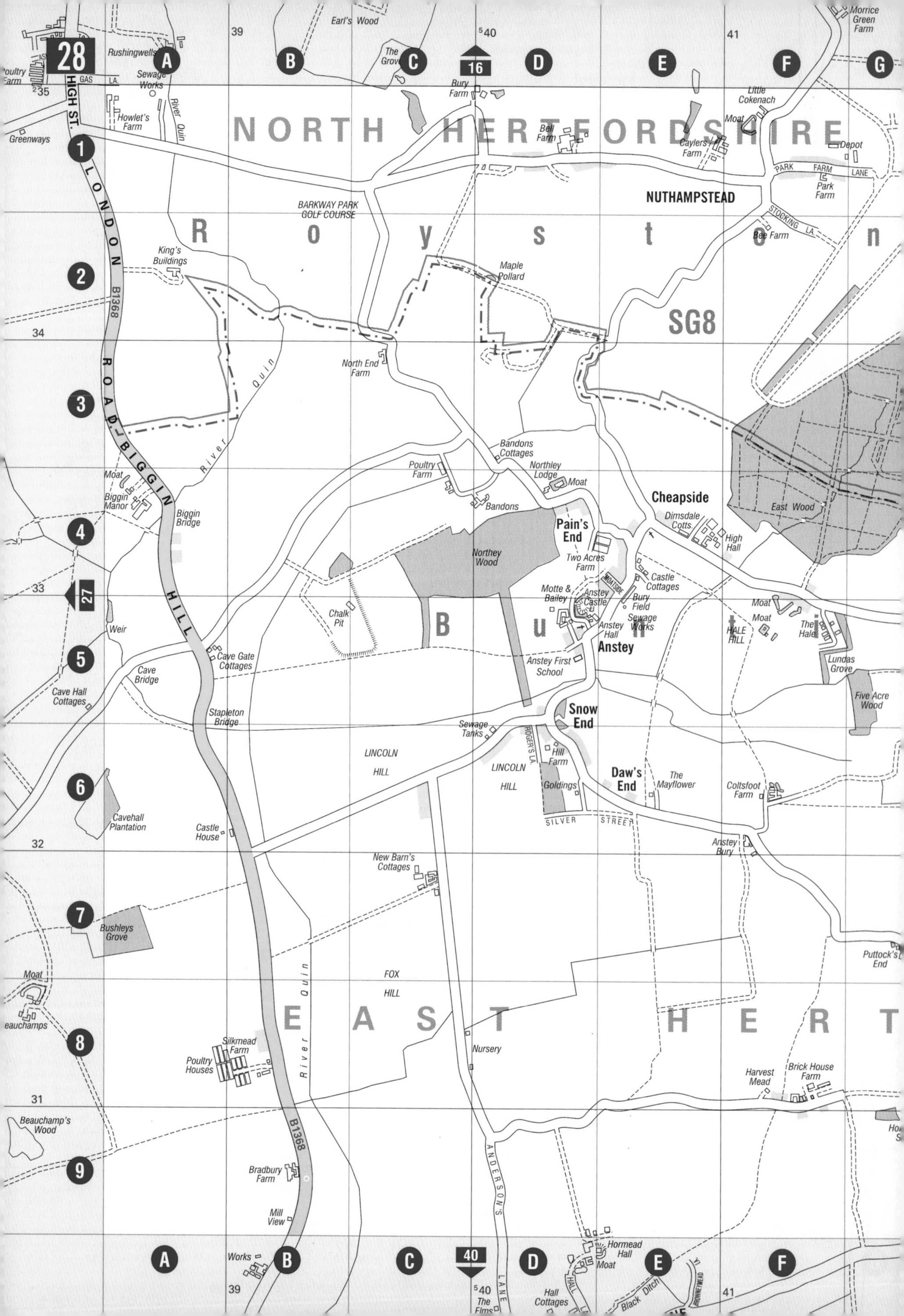
NORTH HERTFORDSHIRE
Royston
Buntingford
EAST HERT
SG8
NUTHAMPSTEAD
Cheapside
Anstey
Pain's End
Snow End
Daw's End
BARKWAY PARK GOLF COURSE
LONDON ROAD
BIGGIN HILL
HIGH ST.
B1368
Rushingwells
Sewage Works
Howlet's Farm
Greenways
Poultry Farm
GAS LA.
Earl's Wood
The Grove
Bury Farm
Bell Farm
Little Cokenach
Moat
Caylers Farm
Depot
Morrice Green Farm
PARK FARM LANE
Park Farm
STOCKING LA.
Bee Farm
King's Buildings
Maple Pollard
North End Farm
River Quin
Bandons Cottages
Northley Lodge
Poultry Farm
Bandons
Biggin Manor
Biggin Bridge
Dimsdale Cotts.
High Hall
East Wood
Northey Wood
Two Acres Farm
MOATSIDE
Castle Cottages
Motte & Bailey
Anstey Castle
Bury Field
Sewage Works
Chalk Pit
Weir
Cave Gate Cottages
Anstey Hall
HALE HILL
The Hale
Lundas Grove
Five Acre Wood
Anstey First School
Cave Bridge
Cave Hall Cottages
Stapleton Bridge
Sewage Tanks
ROGER'S LA.
Hill Farm
LINCOLN HILL
Goldings
The Mayflower
Coltsfoot Farm
Cavehall Plantation
Castle House
SILVER STREET
Anstey Bury
New Barn's Cottages
Bushleys Grove
Puttock's End
FOX HILL
Beauchamps
Silkmead Farm
Poultry Houses
Nursery
Harvest Mead
Brick House Farm
Beauchamp's Wood
ANDERSON'S LANE
Bradbury Farm
Mill View
Hormead Hall
Works
HALL
Hall Cottages
Black Ditch
BROWNMEAD
The Elms
16
27
40
39
540
41
35
34
33
32
31
A
B
C
D
E
F
G
1
2
3
4
5
6
7
8
9

17
41
UTTLESFORD
Saffron Walden
Uttlesford
HERTFORDSHIRE
CB11
SG9
LANGLEY
Upper Green
Lower Green
Bird Green
Further Ford End
Ford End
Meesden
Blackhall
Cole Green
BRENT PELHAM
Langley Lawn
Potterells
Lawn Cottage
Bethune
The Straws Ford
Long View
The Crest
New Farm
Sewage Works
The Old Vicarage
The Want Cottage
Laburnham House
Bury Farm
Brices Farm
Church Farm
Cricket Grd.
The Hall
Landing Strip
White Hill
The Beehive
Smaley Wood
Elm Cottages
Filter Bed
Jubilee Cottages
Walkers
Town Close
Water Tower
Hall
Manor Farm
Meesden Green
Home Farm
Rose Cottages
Ladylike Grove
Meesden Bury Bungalows
Meesden Bury Cottages
Moat
Meesden Bury
Meesden Bridge
Barnsford
Rectory Farm
Meesden Hall
Meesdenhall Wood
Yew Tree Farm
Oxbury Wood
Westley Farm
Chamberlain's Wood
Moat
Black Hall
Parish Acre
River Ash
Hunt Cottages
Filter Beds
Kennels
Cole Green Farm
Mill Mound
Hall Wood
Beeches Wood
The Bury
Brent Pelham Hall
Hall Farm House
The Vicarage
Down Hall Farm
Shonk's Moat
Borley Green Cottages
Laundry Cott.
Beeches
Gray's Cottages
Weasel Cottage
LOWER COTTAGES
HOWLETT'S COTTS.
THE CAUSEWAY
CUT-THROAT LANE
PUMP HILL
B1038
RIVER STORT
PARK LANE
LOWER GREEN
BULL LANE
UP END
ROPER'S LANE
COOKSALDICK LANE
NANCY'S LA.
BEARD'S LA.
CAKEBREAD'S LANE
MILL LANE
WOOD LANE
WILLOUGHBY LANE
SHORTGREEN LA.
THE KANGLES
LONG LEY
HIGHFIELDS
42
43
44
45
35
34
33
32
31
H
J
K
L
M
N
G
1
2
3
4
5
6
7
8
9

Sharpenhoe
Moat
Barton Road
Sharpenhoe Road
Little Chantry
Roberts Farm
Priory Farm
Sharpenhoe Clappers
Settlement
Monument
Suncote Lodge
MK45
Bedford
SOUTH BEDFORDSHIRE
Smithcombe Valley
Smithcombe Hill
Watergutter Hole
Table Hill
Cow Hole
The Firs
Fernhill Wood
Rangley's Spinney
Holt Wood
Holtwood Farm
Reservoir (Covered)
Sundon Road
Streatley Road
Streatley Lower School
Sharpenhoe Road
Play. Fld.
Top Farm
Church Road
Streatley
Churchill Cl.
Stanley Road
Middle Farm
Bury Lane
Luton
Barton Road
Luton Road
A6
Streatleybury
Swedish Cottages
Icknield Way Path
LU3
Bury Farm
New Farm
George Wood
St. Margaret's
Great Bramingham Farm
Bramingham Lane
Football Ground
Telephone Exchange
Hall
Dunstall Road
Hexton Road
Manor Road
Arnold Middle School
Hyde Farm
Ten. Cts.
Rectory Farm
Washbrook Cl.
Orchard Cl.
Rec. Grd.
Pav.
Church Road
Cemetery
Strip Lynchets
B655
Luton Road
Private Road
East Hill
Reservoir (covered)
Leat Wood
Barton Hills
Turnpike Drive
Club House
South Bedfordshire Golf Course
Cardinal Newman R.C. High Sch.
Luton
Whitehorse Vale
Great Bramingham Wood
Playing Field
Subway
Lea Manor Rec. Cen.
Lea Manor High Sch. & Comm. Coll.
Whitefield Jun. & Inf.
Surgery
Superstore
Quantock
Enterprise Way
Bramingham Business Park
Barnfield Tech. Cen.
46
18
06
07
08
09
26
27
28
29
30

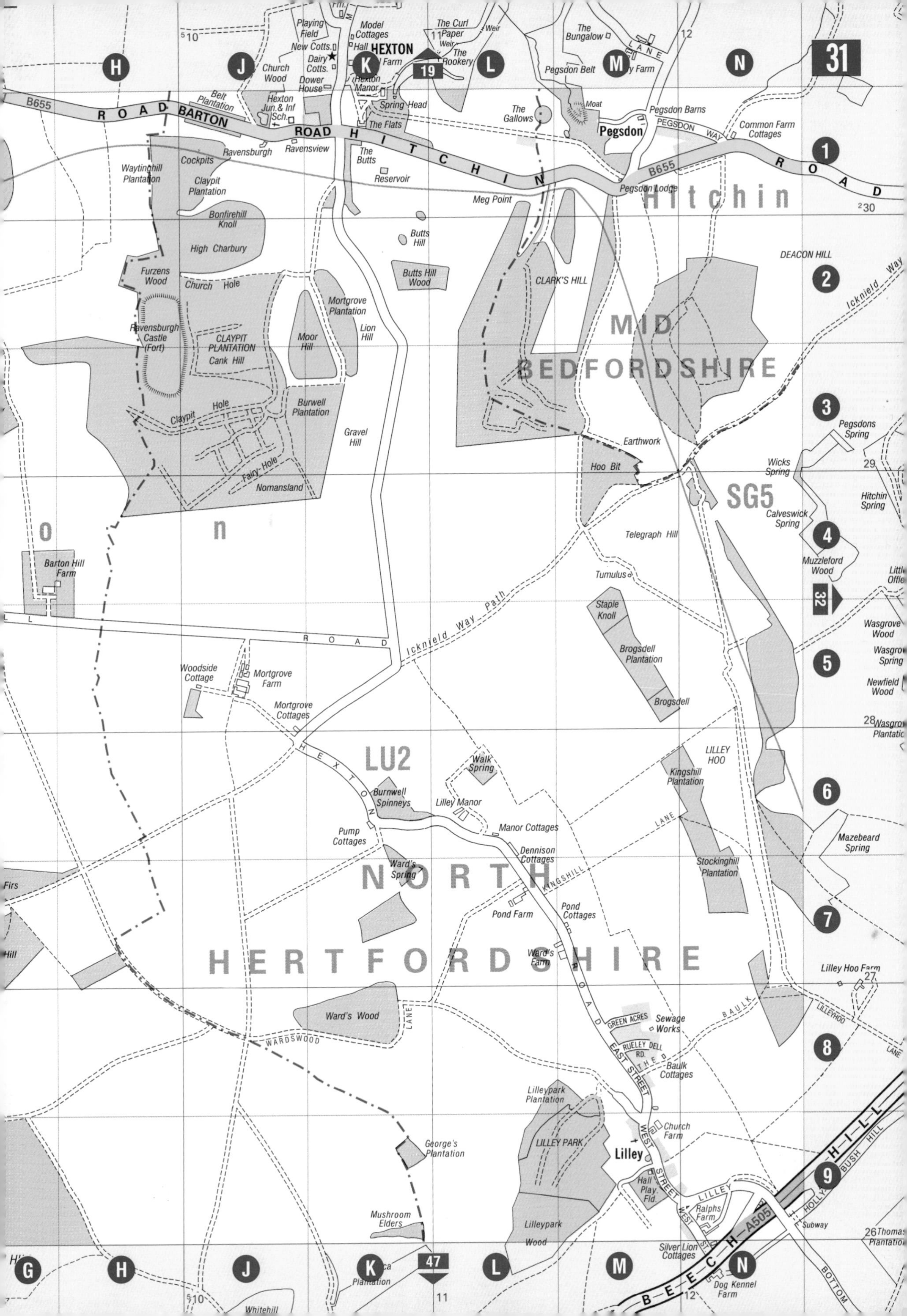
HEXTON
19
Playing Field
Model Cottages
New Cotts.
Dairy Cotts.
Hall Farm
The Curl Paper
Weir
The Rookery
The Bungalow
Church Wood
Dower House
Hexton Manor
Spring Head
The Flats
Pegsdon Belt
Moat
The Gallows
Pegsdon
Pegsdon Barns
PEGSDON WAY
Common Farm Cottages
B655
ROAD BARTON
Belt Plantation
Hexton Jun.& Inf Sch.
ROAD HITCHIN
Ravensburgh
Ravensview
The Butts
Reservoir
Waytinghill Plantation
Cockpits
Claypit Plantation
Pegsdon Lodge
Meg Point
Hitchin
DEACON HILL
Bonfirehill Knoll
High Charbury
Butts Hill
Butts Hill Wood
Furzens Wood
Church Hole
CLARK'S HILL
Icknield Way
Mortgrove Plantation
Ravensburgh Castle (Fort)
CLAYPIT PLANTATION
Cank Hill
Moor Hill
Lion Hill
MID BEDFORDSHIRE
Burwell Plantation
Claypit Hole
Gravel Hill
Earthwork
Pegsdons Spring
Wicks Spring
Hoo Bit
Fairy Hole
Nomansland
SG5
Hitchin Spring
Calveswick Spring
Telegraph Hill
Muzzleford Wood
Barton Hill Farm
Tumulus
32
Staple Knoll
Icknield Way Path
ROAD
Wasgrove Wood
Brogsdell Plantation
Woodside Cottage
Mortgrove Farm
Newfield Wood
Brogsdell
Mortgrove Cottages
LU2
LILLEY HOO
HEXTON
Walk Spring
Kingshill Plantation
Burnwell Spinneys
Lilley Manor
LANE
Manor Cottages
Mazebeard Spring
Pump Cottages
Dennison Cottages
Ward's Spring
NORTH
KINGSHILL
Stockinghill Plantation
Firs
Pond Farm
Pond Cottages
Ward's Farm
HERTFORDSHIRE
Lilley Hoo Farm
Hill
Ward's Wood
LANE
GREEN ACRES
Sewage Works
BAULK
LILLEYHOO
WARDSWOOD
RUELEY DELL RD.
THE
Baulk Cottages
EAST STREET
Lilleypark Plantation
Church Farm
WEST
George's Plantation
LILLEY PARK
Lilley
Hall Play. Fld.
STREET
LILLEY
Ralphs Farm
Mushroom Elders
Lilleypark Wood
A505
Subway
BEECH HILL
HOLLYBUSH HILL
Silver Lion Cottages
Dog Kennel Farm
Thomas Plantation
47
Plantation
Whitehill
BOTTOM
H J K L M N
1 2 3 4 5 6 7 8 9
G H J K L M N

A
B
C
D
E
F
G
20
13
14
515
Highdown Farm
Highdown Cottages
Lower Plantation
High Down House
Highdown Plantation
Tumulus
Tingley Wood
Hanginghill Plantation
MID BEDFORDSHIRE
Common Farm Cottages
Tingley Field Plantation
Punch's Cross
HITCHIN
B655
ROAD
Icknield Way
Tingley Cottage
Wellbury Cottages
Shrub Wood
HEXTON
230
DEACON HILL
Icknield Way Path
Lodgefield Plantation
Old Wellbury
Sallow Wood
Woodfield Cottage
Lodgefield Plantation
Conduit Plantation
B655
Park View
Markham's Hill
Gravelhill Plantation
New Wellbury
NORTH HERT
Pegsdons Spring
Wellbury House
Markham's Lodge
Markhamshill Plantation
Swimming Pool
29
Wicks Spring
Hitchin Spring
Dovesclose Spring
Saddle Plantation
SG5
Calveswick Spring
Wellbury Lower Wood
Muzzleford Wood
Little Offley
31
Wasgrove Wood
South Lodge
Summer Wood House
Summer Wood
Wasgrove Spring
North Lodge
Newfield Wood
H i t
Clouds Hill Farm
West Lodge Cottages
Clouds Hill Cottages
28
Wasgrove Plantation
Newfield Spring
Offley Grange
LILLEY HOO
Lawrance's Springs
Garden Cottage
The Cottage
STOCKING LANE
Clouds Hill
Birkitt Hill
Birkitt Hill House
Mazebeard Spring
HONEYSUCKLE LA
Westend Farm
SCHOOL
HILL
Minsbury Hill
Minsbury Plantations
Offleyroad Plantation
OFFLEY
Peartree Acre Wood
Jun. Sch.
New Plantation
MEADOW WAY
LANE
HILLTOP COTTS.
Westbury Farm
Oldroad Plantation
Icehouse Plantation
HIGH ST
Lilley Hoo Farm
27
GREAT OFFLEY
Offley Place
Aldwicks Plantation
BAULK
LILLEYHOO
Hill Rise
WEST LA
KINGS
Gardenfield Spinney
Mill Farm
Claypit Cottages
Rec. Grd.
Botanybay Plantation
Chalk Hill
LAWNS CL
Clarion Ho.
SALUSBURY
HILL
LANE
GOSLING
CLARION CL
The Flints
LUTON
HARRIS
LANE
Luton
RED LION COTTS.
ANGEL COTTS.
Glebe Farm
Keeper's Cottage
HILL
WHITE
A505
BEECH
Angels Farm
WALDEN
HOO COTTAGES
HOO FARM COTTAGES
LANE
Mead Springs
Mead Springs
HOO
LU2
HOLLYBUSH
Subway
Offley Hoo
Cockroost Spring
Thomas Plantation
26
Cornelius Wood
ROAD
Angel's
48
Dog Kennel Farm
LUTON
Guys
13
WESTBURY
515
Haycock

HITCHIN
Westmill
Oughtonhead Common
River Oughton
Oughton Head Pumping Station
Oughton Head
Oughton Head Farm
Oughton Head Farm Cotts.
Ducklands Cottage
Pirton Cross
Manley Bungalow
Holdings Farm
Offley Bottom
Foxholes
Lavender Barn
Headlands
Sports Ground
Samuel Lucas Prim. Sch.
Mount Pleasant
The Willows
Kennel Farm
Offley Cross
Halfway Hill
PRIORY PARK
Hitchin Hill
The Priory
Old Mill House
Windmill (Disused)
Mill Farm
Charlton
Temple End
Temple End Bungalow
Wellhead
Maydencroft Manor
Calderwood Stables
Gosmore End House
Gosmore
Gosmore Bury
Avenue Farm
Village Grn.
Playing Field
Mill Farm
Sloe Hill
The Pound
Pound Farm
Tollington
Hunters Gate Farm
Thistley Farm
Tatmore Place Farm
Tatmore Place
Gosmore Hill
Gosmore Hill Lodge
King's Hill Plantation
The Warren
Leggatts
Harkness Hall
Vicarsgrove Farm
Vicar's Grove
SG4
The Lodge
Offley Holes Farm Cotts.
Pinnacle Hill
Pinnaclehill Plantation
Target Plantation
The Downs
Offleyholes Farm
Dellacre Wood
West Wood
The Old Coach House
Sunnyside
Woodside Open Air Theatre
Windmill Hill
Highbury Inf. Sch.
St. Andrew's Prim. Sch.
Hitchin Town F.C.
Top Field
Wilshere Jun. Sch.
Butt's Close
Swim. Pool
Hitchin Boy's Sch.
King George V Playing Field
Sports Ground
Bus Depot
Depot
Walsworth
BEDFORD ROAD A600
FISHPONDS A505 RD.
NIGHTINGALE ROAD
WALSWORTH B656 ROAD
PIRTON ROAD B655
OFFLEY RD.
PARK WAY A602
STEVENAGE ROAD
LONDON ROAD B656
OUGHTONHEAD LANE
WINDMILL LANE
MAYDENCROFT LANE
HITCHIN ROAD
PRESTON ROAD
THISTLEY LANE
WATERDELL LANE
TATMORE HILLS
HOAR'S LANE
TEMPLE CLOSE
CHARLTON ROAD
FORDSHIRE
chin
H J K L M N
G H J K L M N
1 2 3 4 5 6 7 8 9
16 17 18 19
21 34 49

Walsworth
Hitchin
Purwell
Oakfield
Sunnyside
Gosmore
St. Ippollitts
St. Ibbs
Little Almshoe
Ashbrook
GREAT WYMONDLEY
LITTLE WYMONDLEY
Redcoats
Titmore Green
Lower Titmore Green
Todd's Green
LETCHWORTH GOLF COURSE
SG5
SG4
NORTH HER
Hitc
CAMBRIDGE ROAD
NIGHTINGALE ROAD
WALSWORTH ROAD
STEVENAGE ROAD
LITTLE WYMONDLEY BY-PASS
HITCHIN ROAD
WILLIAN ROAD
PINEHILL HOSPITAL
North Herts. College
Sports Centre
Playing Fields
Lower Plantation
Upper Plantation
The Belt
Ash Plantation
Manor Farm
Grange Farm
The Priory
Remains of Priory (Augustinian)
Wymondley Hall
The Old Vicarage
Blakemore Hotel
Wymondley Transforming Station
Cemetery
Bury Wood
Lucas's Wood
Pig Farm
Poultry Farm
Vicarsgrove Farm
Harkness Hall
Little Almshoe Farm
Almshoe Bury Cottages
The Wyck
Peascod Hall
Greenbanks
Thistley Farm
St. Ibbs Farm
Mill Farm
Pound Farm
Sewage Works
Oakfield Farm
Kingshott School
Swimming Pool
Hillcrest
Wymondley Primary School
Longwood
The Orchard
Highover Farm
A505
A602
B656
22
33
50

Letchworth
SG6
Weston
Damask Green
Graveley
Chesfield Park
Stevenage
SG1
Junction 8
A1(M)
Motorway
B197
Lannock Hill
Lannock Manor Farm
Lannock Spring
Lannock Manor
Jack's Hill Farm
Chelsfield Downs Family Golf Centre
How Wood
Stonesley Wood
Claypits Wood
Harbourclose Wood
Ledge Side Plantation
Manor Farm
Round Wood
Ten Acre Plantation
Gorsedell Plantation
Park Plantation
Smugglers Dell
Duckdell Plantation
St. Nicholas Park
Tilekiln Wood
Caravan Park
Reservoir (covered)
Graveley Hall Farm
Graveley Bury
The Rectory
The Old Rectory
Crow End
Graveley Prim. Sch.
Lister Hospital
Corey's Mill
Sports Ground
Canterbury Park
Rook's Nest House
Rook's Nest Cottage
Rook's Nest Farm
Martins Way
A1072
A602 Road
Martins Wood Jun. & Inf. Sch.
Pin Green
John Henry Newman R.C. Sch.
Football Ground
Playing Field
Cemetery
Water Works

WESTON
Church End
Damask Green
Warren's Green
Hall's Green
NORTH HERTFORD
Hitchin
SG4
SG1
STEVENAGE
EAST
Steve
Darnall's Hall Farm
Old Farm
Water Tower
Horseshoe Farm
Oakley's Farm
Weston Bury
Burymead
Weston Jun.& Inf. Sch.
Works
Hall
Manor House
Recreation Ground
Vicarage
Cowmead
Glebe Cottage
Town Farm
Pond
Cricket Ground
Pav.
Park Lodge
Oaken Dell
Barnacks Hill Wood
Sewage Works
Bullock's Pasture Plantation
Top Plantation
Weston Park
Park Wood
Bottom Plantation
Long Plantation
Weston Lodge
Fairclough Hall Farm
Earthworks
Irongate Farm
Fontley
Bonfield's Lower Plantation
Warrensgreen Farm
Bonfield's Upper Plantation
Friend's Green Farm
Warrensgreen Cottages
The Thatched Cottage
Warrensgreen Wood
Irongate Cottage
Donkey Hall
Fontley Lodge
Claypits Wood
The Bungalows
Tilekiln Cottages
Tile Kiln Farm
Dell Spring
Leatherwells
Howells Farm
Hick's Grove Cottages
Hick's Grove
Longdell Wood
Tilekiln Wood
Parsonsgreen Wood
New Spring
Dane End Farm Cottage
Howell's Wood
Nine Acre Spring
Newberry Grove
Dane End
The Warren
Brooches Wood
Smugglers Dell
Duckdell Plantation
Botany Bay Farm
St.Nicholas Park
Sheepleys Spring
Wychelms Spring
CHURCHEND COMMON
Claypithills Spring
Hangbois Wood
Jack Pallett's Spring
The Leys Jun. Mixed & Inf. Sch.
Wellfield Wood
Depot
Wks.
PARSONS GREEN INDUSTRIAL ESTATE
Works
Nature Reserves
Lobs Hole
BOX WOOD
Boxbury Farm
Nursery
Martin's Wood
Martins Wood Jun. & Inf.Sch.
Boxwood Lodge
Box Wood
Boxbury Farm Cottages
Round Diamond Prim. Sch.
Nrsy. Sch.
Pin Green
Comm. Cen.
Coldash Wood
Rydals
Finche's
Rooks Nest Farm
Springhill
HITCHIN ROAD
LANE
MILL LANE
FORE STREET
MAIDEN STREET
THE SNIPE
FRIARS
MARLBOROUGH CL.
WOODLANDS MEAD
ROWAN CL.
DAMASK CL.
DAMASK GREEN ROAD
SCHOOL LANE
MUNTS MEADOW
CHURCH LANE
LOLLEYWOOD
WARRENSGREEN
HALLSGREEN
LANE
LANE END DANE
DOVEHOUSE
FROGHALL LANE
MOORS LEY
AUBRIES
WENHAM CT.
STEVENAGE ROAD
WHITWORTH
SENATE PL.
RD.
WEDGWOOD CT.
SALISBURY RD.
LINCOLN RD.
WINCHESTER RD.
RIPON ROAD
BOULTON
WEDGWOOD PK.
ROAD
BEVERLEY RD.
EXETER CL.
CANTERBURY ROAD
PILGRIMS WAY
SOUTHWARK CLOSE
CARTWRIGHT ROAD
ELY CLOSE
WELLS CL.
CHESTER RD.
COVENTRY CL.
NORWICH CL.
DURHAM
WEDGWOOD WAY
GRESLEY WAY
MARTINS ROAD
ASCOT CRES.
SEFTON
VERITY WAY
ARTHUR GIBBENS CT.
ST MARTIN'S HO.
THE OVAL
BRADMAN WAY
HOBBS CT.
MILDMAY ROAD
DERBY WAY
LINGFIELD ROAD
SANDOWN ROAD
HELLEBORE CT.
ST. MICHAELS CT.
WETHERBY RD.
AYR
CHEPSTOW CL.
DONCASTER CL.
JULIA GATE
APOLLO WAY
AUGUSTUS GATE
GORDIAN WAY
VALERIAN WAY
TRAJAN GATE
ROMAN
EMPERORS GATE
ALEXANDER GATE
FORTUNA
HADRIAN
TIBERIUS
FAIRLANDS WAY
Sub.
Sub.
Sub.
24
35
52
30
29
28
26
27
28
60
A
B
C
D
E
F
G
1
2
3
4
5
6
7
8
9

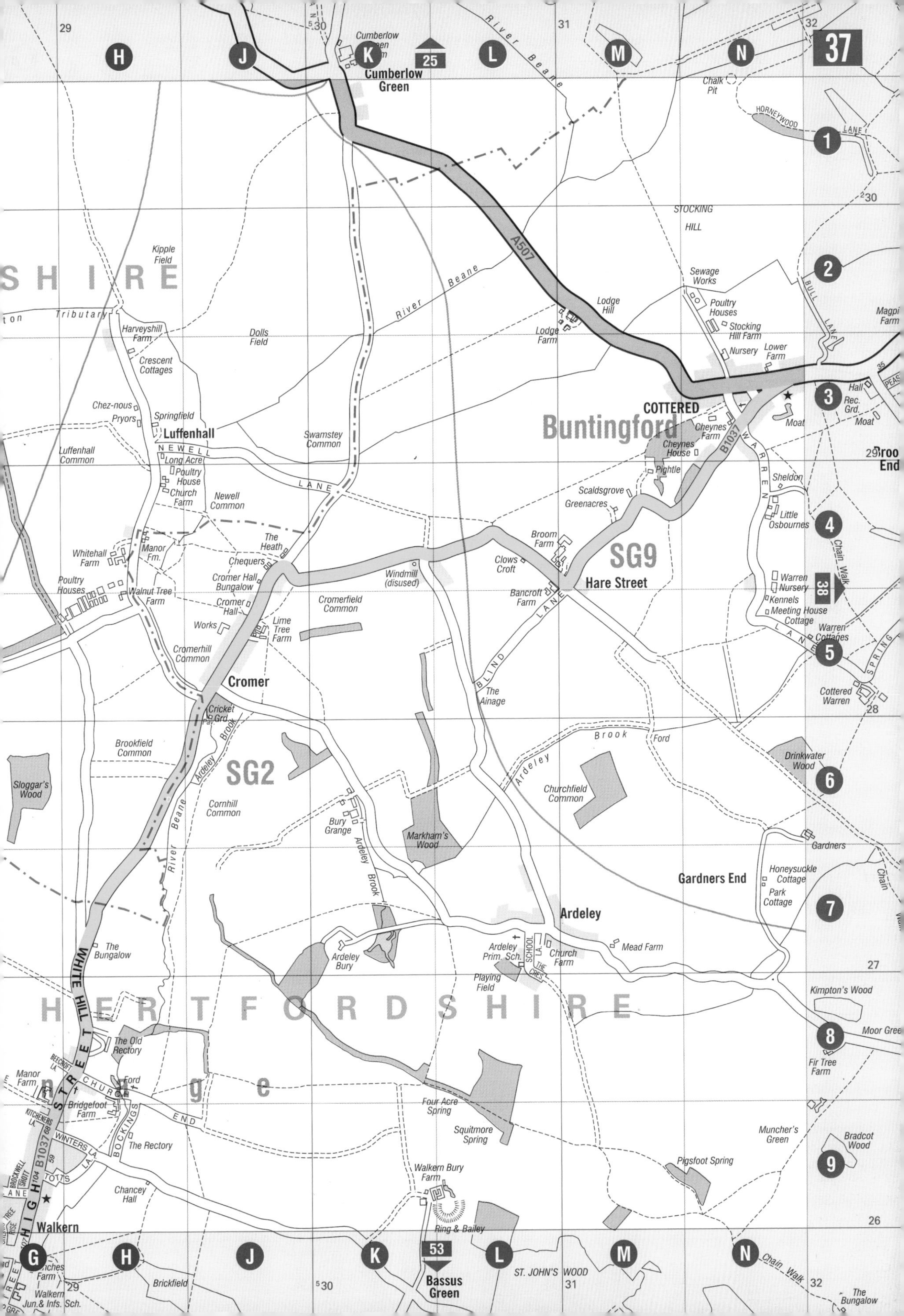
Cumberlow Green
Cumberlow Green Farm
25
River Beane
Chalk Pit
Horneywood Lane
Stocking Hill
Sewage Works
Poultry Houses
Stocking Hill Farm
Nursery
Lower Farm
Lodge Hill
Lodge Farm
A507
Kipple Field
SHIRE
Tributary
Harveyshill Farm
Crescent Cottages
Dolls Field
River Beane
Bull Lane
Magpie Farm
Cottered
Buntingford
Hall
Rec. Grd.
Moat
Cheynes Farm
Cheynes House
Pightle
B1037
Warren
Chez-nous
Pryors
Springfield
Luffenhall
Luffenhall Common
Swamstey Common
Newell Lane
Long Acre
Poultry House
Church Farm
Newell Common
Scaldsgrove
Greenacres
Sheldon
Little Osbournes
Chain Walk
Broom Farm
SG9
The Heath
Chequers
Whitehall Farm
Manor Fm.
Cromer Hall Bungalow
Windmill (disused)
Clows Croft
Hare Street
Warren Nursery
Kennels
Meeting House Cottage
Warren Cottages
38
Poultry Houses
Walnut Tree Farm
Cromer Hall
Bancroft Farm
Cromerfield Common
Works
Lime Tree Farm
Blind Lane
Cromerhill Common
Cromer
The Ainage
Cottered Warren
Spring Lane
Cricket Grd.
Pav.
Brook
Ford
Brookfield Common
Ardeley Brook
SG2
Drinkwater Wood
Sloggar's Wood
Churchfield Common
Cornhill Common
Bury Grange
Markham's Wood
Gardners
River Beane
Ardeley Brook
Gardners End
Honeysuckle Cottage
Park Cottage
Ardeley
The Bungalow
Ardeley Prim. Sch.
School La.
The Cres.
Church Farm
Mead Farm
Ardeley Bury
Playing Field
Kimpton's Wood
White Hill
HERTFORDSHIRE
Moor Green
The Old Rectory
Fir Tree Farm
Beecroft La.
Manor Farm
Church End
Ford
Bridgefoot Farm
Kitcheners La.
Bockings
Four Acre Spring
Squitmore Spring
Muncher's Green
Bradcot Wood
Winters La.
The Rectory
High Street
Walkern Bury Farm
Pigsfoot Spring
Totts
Brockwell Shott
Chancey Hall
Ring & Bailey
Walkern
53
Bassus Green
St. John's Wood
Chain Walk
The Bungalow
Brickfield
Walkern Jun.& Infs. Sch.

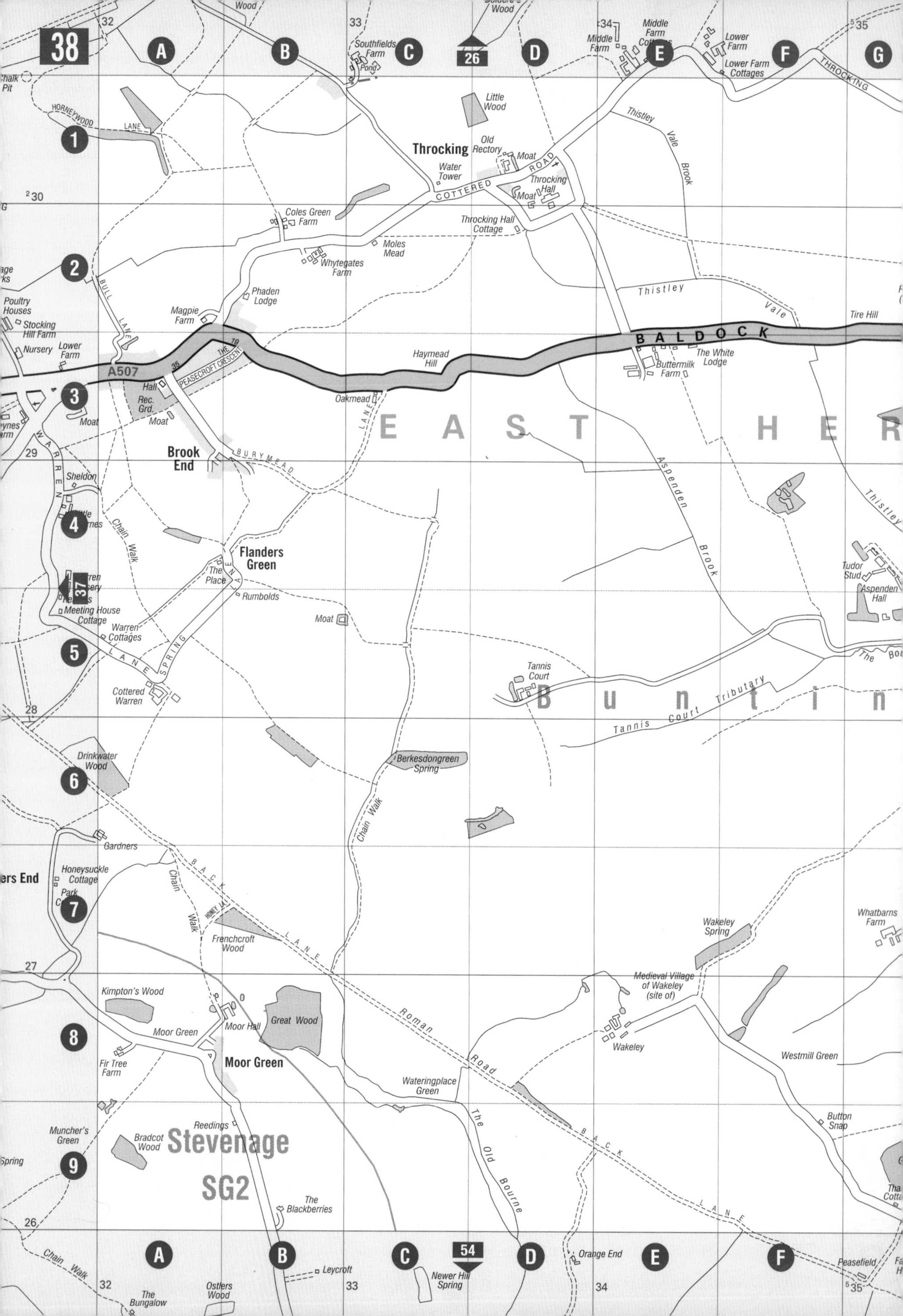

Throcking
Brook End
Flanders Green
Moor Green
Stevenage
SG2
EAST HER
Buntin
A507
BALDOCK
COTTERED ROAD
THROCKING
Southfields Farm
Pond
Little Wood
Old Rectory
Moat
Water Tower
Throcking Hall
Throcking Hall Cottage
Middle Farm
Middle Farm Cottages
Lower Farm
Lower Farm Cottages
Thistley
Vale
Brook
Coles Green Farm
Moles Mead
Whytegates Farm
Phaden Lodge
Magpie Farm
BULL LANE
HORNEYWOOD LANE
Chalk Pit
Poultry Houses
Stocking Hill Farm
Nursery
Lower Farm
THE PEASECROFT CRESCENT
Hall
Rec. Grd.
Haymead Hill
Buttermilk Farm
The White Lodge
Tire Hill
Oakmead
LANE
BURYMEAD
WARREN
Sheldon
Chain Walk
The Place
Rumbolds
Moat
Meeting House Cottage
Warren Cottages
SPRING LANE
Cottered Warren
Aspenden Brook
Tudor Stud
Aspenden Hall
Tannis Court
Tannis Court Tributary
Drinkwater Wood
Berkesdongreen Spring
Gardners
Honeysuckle Cottage
Park
BACK LANE
HONEY LA
Frenchcroft Wood
Wakeley Spring
Whatbarns Farm
Medieval Village of Wakeley (site of)
Wakeley
Westmill Green
Kimpton's Wood
Moor Green
Moor Hall
Great Wood
Fir Tree Farm
Roman Road
Wateringplace Green
The Old Bourne
Button Snap
Muncher's Green
Bradcot Wood
Reedings
The Blackberries
Spring
Chain Walk
The Bungalow
Ostlers Wood
Leycroft
Newer Hill Spring
Orange End
Peasefield
26
37
54

H J K 27 L M N

1

2 30

2

HAR
STRE

ROAD

3

29 STON

SWAN

4

40

5 Stonebury Farm

Moat 28

6

7 Moat

27

8

Wind Pump (disused)

9

26

River Rib 36 37 **27** 38

Parkhill Plantation

Grave Yard

Gooseacre

CAUSEWAY

Hillcrest
Brickfields Cottages
B1038
Upstones
Greatstones
Cemetery
Highfields

Playing Field

PARK FARM IND. EST.

The Ward Freman Sch.

Park Farm

VICARAGE RD.

HIGH RD.
CYCLERS LA.

Little Court

Alswick Hall Cottages

STREET

Alswick Hall
Alswick Hall Farm

Alswickhall Wood

Edwinstree School

GREENWAYS

NORFOLK RD.
THE GREEN

BRIDEWELL LA.
CHURCH ST.
SPRING GARDEN RD.

Layston First School

Newtown

Alswick Hall

THE WILLOWS

Ten. Cts.
Ten. Cts.
BOWLING
Playing Fields

WHITE HART

P
V

Mill Cottages

ROAD BALDOCK B1038 ROAD

A507

LONGMEAD

MONKS

Ten. Cts.
BOWLERS MEAD
DIXON ST.

HIGH ST.

HARE

Recreation Ground

Mill Cottages

A10

LANE

Owles Hall

OWLES LA.

Owles Farm

T F O R D S H I R E

Millfield First School

Comm. Cen.

SNELLS MEAD

OWLES LA.

Haley Hill Ditch

29 STON

OAK END
NEWTON WAY
LUYNES
PLASHERD CL.
BIRLEY
KNIGHTS CL.

The Watermill

RISING

LONDON ROAD

FAIRFIELD

Fairfield

Haley Hill

BUNTINGFORD

Sewage Works

WATERMILL INDUSTRIAL ESTATE

WINDMILL HILL

Depot

Camp Wood

Vale

The Stud Cottage

Westminster Pond

Aspenden

Home Farm

QUEEN'S CT.

ASPENDEN RD.
THE BOURNE

Aspenden Bridge

A10

Recreation Ground
Pav.

LONDON ROAD

Dogkennel Wood

Room Wood

The Old Rectory

Aspenden House

g f o r d

SG9

Pinehill Farm

ERMINE STREET (ROMAN ROAD)

Cricket Ground

THE ROOKERY

Pavilion

Football Ground

Flint Cottages

Westmill

Townsend

PILGRIMS ROW
PILGRIMS CL.

Westmill Bury Farm

School
Rec. Grd.

Westmill Bury

Gaylors Farm

Langley Wood

River Rib

Long Spring

Westmill Lodge

Norwich Grove

aves Wood

Thrift Wood

Chileans

Thrift Cotts

Cherry Green

Millcroft Wood

Old Lodge Bank

COLES PARK

Cherry Green

G H J K 55 L M N

Tiller End

Coles

Hunsden Plantation

New Bridge

acy LANE

36 37 38

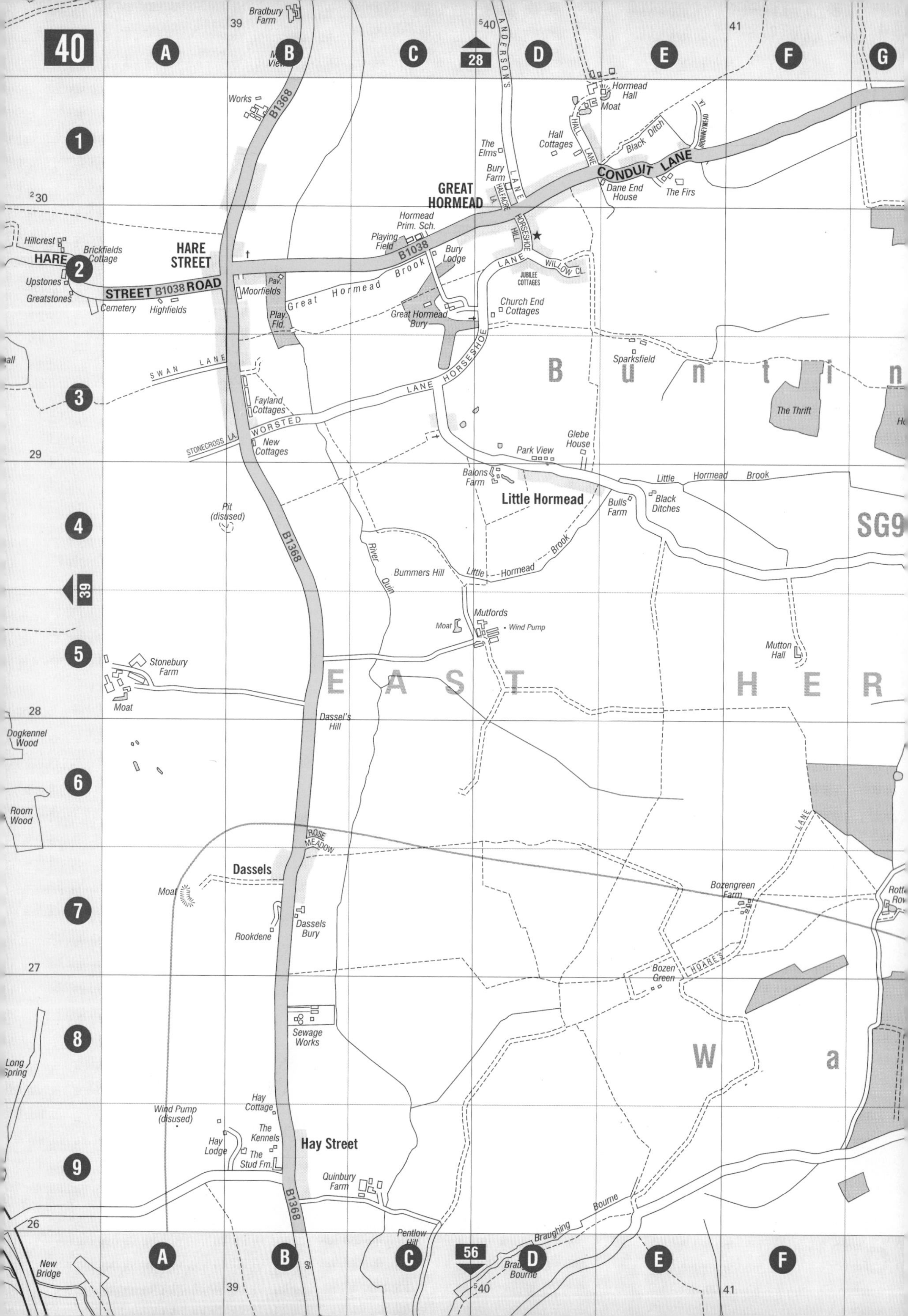
A
B
C
D
E
F
G
1
2
3
4
5
6
7
8
9
28
39
56
Bradbury Farm
Works
B1368
Hormead Hall
Moat
Hall Cottages
Black Ditch
CONDUIT LANE
The Elms
Bury Farm
GREAT HORMEAD
ANDERSONS LANE
Dane End House
The Firs
Hillcrest
Brickfields Cottage
HARE STREET
HARE STREET B1038 ROAD
Upstones
Greatstones
Cemetery
Highfields
Moorfields
Pav.
Play. Fld.
Hormead Prim. Sch.
Playing Field
B1038
Bury Lodge
HORSESHOE HILL
HORSESHOE LANE
WILLOW CL.
JUBILEE COTTAGES
Great Hormead Brook
Great Hormead Bury
Church End Cottages
Sparksfield
SWAN LANE
Fayland Cottages
WORSTED LANE
STONECROSS LA.
New Cottages
The Thrift
Buntingford
Glebe House
Park View
Balons Farm
Little Hormead
Little Hormead Brook
Bulls Farm
Black Ditches
SG9
Pit (disused)
River Quin
Bummers Hill
Mutfords
Moat
Wind Pump
Mutton Hall
Stonebury Farm
Moat
EAST HERTS
Dassel's Hill
Dogkennel Wood
Room Wood
ROSE MEADOW
Dassels
Moat
Dassels Bury
Rookdene
Bozengreen Farm
LANE
HOARE'S
Bozen Green
Sewage Works
Long Spring
Wind Pump (disused)
Hay Cottage
The Kennels
Hay Lodge
The Stud Fm.
Hay Street
Quinbury Farm
Pentlow Hill
Braughing Bourne
Braughing Bourne
New Bridge
39
40
41
26
27
28
29
30

H **J** **K** **L** **M** **N**

B1038

42 43 44 5 45

Three Acre Wood

Borley Green Cottages

The Vicarage

PUMP LN

Hall Farm House

Down Hall

Shonk's Moat

BRENT PELHAM

29

THE CAUSEWAY

LOWER COTTS

HOWLETT'S COTTS.

Laundry Cottage

Weasel Cottage

Washall Green Ho.

B1038

Beeches

Gray's Cottages

1

Washall Green

St. Patrick's Wood

HARTHAM COMMON

²30

Hall Wood

2

Stocking Farm

g f o r d

Violets Spring

Great Head Park

Moat

Whitebarns

Hall Cotts.

Stocking Pelham Hall

Moat

Stocking Pelham

3

Moat

ROAD

29

Hall

Fair Lady Wood

Lady Wood

The Willows

Merlin Wood

Whitebarns Cottages

WHITEBARNS LANE

FORD LANE

Newlands Kennels

Spoon Croft

Pav. Sprts. Grd.

4

Co Com

Cr G

Silla Farm

Beaufort Kennels

Sweetfield Cottage

The Willows

42 ▶

Duck Street Cottage

Keepers Cottage

Bower

Saunton

T F O R D S H I R E

Willows Farm

The Willows

WHITEBARNS LA

5

Furneux Pelham Hall

Shirley

Bradley Spring

The Mumble-Jumble

THE CAUSEWAY

FURNEUX PELHAM

Furneux Pelham Jun. & Inf. Sch.

Tinkers Hill Farm

STREET

Filter Bed

Barleycroft End

Lake Villas

Barleys

VIOLETS LANE

River Ash

Old Mill House

Bonhams

THE WASH

INNS

28

Lower Farm

East End

Lower Farm Cottage

6

Eastend Farm

Poultry Houses

High Wood

Patient End Farm

Bradley Cottage

Gables Cott.

Hill Cottage

Patient End

Brookside

The Old Common

Recreation Ground

Silos

Pleasant Hall

Sewage Works

Clay Chimneys

27

7

Little Mead

Kings Cottage

Hixham Cottages

8

Kings

r e

Fairfield Lodge

Hole Farm Cottages

SG11

White Cottage

Oaken Spring

River Ash

The Brown Bungalow

9

²26

Hole Farm

The Bothy

Patmore Hall Wood

G **H** **J** **K** **L** **M** **N**

Hole Spring

Kitchers

Kitcher's Pond

57

Middle Spring

Gravesend

Heath Farm

Patmore Heath

42 43 44 5 45

Square Spring

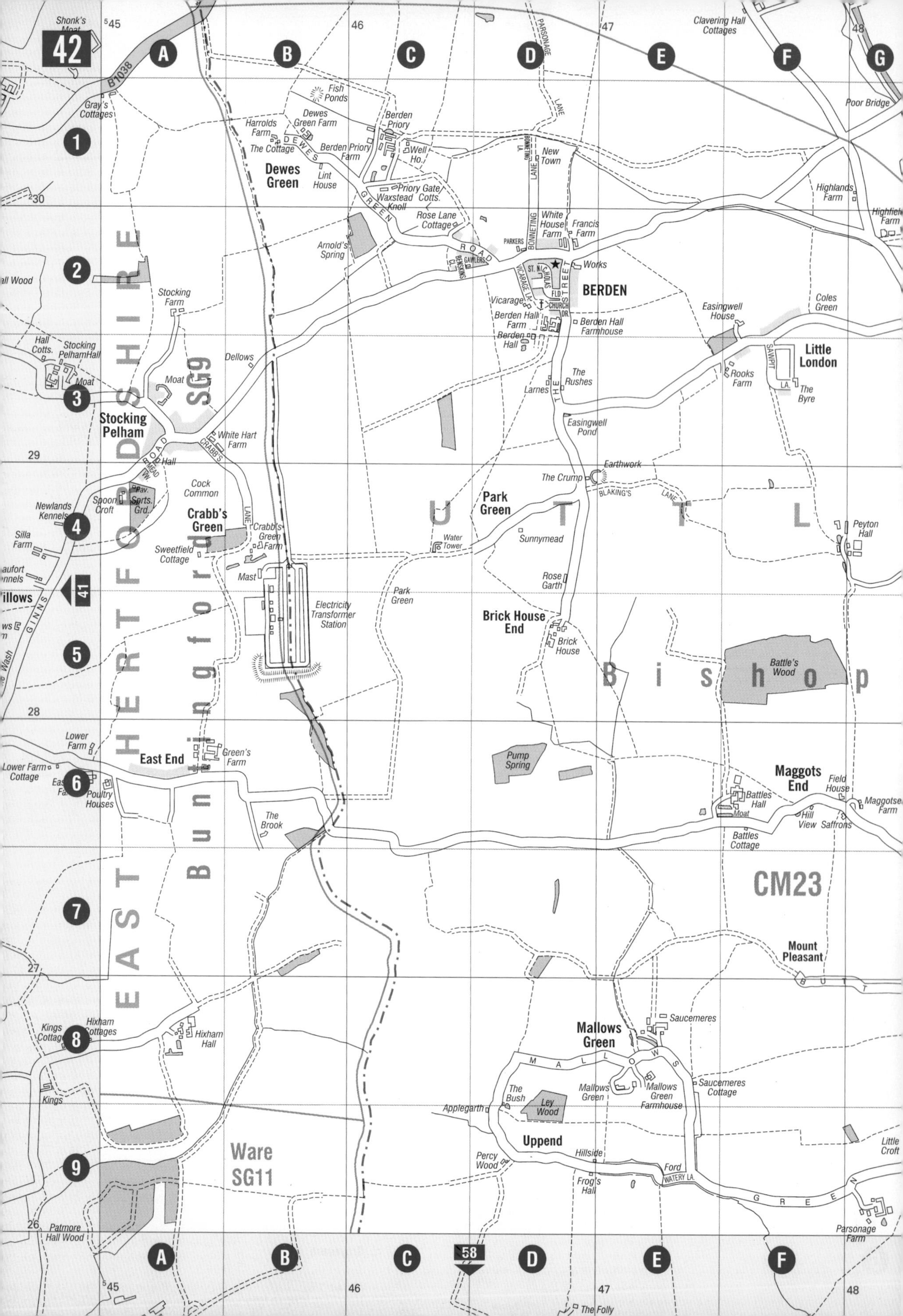

A **B** **C** **D** **E** **F** **G**

45 46 47 48

1

30

2

29

3

28

4

41

5

6

7

27

8

9

26

Shonk's Moat
Gray's Cottages
B1038
Fish Ponds
Harrolds Farm
The Cottage
Dewes Green Farm
Berden Priory Farm
Dewes Green
Lint House
Waxstead Cotts.
Berden Priory
Well Ho.
Priory Gate
Rose Lane Cottage
Arnold's Spring
New Town
White House Farm
Francis Farm
PARKERS
Works
BERDEN
St. Nic Church
Vicarage
Berden Hall Farm
Berden Hall Farmhouse
Berden Hall
The Rushes
Larnes
Easingwell House
Rooks Farm
Coles Green
Little London
The Byre

Highlands Farm
Highfield Farm

Stocking Farm
Dellows
Hall Cotts.
Stocking Pelham Hall
Moat
Moat
SG9
Stocking Pelham
Hall
White Hart Farm
Cock Common
Crabb's Green
Crabb's Green Farm
Sweetfield Cottage
Mast
Newlands Kennels
Spoon's Croft
Rav. Sports. Grd.
Silla Farm
Beaufort Kennels
Willows
Electricity Transformer Station
Park Green
Park Green
Water Tower
Sunnymead
Rose Garth
Brick House End
Brick House
Easingwell Pond
The Crump
BLAKING'S
Earthwork

Battle's Wood
Bishop
Peyton Hall
Easingwell

HERTFORDSHIRE
EAST Bunтingford

Lower Farm
Lower Farm Cottage
East End
Green's Farm
East Fm
Poultry Houses
The Brook
Pump Spring
Battles Hall
Moat
Maggots End
Field House
Hill View
Saffrons
Battles Cottage
Maggotse Farm

CM23

Mount Pleasant

Kings Cottage
Hixham Cottages
Hixham Hall
Kings
Kings
Mallows Green
Saucemeres
The Bush
Ley Wood
Mallows Green
Mallows Green Farmhouse
Saucemeres Cottage
Applegarth
Uppend
Hillside
Percy Wood
Frog's Hall
Ford
WATERY LA.
GREEN
Little Croft
Parsonage Farm

Ware SG11

Patmore Hall Wood

Clavering Hall Cottages
Poor Bridge

PARSONAGE

BONNETTING
ROAD
DEWES GREEN
CRABB'S LANE
GINNS

A **B** **C** **D** **E** **F**

58

45 46 47 48

The Folly

Pond Lay Plantation
Rickling House
QUENDON
Rickling Hall
Moat
Motte
Coney Acre
Saffron Walden
Rickling Green
Mace's Farm
Rickling C.of E. Prim. Sch.
Cricket Grd.
Bowling Green
QUENDON WOOD
Potash Spring
CB11
Play. Field
Bury Farm
Potash Farm
Northey Wood
Catherine Grove
Orchard Cottage
Broomwood
Birds End
Peacock
Sundown
Harcamlow Way
The Lodge
E S F O R D
Calendar Spring
Burney Wood
Broom Wood
Ugley
The Maltings
Parsonage Farm
The Old Vicarage
's Stortford
Oakdene
Woodlands
Wade's Hall
Smiths Cottages
CM22
Pinchpools Cottage
Wakeling's Wood
Bollington Hall
Gravel Pit
Gaul's Croft
Mill Cottage
Pinchpools
White House Corner
Crouch Hill Wood
The Hall Wood
Bollington Hall Cottages
The Square
Hall
Playing Field
Bury Spring
Pav.
Houghtey Wood
Orford House
The Hall Bungalow
The Hall
Manuden House
Grave Yard
MANUDEN
Strip Lynchets
Stansted
Flatiron Spring
Keepers Cottage
Manuden County Prim. Sch.
Cock Farm
Sewage Works
Sand & Gravel Pit
Alsa Lodge
Broome Cottage
The Broom
CM24
Stansted Wildlife Park
Common Mead Bridge
Bentfield Bury Cottages
Broom Spring
Newlays Plantation
Walpole Farm
Burl's Spring
Bentfield Bury
Oozes Wood
Bentfield Bower
Bentfield
B1383
B1351
CAMBRIDGE ROAD
HIGH LANE
ALSA STREET
PENNINGTON LANE
CARTERS HILL
SHEEPCOTE LANE
DODGEN LANE
BRIXTON LANE
PINCHPOOLS ROAD
RIVER STORT
KILN LANE
59
49
50
51
26
27
28
29
30

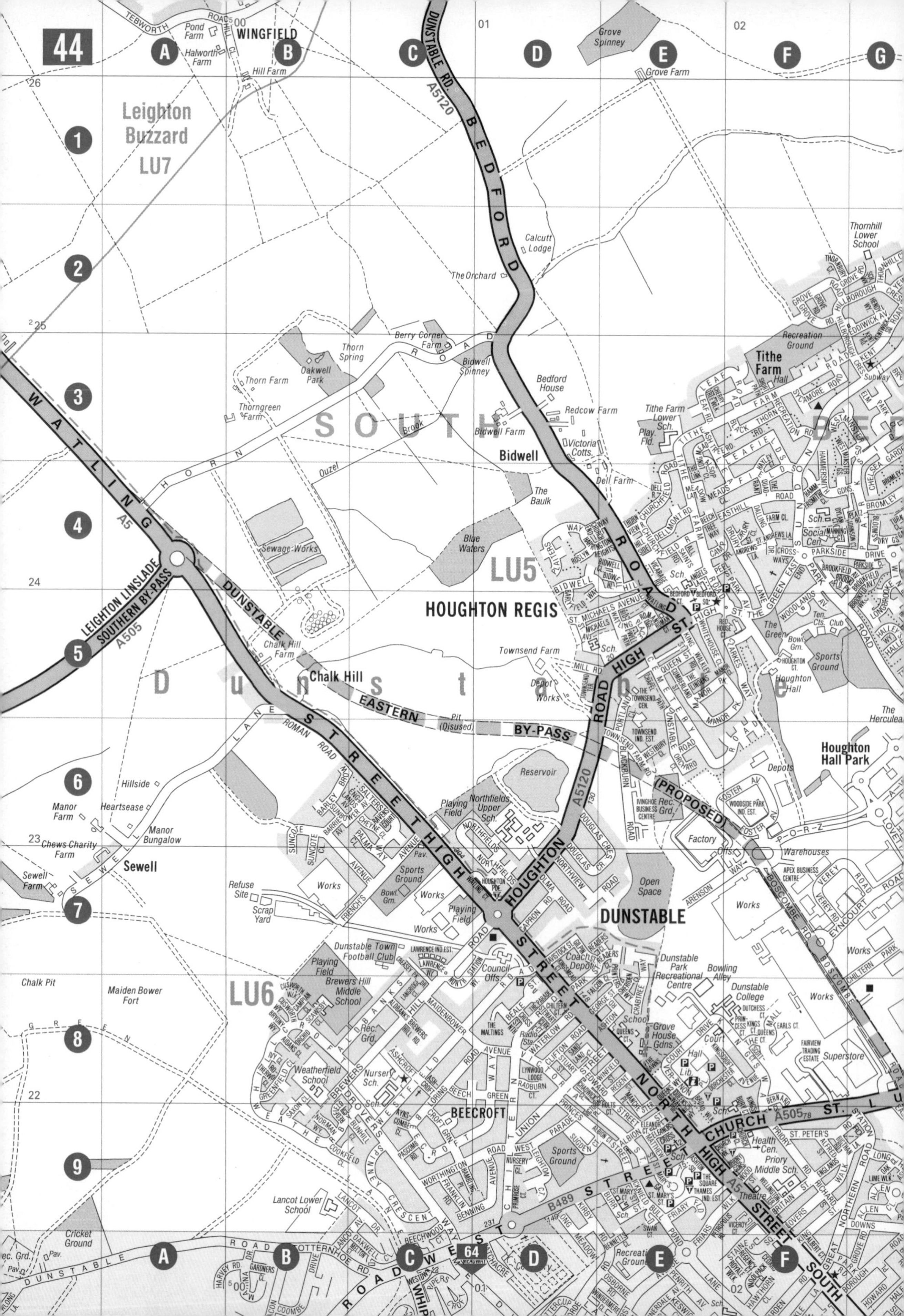
WINGFIELD
Leighton Buzzard
LU7
Pond Farm
Halworth Farm
Hill Farm
Grove Spinney
Grove Farm
DUNSTABLE RD.
A5120
BEDFORD ROAD
Calcutt Lodge
The Orchard
Berry Corner Farm
Thorn Spring
Oakwell Park
Thorn Farm
Thorngreen Farm
Bidwell Spinney
Bedford House
Redcow Farm
SOUTH BEDS
Bidwell Farm
Victoria Cotts.
Bidwell
Ouzel Brook
HORN LANE
WATLING STREET
A5
Dell Farm
The Baulk
Sewage Works
Blue Waters
LU5
HOUGHTON REGIS
LEIGHTON LINSLADE SOUTHERN BY-PASS
A505
DUNSTABLE EASTERN BY-PASS (PROPOSED)
Chalk Hill Farm
Chalk Hill
Townsend Farm
Dunstable
Pit (Disused)
Depot Works
Tithe Farm
Tithe Farm Lower Sch.
Recreation Ground
Thornhill Lower School
Houghton Hall
Houghton Hall Park
Sports Ground
The Green
Reservoir
Northfields Upper Sch.
Playing Field
Hillside
Heartsease
Manor Farm
Manor Bungalow
Chews Charity Farm
Sewell
Sewell Farm
Works
Sports Ground
Refuse Site
Scrap Yard
Open Space
DUNSTABLE
HIGH STREET
HOUGHTON ROAD
Factory
Warehouses
APEX BUSINESS CENTRE
Depots
BOSCOMBE RD.
Dunstable Town Football Club
Council Offs.
Coach Depot
Dunstable Park Recreational Centre
Bowling Alley
Dunstable College
Playing Field
Brewers Hill Middle School
LU6
Chalk Pit
Maiden Bower Fort
Weatherfield School
Nursery Sch.
Grove House Gdns.
FAIRVIEW TRADING ESTATE
Superstore
BEECROFT
CHURCH ST.
A505
Health Cen.
Priory Middle Sch.
Sports Ground
WEST STREET
B489
Lancot Lower School
NORTH STREET
SOUTH STREET
Cricket Ground
DUNSTABLE ROAD
TOTTERNHOE RD
WHIPSNADE ROAD
Recreation Ground
Theatre
64

45
46
65
LUTON ROAD
M1 MOTORWAY
SUNDON ROAD
TODDINGTON ROAD
DUNSTABLE ROAD
HATTERS WAY
LEAGRAVE ROAD
A505
A5065
B579
BEDFORDSHIRE
Luton
LUTON
LU1
LU3
LU4
SUNDON PARK
Houghton Park
Parkside
LEWSEY FARM
LEAGRAVE
CHAUL END
Junction 11
Lealands High Sch.
Houghton Regis Leisure Centre & Education Centre
Kingsland Community School
Kings Houghton Middle Sch.
Hawthorn Park Lower Sch.
Mill Vale Middle Sch.
Halyard High Sch.
Hadrian Lower Sch.
Pirton Hill Jun. & Inf. Sch.
Leagrave Inf. Sch.
Leagrave Jun. Sch.
Foxdell Jun. Sch.
Downside Jun. & Inf. Sch.
Waulud Jun. & Inf. School
FARINGDON WING HOSP.
LUTON & DUNSTABLE HOSP.
RECREATION GROUND
Swimming Pool
Playing Fields
Recreation Ground
Open Space
Sundon Arch
Rotten Corner
Source of River Lee
Waulud Bank
Leagrave Common
Little Leagrave Farm
Chalton Cross Lodge
Chalton Cross Farm
Long Meadow Farm
Lodge Farm
Osborne House
Hillcrest
CHALTON HEIGHTS
Skimpot Wood
Stanner's Wood
Blow's Down
Grove Spring
Zouches Farm
Chaul End Farm
Reservoir (Covered)
GRIFFIN GOLF COURSE
Vehicle Test Circuit
DUNSTABLE EASTERN BYPASS (Proposed)
WOODSIDE INDUSTRIAL ESTATE
WILLOWGATE TRADING ESTATE
PARK AVENUE TRADING ESTATE
THE HERON TRADING EST.
NORTH LUTON IND. EST.
Brewery
Leagrave

A
B
C
D
E
F
G
1
2
3
4
5
6
7
8
9
30
45
66
06
07
08
09
WHITEHORSE
GREAT BRAMINGHAM WOOD
Playing Field
Lea Manor High Sch. & Comm. Coll.
Lea Manor Rec.Cen.
Whitefield Jun. & Inf. Sch.
Little Bramingham Wood
SOUTH BEDFORDSHIRE GOLF COURSE
Warden Hill
SOUTH
MARSH FARM
Superstore
Surgery
Waulud Jun. & Inf. School
Waulud Bank
Little Leagrave Farm
Leagrave Common
Rotten Corner
Sundon Arch
LU3
LIMBURY
Icknield High Sch.
Icknield Jun. & Inf. Sch.
Barnfield College
Leagrave
MARSH ROAD
Beechwood Jun. & Inf. Sch.
William Austin Jun. & Inf. Sch.
LU4
LEAGRAVE ROAD
MONTROSE AVENUE
STOCKINGSTONE
BISCOT
Denbigh High Sch.
Wardown Park
Wardown Lake
Pope's Meadow
DUNSTABLE ROAD
A505
A5228
A5065
B579
A6
HATTERS WAY
BURY PARK
Luton Town F.C.
Downside Jun. & Inf. Sch.
Foxdell Jun. Sch.
LU1
Dallow Jun. & Inf. Sch.
M1 MOTORWAY
NEW BEDFORD ROAD
BARTON ROAD
TELFORD WY.
STATION
Vehicle Test Circuit

47
H
J
K
L
M
N
31
1
2
3
4
5
6
7
8
9
26
25
24
23
22
48
67
BEDFORDSHIRE
NORTH
HERTFORDSHIRE
Lilleypark Wood
Ralphs Farm
Hall Play. Fld.
Jamaica Plantation
Whitehill Wood
Keepers Cottage
Whitehill Farm
Oaket Wood
Beanfield Cottages
Upshot Wood
Whitehill Cottages
Common Farm
Butterfield Green
Dog Kennel Farm
Beechill Plantation
North Lodge
Icehouse Plantation
Dick's Gap
East Lodge
Great Hayes Wood
Putteridge Bury
Tennis Court
Hawleydell Plantation
Home Farm
The Vale Cemetery and Crematorium
Manor Farm
STOPSLEY COMMON
Lothair Road Recreation Ground
Playing Field
Luton Regional Sports Centre
Luton College of Higher Education
Putteridge High Sch. & Comm. Coll.
Recreation Centre
Putteridge Jun. & Inf. Sch.
West Lodge Cottages
Mangrove Hall
Mangrove Lodge
Mangrove Green Cotts.
Mangrove Green
Messina Plantation
Tennis Courts
Caravan Park
Stopsley High Sch. & Comm. Coll.
Playing Field
STOPSLEY
Bowling Grn.
Rec. Grd.
Playgrd.
Playing Field
Slipe Spring
Parsonage Farm
Cockernhoe Jun. & Inf. School
Cockernhoe
Cockernhoe Farm
LU2
Sacred Heart R.C. Schs.
Lady Zia Wernher Sch.
ROUND GREEN
Someries Jun. & Inf. Schools
Slaughter's Wood
Ramridge Jun. & Inf. Schs.
Sports Ground
Play. Field
Ashcroft High Sch.
Tennis Courts
Wigmore Prim. Sch.
Health Cen.
Liby.
Rec. Grd.
Richmond Hill Sch.
TOWN
HART HILL
Hart Hill Jun. & Inf. Schs.
Play. Fld.
Crawley Green Inf. & Wenlock C.E. Jun. Schs.
AIRPORT EXECUTIVE PARK
Workings
Terminal Buildings
LUTON
LONDON LUTON AIRPORT
HITCHIN ROAD
STOPSLEY WAY
VAUXHALL WAY
BEECH HILL
A505
A5228
ST. THOMAS'S ROAD
PUTTERIDGE ROAD
WIGMORE LANE
CRAWLEY GREEN ROAD
EATON GREEN ROAD
AIRPORT WAY

HOLLYBUSH
Subway
Thomas Plantation
Dog Kennel Farm
LILLEY
WHITE
Guys
HILL
Mead Springs
32
Angel's Wood
WESTBURY WOOD
Woodfern Wick
Young's Wood
Judkin's Wood
SG5
KINGS WALDEN RD.
Offley Hoo
HOO
Cockroost Spring
Cornelius Wood
Haycock Spinney
Sallow Wood
LUTON
BOTTOM
Baronsfield
Lilley Bottom Farm
East Lodge
Dick's
Stopsley Holes Farm
Bealine
Hitch
Tennis Courts
Pigeon Hill
Offley Chase
Hawleydell Plantation
Furzen Wood
Kingswell End
Lane House
Furzen Wood Cottage
Lodge Farm Cottages
Lodge Farm
Messina Plantation
Mangrove Hall
Mangrove Green Cotts.
47
Mangrove Green
STUBBOCKS WOOD
NORTH
HE
LANE
Wood Close Cottage
Parsonage Farm
Cockernhoe Jun. & Inf. School
Cockernhoe Farm
Cockernhoe
Luton
CHURCH
ELMTREE
TRIGGS WY.
Windmill (disused)
Roundabouts Plantation
Brickkiln Wood
LU2
Tea Green
Crouchmoor Cottage
Crouchmoor Farm
Tankards Farm
WINDMILL
MILLWAY
ROAD
The Heath
Watkin's Wood
Wandon End
Darley Wood
Heath Farm
Ivy Cottages
Wandon End Farm
Works
COLEMANS ROAD
THE HEATH
Lord's Wood
Green Acres
Darleyhall
Brownings Cottage
The Spinney
Colemans Green
Breachwood Green
ST. MARY'S RISE
EATON
GREEN
ROAD
DARLEY
Medlow House
ORCHARD WY.
LOWER
Sch.
OXFORD RD.
Colemans Farm
CHAPEL RD.
PASTURE
New Winchill Cottages
Winch Hill Farm
Greathouse Wood
Bailey's Farm
BAILEY'S CLOSE
Winch Hill House
LUTON
Workings
WINCH
68
Wetherfield Spring
HILL
LYE
LANE
NDON LUTON AIRPORT

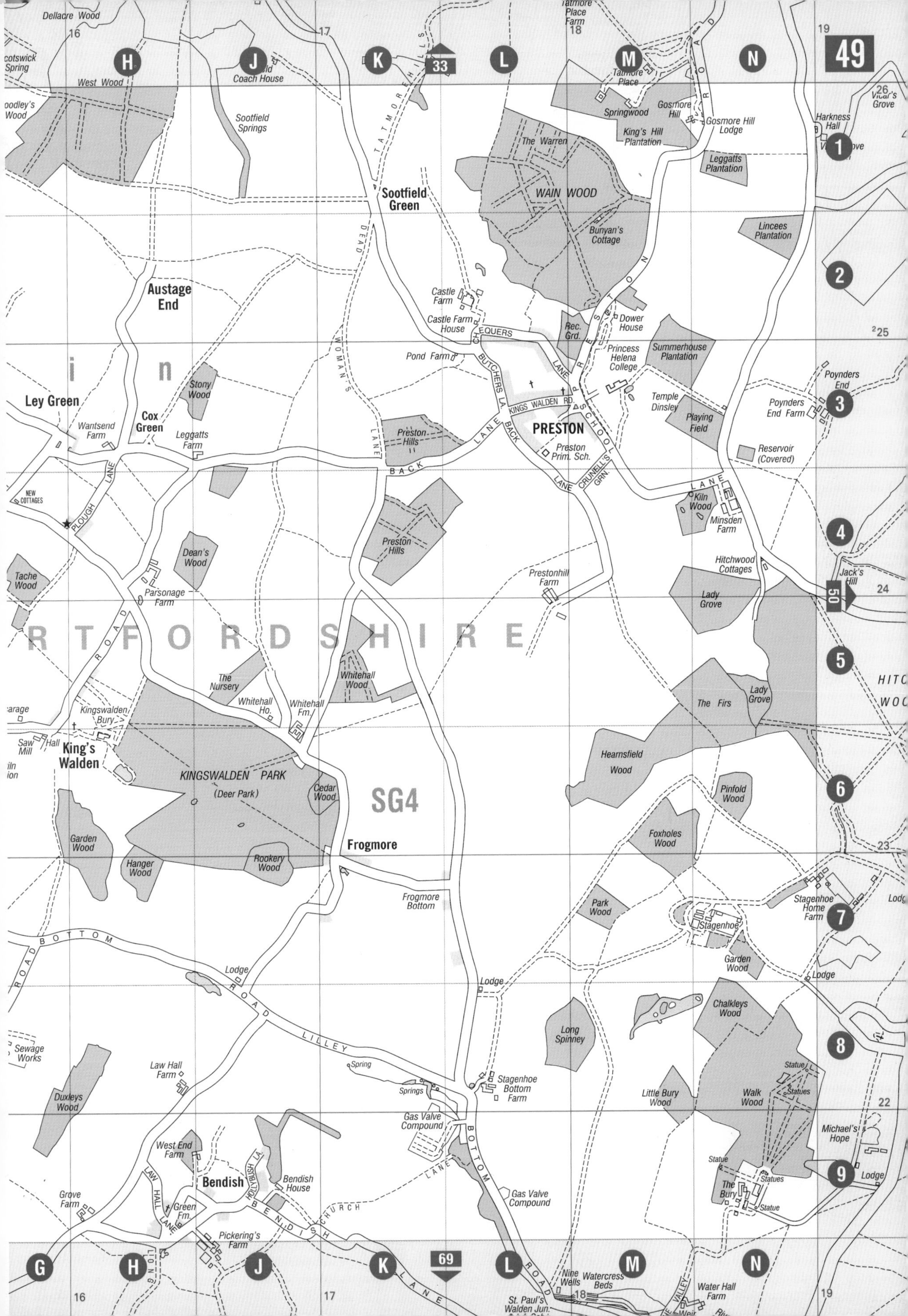
49
Dellacre Wood
West Wood
Sootfield Springs
Sootfield Green
Tatmore Place Farm
Tatmore Place
Springwood
Gosmore Hill
Gosmore Hill Lodge
King's Hill Plantation
The Warren
WAIN WOOD
Bunyan's Cottage
Leggatts Plantation
Lincees Plantation
Harkness Hall
Austage End
Castle Farm
Castle Farm House
Pond Farm
Rec. Grd.
Dower House
Princess Helena College
Summerhouse Plantation
Temple Dinsley
Playing Field
Poynders End
Poynders End Farm
Reservoir (Covered)
Ley Green
Cox Green
Stony Wood
Wantsend Farm
Leggatts Farm
Preston Hills
PRESTON
Preston Prim. Sch.
Kiln Wood
Minsden Farm
Hitchwood Cottages
Jack's Hill
Lady Grove
Prestonhill Farm
New Cottages
Tache Wood
Dean's Wood
Parsonage Farm
HERTFORDSHIRE
The Nursery
Whitehall Ho.
Whitehall Fm.
Whitehall Wood
The Firs
Hearnsfield Wood
Kingswalden Bury
Saw Mill
Hall
King's Walden
KINGSWALDEN PARK
(Deer Park)
Cedar Wood
SG4
Frogmore
Pinfold Wood
Foxholes Wood
Garden Wood
Hanger Wood
Rookery Wood
Frogmore Bottom
Park Wood
Stagenhoe
Stagenhoe Home Farm
Lodge
Long Spinney
Chalkleys Wood
Sewage Works
Law Hall Farm
Spring
Springs
Stagenhoe Bottom Farm
Little Bury Wood
Walk Wood
Statue
Statues
Duxleys Wood
Gas Valve Compound
Michael's Hope
West End Farm
Bendish
Bendish House
The Bury
Grove Farm
Green Fm.
Pickering's Farm
Nine Wells
Watercress Beds
Water Hall Farm
St. Paul's Walden Jun.
TATMORE HILLS
DEAD WOMAN'S LANE
CHEQUERS LANE
BUTCHERS LA.
BACK LANE
KINGS WALDEN RD.
SCHOOL LANE
PRESTON ROAD
CRUNELL'S GRN.
PLOUGH LANE
LILLEY BOTTOM ROAD
BOTTOM ROAD
HOLLYBUSH LA.
LAW HALL LANE
BENDISH CHURCH LANE
LONG LANE
33
50
69

Little Almshoe
Little Almshoe Cottages
Little Almshoe Farm
Almshoe Bury Cottages
Vicar's Grove
Harkness Hall
Vicarsgrove Farm
Lincees Plantation
LONDON ROAD
B656
MILL HILL
Chapelfoot
Almshoe Bury
Coney Cottages
Lower Titmore Farm
Dell Close
Greenbanks
Lucas's Wood
Pig Farm
A1(M)
A1(M) — MOTORWAY
Symonds Green
Subway
Oakfield Farm
Poynders End
Reservoir (Covered)
Minsden Chapel (Remains of)
Minsden Chapel Plantation
Nursery
Chapel Gate
B651
WHITE LANE
NORTH HERTFORDSHIRE
Jack's Hill
Hill End Farm
Laburnum Cottage
Langley End
Works
Rushgreen Farm
Rush Green
Letchmore Farm
Rushgreen Wood
High Broomin Wood
Upper Kitching Spring
(Horse Ride)
KITCHING LANE
DYES LANE
Dyes Farm
HITCH WOOD
Lady Grove
Hitchin
Langley Bottom Farm
Langley Bottom
Shilley Green Farm
Hobsland Spring
Maiden Spring
Martins Spring
Hitch Spring
Breach Spring
Lodges
Stagenhoe Home Farm
Easthall
Little Easthall Farm
Orchard Cottage
Langleyhill Farm
SG4
Maids Grove
Lodge
Middle Easthall Farm
Brown's Wood
Lammas Wood
Easthall Wood
Langley Fm.
Hall Farm
Crabtree Spring
St. Paul's Walden
BULLOCK'S HILL
Wellcroft Wood
Hodgkins Dell
Langley
Soot Wood
Statue
Statues
Michael's Hope
Reynolds Wood
The Firs
Peartree Wood
Briary Spring
Burleighcroft Wood
Easthall Farm
Easthall Cottages
Roundwood Dell
NORTONSTREET LANE
LINCOT LANE
Lime
The Fussens
Rusling End
Rusling End Farm
Pickwiddens Plantation
Burleigh Fm. Cotts.
Graffridge Wood

34
49
70

H
J
K
L
M
N
G
35
71
52
23
24
25
1
2
3
4
5
6
7
8
9
MARTINS WAY
VERITY WAY
HITCHIN ROAD
NORTH RD
B197
GUNNELS WOOD ROAD
A1072
LYTTON WAY
A602
FAIRLANDS WAY
A1155
ST. GEORGE'S WAY
SIX HILLS WAY
A1070
LONDON ROAD
MONKSWOOD WAY
BROADHALL WAY
BROADWATER CRES.
A1(M) MOTORWAY
STEVENAGE ROAD
KNEBWORTH
SG1
SG2
SG3
STEVENAGE
Stevenage
Old Stevenage
Fisher's Green
Pin Green
Bedwell
Shephall
Broadwater
Chells
Norton Green
Norton Green Farm
Junction7
Knebworth
KNEBWORTH GOLF COURSE
RESEARCH CENTRE
NEWTON WOOD
Burleigh Grove
Burleigh Farm
Lake House
Lake Lodge
Wintergreen Wood
Cannocks Wood
The Firs
Parson's Grove
Cowley's Corner Wood
North Lodges
Oak Grove
Pigeonswick Wood
Pigeonswick Cottage
Watery Grove
Norton Green
Stebbing Farm
Football Ground
Almond Hill Jun. Sch.
Playing Field
Cemetery
The Barclay School
The Thomas Alleyn Sch.
Hampson Park
Water Works
Sishes Wood
Moss Bury Jun. & Inf. Sch.
Lonsdale Sch.
High Wick Sch.
Hilltop Sch.
Pin Green Jun. & Inf. Sch.
Fairlands Jun. & Mixed Inf. Schs.
King George V Playing Field
Letchmore Rd. Inf. Sch.
Woolenwick Jun. & Inf. Sch.
Sports Ground
KINGS PARK
NORTH HERTFORDSHIRE COLLEGE
GUNNELS WOOD INDUSTRIAL ESTATE
Ice Rink
MONKSWOOD RETAIL PK.
ROARING MEG RETAIL & LEISURE PARK
ROEBUCK RETAIL PARK
Langley Junction
Warehouse
Warehouses
Factory
Works
BOWMAN TRADING ESTATE
HYATT IND. EST
Gas Valve Compound
FAIRLANDS VALLEY PARK
Fairlands Farm
Merriotts Sch.
Bedwell Prim. Sch.
St.Nicholas Prim. Sch.
Whomerley Wood
Magpie Corner Wood
Monk's Wood
Moat
Abbot's Grove
Ashtree Wood
Pestcot Wood
Boat House
Hanginghill Wood
Stevenage Lodge
Peartree Spring Jun. & Inf. Sch.
Heathcote Sch.
Greenside Sch.
The Valley Sch.
Stevenage Borough F.C. Grd.
St.Margaret Clitherow R.C. Sch.
Roebuck Jun. & Inf. Sch.
Shephalbury Park
Broadwater Farm
Burydale Jun. Sch.
Marymead Spring
MARYMEAD IND. EST
Martins Wood Jun. & Inf. Sch.
Round Diamond Prim. Sch.

52
36
51
72
A
B
C
D
E
F
G
1
2
3
4
5
6
7
8
9
SG1
STEVENAGE
EAST
Chells
Chells Manor
Aston End
ASTON
Poplars
Shephall
Broadwater
Pin Green
FAIRLANDS WAY
STEVENAGE ROAD
GRESLEY WAY
SIX HILLS WAY
BROADHALL WAY
A602
A1155
B1037
Box Wood
Boxbury Farm Cottages
Rooks Nest Farm
Springhill
Walkern Mill
Little Croft
Walkern Croft
Martin's Wood
Martins Wood Jun. & Inf. Sch.
Round Diamond Prim. Sch.
Nobel Sch.
Lodge Farm Inf.& Jun.Sch.
Stevenage Lodge
Hanginghill Wood
Fairlands Farm
Merriotts Sch.
Bedwell Prim. Sch.
FAIRLANDS VALLEY PARK
Camps Hill Jun.& Inf. Sch.
Pestcotts Wood
Pestcotts Spring
Ashtree Wood
Abbot's Grove
Great Collens Wood
Collens Leg Wood
Chells Recreation Ground
Collenswood Sch.
Ashtree Jun., Inf., Mixed & Nrsy. Schs.
Poultry Farm
Holders
Elm Green
Brookhall Farm
New Wood
White Farm
Poplar Farm
Lord's Farm
Bandley Jun., Inf. & Nrsy. Schs.
Peartree Spring Jun. & Inf.Sch.
Heathcote Sch.
Barnwell Sch.
Loves Wood
Ridlins Wood Playing Field
Athletics Ground
Ridlins Wood
Aston End Brook
Bareleigh
Millhouse
St. Mary's C.E. Prim. Sch.
Aston Dene
Holbrook Cottages
Holbrook Farm
HIGH WOOD
Haily Park Wood
Ford
Burydale Jun.Sch.
Jun.& Inf. Sch.
Marymead Ind. Est.
The Greenkeeper Club House
STEVENAGE GOLF COURSE
Lady's Wood
Astonbury Farm
Aston Bury Farmhouse
Aston Bury
River Beane
Pumping Station
Sacombe Corner Wood
Lower Wood
Pump House
White Hall
ASTONBURY WOOD
Sports Ground
BENINGTON ROAD
WALKERN ROAD
BROOKFIELD LANE
ASTON LANE
LONG LANE
FROGMORE HILL

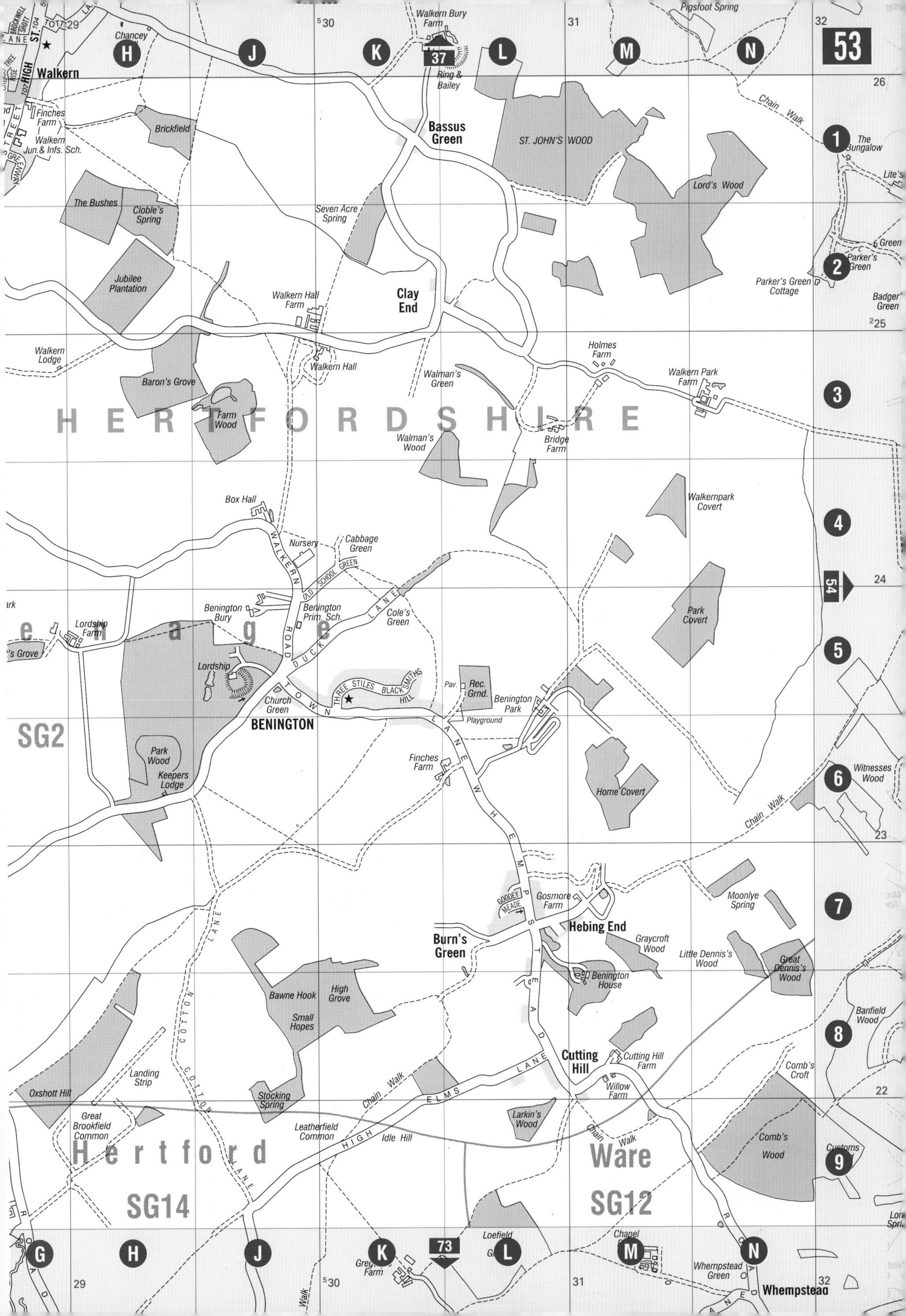

Walkern Bury Farm
Pigsfoot Spring
Chancey
Walkern
Ring & Bailey
Bassus Green
Finches Farm
Brickfield
Walkern Jun.& Infs. Sch.
ST. JOHN'S WOOD
Chain Walk
The Bungalow
Lord's Wood
The Bushes
Cloble's Spring
Seven Acre Spring
Parker's Green
Parker's Green Cottage
Badger Green
Jubilee Plantation
Walkern Hall Farm
Clay End
Walkern Lodge
Walkern Hall
Holmes Farm
Walman's Green
Walkern Park Farm
Baron's Grove
Farm Wood
HERTFORDSHIRE
Walman's Wood
Bridge Farm
Box Hall
Walkernpark Covert
Nursery
Cabbage Green
WALKERN ROAD
OLD SCHOOL GREEN
Benington Bury
Benington Prim. Sch.
Cole's Green
DUCK LANE
Park Covert
Lordship Farm
Lordship
THREE STILES
BLACKSMITHS HILL
Rec. Grnd.
Pav.
Benington Park
Church Green
TOWN LANE
BENINGTON
Playground
SG2
Park Wood
Keepers Lodge
Finches Farm
Witnesses Wood
Home Covert
WHEMPSTEAD ROAD
Chain Walk
Gosmore Farm
GOODEY MEADE
Moonlye Spring
Burn's Green
Hebing End
Graycroft Wood
Little Dennis's Wood
Great Dennis's Wood
Benington House
Bawne Hook
High Grove
Small Hopes
COTTON LANE
Banfield Wood
Cutting Hill
Cutting Hill Farm
Landing Strip
Comb's Croft
Oxshott Hill
Willow Farm
Stocking Spring
Chain Walk
ELMS LANE
HIGH
Great Brookfield Common
Larkin's Wood
Leatherfield Common
Idle Hill
Chain Walk
Comb's Wood
Customs
Hertford
Ware
SG14
SG12
Loefield
Chapel
Gregory's Farm
Whempstead Green
Whempstead
Walk

37
54
73

The Blackberries
38
Back Lane
Orange End
Leycroft
Newer Hill Spring
Peasefield
Chain Walk
The Bungalow
Ostlers Wood
Wood End
Lite's Farm
Hightree Farm
Coates Manor Farm
Cherry Farm
Greenlands
Cowley Spring
Parker's Green
Highbury Farm
Parker's Green Cottage
Badger's Green
Lye Lane
Rush Green Cottages
Mill Farm
Rush Green
Thrift Wood
Little Lye Grove
Stevenage
Sander's Green
Chain Walk
Stag Hall Farm
EAST HER
Dark Lane
Moat
Bugby's Farm
53
Baxter's Spring
Chain Walk
SG2
SG11
Shout's Wood
Lane
Great Munden Farm
Frogs Hall La.
Libury Hall
Witnesses Wood
The Street
Haultwick
Chain Walk
Woolston Farm
Hornbeam Common
Gifford's Lane
Gifford's Wood
Dane End Tributary
Goldsell Common
Chain Walk
Moonlye Spring
W a r e
Pav.
Cricket Ground
King's Hill
Great Dennis's Wood
Graves Wood
Green End Farm
Green End
Bandy Common
SG12
Banfield Wood
The Wilderness
Radio Receiving Station
Fellowsfield Common
Comb's Croft
Lordship's Farm
Kings Wood
Three Corner Wood
Apsley Common
Little Munden Jun.& Inf. Sch.
Comb's Wood
Customs Wood
Easington Common
Swimming Pool
Church Lane
Short Whiteley Common
Fullars Common
Moorfield Common
Trenchers Hill
The Old Bourne
Long Spring
Dane End
Kingsfield Rd.
Gladstone Rd.
Paget Cotts.
Echo Wood
Langton's Lane
Munden Road
74
Crabcroft Spring
Dane End Farm
Whitehill Farm
The Hollow
Whempstead
Pearman Dr.
Shelly's Wood
Whitehill

Buntingford
HERTFORDSHIRE
SG9
Cherry Green
Thrift Cotts
Chileans
Tillers End Farm
Cedars
Coles
COLES PARK
Old Lodge Bank
Millcroft Wood
Hunsden Plantation
The Rectory
Knights Hill Farm
The Dower House
Furtherfield Spring
Coles Hill Lodge
Grove Wood
Keepers Cottage
Knightshill Plantation
New Bridge
ERMINE STREET (ROMAN ROAD)
A10
The Moors
Nuttings Plantation
Wren's Lane
Mast
Transmitting Station
Hackney Gap
Dane End Tributary
May Trees
Long Spring
River Rib
Hamels Mead
The Gardens
Hamels Park Farm
Longwalk Plantation
Barley Croft Plantation
The Paddock
Nobles Farm
Hamels
HAMELS PARK
Hamels Lodge
Nasty
Hamels Keep
Davandor
Coldhams Plantation
Munden Bury
VALE COTTS
Ricketts Croft
Nursery Wood
Club House
EAST HERTS GOLF COURSE
Longclose Plantation
Icehouse Plantation
Limekiln Plantation
Great Munden
HILLTOP COTTAGES
MENTLEY LANE
Wickham Hill
Towerfield Wood
Peafield Spring
Mentley Plantation
Mentley Farm
WEST
Ford
COTTAGES
BUNTINGFORD RD.
CHEQUERS CL.
MENTLEY LA.
Puckeridge
Puckeridge Tributary
Brockhold's New Cover
King's Wood
Tillcroft Spring
Herringworth Hall
CANNONS CT.
ROMAN WAY
THE MOAT
PARK DR.
Old Tiles
Stockalls
Great Munden House
Slapcroft Spring
Pancake Spring
Caravan Park
ROUNDWAYE
FISHERS MD.
Foxdell Wood
R.C. Prim. Sch.
HIGH STREET
Poor's Land (Standon Charity)
Brockhold's Farm
Puckeridge Tributary
CAMBRIDGE RD.
Shenley Nursery
ST. MARY'S RD.
Hole Farm
Broadfield Spring
A120
Overley Common
STANDON HILL
Hammersfield
Camps Farm
Levens Green
Water Tower
(ROMAN ROAD)
Levens Green Farm
Bowl's Dell
Playing Field
Old Hall Green
Puckeridge Field
Pav.
Play. Field
Kettle Green
St. Edmund's College
ERMINE STREET
High Trees Farm
LANE
Tennis Courts
Tennis Court
FARM LANE
Hatchett Farm
Hatchett Cottages
Playing Fields
Lych Gate
Ryders Grove
Wheatley Spring
Beggarman's Green
BEGGARMAN'S
Beggarman's Wood
Kitchencroft Wood
Hatchett Poultry Farm
New Plantation
Hill Farm
Nurse
Roughground Wood
WELLINGTON COTTAGES
39
56
75
36
37
38
22
23
24
25
26
G
H
J
K
L
M
N
1
2
3
4
5
6
7
8
9

Stud Fm.
Quinbury Farm
Pentlow Hill
Braughing Bourne
New Bridge
The Moors
Nuttings Plantation
Wren's Lane
Hackney Gap
Long Spring
Hamels Mead
Barley Croft Plantation
Hamels Lodge
Hamels Keep
Buntingford SG9
Dickencroat
Green End Farm
Braughing Bury
Bury Farm
Pentlows Farm
Green End
Church End
BRAUGHING
Larks Hill
Bingles Wood
Griggs Bridge
Fordstreet Farm
War Memorial
Park Cottage
Chalk Lodge
Playing Field
Mast
Windcott
Harcamlow Way
Pantiles
The Patch
Tin House
Fryers House
Red House
Hill Wood
EAST HER
Coldhams Plantation
Ford Bridge
Depot
Braughing Station House
Sacombe Wood
Gardeners Cottage
Moat
Upp Hall
Upp Hall Lodge
Gatesbury Wood
Oldfield Cottages
The Warren
Warren Cottages
Braughing Warren
Wickham Hill
Nursery
Ash Plantation
New Wood
Darney Wood
Warrenhill Cottage
Puckeridge
Horse Cross
Braughing Warren Bourne
River Rib
Caravan Park
R.C. Prim. Sch.
The Ralph Sadleir Middle School
Pockendon Field
Poor's Land (Standon Charity)
Roger de Clare First School
Rec. Grd.
Shelley Nursery
Mill Farm
Eleanor Cottage
Tally Ho
Broken Green Cottages
Frogshall Cottages
Jubilee
Broken Green
Twiney Wood
Hammersfield
STANDON HILL KENT'S LA. STORTFORD RD.
A120
A10
B1368
Bowl's Dell
STANDON
New Street Farm
Factory
Playing Field
Puckeridge Field
Standon Friars
School
Pumping Station
PAPER MILL LANE HADHAM ROAD
Wellpond Green Cottages
Wellpond Green
Highfield Nursery
Poultry Houses
Friars Cottage
Kitchencroft Wood
Sewage Works
New Plantation
Balsams
Sun's Wood
Bromley
Little Balsams
The Lordship
Bromley Hall
Bowles Wood

40
55
76

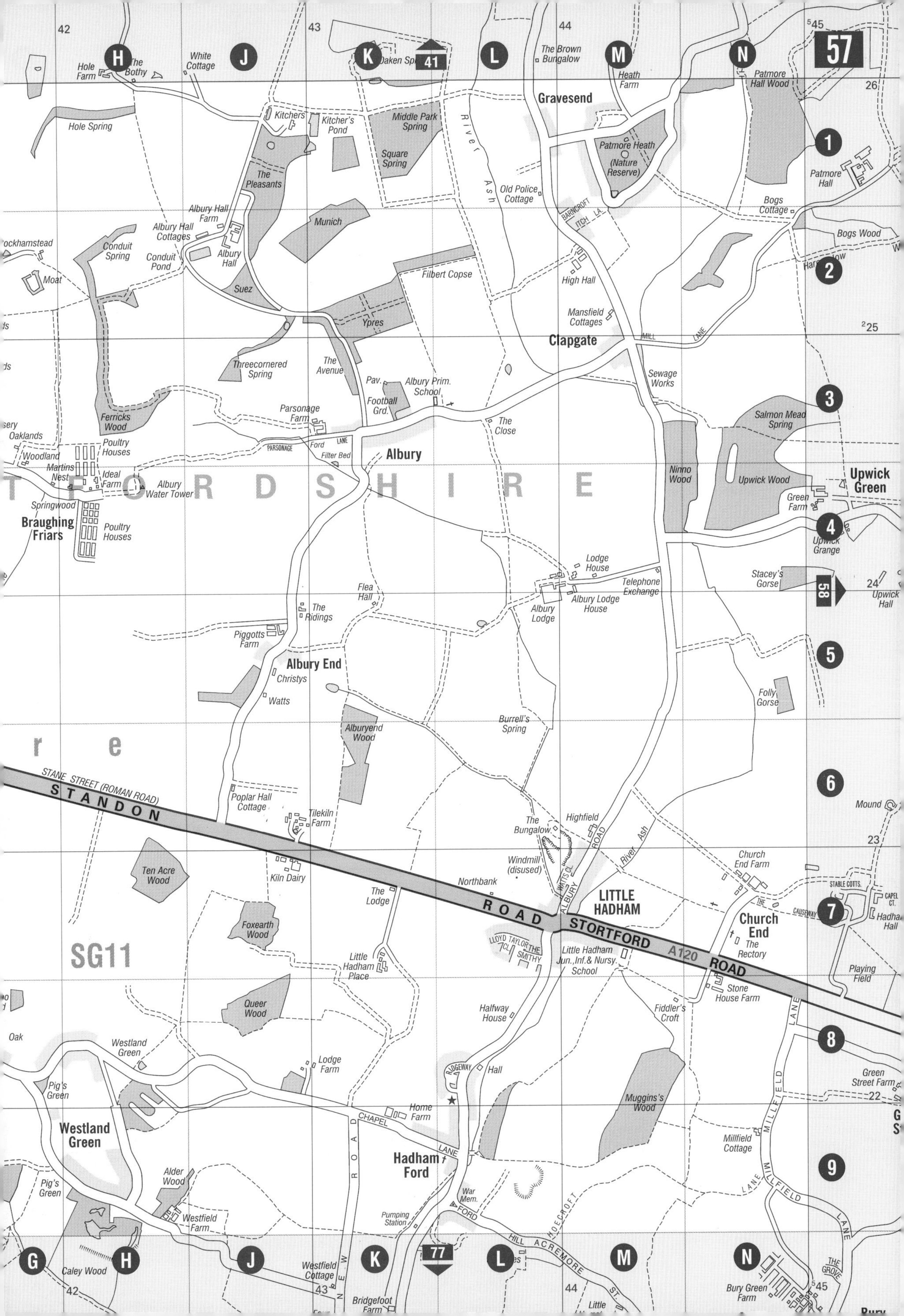

Hole Farm
The Bothy
White Cottage
Oaken Spring
41
The Brown Bungalow
Heath Farm
Patmore Hall Wood
Gravesend
Hole Spring
Kitchers
Kitcher's Pond
Middle Park Spring
Square Spring
River Ash
Patmore Heath (Nature Reserve)
Patmore Hall
The Pleasants
Albury Hall Farm
Munich
Old Police Cottage
Bogs Cottage
Albury Hall Cottages
Conduit Spring
Conduit Pond
Albury Hall
Bogs Wood
Moat
Suez
Filbert Copse
High Hall
Mansfield Cottages
Ypres
Clapgate
MILL LANE
Threecornered Spring
The Avenue
Sewage Works
Pav.
Albury Prim. School
Football Grd.
Parsonage Farm
The Close
Salmon Mead Spring
Ferricks Wood
Oaklands
Poultry Houses
Woodland
PARSONAGE LANE
Ford
Filter Bed
Albury
Martins Nest
Ideal Farm
Albury Water Tower
Ninno Wood
Upwick Wood
Upwick Green
Green Farm
Springwood
Braughing Friars
Poultry Houses
Upwick Grange
Lodge House
Stacey's Gorse
58
Upwick Hall
Telephone Exchange
Albury Lodge House
Flea Hall
The Ridings
Albury Lodge
Piggotts Farm
Albury End
Christys
Watts
Folly Gorse
Burrell's Spring
Alburyend Wood
STANE STREET (ROMAN ROAD)
STANDON ROAD
Poplar Hall Cottage
Tilekiln Farm
Mound
The Bungalow
Highfield
Ten Acre Wood
Kiln Dairy
Windmill (disused)
River Ash
Church End Farm
The Lodge
Northbank
WATTS CL.
ALBURY ROAD
LITTLE HADHAM
STABLE COTTS.
THE CAUSEWAY
CAPEL CT.
Hadham Hall
Foxearth Wood
LLOYD TAYLOR CL.
THE SMITHY
STORTFORD ROAD
A120
Church End
The Rectory
SG11
Little Hadham Place
Little Hadham Jun., Inf.& Nursy. School
Playing Field
Queer Wood
Halfway House
Stone House Farm
Fiddler's Croft
Oak
Westland Green
Lodge Farm
Hall
RIDGEWAY
Green Street Farm
Pig's Green
Home Farm
Muggins's Wood
Westland Green
CHAPEL LANE
Hadham Ford
Millfield Cottage
MILLFIELD LANE
Alder Wood
NEW ROAD
Pig's Green
War Mem.
FORD HILL
HOECROFT
Westfield Farm
Pumping Station
ACREMORE ST.
77
Caley Wood
Westfield Cottage
THE GROVE
Bridgefoot Farm
Bury Green Farm
Little

Patmore Hall Wood
Patmore Hall
Bogs Cottage
Bogs Wood
Harcamlow Way
Shaw Wood
Sherwood Cottage
The Studio
Farnham Green
Farnham Hall
The Folly
Lincolns
Chatter End
Thrifts
Frog Hall
Ford
WATERY LA.
MALLOWS GREEN RD.
Parsonage Farm
Bourne Brook
Savenend Cottage
Savenend Farm
Savenend Lodge
UTTL
Rectory
FARNHAM
Farnham C. of E. Prim. Sch.
Hall
Playground
Globe Farm
THRIMLEY LANE
RECTORY
GLOBE CRES.
Thrimley House
Moat
Walkers
The Globe
Ware
Salmon Mead Spring
Upwick Wood
Upwick Green
THE COMMON
Green Farm
Upwick Grange
Piggots
Hoy's Farm
Stacey's Gorse
Upwick Hall
Walnuttree Green
Hill Farm
Bell's Cottages
Level's Green
Earlsbury
Bishop's
SG11
Folly Gorse
Moorfield Spring
Bailey Hills
Walnuttree Cottages
Mound
Parkfield Spring
Wickham Hall
Silo
Newwood Spring
Church End Farm
STABLE COTTS.
CAPEL CT.
THE CAUSEWAY
BAUD CL.
Hadham Hall
Church End
The Rectory
EAST HERTFOR
Bloodhounds' Wood
Hoggate's Wood
ROAD
Stone House Farm
Playing Field
A120
Rootypiece Plantation
Hadham Park
High Wood
Blackthorn Spring
Hadham Lodge
Reservoir (Covered)
Dane O'Coys Farm
Ash Grove
STANE STREET (ROMAN ROAD)
HADHAM
Savernake
Green Street Farm
Hoop House
Green Street
Att House Farm
HARVEYS COTTS.
HADHAM PARK COTTAGES
Cradle End
Little Plantings Wood
Great Plantings Wood
A1250
Superstore
Playing Field
Squash Cts.
Play. Field
CRICKETFIELD
Northgate Prim. Sch.
Millfield Cottage
MILLFIELD LANE
Ivy Farm
East Wood
BISHOPS PARK WAY
A1184
MAPLE SPRING
MAPLE GRO.
Res. (Cov.)
Bishop's Stortford College
Bury Green Farm
THE GROVE
Playing Field
Park

42
57
78

43
79
Stansted Wildlife Park
Bentfield Bury
Bentfield Bower
Bentfield Green
Bentfield End
Stansted
ESSEX
STORTFORD
STANSTED MOUNTFITCHET
Stansted Mountfitchet
CM24
CM23
Hazel End
Oozes Wood
Home Wood
New Wood
Hazelend Wood
Newlays Plantation
Netherhills Plantation
Watercress Beds
River Stort
Longdown Plantation
Hudshill Plantation
Bourne Bridge
Bourne Brook
Lime Quarry
Underpass
A120
Stansted Castle
Elms Farm
The Warren
The Manor House
Newman's Plantation
Forest Hall
Parsonage Spring
Parsonage Farm
Parsonage Farm Trading Estate
Digby Wood
Totgrove Spring
BIRCHANGER
Birchanger Wood
Duck End
Duckend Farm
M11
M11 MOTORWAY
Junction 8
Birchanger Green Service Area
A1250
DUNMOW ROAD
Birchwood High Sch.
Hockerill Anglo European Sch.
BISHOP'S STORTFORD
Waytemore Castle
Playing Field
Swimming Pool
Foxdells Farm
Sion House Farm
The Step House
Ash Plantation
Sewage Works
Lime Kiln Stud and Stables
Bentfield Mill House
Cricket Grd.
Home Farm
Rose Cottage
Hazelend Lodge
Manuden Lodge
Hole Farm
Bentfield Green Farm
Croft House
Gall End
Ravens
Blacklands
Start Hill Farm

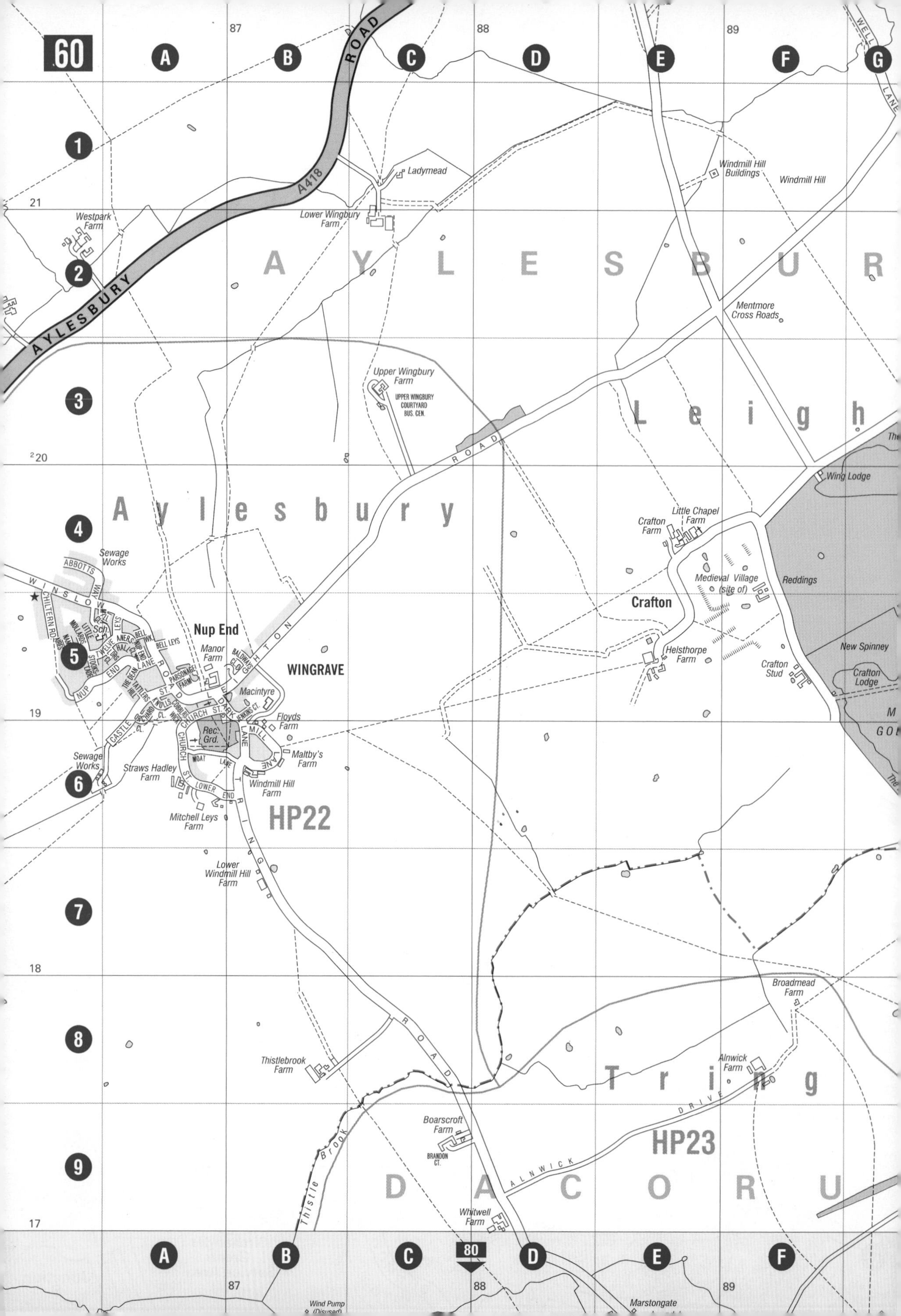
60
A
B
C
D
E
F
G
87
88
89
1
2
3
4
5
6
7
8
9
21
20
19
18
17
AYLESBURY ROAD
A418
Ladymead
Lower Wingbury Farm
Westpark Farm
Windmill Hill Buildings
Windmill Hill
A Y L E S B U R
Mentmore Cross Roads
Upper Wingbury Farm
UPPER WINGBURY COURTYARD BUS. CEN.
L e i g h
ROAD
Wing Lodge
A y l e s b u r y
Crafton Farm
Little Chapel Farm
Medieval Village (site of)
Reddings
Crafton
Helsthorpe Farm
New Spinney
Crafton Stud
Crafton Lodge
Sewage Works
ABBOTTS WAY
WINSLOW
CHILTERN RD.
Sch.
Nup End
Manor Farm
BELL LEYS
PARSONAGE FARM
WINGRAVE
Macintyre
CHURCH ST.
Rec. Grd.
Floyds Farm
Maltby's Farm
MILL LANE
CASTLE
Sewage Works
Straws Hadley Farm
MOAT LANE
LOWER END
Windmill Hill Farm
Mitchell Leys Farm
HP22
TRING
Lower Windmill Hill Farm
ROAD
Thistlebrook Farm
Broadmead Farm
Alnwick Farm
T r i n g
ALNWICK DRIVE
Boarscroft Farm
BRANDON CT.
HP23
Thistle Brook
D A C O R U
Whitwell Farm
80
Wind Pump (Disused)
Marstongate

Ledburn
Ledburn Farm
Dennaway Buildings
The Cottage
Whaddon Farm
Grand Union Canal Walk
B488
Rowden Farm
Weir
Bridego Bridge
VALE
Buzzard
Bury Farm
Rec. Grd.
GRAND UNION CANAL
Slapton Lock
Horton Hill Farm
Bridge Farm
Cricket Grd.
Pav.
Mentmore Stud
HOWELL HILL CL.
War Meml.
Mentmore
Manor House
ROSEBERRY MEWS
Big Wood
MENTMORE PARK
Mansom
Lock
Horton Hall
Horton
Sewage Works
Horton House
BRIDGAS WAY
Kennels
Ponds
Model Farm
HORTON ROAD
Club House
Grand Union Canal Walk
LU7
Cheddington
Ivinghoe Locks
Glebe House
BREACHWELL PL.
Foxons Farm
STATION ROAD
BLENHEIM CL.
Hall
Elsage Farm
Church Hill Farm
MENTMORE LANE
Rectory
Moat
CHEDDINGTON
WEST END RD.
Manor House
Cheddington Combined Sch.
THE GREEN
West End Farm
Betlow Farm
Little Seabrook Farm
MARSTON LONG LANE
CHEDDINGTON LANE
Westend Hill
Cultivation Terraces
Tennis Cts.
Rec. Grd.
Bowling Green
Falcon House
Great Seabrook Farm
HIGH STREET
H J K L M N
G H J K L M N
1 2 3 4 5 6 7 8 9
90 91 92 93
21 20 19 18 17
62 81

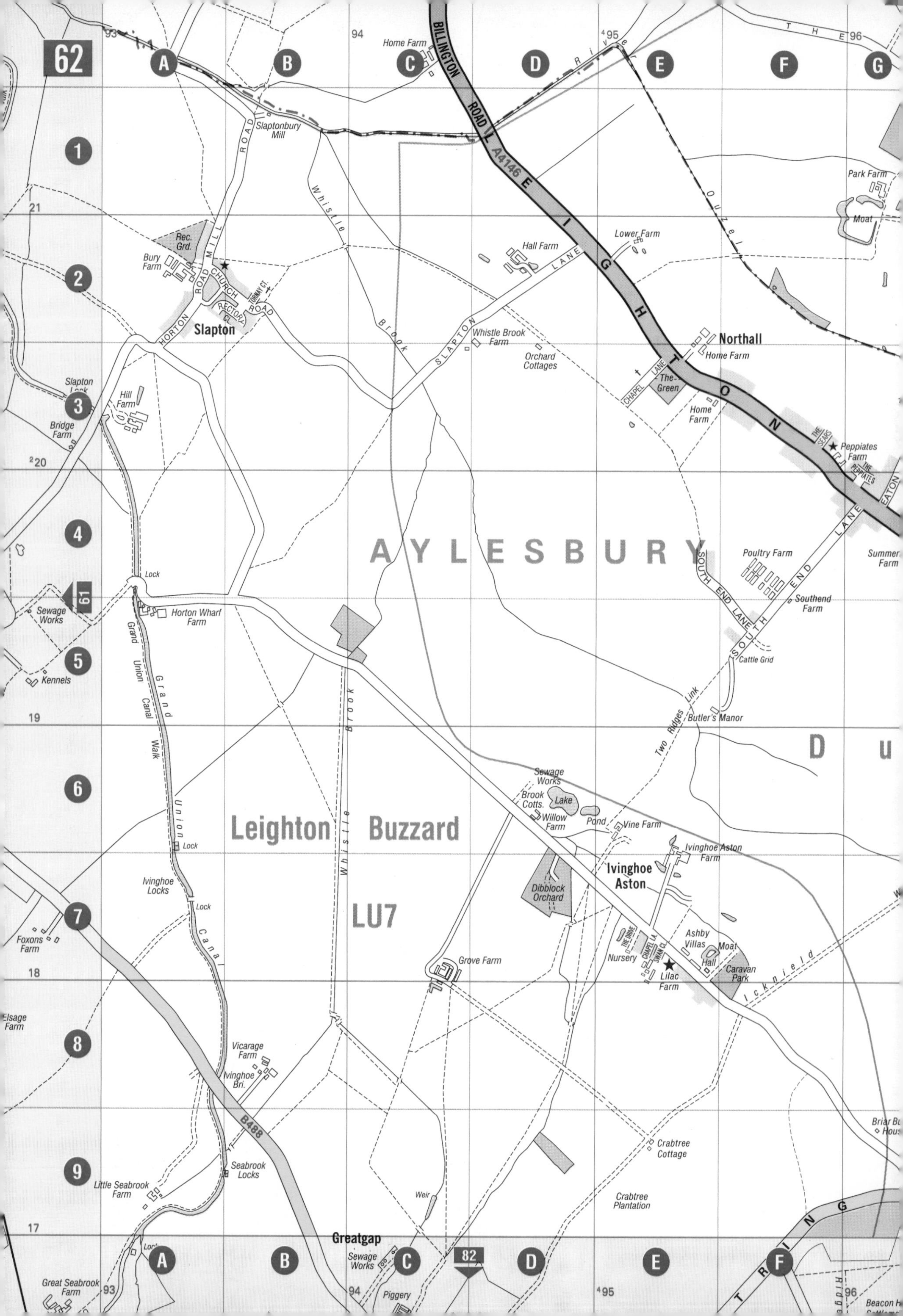

A
B
C
D
E
F
G
1
2
3
4
5
6
7
8
9
93
94
495
96
21
220
19
18
17
Home Farm
BILLINGTON ROAD
LEIGHTON
A4146
River Ouzel
THE
Slaptonbury Mill
MILL ROAD
Whistle Brook
Park Farm
Moat
Rec. Grd.
Bury Farm
CHURCH ROAD
HORTON ROAD
TORMAY CT.
RECTORY CL.
Slapton
Hall Farm
Lower Farm
SLAPTON LANE
Whistle Brook Farm
Orchard Cottages
Northall
Home Farm
CHAPEL LANE
The Green
Slapton Lock
Hill Farm
Bridge Farm
Home Farm
THE SEARS
Peppiates Farm
THE PEPPIATES
EATON
AYLESBURY
Poultry Farm
Summer Farm
SOUTH END LANE
SOUTH END LANE
Southend Farm
Lock
61
Sewage Works
Horton Wharf Farm
Grand Union Canal
Grand Union Canal Walk
Kennels
Cattle Grid
Two Ridges Link
Butler's Manor
Du
Sewage Works
Lake
Brook Cotts.
Willow Farm
Pond
Vine Farm
Leighton Buzzard
Ivinghoe Aston Farm
Lock
Ivinghoe Locks
Dibblock Orchard
Ivinghoe Aston
Lock
LU7
Foxons Farm
THE DROVE
CHAPEL LA.
SWAN CL.
Ashby Villas
Moat
Hall
Grove Farm
Nursery
Caravan Park
Icknield
Lilac Farm
Elsage Farm
Vicarage Farm
Ivinghoe Bri.
B488
Briar Bu Hous
Crabtree Cottage
Seabrook Locks
Little Seabrook Farm
Weir
Crabtree Plantation
TRING
Greatgap
Lock
Sewage Works
82
Great Seabrook Farm
Piggery
Ridge
Beacon H

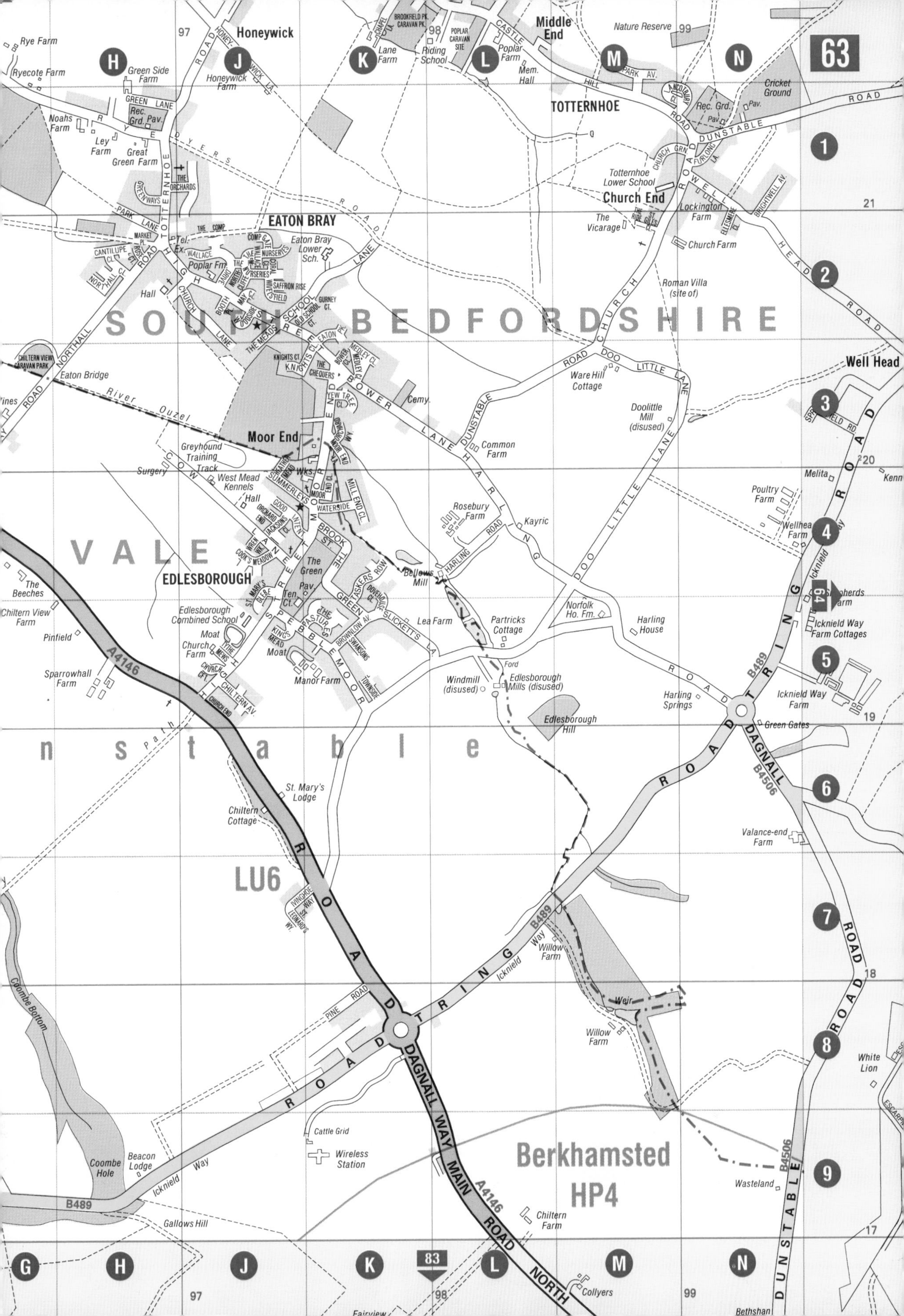
Honeywick
Middle End
Nature Reserve
Rye Farm
Ryecote Farm
Green Side Farm
Honeywick Farm
Lane Farm
Riding School
Poplar Caravan Site
Poplar Farm
Mem. Hall
Cricket Ground
TOTTERNHOE
Rec. Grd.
Noahs Farm
Ley Farm
Great Green Farm
Totternhoe Lower School
Church End
EATON BRAY
Lockington Farm
The Vicarage
Church Farm
Eaton Bray Lower Sch.
Poplar Fm.
Hall
Roman Villa (site of)
SOUTH BEDFORDSHIRE
Chiltern View Caravan Park
Eaton Bridge
River Ouzel
Well Head
Ware Hill Cottage
Doolittle Mill (disused)
Cemy.
Moor End
Greyhound Training Track
Common Farm
Surgery
West Mead Kennels
Melita
Poultry Farm
Rosebury Farm
Kayric
Wellhead Farm
VALE
EDLESBOROUGH
Bellows Mill
The Beeches
The Green
Chiltern View Farm
Edlesborough Combined School
Lea Farm
Partricks Cottage
Norfolk Ho. Fm.
Harling House
Shepherds Farm
Icknield Way Farm Cottages
Pinfield
Moat
Church Farm
Sparrowhall Farm
Manor Farm
Windmill (disused)
Edlesborough Mills (disused)
Ford
Harling Springs
Icknield Way Farm
Green Gates
Edlesborough Hill
nstable
St. Mary's Lodge
Chiltern Cottage
Valance-end Farm
LU6
Willow Farm
Weir
Coombe Bottom
White Lion
Cattle Grid
Wireless Station
Berkhamsted HP4
Coombe Hole
Beacon Lodge
Icknield Way
Gallows Hill
Wasteland
Chiltern Farm
Collyers
Fairview
Bethshan
DUNSTABLE ROAD
TRING ROAD
DAGNALL ROAD
DAGNALL WAY
MAIN ROAD NORTH
A4146
B489
B4506
64
83
97
98
99
17
18
19
20
21
G H J K L M N
1 2 3 4 5 6 7 8 9

64
A
B
C
D
E
F
G
1
2
3
4
5
6
7
8
9
44
63
84
500
01
02
20
19
18
17
Cricket Ground
Totternhoe Road
Dunstable Road
West Street
High Street South
Whipsnade Rd. B4541
B489
Icknield Way
Well Head
Gliding Club
Kennels
Melita
Poultry Farm
Wellhead Farm
Shepherds Farm
Icknield Way Farm Cottages
Icknield Way Farm
Green Gates
Springfield Rd.
Five Knolls
White Rock House
Spoondell Bungalow
California
Cemetery
Recreation Ground
Play. Fld.
Queensbury School
Lark Rise Lower School
Downs Farm
Dunstable Downs Golf Course
Club House
Priory Middle Sch.
Theatre
Works
School
South Bedf
Dunsta
Dunstable Downs
Picnic Area
Robertson Corner
Kensworth Quarry
Isle of Wight Lane
Water Tower
Downs House
Radio Mast
Slough Wood
Codlings Bank
LU6
Isle of Wight Farm
Home Field Farm
Isle of Wight Nurseries
Allcroft Wood
Landpark Wood
Green End Farm
Nash Farm
Hollick's Lane Farm
Maylords Farm
Old Greenend Farm
Common Road
B4540
Dagnall Road
B4506
Valance-end Farm
Chute Farm
Sallowspring Wood
Reservoir (Covered)
Tree Cathedral
Hill Farm
The Old Rectory
Whipsnade
Whipsnade Heath
Kensworth Common
Dell Farm
Subway
Flint Pit Paddock
Wood Lawn
The Green
Whipsnade Wood
Central Paddock
White Lion
Children's Zoo
Home Green
Chartley Paddock
Home Paddock
Spicer's Field
Round Close
Whipsnade Park Zoo
Lay Meadow
Wolf Wood
Hallcraft
Cut Throat Paddock
Woodfield Paddock
Dagnall Paddock
Wastelands
HP4
Heath Wood
Buckwood Road
Dovehouse
Shortgrove
Studham Lane
Holywell Road
Woodland Way
Linney Head
Bethshan
Dunstable Road

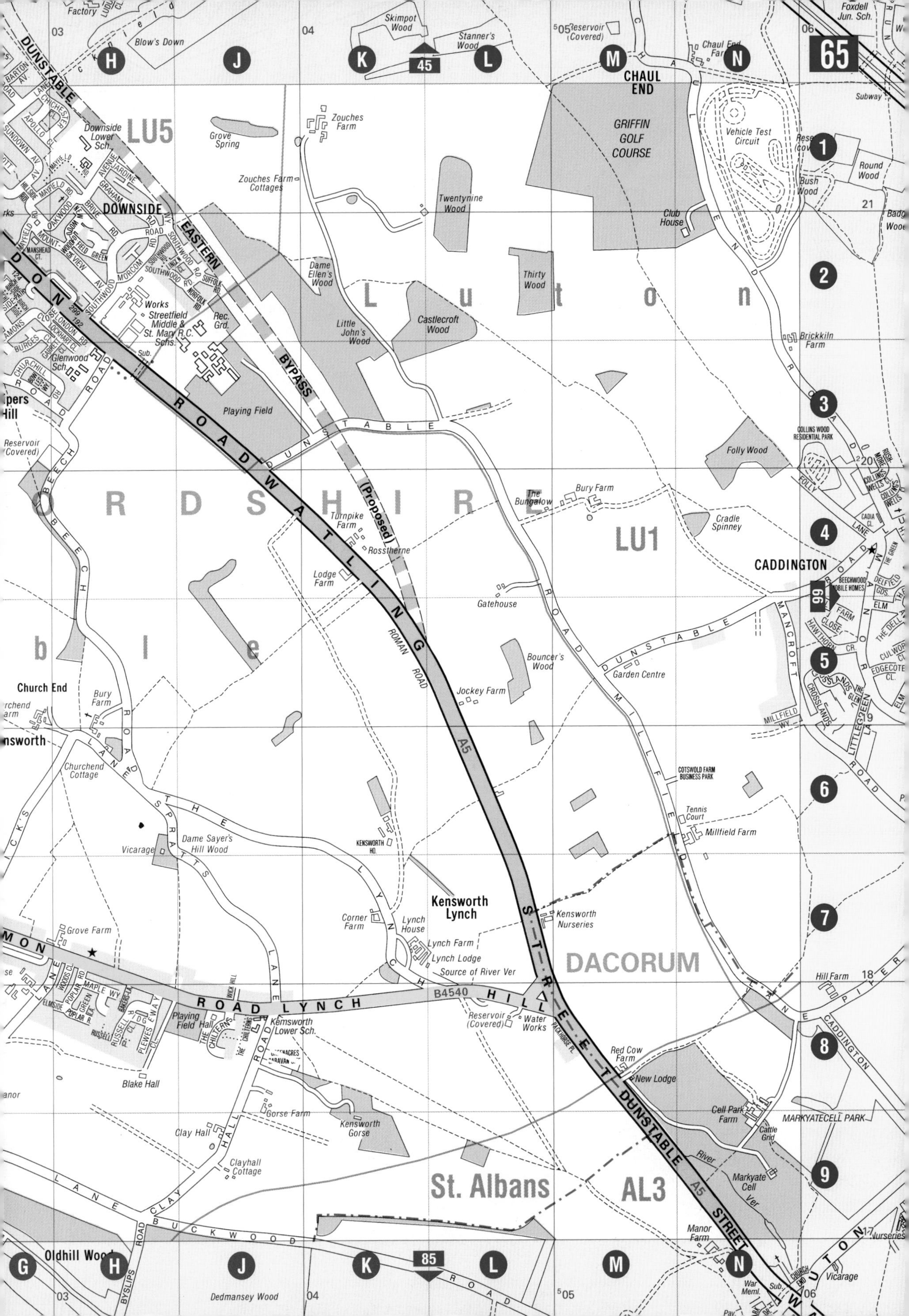

Factory
Blow's Down
Skimpot Wood
45
Stanner's Wood
Reservoir (Covered)
Chaul End Farm
Foxdell Jun. Sch.
CHAUL END
GRIFFIN GOLF COURSE
Vehicle Test Circuit
Round Wood
Bush Wood
Club House
Subway
LU5
Downside Lower Sch.
DOWNSIDE
Grove Spring
Zouches Farm
Zouches Farm Cottages
Twentynine Wood
Thirty Wood
Dame Ellen's Wood
Little John's Wood
Castlecroft Wood
Luton
EASTERN BYPASS (Proposed)
DUNSTABLE
Works
Streetfield Middle & St. Mary R.C. Schs.
Rec. Grd.
Glenwood Sch.
Playing Field
Brickkiln Farm
COLLINS WOOD RESIDENTIAL PARK
Folly Wood
The Bungalow
Bury Farm
Cradle Spinney
LU1
CADDINGTON
BEDFORDSHIRE
Turnpike Farm
Rosstherne
Lodge Farm
Gatehouse
WATLING ROAD
ROMAN ROAD
Bouncer's Wood
Garden Centre
Jockey Farm
Reservoir (Covered)
Church End
Bury Farm
Churchend Cottage
Dame Sayer's Hill Wood
Vicarage
KENSWORTH HO.
COTSWOLD FARM BUSINESS PARK
Tennis Court
Millfield Farm
MILLFIELD ROAD
Kensworth Lynch
Kensworth Nurseries
Corner Farm
Lynch House
Lynch Farm
Lynch Lodge
Source of River Ver
DACORUM
Hill Farm
Grove Farm
LYNCH HILL
B4540
Playing Field
Hall
Kensworth Lower Sch.
Reservoir (Covered)
Water Works
Red Cow Farm
New Lodge
Blake Hall
Gorse Farm
Kensworth Gorse
Cell Park Farm
MARKYATECELL PARK
Cattle Grid
Clay Hall
Clayhall Cottage
St. Albans
AL3
Markyate Cell
River Ver
A5
STREET
Manor Farm
BUCKWOOD ROAD
Oldhill Wood
Dedmansey Wood
85
War Meml.
Vicarage
CADDINGTON LANE
PEPPERSTOCK

M1 MOTORWAY
CADDINGTON
FARLEY HILL
WINSDON HILL
STOCKWOOD PARK
STOCKWOOD PARK GOLF COURSE
Junction 10a
Junction 10
Woodside
LU1
SLIP END
Aley Green
Pepperstock
St. Albans
AL3
SOUTH BED
DACORUM
MARKYATE ROAD
LUTON ROAD
CHURCH ROAD
NEWLANDS RD.
FARLEY
WOODSIDE ROAD
GROVE ROAD
HALF MOON LANE
PEPSAL END ROAD
PIPERS LANE
MILLFIELD
CADDINGTON COMMON
MARKYATECELL PARK
Vehicle Test Circuit
Reservoir (covered)
Round Wood
Bush Wood
Badgerdell Wood
Blossom Spring
Brickkiln Farm
Folly Wood
Cradle Spinney
Manor Farm
Inion's Farm
Barnfield College
Five Oak Middle & Willowfield Schools
Tipplehill Farm
Piper's Farm
Woodside Farm
Whyley Cottage
Lower Woodside Farm
Cemetery
Hill Farm
Foxdell Farm
Top Spring
Home Farm
Caddington Hall
Stable Spring
Middle Spring
Grove Farm
Limekiln Plantation
Birchin Grove
Pepsal End Manor
Pepsalend Farm
Chalk Wood
Sewage Works
Broom Leys Wood
Cell Park Farm
Markyate Cell
Millfield Farm
Slip End Lower School
Farley Jun. Sch.
Hillborough Jun. & Inf. Sch.
Dallow Jun. & Inf. Sch.
46
65
86

LUTON
LONDON LUTON AIRPORT
Terminal Buildings
Vauxhall Motor Works
Luton Airport Parkway
Retail Park
Cemetery
Works
Depot
Hotel
AIRPORT EXECUTIVE PARK
Crawley Green Inf. & Wenlock C.E. Jun. Schs.
VAUXHALL WAY
A505
WINDMILL RD.
GIPSY LA.
AIRPORT WAY
A1081
KIMPTON ROAD
CRAWLEY
VIADUCT
PARK TOWN
NEW TOWN
Rec. Grd.
Sports Ground
Sports Centre
Playing Field
South Luton High Sch.
Tennis Courts
CAPABILITY GREEN
Lower Kidney Wood
Kidney Wood
Bull Wood
Luton Lodges
SOMERIES ARCH
Someries Farm
Someries
Someries Lodge
Bush Pasture
LU2
Copt Hall Cottages
Copt Hall
George Wood
Hardingdell Wood
Fernell's Wood
LOWER HARPENDEN ROAD
B653
Upper Lea Valley Walk
River Lea or Lee
LUTON DRIVE
Stocking Wood
LUTON HOO PARK
Watbridge Cottages
Warren Hill Lodges
Boat House
Engine Spring
Weir
The Lodge
Luton Hoo
Columnhill Spring
The Plain
The Stable Yard
THE WARREN DRIVE
New Mill End
Station House
New Mill End Farm
Sewage Works
BEDFORDSHIRE
Birch Wood
Hillside
Luton Hoo Home Farm
Flowergarden Wood
Luton Hoo Estate
Saw Mill
The Gables
Tumble Grove
The New Lodge
The Hermitage
Gibraltar Cottages
Gibraltar Farm
LIMETREE AVENUE
Graves Wood
West Hyde
Lady ...e's Lodge
EAST HYDE
LONDON ROAD
Flint Hyde Cottages
Chiltern Hall
G H J K L M N
1 2 3 4 5 6 7 8 9
10 11 12
21 20 19 18

47
68
87

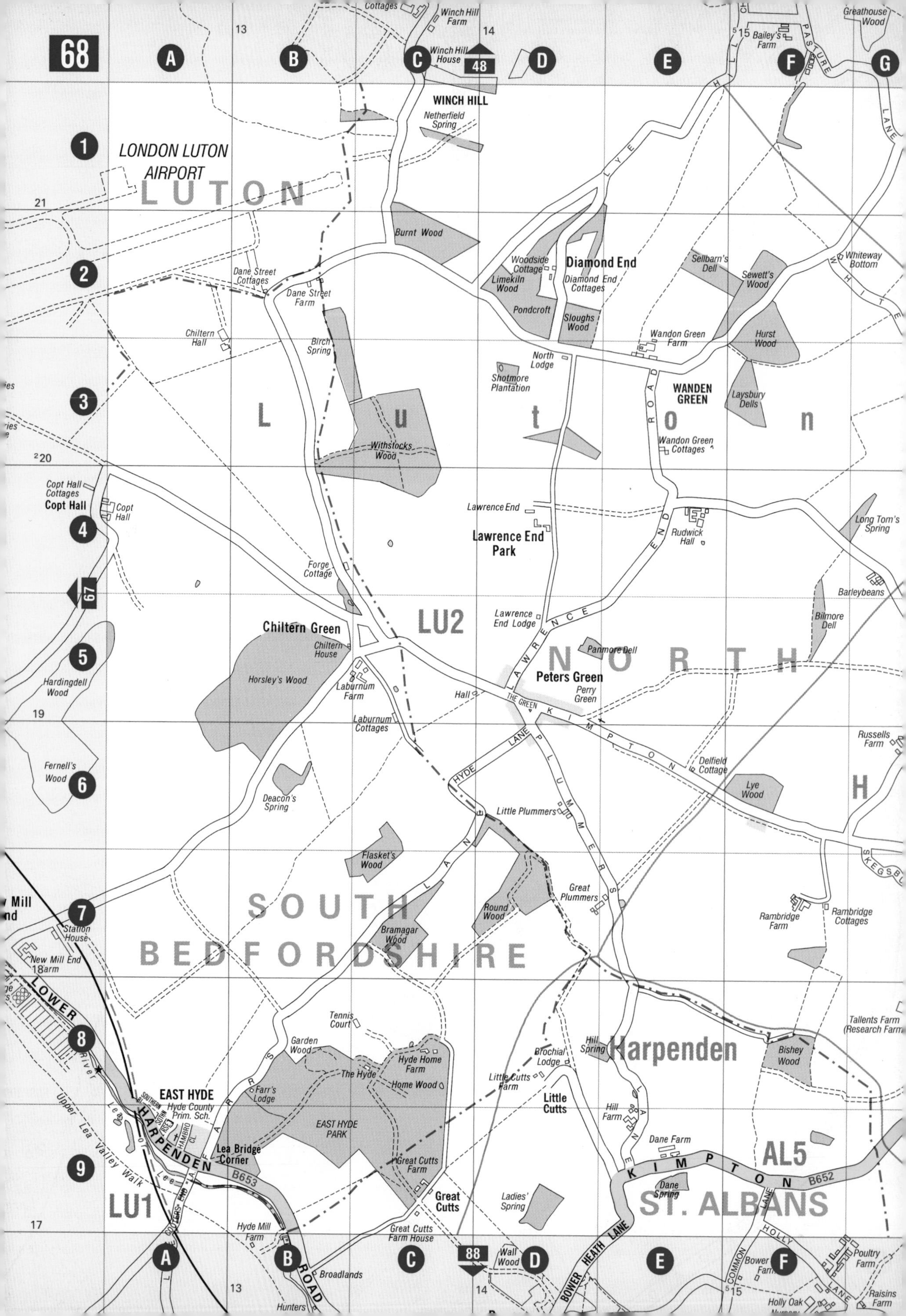
A
B
C
D
E
F
G
1
2
3
4
5
6
7
8
9
13
14
48
67
88
LONDON LUTON AIRPORT
LUTON
Luton
LU2
NORTH
SOUTH BEDFORDSHIRE
LU1
AL5
ST. ALBANS
Harpenden
Cottages
Winch Hill Farm
Winch Hill House
WINCH HILL
Netherfield Spring
Greathouse Wood
Bailey's Farm
PASTURE LANE
Burnt Wood
Dane Street Cottages
Dane Street Farm
Chiltern Hall
Birch Spring
Withstocks Wood
Woodside Cottage
Limekiln Wood
Diamond End
Diamond End Cottages
Pondcroft
Sloughs Wood
North Lodge
Shotmore Plantation
Sellbarn's Dell
Sewett's Wood
Hurst Wood
Laysbury Dells
Wandon Green Farm
WANDEN GREEN
ROAD
Wandon Green Cottages
Whiteway Bottom
Copt Hall Cottages
Copt Hall
Lawrence End
Lawrence End Park
Rudwick Hall
Long Tom's Spring
Forge Cottage
Chiltern Green
Chiltern House
Horsley's Wood
Lawrence End Lodge
LAWRENCE END
Panmore Dell
Peters Green
Perry Green
Barleybeans
Bilmore Dell
Hardingdell Wood
Fernell's Wood
Laburnum Farm
Laburnum Cottages
Hall
THE GREEN
KIMPTON
HYDE LANE
PLUMMERS
Delfield Cottage
Lye Wood
Russells Farm
Deacon's Spring
Little Plummers
Flasket's Wood
Great Plummers
Round Wood
Bramagar Wood
LANE
SKEGSBU
Rambridge Farm
Rambridge Cottages
Mill
Station House
New Mill End Farm
LOWER
River
Upper Lea Valley Walk
Lea
Tennis Court
Garden Wood
Hyde Home Farm
The Hyde
Home Wood
Farr's Lodge
EAST HYDE
Hyde County Prim. Sch.
SOUTHERN
HAMBRO CL
EAST HYDE PARK
Lea Bridge Corner
HARPENDEN
B653
Great Cutts Farm
Great Cutts
Brochial Lodge
Little Cutts Farm
Little Cutts
Hill Spring
Hill Farm
Dane Farm
Dane Spring
KIMPTON
B652
Ladies' Spring
Bishey Wood
Tallents Farm (Research Farm)
Hyde Mill Farm
Great Cutts Farm House
Wall Wood
ROAD
Broadlands
Hunters
BOWER HEATH LANE
COMMON LANE
HOLLY LANE
Bower Farm
Poultry Farm
Raisins Farm
Holly Oak
17
18
19
20
21
15

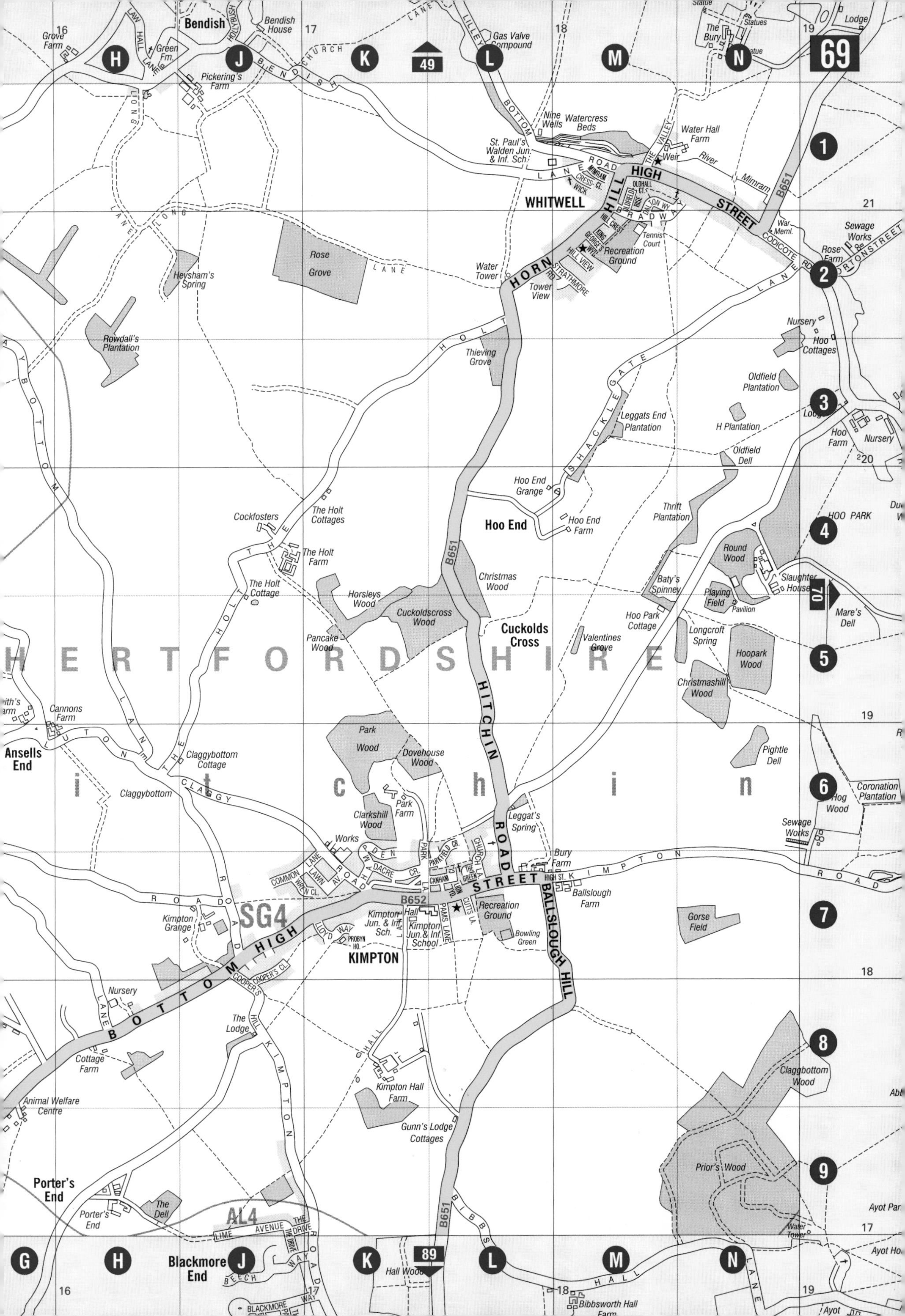

Bendish
Bendish House
Grove Farm
Green Fm.
Pickering's Farm
Gas Valve Compound
49
Nine Wells
Watercress Beds
Water Hall Farm
St. Paul's Walden Jun. & Inf. Sch.
WHITWELL
Weir
River Mimram
HIGH STREET
Tennis Court
Recreation Ground
Water Tower
Tower View
Sewage Works
Rose Farm
War Meml.
CODICOTE RD
Rose Grove
Heysham's Spring
Rowdall's Plantation
Thieving Grove
Nursery
Hoo Cottages
Oldfield Plantation
Leggats End Plantation
H Plantation
Hoo Farm
Nursery
Oldfield Dell
Hoo End Grange
Hoo End
Hoo End Farm
Thrift Plantation
HOO PARK
Round Wood
Slaughter House
Baty's Spinney
Playing Field
Pavilion
Mare's Dell
70
Cockfosters
The Holt Cottages
The Holt Farm
The Holt Cottage
Christmas Wood
Horsleys Wood
Cuckoldscross Wood
Pancake Wood
Cuckolds Cross
Hoo Park Cottage
Longcroft Spring
Valentines Grove
Hoopark Wood
Christmashill Wood
HERTFORDSHIRE
Cannons Farm
Ansells End
Claggybottom Cottage
Claggybottom
Park Wood
Dovehouse Wood
Pightle Dell
Coronation Plantation
Hog Wood
Sewage Works
itchin
Clarkshill Wood
Park Farm
Leggat's Spring
Works
Bury Farm
Ballslough Farm
KIMPTON ROAD
HIGH STREET
HITCHIN ROAD
BALLSLOUGH HILL
B651
B652
SG4
Kimpton Grange
Kimpton Hall
Kimpton Jun. & Inf. Sch.
Recreation Ground
Bowling Green
Gorse Field
KIMPTON
BOTTOM
Nursery
The Lodge
Cottage Farm
Claggbottom Wood
Animal Welfare Centre
Kimpton Hall Farm
Gunn's Lodge Cottages
Prior's Wood
Porter's End
The Dell
AL4
Water Tower
Blackmore End
Hall Wood
89
Bibbsworth Hall Farm
Ayot Par
Ayot Ho
HALL LANE

Rusling End
Crouch Green
NORTH HER
Hitchin
Welwyn
SG4
AL6
CODICOTE
Codicote Bottom
Driver End
CODICOTE HEATH
HOO PARK
Claggdell Spring
The Fussens
Lime Dells
Pickwiddens Plantation
Lucas Dell Hole
Rusling End Farm
Rustling End Cottage
Keepers Cottage
Graffridge Wood
Burleigh Fm. Cotts.
Wintergreen Cottages
Longmeadow Plantation
Winter Wood
Holl Lays Wood
Rough Bushes
Warren Wood
Sutfield Close
Sewage Works
Rose Farm
War Meml.
Nursery
Hoo Cottages
Oldfield Plantation
H Plantation
Dumb Hills
Pannmill Cottages
Lodge
Hoo Farm
Duck Trap Wood
River Mimram
Round Wood
Slaughter House
Playing Field
Pavilion
Mare's Dell
Hoopar Wood
Lygraves Wood
Luckswarren Wood
Chalkdell Wood
Bigg's Grove
Three Houses Farm
The Cottage
Node Wood
Church Wood
Crouchgreen Wood
The Japanese Garden
Wildways
Lytton Lodge
Tower Lodges
Burnhams
Bradley's Spring
Tennis Court
The Node
Coombe Lodge
Troopers Stables
Eiling Lodge
The Bothy
Holme End
Mansells Farm
Rye-end Cottages
Rye-end Farm
High Heath Farm Cottages
High Heath Farm
Pightle Dell
Hog Wood
Coronation Plantation
The Kennels
Mill Pond
Valley Farm
Kimpton Mill
The Grove
Playing Field
Tennis Cts.
Water Tower
Bury Farmhouse
Tennis Court
Codicote Lodge
Heath Plantation
Codicote Mill
Three Hills
Codicote Prim. Sch.
Rec. Grd.
Bottom Farm
Ayot Lodge
Abbotshay
Claggbottom Wood
Hollowdane Spring
Brimstone Wood
Long Valley
First Spring
Hollard's Farm
Pulmore Nursery
Longston Wood
Catchpole Wood
DANESBURY PARK GOLF COURSE
Lime Quarry
Ayot Park
Water Tower
Ayot House
Cattle Grid
Old Rectory
Pulmer
Ford
Easthall Cottages
Roundwood Dell
The Bury
Statues
Lodge
LONDON ROAD
B656
B651
CODICOTE ROAD
NORTONSTREET
NORTONSTREET LANE
THREE HOUSES LANE
KIMPTON ROAD
KIMPTON MILL
HIGH STREET
DRIVER'S END
MANSELLS LANE
TANYARD LANE
MEAD LANE
LORD LANE
BRIDGE HALL LANE
ST ALBANS ROAD
BIBBS HALL LANE
HEATH HILL
HEATH LANE
MEADOW WAY
HILL ROAD
TOWER RD.
CHURCH CL.
THE CLOSE
THE PADDOCKS
BURY LANE
COWARDS LANE
NEW ROAD
TOWN ROAD
A B C D E F G
1 2 3 4 5 6 7 8 9
50
69
90
19 20 21 22

KNEBWORTH COUNTRY PARK
KNEBWORTH GOLF COURSE
Knebworth House
Old Knebworth
KNEBWORTH
Knebworth
Nup End Green
Nup End
Tagmore Green
Rableyheath
Pottersheath
Woolmer Green
Welwyn Heath
Oaklands
Danesbury
DANESBURY HOSPITAL
A1(M)
MOTORWAY
STEVENAGE ROAD
LONDON ROAD
GREAT NORTH ROAD
B197
B656
SG2
SG3
AL6
51
72
91
WELWYN HATFIELD
Knebworth
Welwyn
HERTFORDSHIRE

STEVENAGE
Stevenage
BROADHALL WAY
A602
Subways
52
Aston Bury
Sacombe Wood
Astonbury Wood
Sports Ground
Stevenage Brook
Bragbury
Weir
Bragbury End
Reservoir (Covered)
SG2
Pallett's Wood
Four Acres Wood
Harmer's Bushes
Hook's Cross
Oaks Cross Farm
Gravel Pit
FROGMORE
The Wood
Hale's Wood
Hazel Farm
Skegg's Wood
KNEBWORTH
Recreation Ground
Electricity Sub Station
WATTON ROAD
Pumping Station
Library
Pinker Wood
Longdene
Sundown
Prim. Sch.
Boys' Home
Swangley's Farm
SWANGLEY'S LANE
NORTH HERTFORDSHIRE
Baines's Spring
BRAGBURY LANE
Keepers Cottage
Staples Farm
Staples Cottage
The Homestead
Bury Wood
Stocking Grove
Hopground Spring
Bromelowe
The Bungalow
Raffin Green Farm
Raffin Green
RAFFIN PARK
Bury Farm
Pound Farm
HOLLYBUSH LANE
Moats
War Mem.
Datchworth Jun.& Inf. School
71
Knebworth
Datchworth
Works
Warehouse
Payne's Farm
Datchworth Close
Painter's Green
The Rectory
Well Wood
Chapel Wood
Brewers Wood
EAST HER
Playground
Cave Wood
Woolmer Green
Mardleybury
Mardleybury Farm
Mardleybury Manor
Farrins Farm
Hall
SG3
Recreation Ground
HAWKINS HALL LANE
Hawkins Hall Farm
WATTON ROAD
Rivershill Green
Rec. Grd.
Sch.
MARDLEYBURY ROAD
WHITE HORSE LANE
WHEATCOTES
BROOKBRIDGE LA.
Ten. Crt.
Datchworth Green
Pav.
Cherrytree Hall
Datchworth Green
BRAMFIELD ROAD
BACK LANE
WELWYN HATFIELD
Ironbox Plantation
Gover's Green
Backlane Wood
ROBBERY BOTTOM LA.
Hempstall Spinney
COLTSFOOT LANE
Coltsfoot Farm
Moathouse Farm
Moat
Water Tower
Reservoir (covered)
Welches Farm
Welwyn
Bull's Green
Bull's Green
Wrens Wood
Leonardshill Wood
The Firs
Long Walk
Hazeldell
William Spring
Nurseries
Green's Wood
Perry's Grove
AL6
PERRYWOOD
Nicholson's Wood
Alexander's
Little Barnes Wood
Barnes Wood
92
Burnham Green
Canon's Wood
Oak Vale
BRAMFIELD
Basil's Park
QUEEN HOO LA.
BURNHAM GREEN ROAD

53
74
93
Loefield Grove
Chapel Farm
Gregory's Farm
Whempstead Green
Whempstead
Ware
Lamsden Common
Chain Walk
Whempstead Farm
Whempstead Gate Farm
Hog's Wood
Arbury Wood
SG12
Frogmore Hall
Weir
Sluice
Blue Hill Farm
Blue Hill
WHEMPSTEAD LANE
Bromley Bottom
Bushy Leys Spring
Bromley Common
Bromley Spring
Meadow Spring
The Rookery
Hertford
Blue Hill House
Willey Wood
Blackditch Wood
Lawn Spring
A602
BEANE RD.
River Beane
SG14
Punyards Wood
Sacombe Hill Farm
Broom Hall Farm
Toes Wood
Bardolphspark Wood
The Grove
Bardolphs
Watton at Stone
Depot
OLD SCHOOL ORCHARD
Cricket Ground
Watton House
Bardolphs Cottages
Watton Lodge
The Garden House
Watton at Stone Jun.& Inf. Sch.
WATTON AT STONE
WARE ROAD
The Spring
Heath Mount School
Tennis Courts
The Beehive Cottage
HERTFORDSHIRE
Crowbury
Hanginghill Wood
WOODHALL PARK
Watkin's Spring North
Watkin's Cottages
Moat
Watkin's Spring
Watton Green
Broad Water
Watkins Hall Farm
Watkin's Spring South
Hertford Lodge West
Hertford Lodge East
Home Farm
The River House
The Cuts
Sluice
Tumbling Bay
Perrywood Cottages
A119
Hornbeam
King Edward's Gorse
Martin Spring
Perrywood Farm
Perrywood Spring
Foxdell Wood
Brickclamps Wood
Widow Bushes
Patchendon Farm
Marsh Ditch
Hawkin's Dell
Burgess Corner
Lower Blackbuck Wood
Hornbeam Pollard
Great Gobions Farm
Valentine Cottage
Clusterbolt Wood
South End
Broomfield Spring
Upper Blackbuck Wood
Kitchencroft Spring
HIGH ROAD
Stapleford
Stapleford Place Farm
Stapleford Junior Mixed & Inf. Sch.
Joinery Works
Valentine Spring
Stonyhills
Stapleford
Saw Mill
Upper Stonyhills
Brig's Hill
Long Spring

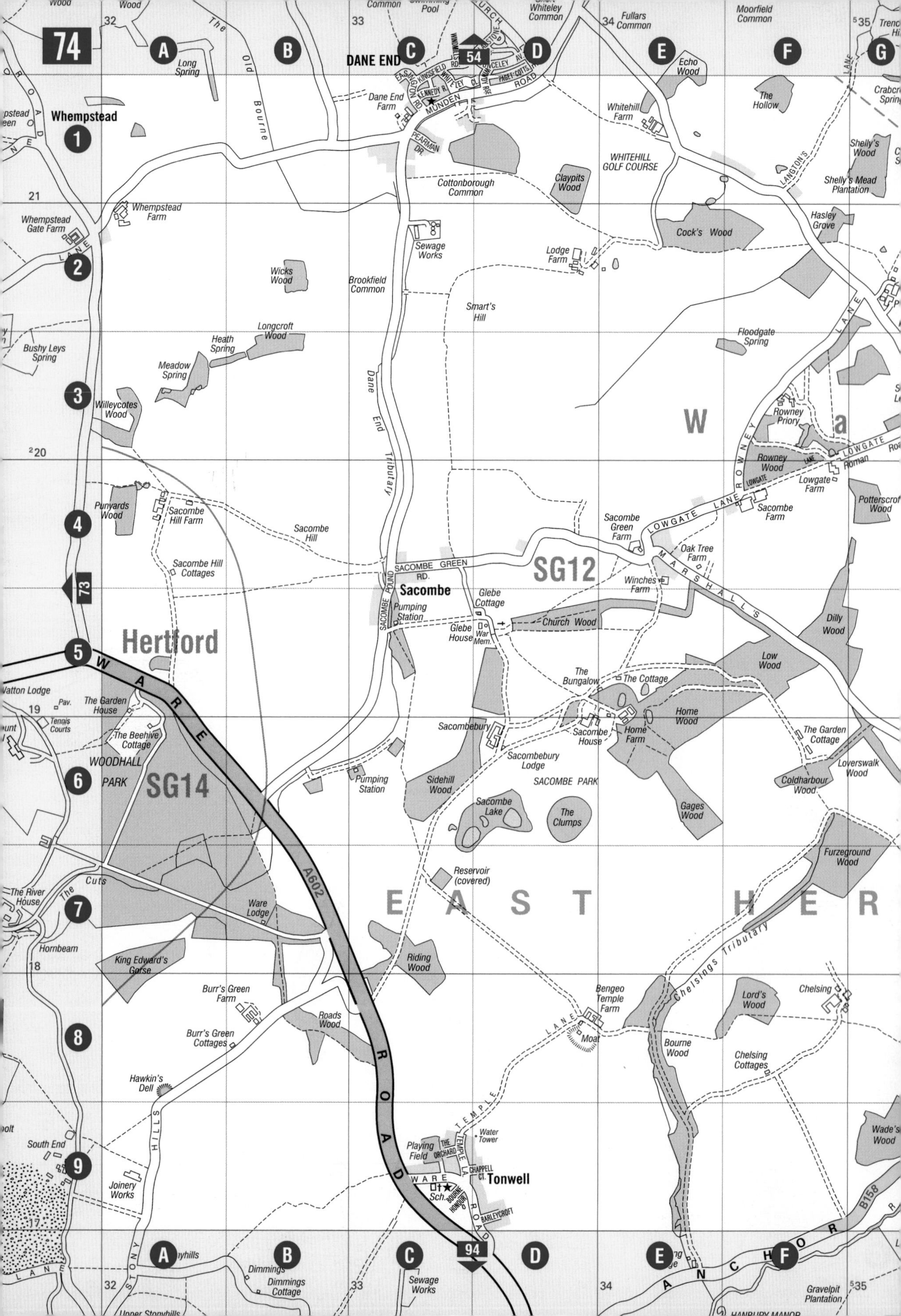
Whempstead
Long Spring
The Old Bourne
DANE END
Dane End Farm
Whiteley Common
Fullars Common
Moorfield Common
Echo Wood
Whitehill Farm
The Hollow
WHITEHILL GOLF COURSE
Shelly's Wood
Shelly's Mead Plantation
Claypits Wood
Cottonborough Common
Whempstead Farm
Whempstead Gate Farm
Cock's Wood
Hasley Grove
Sewage Works
Lodge Farm
Wicks Wood
Brookfield Common
Smart's Hill
Longcroft Wood
Heath Spring
Meadow Spring
Bushy Leys Spring
Floodgate Spring
Willeycotes Wood
Rowney Priory
Rowney Wood
Lowgate Farm
Sacombe Farm
Potterscroft Wood
Punyards Wood
Sacombe Hill Farm
Sacombe Hill
Sacombe Green Farm
Oak Tree Farm
Sacombe Hill Cottages
SACOMBE GREEN RD.
SG12
Sacombe
Winches Farm
Glebe Cottage
Pumping Station
Glebe House
War Mem.
Church Wood
Dilly Wood
Hertford
Low Wood
The Bungalow
The Cottage
Watton Lodge
The Garden House
Tennis Courts
The Beehive Cottage
Home Wood
Sacombebury
Sacombe House
Home Farm
The Garden Cottage
Sacombebury Lodge
WOODHALL PARK
SG14
Sidehill Wood
SACOMBE PARK
Loverswalk Wood
Coldharbour Wood
Sacombe Lake
The Clumps
Gages Wood
Furzeground Wood
Reservoir (covered)
The Cuts
The River House
Ware Lodge
A602
EAST HER
Hornbeam
Riding Wood
King Edward's Gorse
Chelsings Tributary
Burr's Green Farm
Bengeo Temple Farm
Lord's Wood
Chelsing
Roads Wood
Moat
Burr's Green Cottages
Bourne Wood
Chelsing Cottages
Hawkin's Dell
STONY HILLS
Water Tower
Wade's Wood
South End
Playing Field
Tonwell
Joinery Works
WARE ROAD
Sch.
BARLEYCROFT
B158
Dimmings Cottage
Sewage Works
Gravelpit Plantation
54
73
94

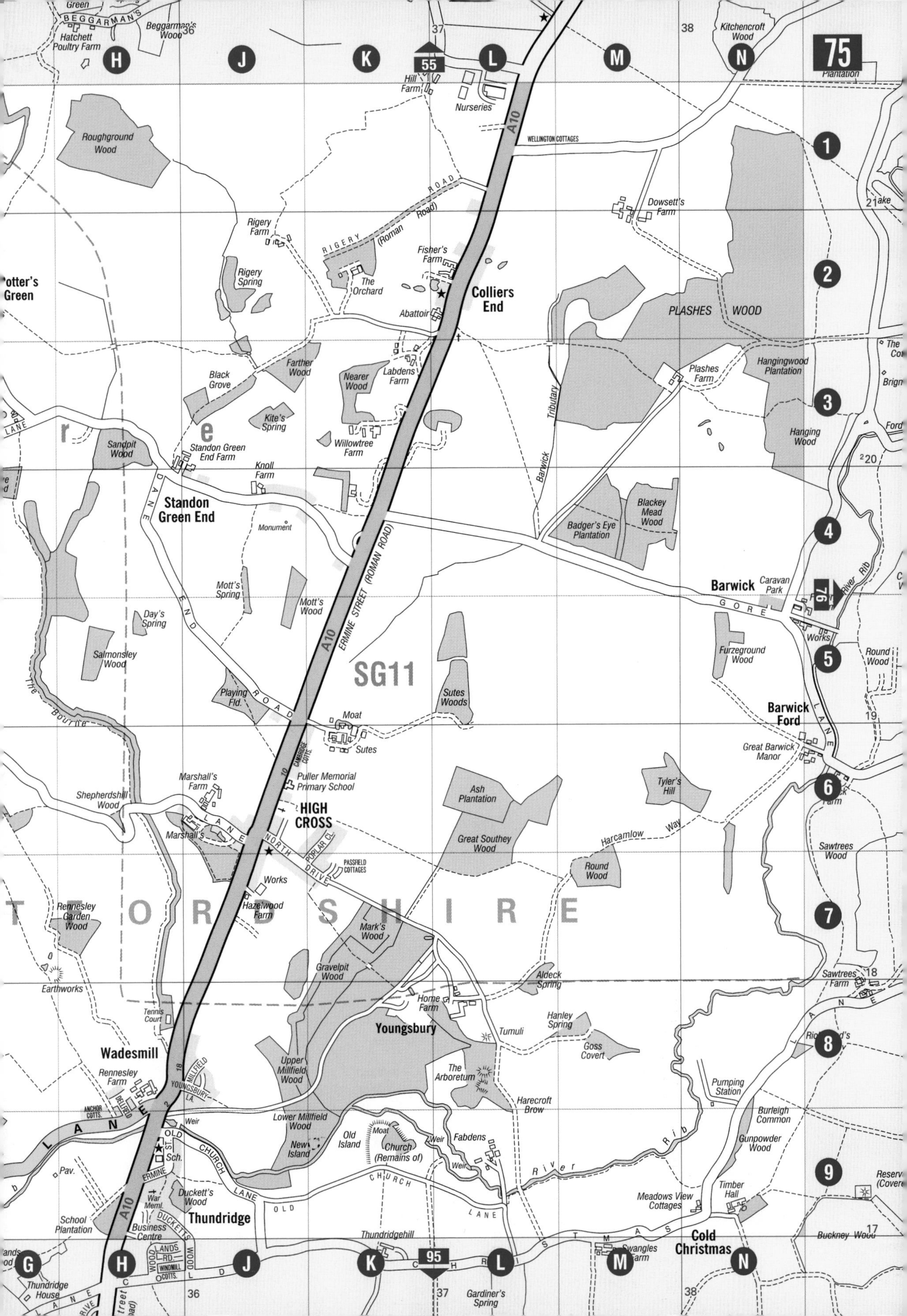

55
95
76
Colliers End
Standon Green End
Barwick
Barwick Ford
HIGH CROSS
Youngsbury
Wadesmill
Thundridge
Cold Christmas
SG11
A10
ERMINE STREET (ROMAN ROAD)
Roughground Wood
Rigery Farm
Rigery Spring
Fisher's Farm
The Orchard
Abattoir
Farther Wood
Black Grove
Nearer Wood
Labdens Farm
Kite's Spring
Willowtree Farm
Sandpit Wood
Standon Green End Farm
Knoll Farm
Monument
Mott's Spring
Mott's Wood
Day's Spring
Salmonsley Wood
Playing Fld.
Moat
Sutes
Sutes Woods
Puller Memorial Primary School
Marshall's Farm
Marshall's
Shepherdshill Wood
Works
Hazelwood Farm
Rennesley Garden Wood
Earthworks
Mark's Wood
Gravelpit Wood
Home Farm
Tumuli
The Arboretum
Upper Millfield Wood
Lower Millfield Wood
New Island
Old Island
Church (Remains of)
Fabdens
Weir
Rennesley Farm
Duckett's Wood
War Meml.
Business Centre
School Plantation
Thundridge House
Thundridgehill
Gardiner's Spring
Swangles Farm
Meadows View Cottages
Timber Hall
Pumping Station
Burleigh Common
Gunpowder Wood
Harecroft Brow
Goss Covert
Hanley Spring
Aldeck Spring
Round Wood
Great Southey Wood
Ash Plantation
Tyler's Hill
Great Barwick Manor
Furzeground Wood
Caravan Park
Badger's Eye Plantation
Blackey Mead Wood
Plashes Farm
PLASHES WOOD
Hangingwood Plantation
Hanging Wood
Dowsett's Farm
WELLINGTON COTTAGES
Nurseries
Hill Farm
Kitchencroft Wood
Beggarman's Wood
Hatchett Poultry Farm
BEGGARMAN'S
Sawtrees Wood
Sawtrees Farm
Round Wood
Bucknry Wood
RIGERY ROAD (Roman Road)
DANE END ROAD
NORTH DRIVE
POPLAR CL.
PASSFIELD COTTAGES
CAMBRIDGE COTTS.
GORE LANE
Harcamlow Way
Barwick
Tributary
River Rib
The Bourne
OLD CHURCH LANE
CHURCH LANE
ST. MARY'S LANE
YOUNGSBURY LA.
MILLFIELD
ANCHOR COTTS.
DELFIELD
ERMINE ST.
WOODLANDS RD.
WINDMILL COTTS.
DUCKETTS WOOD
CHURCH LANE
Tennis Court
Pav.
Sch.
T F O R D S H I R E

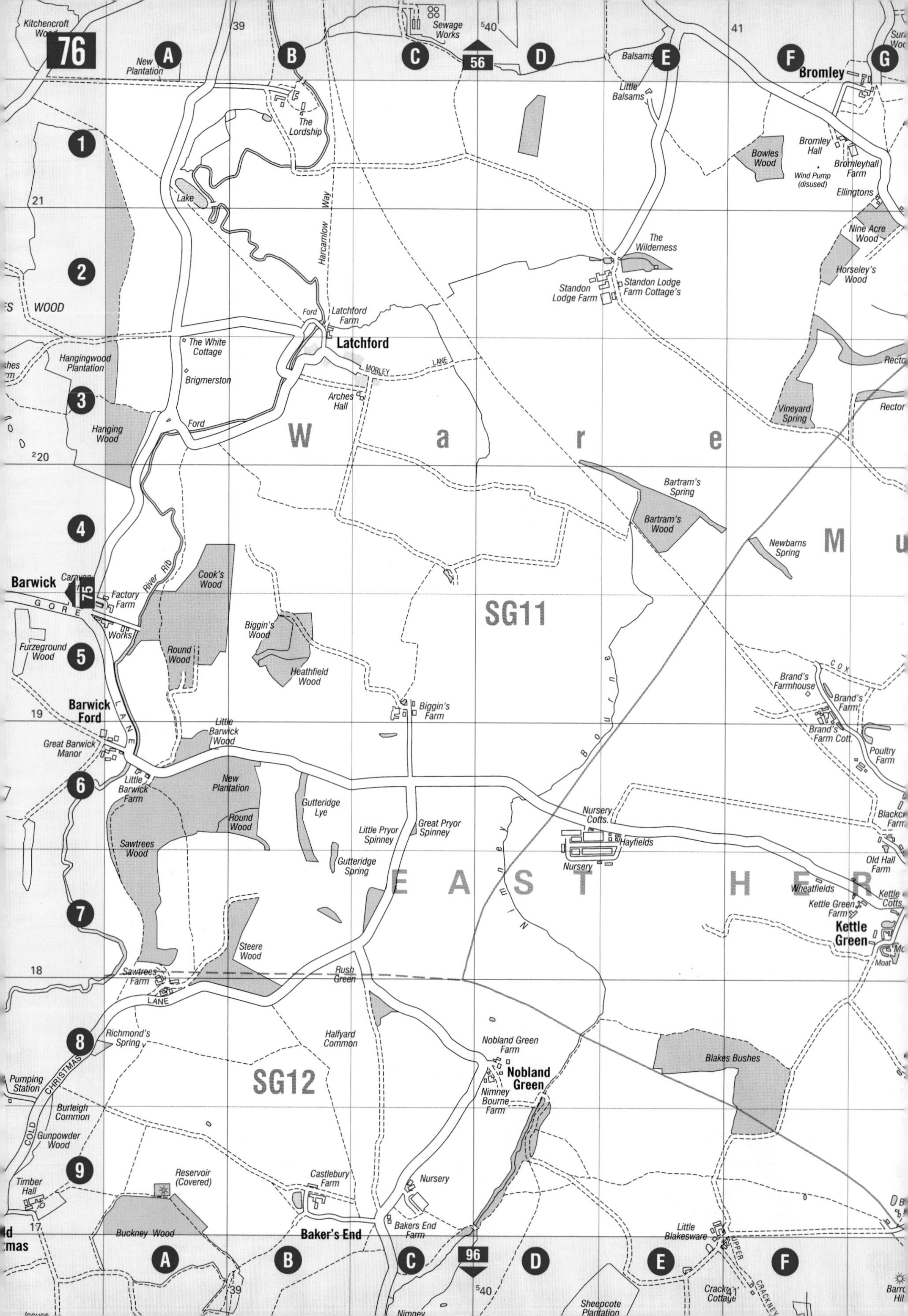

Kitchencroft Wood
New Plantation
Sewage Works
56
Balsams
Bromley
Little Balsams
The Lordship
Bromley Hall
Bowles Wood
Bromleyhall Farm
Wind Pump (disused)
Ellingtons
Lake
Harcamlow Way
Nine Acre Wood
The Wilderness
Horseley's Wood
Standon Lodge Farm
Standon Lodge Farm Cottage's
WOOD
Ford
Latchford Farm
Latchford
The White Cottage
Hangingwood Plantation
MORLEY LANE
Brigmerston
Arches Hall
Vineyard Spring
Hanging Wood
Ford
Ware
Bartram's Spring
Bartram's Wood
Newbarns Spring
Cook's Wood
Barwick
GORE
75
Factory Farm
River Rib
SG11
Biggin's Wood
Works
Furzeground Wood
Round Wood
Heathfield Wood
Barwick Ford
Biggin's Farm
Brand's Farmhouse
Brand's Farm
Brand's Farm Cott.
LANE
Little Barwick Wood
Great Barwick Manor
Poultry Farm
New Plantation
Little Barwick Farm
Gutteridge Lye
Round Wood
Great Pryor Spinney
Little Pryor Spinney
Nursery Cotts.
Hayfields
Sawtrees Wood
Gutteridge Spring
Nursery
Old Hall Farm
EAST HER
Wheatfields
Kettle Green Farm
Kettle Cotts.
Kettle Green
Moat
Steere Wood
Nimney Bourne
Sawtrees Farm
Rush Green
LANE
Richmond's Spring
Halfyard Common
Nobland Green Farm
Blakes Bushes
Nobland Green
SG12
Pumping Station
CHRISTMAS
Nimney Bourne Farm
Burleigh Common
COLD
Gunpowder Wood
Reservoir (Covered)
Castlebury Farm
Timber Hall
Nursery
Buckney Wood
Baker's End
Bakers End Farm
Little Blakesware
UPPER CRACKNEY
96
Crackney Cottage
Sheepcote Plantation
Nimney

Hadham Ford
Pig's Green
Alder Wood
Westfield Farm
War Mem.
Pumping Station
FORD
HOECROFT
MILLFIELD LANE
THE GROVE
Caley Wood
Westfield Cottage
Bridgefoot Farm
Suffyldes
HILL ACREMORE
Bury Green Farm
Bury Green
Clinton Hall Cottages
Little Hamstead
Acremore
Acremans
STREET
Clintons
Four Acres
Hill Crest
NEW ROAD
Oak Pollard
Cambercroft Spring
Damsel's Spring
Council Depot
Camber Spring
Lordship Farm Cottages
River Ash
Chaldean Farm
Carldane Court
Spinney
Lordship Farm House
Old Lordship Farm House
Bush Wood
Carldane Cottages
Suncrest
Acorn Hill
Spindle Bridge
North End Cottages
Whiprow Cottages
Moat
The Lordship
NEW BARNS LANE
B1004
WINDING HILL
Pennyfields
North Leys
The Palace
Bush Hill
CHURCH LA.
The Canal
Ash
Waltons Cotts.
Waltons
Exnalls Farm
Club House
GREAT HADHAM GOLF COURSE
Gaytons
THE SQUARE
Nursery
LANE
COX
Weir
Holdens
The Bungalow
Dane Bridge
Dane Bridge House
Home Stalls
MUCH HADHAM
Hall
The Vineyard
CHURCH
The Hill
Danebridge Cottage
ROAD
The Orchard
Little Hill
Poultry Houses
SG10
PARK TER.
Springs Farm
Kennels
Longfield
Snells Cottages
Tennis Courts
Bowl. Green
Sports Ground
TOWER HILL HIGH STREET
Hill Farm
Nursery
Moor Place
Prim. Sch.
The Barn Sch.
Berryfield
DANE BRIDGE LA.
Nimney House
Health Cen.
ASH MEADOW
FERNDALE
Chalkdells Fm.
DANE BRIDGE
Garden Ho.
Hadham Cross
WALNUT CL.
Ford
Dane Wood
Green Tye Farm
Dell Cott
KETTLE GRN. RD.
MALTING LANE
Sidehill House
Daneswood
Midfield
Nursery
SPANSTED HILL
Daneswood Lodge
Hall
Green Tye
DUCKETTS LANE
Bulls Cottage
BROADFIELD
CULVER CT.
Daneswood Cottage
Sidehill Wood
Green Tye Cottage
Moat
Grudd's Farm
Woodfield
WINDMILL WAY
Culver Lodge
LAURELDENE
Long Barns
MILLERS VIEW
STATION ROAD
Rhoda Mt.
Sluice
Hill Head Cotts.
Uffords
Kirkstalls
Weir
Pumping Station
Cemetery
Bucklers Hall Farm
BROOK
Little Wynches
The Chase Farm
Bucklers Hall
Brook Cottage
Perry Green
LANE
Sacombs Ash
Wynches
Mill Wood
Hoglands
Little Camwell
Bourne
Fiddler's Brook
Barrowfield Lodge
Barrowfield House
Hadham Mill Cottages
Hadham Mill
Weir
Ash
Warrens Farm
Silos
WIDFORD ROAD
B1004
Woodlands
The
South-end
Old Park Cottages
Old Park Farm
Hundred Acres
River
Mill Park Lodge
Harefield
Bournside
Dukes Farm
H J K L M N
G H J K L M N
1 2 3 4 5 6 7 8 9
42 43 44 545
220 19 18 17
57
78
97
HERTFORDSHIRE
Much Hadham

Cradle End
Great Plantings Wood
58
East Wood
Superstore
Bury Green Farm
Bury Green
Clinton Hall Cottages
Clintons
Lower Farm
Stocking Wood
Stocking Wood Plantation
Ware
SG11
Playing Field
Park Cottages
Bishop's Stortford College
BISHOP'S STORTFORD
St. Joseph's R.C. Prim. Sch.
Claypits Farm House
Stortford Park
Thorley Houses
Uplands Barn
Finch Croft
Castle Farm
Jobbers Wood
Manor Fields Jun. & Inf. Sch.
THE THORLEY CEN.
Exnalls Farm
Club House
77
GREAT HADHAM GOLF COURSE
Much Hadham
Home Stalls
Butler's Hall
New Cottages
Brook Farm
Corner Cottage
Crowscroft
Cricket Ground
CM23
The Old Rectory
Warren Farm
Moor Hall Cottages
Moor Hall
Gatney Spring
Brookfield Spring
Thorley
Thorley Hall
SG10
EAST HERTFORDSHIRE
Bulls Cottage
MATHAMS WOOD
Henley Herne Spring
Blount's Farm
Blount's Cottages
Sacombs Ash
Sawbridgeworth
Trims Green
Burstead Cottages
Ranch House
Bursteads
Meadow View
Hylands Nursery
Longlands
Sunnyside
CM21
Warrens Farm
Silos
Newhouse Farm
The Billet
Sweetdews
Shingle Hall
Allen's Green
Allen Green
Dukes Farm
98
BISHOPS PARK WAY
GREAT HADHAM ROAD
ST. JAMES WAY
B1004
A1184
MILLFIELD LANE
ACREMORE ST.
SACOMBS ASH LANE
SPELLBROOK LANE
PARSONAGE LANE
BROOK LANE
THORLEY LANE
MOOR HALL LANE
BUTLERS HALL LANE
545 46 47 48
21 20 18 17
A B C D E F G
1 2 3 4 5 6 7 8 9

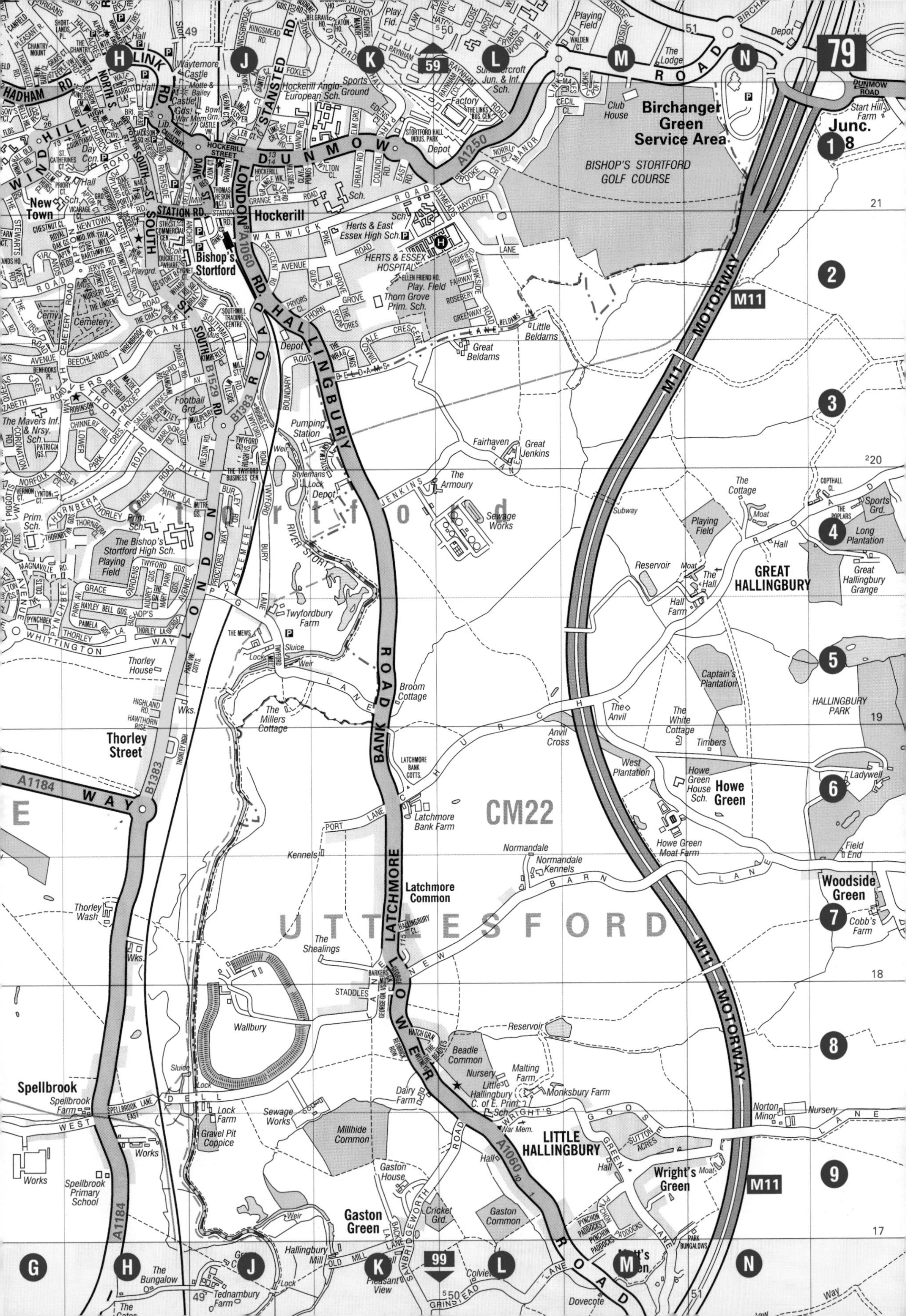
Birchanger Green Service Area
BISHOP'S STORTFORD GOLF COURSE
Junc. 8
Hockerill
Bishop's Stortford
New Town
Stortford
UTTLESFORD
CM22
GREAT HALLINGBURY
Howe Green
Woodside Green
Latchmore Common
LITTLE HALLINGBURY
Wright's Green
Gaston Green
Spellbrook
Thorley Street
Wallbury
M11 MOTORWAY
DUNMOW ROAD
LONDON ROAD
HALLINGBURY ROAD
LATCHMORE BANK
LOWER ROAD
Hallingbury Park
Millhide Common
Gaston Common
Great Hallingbury Grange
Sewage Works
Twyfordbury Farm
River Stort
59
99

AYLESBURY VALE
Aylesbury
HP22
Puttenham
Buckland
ASTON CLINTON
Astrope
Marstongate Station
Marstongate
Langdale Cottages
Wind Pump (Disused)
Thistle Brook
Aylesbury Ring
Long Leys Farm
The Paddock
Cattle Grid
Folly Farm
Red House Farm
POTASH LANE
Old Toms Farm
Central Farm
STATION RD
BROMLEY
CHURCH
Moat
CHAPEL LA
Sch.
All Saints' Church (Remains of)
Old Church Farm
Church Farm
Loxley Farm
Fox Covert
Millfield
ASTROPE LA
Manor Farm
Potash Farm
Astrope Folly
Astrope Farm
Grange Farm
CHURCH RD
Potash Farm Cottages
The Old Rectory
Dover Castle
Rectory Farm
Works
COLLEGE ROAD
Draytonmead Farm
Monks Court
Merrymead Farm
Grand Union Canal (Aylesbury Arm)
Grand Union Canal Walk
Weir
Red House
Lock
College Farm
Dropshot Farm
Cherry Farm
Timber Yard
Sewage Works
(PROPOSED)
Lower Farm
Model Row
Moat Farm
Vatche's Farm
AYLESBURY ROAD
A41
NORMILL TERRACE
AKEMAN STREET (Roman Road)
Sunny Brook Farm
SUNNY BROOK CL.
Pav.
Bowling Green
Brook Farm
The Lawn
Factory
BROOK ST
LONG PLOUGH
GREEN PARK
THE ORCHARD
NEW ROAD
BEECHWOOD
Buckland Ho.
Nield's Farm
PEGGS LANE
Manor Cottage
Manor Farm
LOWER ICKNIELD WAY
B489
Rannoch House
School

60
100

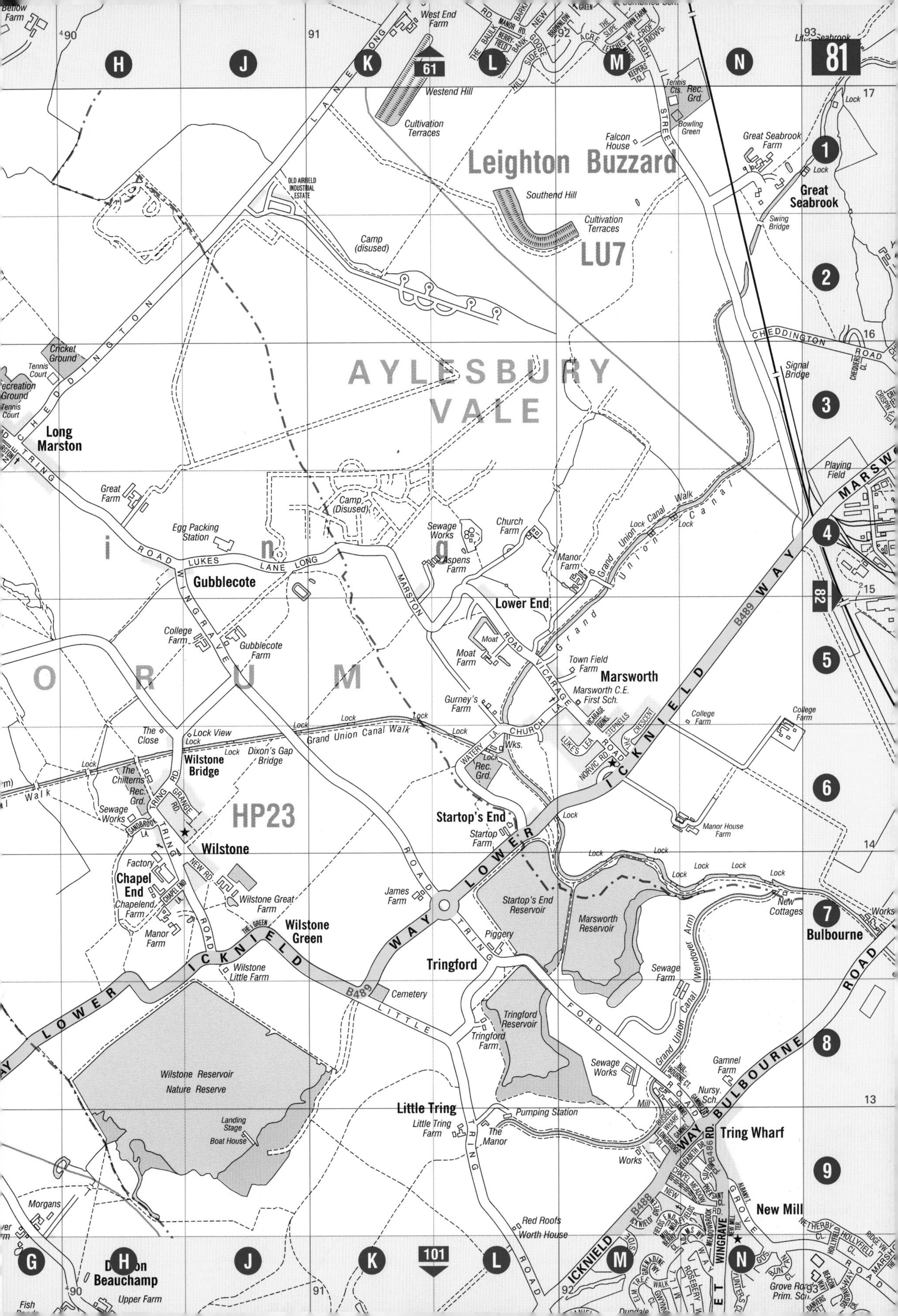
Leighton Buzzard
LU7
AYLESBURY
VALE
Long Marston
Gubblecote
Lower End
Marsworth
Wilstone Bridge
HP23
Startop's End
Wilstone
Chapel End
Wilstone Green
Tringford
Little Tring
Tring Wharf
New Mill
Great Seabrook
Bulbourne
Wilstone Reservoir
Nature Reserve
Startop's End
Reservoir
Marsworth
Reservoir
Tringford
Reservoir
Grand Union Canal Walk
Grand Union Canal
LOWER ICKNIELD WAY
B489
BULBOURNE ROAD
CHEDDINGTON ROAD
Westend Hill
Southend Hill
Cultivation
Terraces
Camp
(disused)
OLD AIRFIELD
INDUSTRIAL
ESTATE
West End
Farm
Great
Farm
Egg Packing
Station
College
Farm
Gubblecote
Farm
Church
Farm
Manor
Farm
Aspens
Farm
Sewage
Works
Moat
Farm
Town Field
Farm
Marsworth C.E.
First Sch.
Gurney's
Farm
College
Farm
Manor House
Farm
Startop
Farm
James
Farm
Wilstone Great
Farm
Wilstone
Little Farm
Cemetery
Piggery
Tringford
Farm
Pumping Station
Little Tring
Farm
The
Manor
Red Roofs
Worth House
Gamnel
Farm
Nursy.
Sch.
Sewage
Farm
New
Cottages
Works
Playing
Field
Signal
Bridge
Swing
Bridge
Falcon
House
Tennis
Cts.
Rec.
Grd.
Bowling
Green
Cricket
Ground
Tennis
Court
Recreation
Ground
Factory
Chapelend
Farm
Manor
Farm
Landing
Stage
Boat House
Morgans
Upper Farm
Dixon's Gap
Bridge
Lock View
The
Close
The
Chilterns
Rec.
Grd.
Mill
Works
Puttenham Beauchamp
Fish
61
82
101

Leighton Buzzard
AYLESBURY
Tring
DACORUM
LU7
HP23
Greatgap
Sewage Works
Piggery
IVINGHOE GOLF COURSE
Ford End Farm
Club Ho.
Town Farm
Icknield Way
RING
Great Seabrook
Little Seabrook Farm
Seabrook Locks
Lock
Swing Bridge
Yardley Farm
Brookmead School
Rec. Grd.
IVINGHOE
Brook End
CHEDDINGTON
Signal Bridge
PITSTONE
MARSWORTH ROAD
HIGH ST.
STATION RD.
CHURCH ROAD
Middle Path Farm
Windmill
Ivinghoe House
Pitstonegreen Farm
Playing Field
Hall
Cement Works
Church Farm
Moat
Cowhill Spring
Silver Birch
Steps Hill
Incombe Hole
Beacon Hill Settlement
Ivinghoe Hills
Ridgeway
Brook's Statnalls Wood
Church End
Conveyor
Tunnel
Chalk Pit
Nature Reserve
College Farm
Down Farm
Pitstone Hill
Clipperdown
Rainbow Cottage
Folly Farm
Folly Bridge
UPPER ICKNIELD WAY
Manor House Farm
New Bridges
Works
Bulbourne
Bulbourne Farm
Northfield Studio
Northfield Grange
Aldbury Nowers
Golding's Spring
Higgins's Spring
Howlett's Wood
Walk Wood
Club House
Turlhanger's Wood
STOCKS HOTEL & COUNTRY CLUB GOLF COURSE
STOCKS
Park Hill Farm
Grand Union Canal Walk
Grand Union Canal
NORTHFIELD ROAD
Gamnel Farm
BULBOURNE
Tring Wharf
New Mill
Marshcroft Cottages
MARSHCROFT LANE
Clarke's Spring
Westland Farm
Church Farm
STATION
Grove Road Prim. Sch.
B488
B489
62
81
102

Dunstable
LU6
Chiltern Farm
Collyers
Fairview Farm
Wasteland
Bethshan Farm
Play. Fld.
DAGNALL
Ten. Cts.
Lower Farm
Highbury Farm
Dagnall Farm
Dagnall County First Sch.
Cross Keys Fm.
Poultry Farm
Dagnall Farm
Ward's Coombe
Mead's Plantation
Hog Hall
Hanging Coombe
The Coombe
Cha Reetaa
Cholesbury Kennels
Sewage Works
Berkhamsted
Ringshall Coppice
Crawley Wood
Ward's Hurst Farm
Oakley Wood
Well Farm
Arthur Macdonald's Plantation
Fleur-de-Lys
Meadow Farm
Clipper Down Cottage
IVINGHOE COMMON
Dockey Wood
HP4
Coppice Cottage
Levi Spring
Ashridge Farm
Duncombe Terrace
Ringshall End
Res. (Covered)
Hall Farm
The Chalet
Trust Cottages
Ringshall
HOO WOOD
Princess Anne Plantation
Swimming Pool
Barley End
Duncombe Farm
Duncombe Cottage
Hanging Isley
Flat Isley
Stocks Garden Cottage
Shooting Lodge
Moneybury Hill
Tim's Spring
SALLOW COPSE
Prim. Sch.
Sports Ground
Pav.
Ten. Cts.
Tudor Cottage
Moneybury Hill
Ranger Cottage
Pitsone Park Copse
Stock's Farm
Pitsone Common
Moneybury Cottage
Little Stocks
Lodge
Bridgewater Monument
The Green
Water Works
Manor House
Ashridge
Club House
ASHRIDGE GOLF COURSE
Playing Field
New Cottages
Old Park Lodge
ALBURY
Thunderdell Cottages
Golden Valley
Cromer Wood
The Rookery
Sewage Works
ALDBURY COMMON
Old Copse
Sewage Works (Disused)
Thunderdell
Playground
ALDBURY
MAIN ROAD A4146
NORTH ROAD
DUNSTABLE ROAD B4506
MAIN ROAD A4146
SOUTH ROAD
HOG HALL LANE
RINGSHALL ROAD B4506
BEACON ROAD
RINGSHALL RD.
ALDERTON DRIVE
GOLF CLUB ROAD
RINGSHALL DRIVE
CHURCH ROAD
PRINCE'S RIDING
GATESDENE CL.
BRIDGEWATER CT.
TOMS HILL
TROOPER RD
H J K L M N
63
103
84
G H J K L M N
1 2 3 4 5 6 7 8 9
97 98 99
17 16 15 14 13

AYLESBURY VALE
Dunstable
SOUTH BEDFORDSHIRE
Berkhamsted
DACORUM
LU6
HP4
HP1
Whipsnade Park Golf Course
Studham
Hudnall
LITTLE GADDESDEN
Wasteland
Lay Meadow
Hallcraft
Dagnall Paddock
Cut Throat Paddock
Woodfield Paddock
Bethsham Farm
Lower Farm
Highbury Farm
The Bungalow
Club House
Dagnallhill Wood
Dagnallhall Farm
Poultry Farm
Sewage Works
Longspoons Wood
Westhill Farm
Linney Head
Bell Wood
Bell Farm
Masons Plantation
Church Grove
Manor Farm
Castle Grove
The Vicarage
Valley Farm
Studham Lower School
Old School House
Studham Common
Man's Grove
Mansgrove Farm
Studhamhall Farm
Elm Grove
Home Reddings
Bury Farm
Clementsend Farm
Barwythe Hall
Ravensdell Wood
Long Wood
The Chalet
HOO WOOD
Lamsey Farm
Milebarn Farm
Badger Wood
Gade Plas
Church Farm
Valley Farm
Greencroft Wood
Pedleyhill Farm
Hudnall Common Plantation
Hudnall Corner
Deadmanhill Spring
HUDNALL COMMON
Water Works
The Green
Manor House
Works
Robin Hood Farm
Robin Hood House
Cromer Wood
The Rookery
Sewage Works
Little Gaddesden House
Home Farm
Hudnall Farm
Whitfield Spring
Hudnall Park
Lower Gade Farm
Lady Grove
Hudnall Common
Covetous Corner
Sports Ground
Prim. Sch.
MAIN ROAD
SOUTH HEMEL HEMPSTEAD ROAD
DAGNALL ROAD
A4146
DUNSTABLE ROAD
STUDHAM LANE
COMMON ROAD
CHURCH ROAD
KENSWORTH ROAD
HUDNALL LANE
PEDLEY HILL
River Gade
NETTLEDEN ROAD
Golden Valley
64
83
104

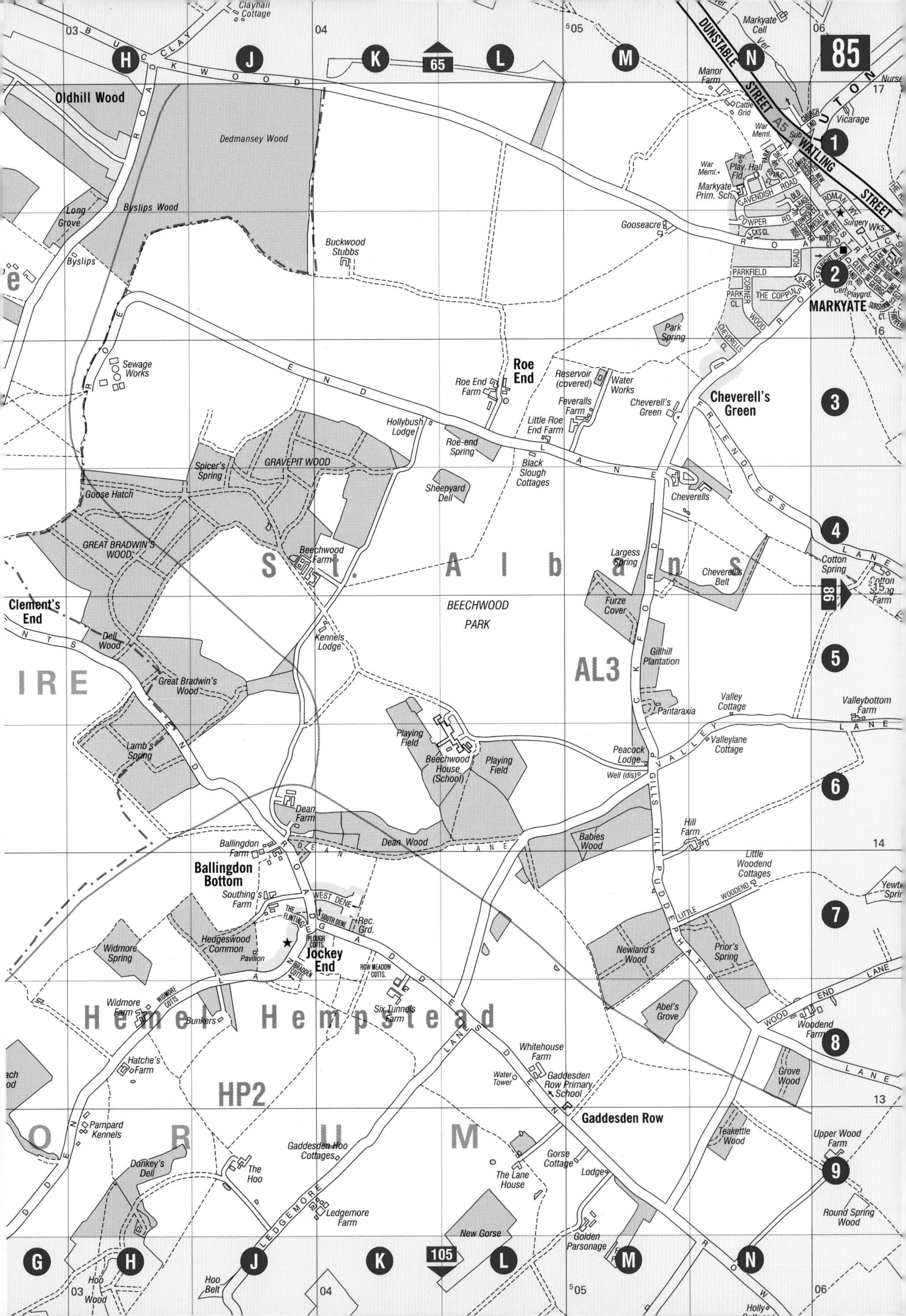
65
105
98
Oldhill Wood
Dedmansey Wood
Byslips Wood
Long Grove
Byslips
Buckwood Stubbs
Sewage Works
Roe End
Roe End Farm
Reservoir (covered)
Water Works
Feveralls Farm
Little Roe End Farm
Cheverell's Green
Hollybush Lodge
Roe-end Spring
Black Slough Cottages
Sheepyard Dell
Cheverells
Spicer's Spring
GRAVEPIT WOOD
Goose Hatch
GREAT BRADWIN'S WOOD
Beechwood Farm
St. Albans
BEECHWOOD PARK
Largess Spring
Cheverell's Belt
Cotton Spring
Furze Cover
Clement's End
Dell Wood
Kennels Lodge
Gillhill Plantation
AL3
Great Bradwin's Wood
Pantaraxia
Valley Cottage
Valleybottom Farm
Valleylane Cottage
Lamb's Spring
Playing Field
Beechwood House (School)
Peacock Lodge
Well (dis)
Dean Farm
Dean Wood
Babies Wood
Hill Farm
Ballingdon Farm
Ballingdon Bottom
Little Woodend Cottages
Southing's Farm
Rec. Grd.
Hedgeswood Common
Pavilion
Jockey End
Widmore Spring
Newland's Wood
Prior's Spring
Widmore Farm
Bunkers
Six Tunnels Farm
Abel's Grove
Woodend Farm
Hemel Hempstead
Hatche's Farm
Whitehouse Farm
Water Tower
Gaddesden Row Primary School
Grove Wood
HP2
Pampard Kennels
Gaddesden Row
Teakettle Wood
Upper Wood Farm
Gaddesden Hoo Cottages
Gorse Cottage
Donkey's Dell
The Hoo
The Lane House
Lodge
Ledgemore Farm
Round Spring Wood
New Gorse
Golden Parsonage
Hoo Wood
Hoo Belt
Clayhall Cottage
Markyate Cell
Manor Farm
Cattle Grid
Vicarage
War Meml.
Play. Hall
Markyate Prim. Sch.
Gooseacre
Park Spring
MARKYATE
Surgery
Wks.
Playgrd.
Cen.
DUNSTABLE STREET
WATLING STREET
A5
LUTON
CAVENDISH ROAD
COWPER RD
PARKFIELD
THE COPPINS
PARK CL.
CORNER WOOD
CHEVERELLS CL.
BUCKWOOD ROAD
ROE END LANE
FRIENDLESS LANE
PICKFORD ROAD
GILLS HILL
PUDDEPHAT'S LANE
VALLEY LANE
LITTLE WOODEND
WOODEND LANE
DEAN LANE
WEST DENE
SOUTH DENE
THE FLINTINGS
ROW MEADOW COTTS.
PLOUGH COTTS
BRADDEN COTTS
WIDMORE COTTS
LEDGEMORE
GADDESDEN ROW
JOCKEY END
DEANS LANE
CLEMENT'S END
IRE
O R U M
G H J K L M N
03 04 05 06
13 14 15 16 17
1 2 3 4 5 6 7 8 9

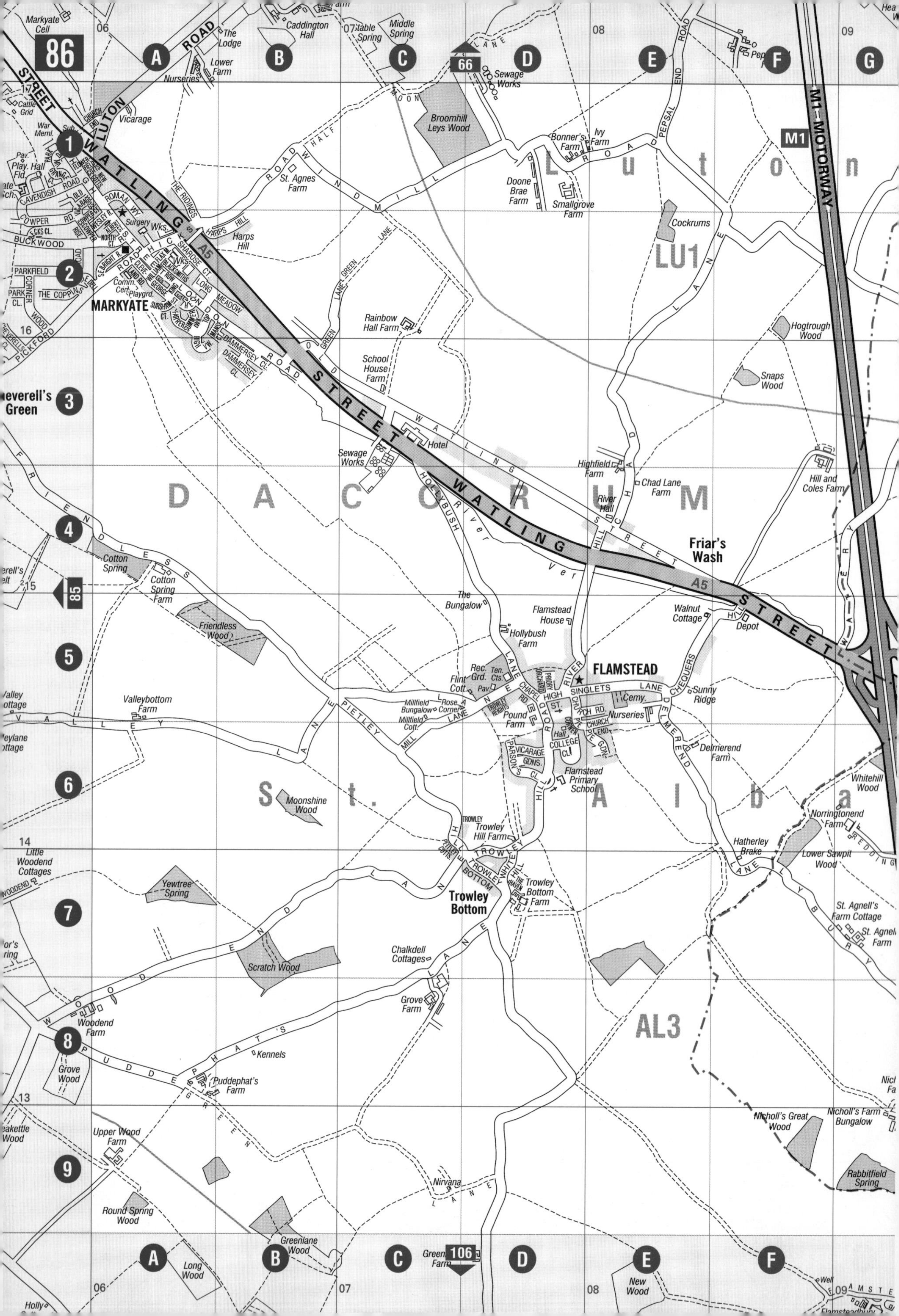

MARKYATE
FLAMSTEAD
Friar's Wash
Trowley Bottom
D A C O R U M
St. Alba
Luton
LU1
AL3
WATLING STREET
A5
M1 MOTORWAY
LUTON ROAD
Markyate Cell
Caddington Hall
Middle Spring
The Lodge
Lower Farm
Nurseries
Vicarage
Sewage Works
Broomhill Leys Wood
Bonner's Farm
Ivy Farm
Doone Brae Farm
Smallgrove Farm
St. Agnes Farm
Harps Hill
Cockrums
PEPSAL END ROAD
Pepperstock
Rainbow Hall Farm
School House Farm
Hogtrough Wood
Snaps Wood
Peverell's Green
Hotel
Sewage Works
Highfield Farm
Chad Lane Farm
River Hall
Hill and Coles Farm
Cotton Spring
Cotton Spring Farm
Friendless Wood
The Bungalow
Flamstead House
Walnut Cottage
Depot
Hollybush Farm
Rec. Grd.
Flint Cott.
Millfield Bungalow
Rose Corner
Millfield Cott.
Pound Farm
Cemy.
Nurseries
Sunny Ridge
Delmerend Farm
Valleybottom Farm
VALLEY LANE
PIETLEY LANE
Moonshine Wood
Flamstead Primary School
Whitehill Wood
Norringtonend Farm
Trowley Hill Farm
Hatherley Brake
Lower Sawpit Wood
Little Woodend Cottages
Yewtree Spring
Trowley Bottom Farm
St. Agnell's Farm Cottage
St. Agnell's Farm
Chalkdell Cottages
Scratch Wood
Grove Farm
WOODEND LANE
Woodend Farm
Grove Wood
Kennels
PUDDEPHAT'S LANE
Puddephat's Farm
Nicholl's Great Wood
Nicholl's Farm Bungalow
Upper Wood Farm
Rabbitfield Spring
Nirvana
Round Spring Wood
Greenlane Wood
Green Farm
Long Wood
New Wood
Holly
66
85
106

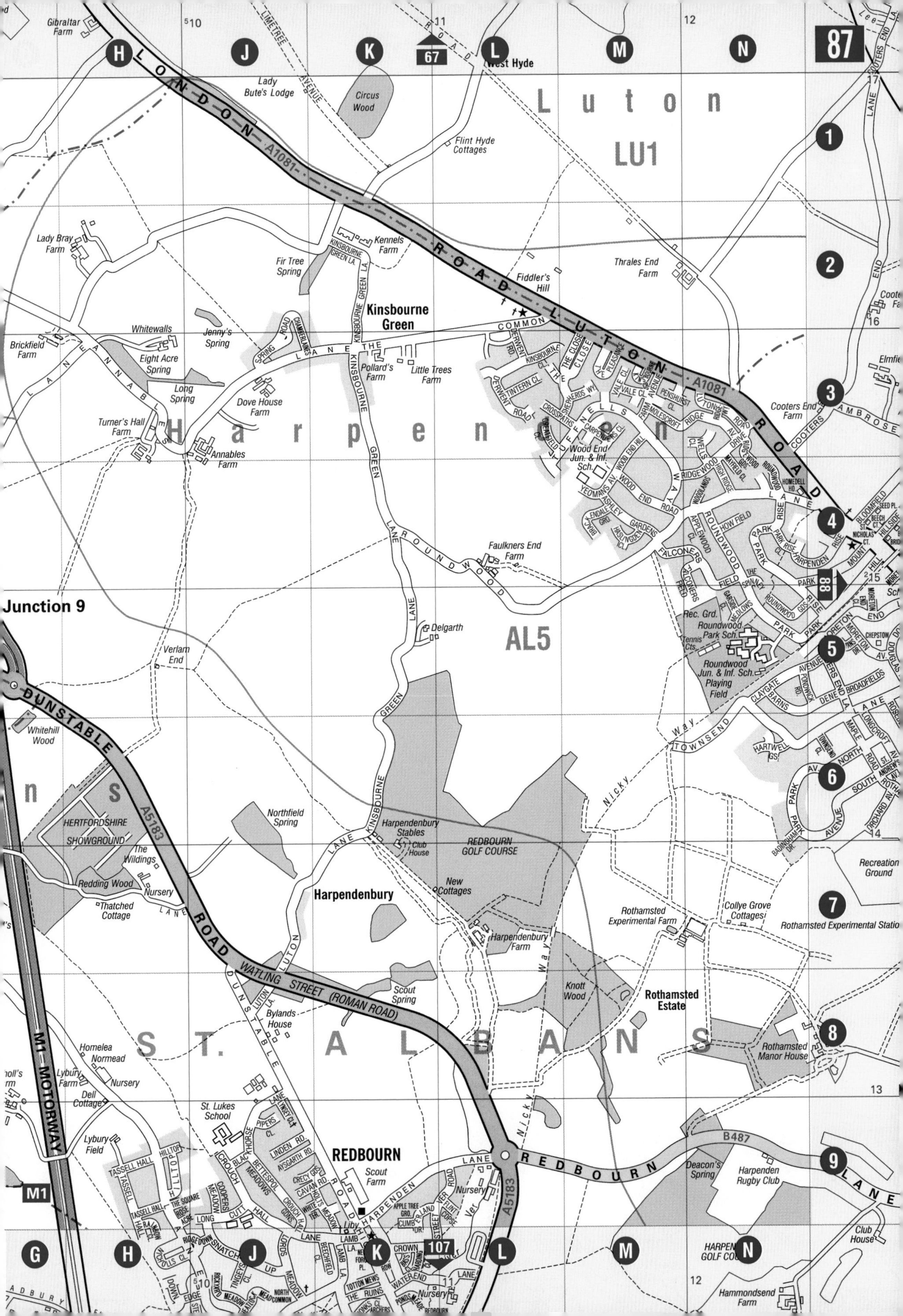
Luton
LU1
AL5
Harpenden
ST. ALBANS
Junction 9
LONDON ROAD A1081
LUTON ROAD
DUNSTABLE ROAD A5183
WATLING STREET (ROMAN ROAD)
REDBOURN LANE B487
M1 MOTORWAY
West Hyde
Gibraltar Farm
Lady Bute's Lodge
Circus Wood
Flint Hyde Cottages
Lady Bray Farm
Kennels Farm
Fir Tree Spring
Thrales End Farm
Fiddler's Hill
Kinsbourne Green
Whitewalls
Jenny's Spring
Brickfield Farm
Eight Acre Spring
Pollard's Farm
Little Trees Farm
Long Spring
Dove House Farm
Turner's Hall Farm
Annables Farm
Cooters End Farm
Wood End Jun. & Inf. Sch.
Faulkners End Farm
Delgarth
Verlam End
Whitehill Wood
Rec. Grd.
Roundwood Park Sch.
Roundwood Jun. & Inf. Sch.
Playing Field
HERTFORDSHIRE SHOWGROUND
Northfield Spring
Harpendenbury Stables
Club House
REDBOURN GOLF COURSE
The Wildings
Redding Wood
Nursery
Thatched Cottage
New Cottages
Harpendenbury
Recreation Ground
Rothamsted Experimental Farm
Collye Grove Cottages
Rothamsted Experimental Station
Harpendenbury Farm
Knott Wood
Scout Spring
Bylands House
Rothamsted Estate
Rothamsted Manor House
Homelea Normead
Lybury Farm
Dell Cottage
St. Lukes School
Lybury Field
REDBOURN
Scout Farm
Deacon's Spring
Harpenden Rugby Club
Club House
HARPENDEN GOLF COURSE
Hammondsend Farm
Nicky Way
Townsend Way
67
88
107

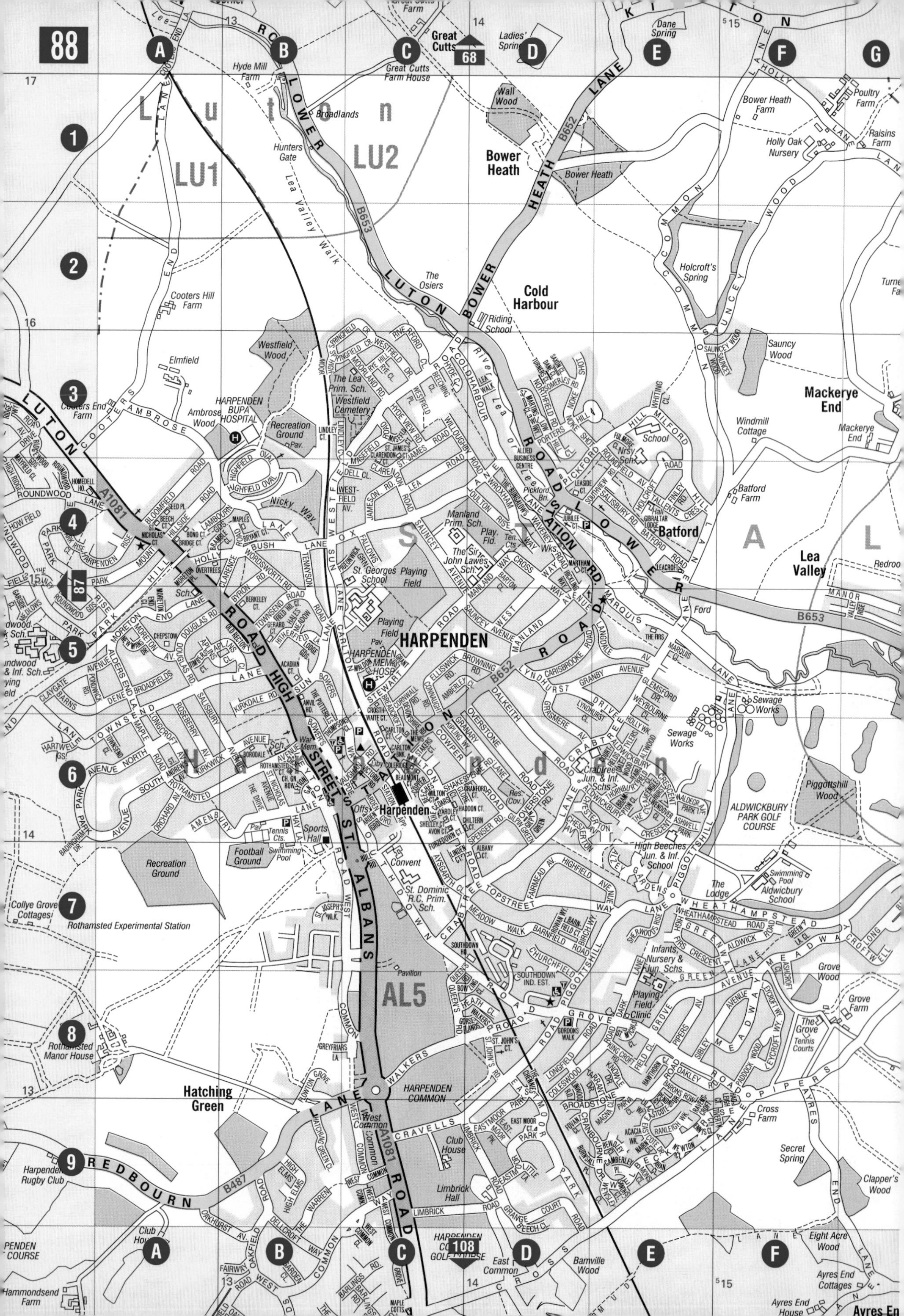

Great Cutts
68
Ladies' Spring
Dane Spring
KINSBOURNE
Hyde Mill Farm
Great Cutts Farm House
Luton
LU1
LU2
LOWER
Broadlands
Hunters Gate
Lea Valley Walk
Bower Heath
Wall Wood
B652
LANE
HEATH
Poultry Farm
Bower Heath Farm
Holly Oak Nursery
Raisins Farm
HOLLY
B653
LUTON
BOWER
The Osiers
Cold Harbour
Riding School
Cooters Hill Farm
Holcroft's Spring
COMMON
SAUNCEY
WOOD
Saundy Wood
Westfield Wood
Elmfield
Mackerye End
Windmill Cottage
Cooters End Farm
Ambrose Wood
HARPENDEN BUPA HOSPITAL
Recreation Ground
Westfield Cemetery
The Lea Prim. Sch.
School
Batford Farm
Batford
HIGHFIELD OVAL
Nicky Way
A1081
ST. ALBANS
Lea Valley
Redroofs
87
Manland Prim. Sch.
Play. Fld.
The Sir John Lawes Sch.
St. Georges School
Playing Field
HARPENDEN
HARPENDEN MEML. HOSP.
ROAD
HIGH
STREET
STATION
MARQUIS
Ford
B653
Sewage Works
Piggottshill Wood
ALDWICKBURY PARK GOLF COURSE
Crabtree Jun. & Inf. Schs.
High Beeches Jun. & Inf. School
The Lodge
Swimming Pool
Aldwickbury School
WHEATHAMPSTEAD
Harpenden
Sports Hall
Football Ground
Swimming Pool
Recreation Ground
Convent
St. Dominic R.C. Prim. Sch.
Collye Grove Cottages
Rothamsted Experimental Station
AL5
Pavilion
SOUTHDOWN IND. EST.
Infants Nursery & Jun. Schs.
Playing Field
Clinic
Grove Wood
Grove Farm
The Grove
Tennis Courts
Rothamsted Manor House
Hatching Green
HARPENDEN COMMON
West Common
Cross Farm
Secret Spring
Harpenden Rugby Club
REDBOURN
B487
Club House
Limbrick Hall
Clapper's Wood
Eight Acre Wood
HARPENDEN GOLF COURSE
108
East Common
Barnville Wood
Hammondsend Farm
Ayres End Cottages
Ayres End House
Ayres End

Hitchin
SG4
NORTH HERTFORDSHIRE
Blackmore End
Porters End
The Dell
Hall Wood
Bibbsworth Hall Farm
Hog's Plough
Lamer Wood
Harepark Spring
Nursery
Astridge Farm
Lamer House
Gustard Wood
Lower Gustard Wood
Hillgate Spring
Round Spring
Bride Hall
LAMER PARK
Mackery End Farm
GUSTARDWOOD COMMON
Heron's Farm
MID HERTS GOLF COURSE
Club House
Marshallsheath Wood
Home Farm
Heath Cottage
Delaport House
Lamer Farm
Cromwell Piggeries
Marshall's Heath
Marshalls Heath
Dairy Cottage
Playing Field
The Dell
The Spinney
Lea House
Castle Farm
Cherry Trees
The Folly
Wheathampstead House
Leasey Bridge
Lea Valley Walk
Black Bridge
WHEATHAMPSTEAD
Works
Sewage Works
The Watersplash
Sports Ground
Leasey Bridge Farm
Marford Farm
Down Green House
The Bungalow
Pipers Croft
Poultry Farm
High Pastures
Pipers Farm
Devil's Dyke
Wheathampstead Education Centre
Tennis Courts
Playing Field
The Slad
Little Stocking Wood
Little Piggotts Wood
Amwell
Samuels Farm
Stocking Wood
AL4
Beech Hyde Farm
Belgic Oppidum
Amwell Farm
Silverlands Kennels
Glen Nurseries
Lane Farm Cottage
Old Beech Hyde
Cricket Club
Pearman's Spring
West End Farm
Westend Cottages
Nomansland
Colemangreen Spring
NOMANSLAND COMMON
Long Spinney
Kents Dell
Coleman Green
Walcy
Darblay
LUTON ROAD
CORY-WRIGHT WAY
MARFORD ROAD
HARPENDEN ROAD
LAMER LANE
B651
B653
69
90
109

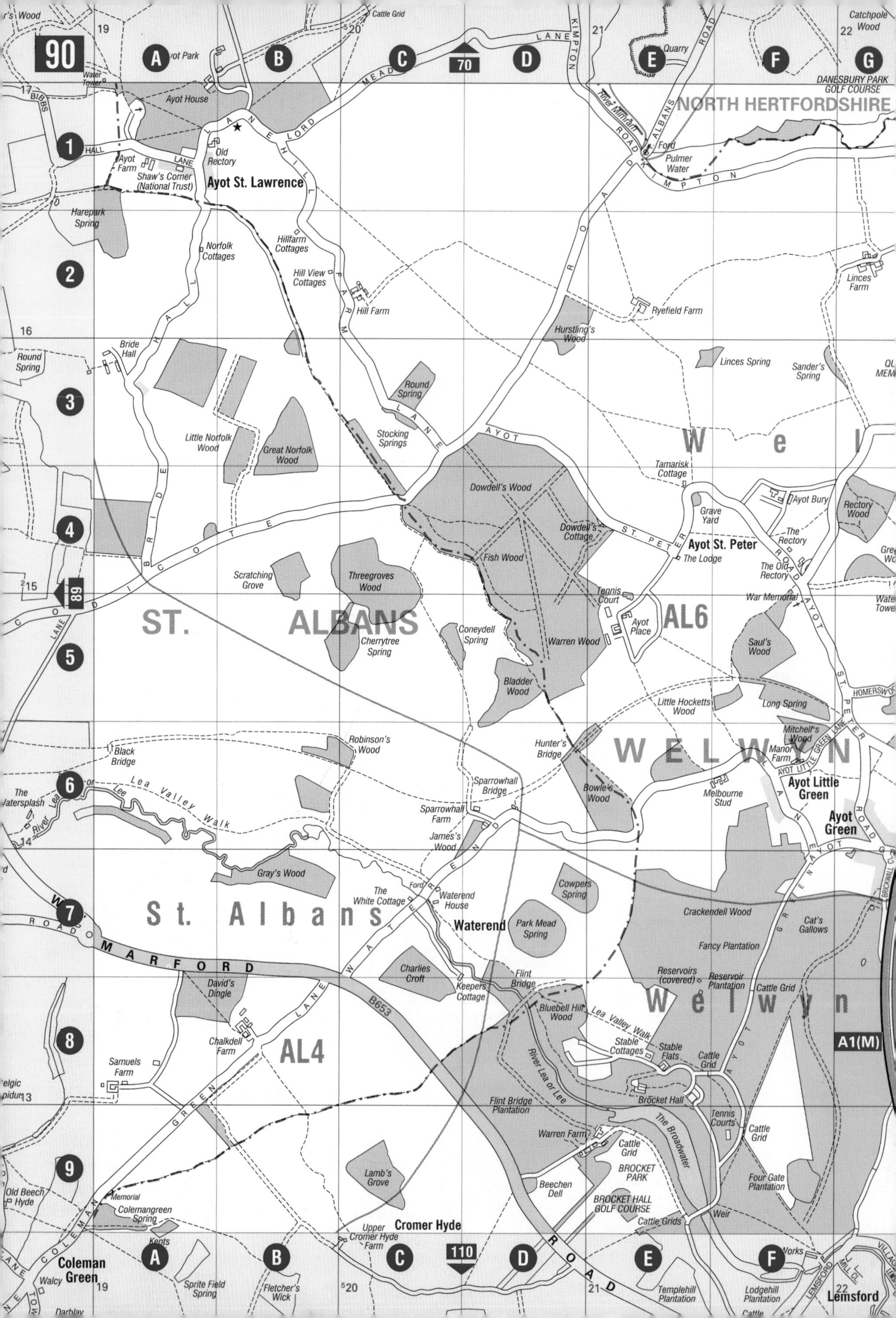
Ayot Park
Ayot House
Water Tower
Cattle Grid
70
LORD MEAD LANE
KIMPTON
Hill Quarry
Catchpole Wood
DANESBURY PARK GOLF COURSE
NORTH HERTFORDSHIRE
River Mimram
ST. ALBANS ROAD
Ford
Pulmer Water
KIMPTON ROAD
BIBBS HALL LANE
Ayot Farm
Shaw's Corner (National Trust)
Old Rectory
Ayot St. Lawrence
HILL FARM LANE
Harepark Spring
Norfolk Cottages
Hillfarm Cottages
Hill View Cottages
Hill Farm
Ryefield Farm
Lince's Farm
Hurstling's Wood
Lince's Spring
Sander's Spring
Round Spring
Bride Hall
BRIDE HALL LANE
Round Spring
Stocking Springs
Little Norfolk Wood
Great Norfolk Wood
AYOT ST. PETER ROAD
Tamarisk Cottage
Wel
Dowdell's Wood
Dowdell's Cottage
Grave Yard
Ayot Bury
Rectory Wood
The Rectory
Ayot St. Peter
The Lodge
The Old Rectory
CODICOTE ROAD
LANE
Scratching Grove
Threegroves Wood
Fish Wood
Tennis Court
War Memorial
89
ST. ALBANS
Coneydell Spring
Cherrytree Spring
Warren Wood
Ayot Place
AL6
Saul's Wood
Bladder Wood
Little Hocketts Wood
Long Spring
HOMERSWOOD
Black Bridge
Robinson's Wood
Hunter's Bridge
Mitchell's Wood
Manor Farm
WELWYN
AYOT LITTLE GREEN LANE
The Watersplash
River Lea or Lee
Lea Valley Walk
Sparrowhall Bridge
Sparrowhall Farm
Melbourne Stud
Ayot Little Green
Ayot Green
James's Wood
Bowle's Wood
Gray's Wood
The White Cottage
Ford
Waterend House
WATEREND LANE
Cowpers Spring
Crackendell Wood
Cat's Gallows
St. Albans
Waterend
Park Mead Spring
Fancy Plantation
MARFORD ROAD
Charlies Croft
Flint Bridge
Keepers Cottage
Reservoirs (covered)
Reservoir Plantation
Cattle Grid
B653
David's Dingle
Bluebell Hill Wood
Welwyn
AYOT GREEN
Chalkdell Farm
AL4
Stable Cottages
Stable Flats
Cattle Grid
A1(M)
Samuels Farm
GREEN LANE
Brocket Hall
Flint Bridge Plantation
Tennis Courts
Cattle Grid
Warren Farm
The Broadwater
Cattle Grid
BROCKET PARK
Four Gate Plantation
Lamb's Grove
Beechen Dell
BROCKET HALL GOLF COURSE
Old Beech Hyde
Memorial
Colemangreen Spring
Weir
Cattle Grids
Upper Cromer Hyde Farm
Cromer Hyde
Kents
110
ROAD
Works
Coleman Green
COLEMAN GREEN LANE
Walcy
Sprite Field Spring
Fletcher's Wick
Templehill Plantation
Lodgehill Plantation
LEMSFORD
MILL CL.
Lemsford
A B C D E F G
1 2 3 4 5 6 7 8 9
19 20 21 22
17 16 15 14 13

91
71
92
111
A1(M)
A1(M) MOTORWAY
MOTORWAY
GREAT NORTH ROAD
B197
B656
A1000
B195
B1000
CODICOTE ROAD
DANESBURY PARK RD.
Danesbury
DANESBURY HOSPITAL
Poultry Farm
Nursery
Oakhills Wood
Tennis Court
Cemetery
WELWYN
Welwyn Roman Baths
Hobbs Hill
Ten. Cts.
Playing Fields
Pav.
Prim. Sch.
Council Offs.
BY-PASS
Junction 6
HERTFORD ROAD
Lockleys
Cattle Grid
Lockley Farm
Derings
Sherrardswood School
Tennis Courts
Weir
Puttockhill Wood
Hazel Grove
Whores Wood
Foxley Grove
Little Barnes Wood
Barnes Wood
HARMERGREEN WOOD
Harmer Green
Reservoir (covered)
Nursery
War Mem.
Harmergreen House
Lockleys Wood
DIGSWELL
Welwyn North
STATION ROAD
Pumping Station
BESSEMER
River Mimram
DIGSWELL PARK ROAD
Digswell Lake
Welwyn Viaduct
Tennis Courts
The Alders
St. John's Sch.
AL6
Reservoir
Tewin Water Sch.
Playing Field
Digswell Water
Liby.
Rowans Sch.
Whitehill Cottages
Whitehill Farm
Whitehill
Horseshoe Plantation
Cook's Wood
Sandybottom Wood
Monk's Walk Sch.
Playing Fields
Cricket Ground
Digswell Park
Resr. (Cov.)
Tennis Court
THE FRYTHE
Malms Wood
Homer's Wood
HATFIELD
Digswell Place Farm
Sherrards Training Centre
Old Wood
Temple Wood
Digswell Place Stables
Reservoir (covered)
Reservoirs
Brock's Wood
Templewood Primary School
Clinic
SHERRARDSPARK WOOD
Haldens
Works
MUNDELLS
WATERSIDE
PANSHANGER GOLF COURSE
Lake
Black Fan Valley
Football Ground
BROOMHILLS
BROCKSWOOD LANE
Reddings Plantation
Garden City
Sherrardspark
Theatre
THE CAMPUS
WELWYN GARDEN CITY
Oakland Coll.
Digswell Junction
Factory
Warehouses
Gasholders
HASLEMERE IND. EST.
Depot
WELWYN GARDEN CITY GOLF COURSE
Club House
Monkton House
AL8
AL7
BRIDGE ROAD
HUNTERS BRIDGE
Welwyn Garden City
BROADWATER ROAD
BLACK FAN ROAD
Silvercourt
Sir Frederic Osborn Sch.
Panshanger
Playing Field
Warehouse
Hern's Wood
Peartree
Handside
Applecroft Sch.
Playing Field
Junc. 5
VALLEY ROAD
Bushey Leys
Play. Fld.
H
J
K
L
M
N
G
1
2
3
4
5
6
7
8
9
23
24
25
17
16
15
14
13

Bull's Green
72
Burnham Green
Water Tower
Caravan Site
Barnes Wood
Little Barnes Wood
Perry's Grove
Harmer Green
WELWYN HATFIELD
Reservoir (covered)
Little Hillfoot Wood
Lodge Farm
Village Hall
Tewin Wood
Canon's Wood
Brickground Wood
Nancybury Gorse
Nicholson's Wood
Oak Vale
Barber's Close
Alexander's
BRAMFIELD
Basil's Park
Open Bailey
Symond's Wood
Queen Hoo Hall
Greenhill Lodge
Sidehill Wood
Cooks Wood
Hopkyns Wood
Seven Acre Wood
Beal's Wood
EAST HERT
Tewin Hill Farm
Dawley Wood
Upper Green Pav.
Bramfieldbury
BRAMFIELD PARK WOOD
Moat
Welwyn
Dawley Plantation
Margery Green
Margery Wood
Crown Farm
TEWIN
91
Reservoir
AL6
Hideaway
The Old Rectory
Muspatts Farm
Tewin Cowper Endowed Prim. Sch.
Swim. Pool
Westend Farm
Bacon's Green
Bacon's Farm
Playing Field
Tewin Water Sch.
Home Wood
Weir
War Mem.
Westley Wood
Rectory Wood
Tewin Bury Farm
Tewin Lodge
Flexleys Wood
Home Wood
Red Wood
Lamb Dell Wood
Marden Hill
Hooks Bushes
HERTFORD ROAD
B1000
Club House
PANSHANGER GOLF COURSE
Tewin Mill Farm
Tewin Mill House
The Lodge
River Mimram
Football Ground
Black Fan Valley
Warrengate Farm
Poplars Grove
Welwyn Garden City
Springmead Primary School
Bericot Green
West Lodge
Sir Frederic Osborn Sch.
Panshanger
Playing Field
AL7
Panshanger Aerodrome
Brocket Hill
Broad Water Island
Sluices
Training Centre
Works
Hern's Wood
Henry Wood
Moneyhole Lane Park
Chain Walk
Bushey Leys
B195
112
Birchall Wood
Nursery Gardens
A B C D E F G
1 2 3 4 5 6 7 8 9
26 27 28
17 16 15 14 13

Upper Blackbuck Wood
Great Gobions Farm
Valentine Cottage
Broomfield Spring
Stapleford
Stapleford Place Farm
Stapleford Junior Mixed & Inf. Sch.
Valentine Spring
Brewfield Spring
Warren Wood
Works
Saw Mill
WARREN WOOD INDUSTRIAL ESTATE
Bright's Hill
Beanfield Wood
Stonyhills
Upper Stonyhills Wood
Lower Stonyhills Wood
Stonyhill Lodge
Foxleys Wood
Winter Dell
Sally Rainbow's Dell
Row Wood
Flowersash Wood
Bullsmill
Little Gobions
Hubbards
Hubbard's Wood
Greenhall Farm
Bramfield
Bramfield House
New House
PRIEST WOOD
Bardon Clumps
Village Hall
Playing Field
Bramfield Place Farm
Waterford Hall Cottages
Waterford Hall Farm
Barleycroft Grove
Hopgrounds
Filter Beds
Holly Grove
Depot
Works
Lies Grove
WATERFORD
Depots
Waterford Plantation
Gravel Pits
Pit (disused)
Willow Cottage
Waterford Marsh
Westend House
SG14
Water Tower
Goldings
Football Ground
Tennis Courts
Great Mole Wood
Oakfield Plantation
Kennels
Swimming Pool
Bengeo Prim. Sch.
Playing Field
Broadoak End
Icehouse Wood
Great Mole Wood
Hanging Grove
Charterfield Plantation
Barnsleys Wood
Broadoak End Farm
Holly Bushes House
Selebroom Wood
Windyridge Farm
Eleven Acre Wood
Boat House
Long Wood
Bengeo
Archer's Spring
Little Mole Wood
North Lodge
Panshanger Stables
Cemetery
St. Joseph's R.C. Prim. Sch.
Prim. Sch.
EVERGREEN WOOD
Blakemore Wood
Garden Wood
Depot
Mill Mead Prim. Sch.
Sports Gd.
Hertford North
Sele Sch.
Hollybush Prim. Sch.
Swim. Pool
Play. Fld.
HERTFORD CO. HOSP.
Riverside Cottage
Chesher's Plantation
Lady Hughes's Wood
Osier Beds
Chelmsford Wood
Mill Farm
Epcombs
HERTFORD
Works
Depot
WELWYN
HERTINGFORDBURY
ROAD NORTH
A119
B1000
73
94
113
FORDSHIRE
rtford

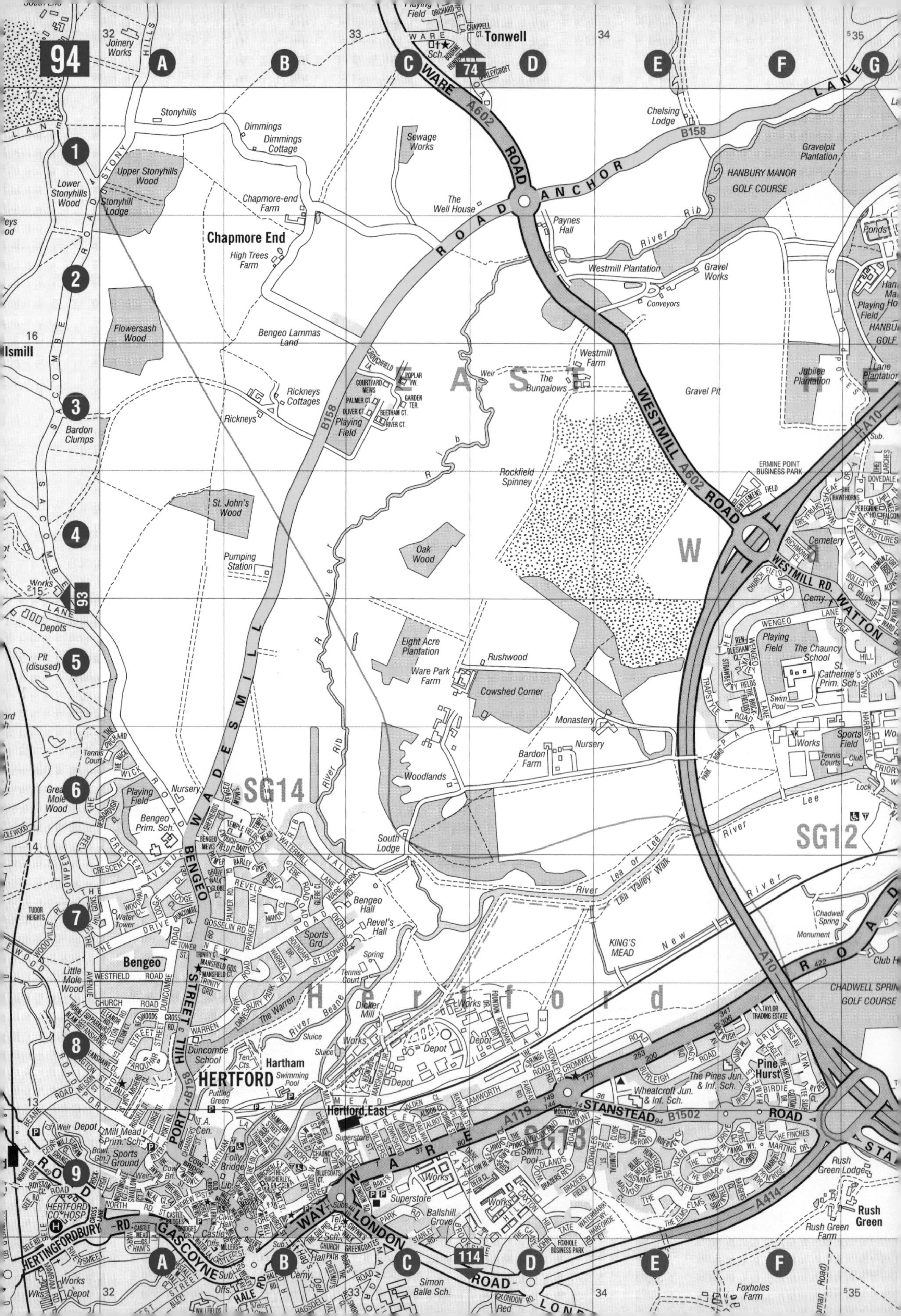

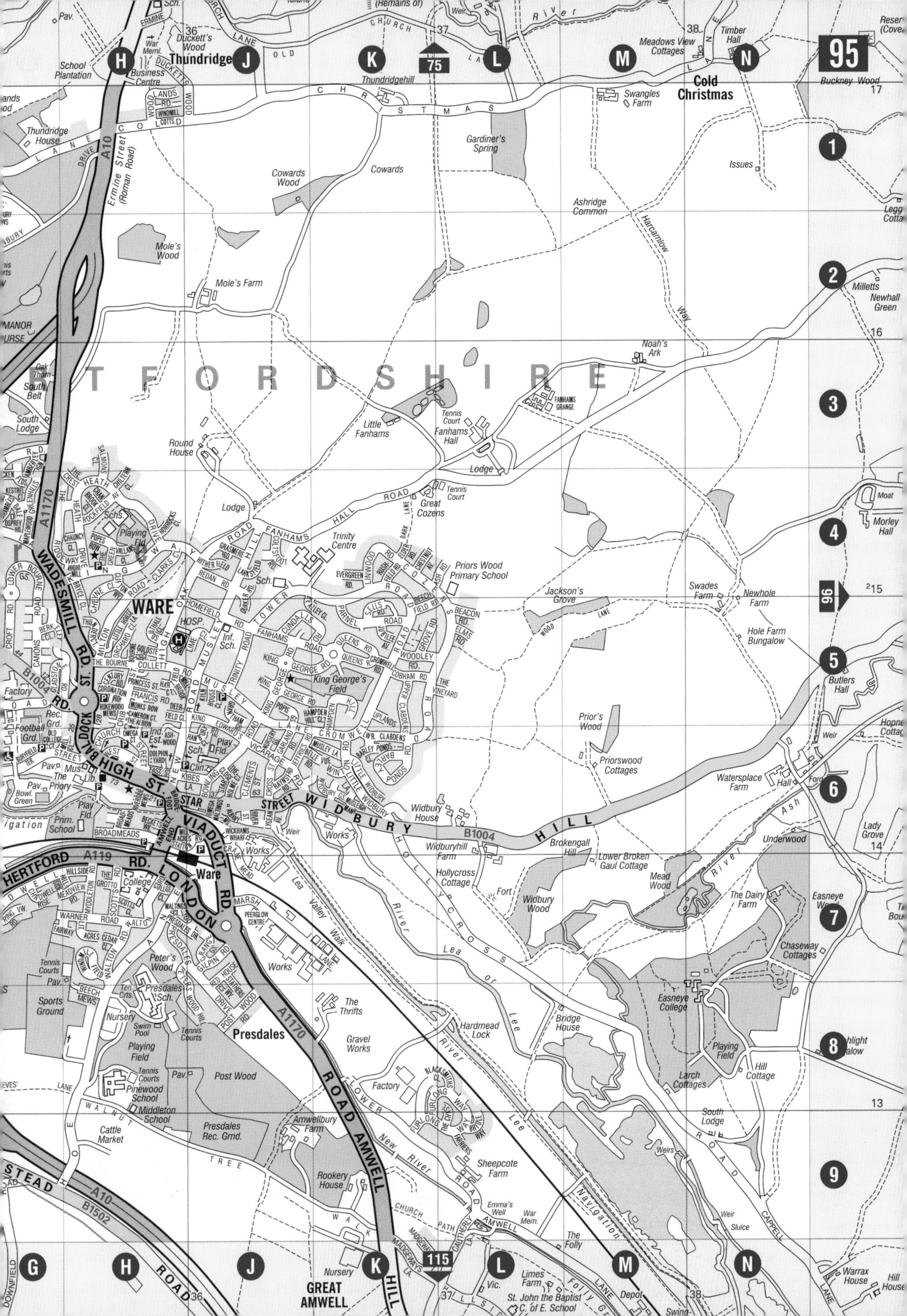
Thundridge
Cold Christmas
Thundridgehill
Swangles Farm
Meadows View Cottages
Timber Hall
Buckney Wood
Gardiner's Spring
Cowards Wood
Cowards
Issues
Ashridge Common
Harcamlow Way
Mole's Wood
Mole's Farm
Noah's Ark
Milletts
Newhall Green
HERTFORDSHIRE
Little Fanhams
Fanhams Hall
Fanhams Grange
Round House
Lodge
Great Cozens
Trinity Centre
Priors Wood Primary School
Jackson's Grove
Swades Farm
Newhole Farm
Hole Farm Bungalow
Moat
Morley Hall
Butlers Hall
WARE
King George's Field
Prior's Wood
Priorswood Cottages
Watersplace Farm
Widbury House
Widbury Hill
Widburyhill Farm
Brokengall Hill
Lower Broken Gaul Cottage
Hollycross Cottage
Widbury Wood
Mead Wood
The Dairy Farm
Underwood
Lady Grove
Chaseway Cottages
Easneye College
Bridge House
Hardmead Lock
Playing Field
Hill Cottage
Larch Cottages
South Lodge
Presdales
Post Wood
Peter's Wood
Pinewood School
Middleton School
Cattle Market
Presdales Rec. Grnd.
Amwellbury Farm
Rookery House
Sheepcote Farm
Emma's Well
The Folly
Limes Farm
St. John the Baptist C. of E. School
GREAT AMWELL
The Thrifts
Gravel Works
Factory
Lea Valley Walk
New River
River Lea or Lee
Lee Navigation
WADESMILL RD.
HIGH ST.
VIADUCT RD.
LONDON RD.
HERTFORD RD.
AMWELL ROAD
A10
A1170
A119
B1004
B1502
Sports Ground
Warrax House
75
96
115

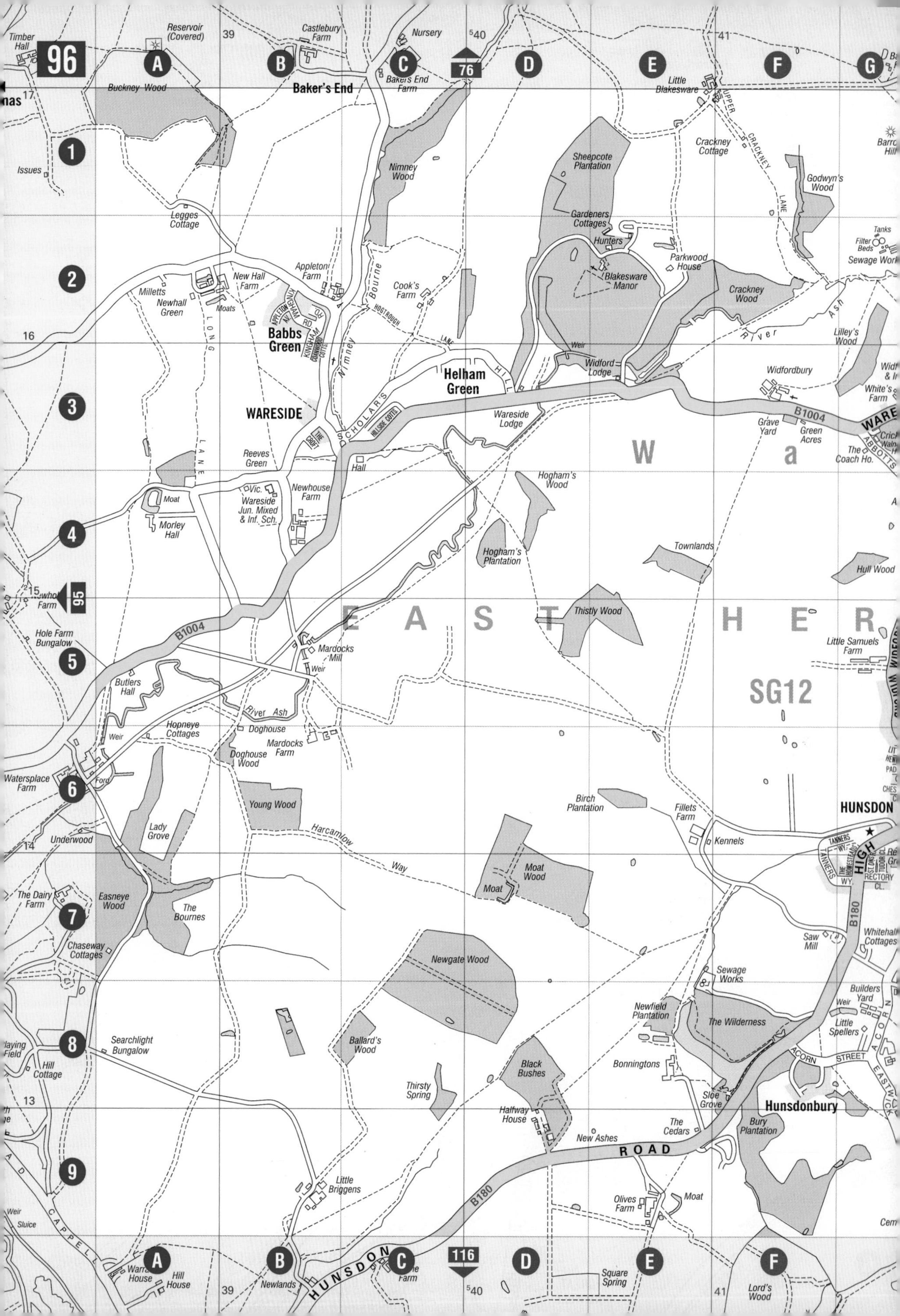

Timber Hall
Reservoir (Covered)
Castlebury Farm
Nursery
76
Baker's End
Bakers End Farm
Little Blakesware
Buckney Wood
Issues
Legges Cottage
Nimney Wood
Sheepcote Plantation
Crackney Cottage
CRACKNEY LANE
UPPER
Godwyn's Wood
Barrow Hill
Gardeners Cottages
Hunters
Tanks
Filter Beds
Sewage Works
Appleton Farm
New Hall Farm
Milletts
Newhall Green
Moats
Cook's Farm
HOGTROUGH LANE
Blakesware Manor
Parkwood House
Crackney Wood
Babbs Green
APPLETON
KINGHAM RD
LONG LANE
Nimney Bourne
Weir
Widford Lodge
River Ash
Lilley's Wood
Helham Green
HILL
SCHOLARS
Widfordbury
White's Farm
WARESIDE
HILLSIDE COTTS
Wareside Lodge
B1004
WARE
Grave Yard
Green Acres
THE CROFT
Reeves Green
Hall
The Coach Ho.
ABBOTTS
Hogham's Wood
Moat
Vic.
Wareside Jun. Mixed & Inf. Sch.
Newhouse Farm
Morley Hall
Hogham's Plantation
Townlands
Hull Wood
Newhole Farm
95
Thistly Wood
EAST HER
Hole Farm Bungalow
Mardocks Mill
Little Samuels Farm
Butlers Hall
Weir
River Ash
SG12
Hopneye Cottages
Doghouse
Mardocks Farm
Doghouse Wood
Watersplace Farm
Ford
Young Wood
Birch Plantation
Fillets Farm
HUNSDON
Lady Grove
Underwood
Harcamlow Way
Kennels
TANNERS WY.
THE HOMESTEAD
HIGH
ST. JOHNS
TUDOR CL.
RECTORY CL.
Moat Wood
Moat
The Dairy Farm
Easneye Wood
The Bournes
B180
Saw Mill
Whitehall Cottages
Chaseway Cottages
Newgate Wood
Sewage Works
Builders Yard
Weir
Newfield Plantation
The Wilderness
Little Spellers
Searchlight Bungalow
Ballard's Wood
ACORN STREET
EASTWICK
Hill Cottage
Black Bushes
Bonningtons
Thirsty Spring
Sloe Grove
Hunsdonbury
Halfway House
The Cedars
New Ashes
Bury Plantation
ROAD
Little Briggens
Olives Farm
Moat
Weir
Sluice
CAPPELL
Warren House
Hill House
Newlands
HUNSDON
116
Square Spring
Lord's Wood
39
540
41
16
15
14
13
17
A B C D E F G
1 2 3 4 5 6 7 8 9

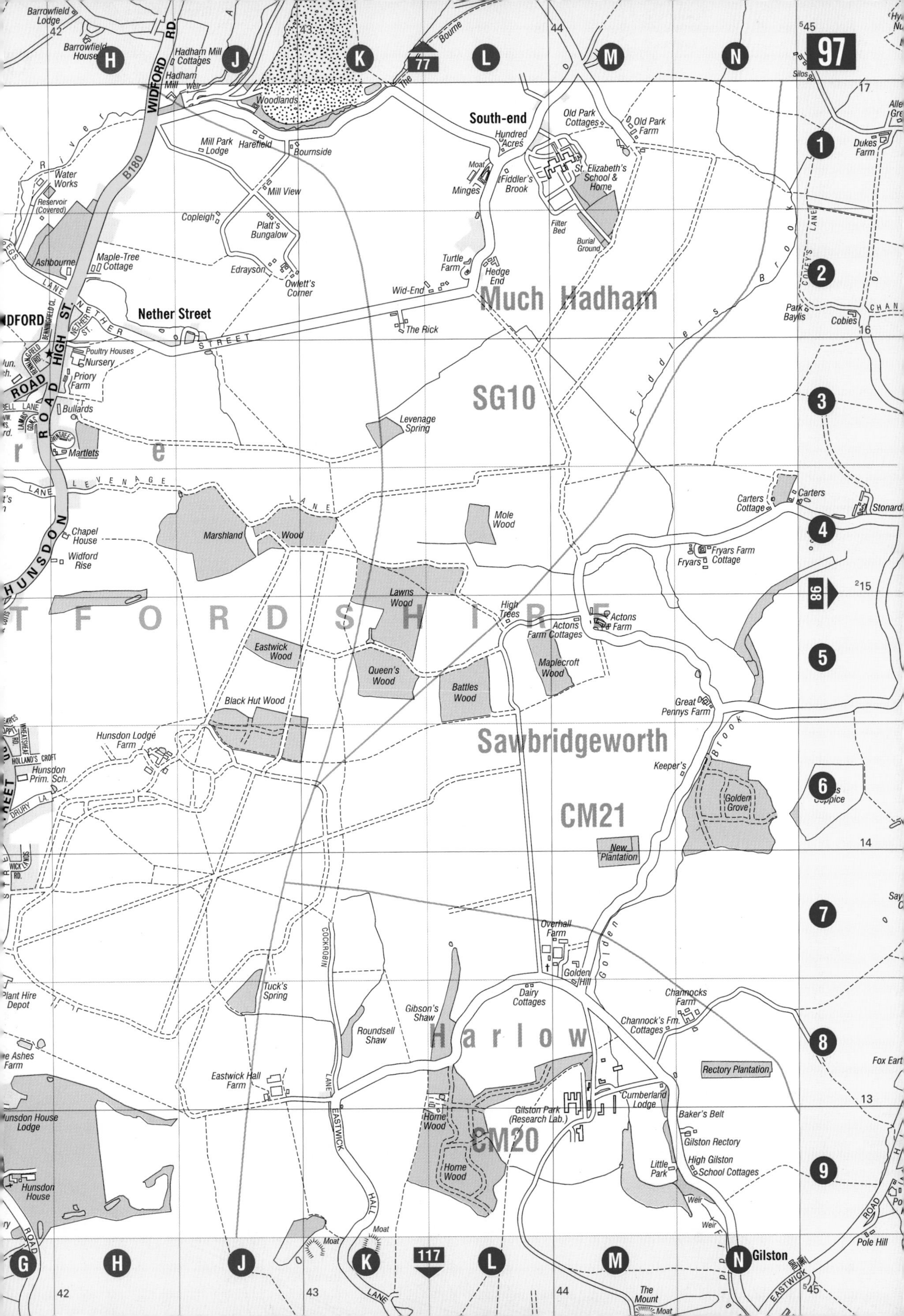

Barrowfield Lodge
Barrowfield House
WIDFORD RD.
Hadham Mill Cottages
Hadham Mill
Weir
Woodlands
The Bourne
77
South-end
Old Park Cottages
Old Park Farm
Hundred Acres
Mill Park Lodge
Harefield
Bournside
Water Works
Reservoir (Covered)
B180
Moat
Minges
Fiddler's Brook
St. Elizabeth's School & Home
Filter Bed
Burial Ground
Mill View
Copleigh
Platt's Bungalow
Ashbourne
Maple-Tree Cottage
Edrayson
Owlett's Corner
Turtle Farm
Hedge End
Wid-End
Much Hadham
Nether Street
NETHER STREET
The Rick
Poultry Houses
Nursery
Priory Farm
Bullards
SG10
Levenage Spring
Martlets
LEVENAGE LANE
Chapel House
Widford Rise
HUNSDON ROAD
Marshland Wood
Mole Wood
Carters Cottage
Carters
Stonards
Fryars Farm Cottage
Fryars
Lawns Wood
86
High Trees
Actons Farm Cottages
Actons Farm
Eastwick Wood
Queen's Wood
Battles Wood
Maplecroft Wood
Black Hut Wood
Great Pennys Farm
Hunsdon Lodge Farm
Sawbridgeworth
Hunsdon Prim. Sch.
HOLLAND'S CROFT
DRURY LA.
Keeper's
Brook
Golden Grove
CM21
New Plantation
Overhall Farm
COCKROBIN LANE
Golden Hill
Plant Hire Depot
Tuck's Spring
Dairy Cottages
Channocks Farm
Channock's Fm. Cottages
Gibson's Shaw
Roundsell Shaw
Harlow
Ashes Farm
Eastwick Hall Farm
Rectory Plantation
Fox Earth
Cumberland Lodge
Gilston Park (Research Lab.)
Baker's Belt
Hunsdon House Lodge
Home Wood
CM20
Gilston Rectory
High Gilston School Cottages
Little Park
Hunsdon House
EASTWICK HALL LANE
Weir
Pole Hill
Moat
117
Gilston
EASTWICK ROAD
The Mount
Moat
Park Baylis
Cobies
Dukes Farm
COVEY'S LANE
Silos
HERTFORDSHIRE
Fiddlers Brook

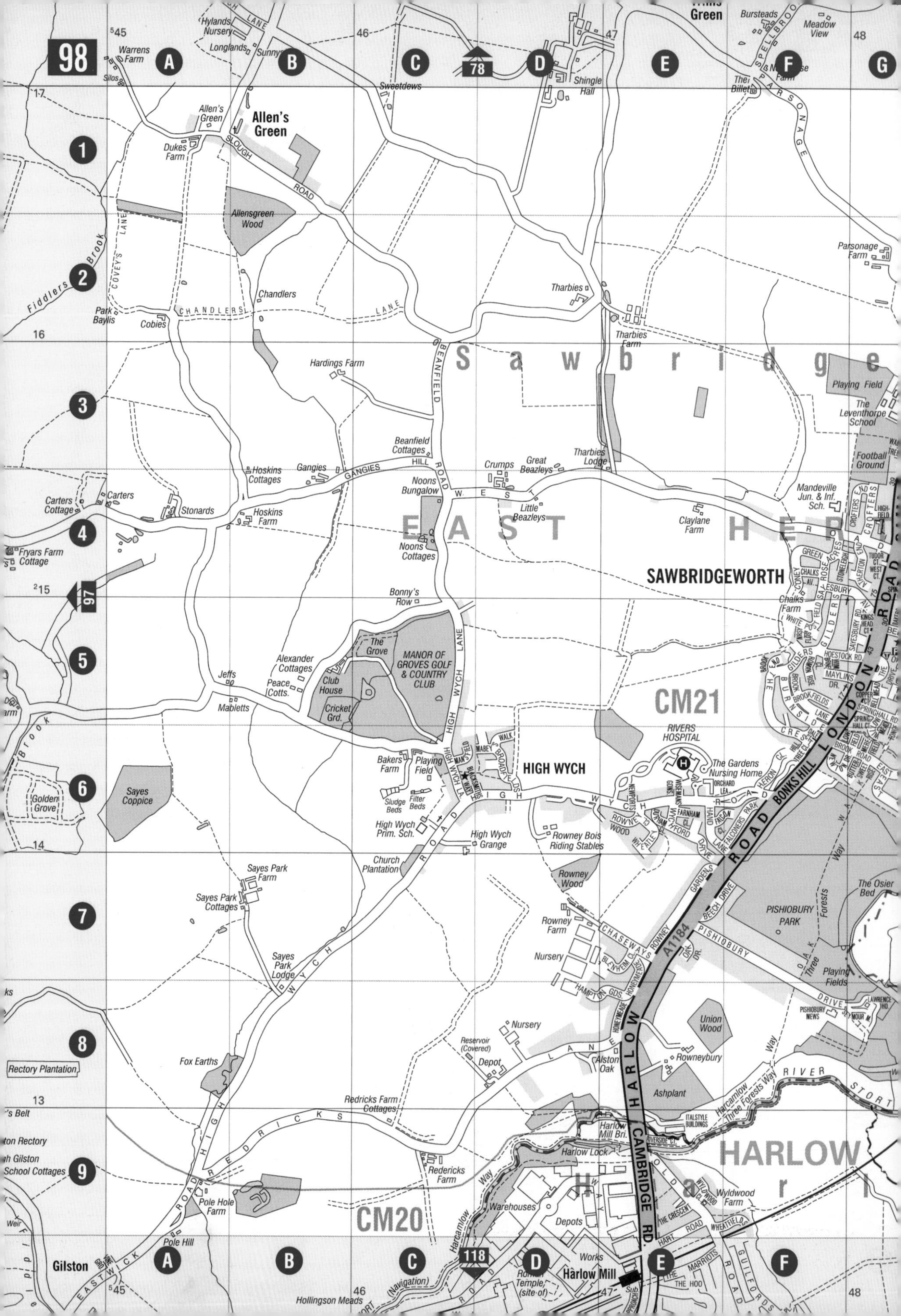

Allen's Green
Sawbridgeworth
SAWBRIDGEWORTH
EAST HERTS
HIGH WYCH
CM21
CM20
HARLOW
Harlow Mill
Gilston
Warrens Farm
Hylands Nursery
Longlands
Sweetdews
Shingle Hall
Bursteads
Meadow View
The Billet
Allensgreen Wood
Chandlers
Park Baylis
Cobies
Tharbies
Tharbies Farm
Hardings Farm
Playing Field
The Leventhorpe School
Football Ground
Beanfield Cottages
Crumps
Great Beazleys
Tharbies Lodge
Hoskins Cottages
Gangies
Noons Bungalow
Little Beazleys
Carters Cottage
Carters
Stonards
Hoskins Farm
Claylane Farm
Mandeville Jun. & Inf. Sch.
Fryars Farm Cottage
Noons Cottages
Bonny's Row
Chalks Farm
The Grove
MANOR OF GROVES GOLF & COUNTRY CLUB
Alexander Cottages
Jeffs
Peace Cotts.
Club House
Cricket Grd.
Mabletts
RIVERS HOSPITAL
The Gardens Nursing Home
Bakers Farm
Playing Field
Sayes Coppice
Golden Grove
Sludge Beds
Filter Beds
High Wych Prim. Sch.
High Wych Grange
Rowney Bois Riding Stables
Church Plantation
Sayes Park Farm
Sayes Park Cottages
Rowney Wood
Rowney Farm
Nursery
PISHIOBURY PARK
The Osier Bed
Playing Fields
Sayes Park Lodge
Union Wood
Rectory Plantation
Fox Earths
Reservoir (Covered)
Depot
Alston Oak
Rowneybury
Ashplant
Redricks Farm Cottages
Harlow Mill Bri.
Harlow Lock
Redericks Farm
Pole Hole Farm
Warehouses
Depots
Wyldwood Farm
Pole Hill
Works
Roman Temple (site of)
Hollingson Meads
(Navigation)
Harcamlow Way
Three Forests Way
RIVER STORT
SLOUGH ROAD
CHANDLERS LANE
GANGIES HILL
BEANFIELD ROAD
WEST ROAD
HIGH WYCH LANE
HIGH WYCH ROAD
REDRICKS LANE
HIGH ROAD
EASTWICK ROAD
LONDON ROAD
HARLOW ROAD
CAMBRIDGE RD.
BONKS HILL
PARSONAGE LANE
A1184

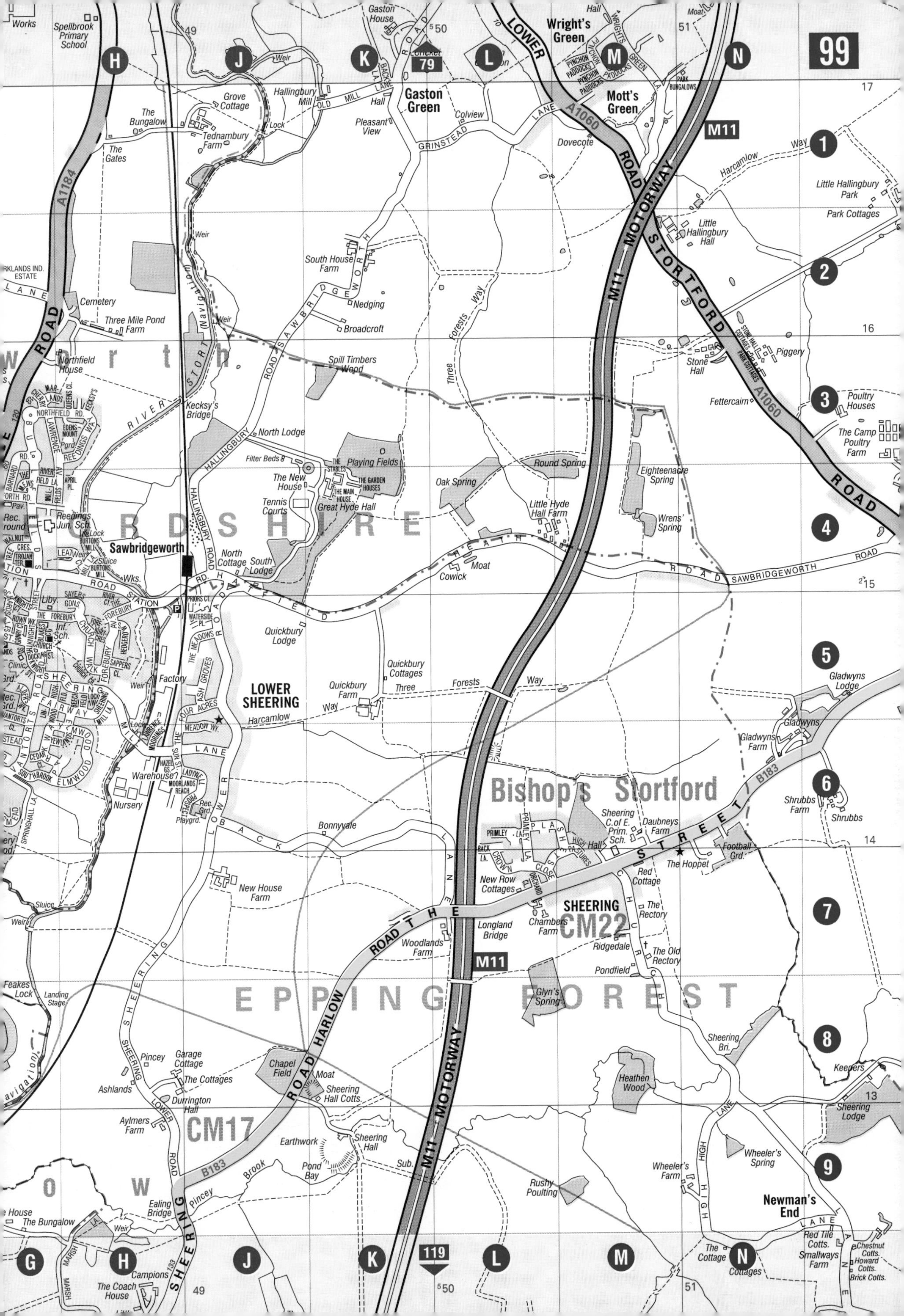
Spellbrook Primary School
Gaston House
Wright's Green
Gaston Green
Mott's Green
Grove Cottage
Hallingbury Mill
The Bungalow
Tednambury Farm
The Gates
Pleasant View
Colview
Dovecote
Harcamlow Way
Little Hallingbury Park
Park Cottages
Little Hallingbury Hall
South House Farm
Nedging
Broadcroft
Cemetery
Three Mile Pond Farm
Northfield House
Spill Timbers Wood
Stone Hall
Piggery
Fettercairn
Poultry Houses
The Camp Poultry Farm
Kecksy's Bridge
North Lodge
Playing Fields
The New House
Great Hyde Hall
Tennis Courts
Oak Spring
Round Spring
Eighteenacre Spring
Little Hyde Hall Farm
Wrens' Spring
Sawbridgeworth
North Cottage
South Lodge
Cowick
Moat
Quickbury Lodge
Quickbury Cottages
Quickbury Farm
LOWER SHEERING
Three Forests Way
Harcamlow Way
Gladwyns Lodge
Gladwyns
Gladwyns Farm
Factory
Warehouse
Nursery
Bishop's Stortford
Shrubbs Farm
Shrubbs
Bonnyvale
Sheering C.of E. Prim. Sch.
Daubneys Farm
The Hoppet
Football Grd.
New House Farm
New Row Cottages
Red Cottage
SHEERING
CM22
The Rectory
Chambers Farm
Longland Bridge
Woodlands Farm
Ridgedale
The Old Rectory
Pondfield
EPPING FOREST
Glyn's Spring
Feakes Lock
Landing Stage
Sheering Bri.
Heathen Wood
Keepers
Sheering Lodge
Pincey
Garage Cottage
The Cottages
Ashlands
Chapel Field
Moat
Sheering Hall Cotts.
Durrington Hall
Aylmers Farm
CM17
Earthwork
Sheering Hall
Wheeler's Spring
Wheeler's Farm
Pond Bay
Rushy Poulting
Newman's End
Ealing Bridge
The Bungalow
Campions
The Coach House
Red Tile Cotts.
Smallways Farm
Chestnut Cotts.
Howard Cotts.
Brick Cotts.
The Cottage
Cottages
M11 MOTORWAY
LOWER ROAD
STORTFORD ROAD
A1060
A1184
B183
HARLOW ROAD
THE STREET
SAWBRIDGEWORTH ROAD
HATFIELD HEATH ROAD
LOWER SHEERING ROAD
79
119

Aylesbury
AYLESBURY VALE
ASTON CLINTON
Buckland
HALTON
HALTON CAMP
WENDOVER
HP22
A41 AYLESBURY ROAD
AKEMAN STREET (Roman Road)
LONDON ROAD
WESTON ROAD
B4544
LOWER ICKNIELD WAY
B489
STABLEBRIDGE RD.
UPPER ICKNIELD WAY
B4009
TRING ROAD
Grand Union Canal (Wendover Arm)
Grand Union Canal (disused)
WENDOVER WOODS
CHILTERN FOREST GOLF COURSE
Model Row
Sunny Brook Farm
The Lawn
Brook Farm
Factory
Rookery House
Home Farm
Park Farm
Vale Farm
Rookery Farm House
Cricket Ground
Park Lodge
Hall
Aston Clinton Park
Athletic Track
The Old Rectory
Old Rectory Farm
Moat Farm
Church Farm
Manor Cottage
Manor Farm
Buckland Ho.
Nield's Farm
Inglands
Rannoch House
Brookfield Farm
Splash Covert
Rugby Ground
Bye Green
Brook End
Mill Farm Bungalow
AIRFIELD
Green Park
Wellonhead Bridge
Lodge Farm
Cobblers' Pits
Hill Copse
Sewage Works
Rosemead Covert
Breakers Yard
Knighton
Harelane Bridge
Marl Copse
Long Covert
Club Ho.
Daniel's Hole
Astonhill Coppice
The Close
Forest Lodge
Tanks
Tree Tops
Lower Farm
Playing Field
Engine House Belt
Halton House
Wendover Woods
Aston Hill
The Chalet
Aston Hill Lodge
Aston Hill Farm
Cricket Ground
Sports Arena
Bulback Covert
Boat Ho.
Jetty
Weston Turville Reservoir
Perch Cottage
Low Moors
Top Moors
Sports Field
Clayfield Clump
Parade Grd.
Rifle Range
Rowborough Copse
Halton Combined School
Leonard Pulham House
Haddington Hill
Ballad's Wood
Tatnall's Wood
Halton Wood
Halton Camp
Reservoir
Cold Comfort
Rec. Grd.
Wks.
John Hampded County First & Wendover C.E. Middle Schools
Boddington Hill
Wendover
Ckt. Grd.
WENDOVER BY-PASS A413
80
87
88
89
12
11
210
09
08

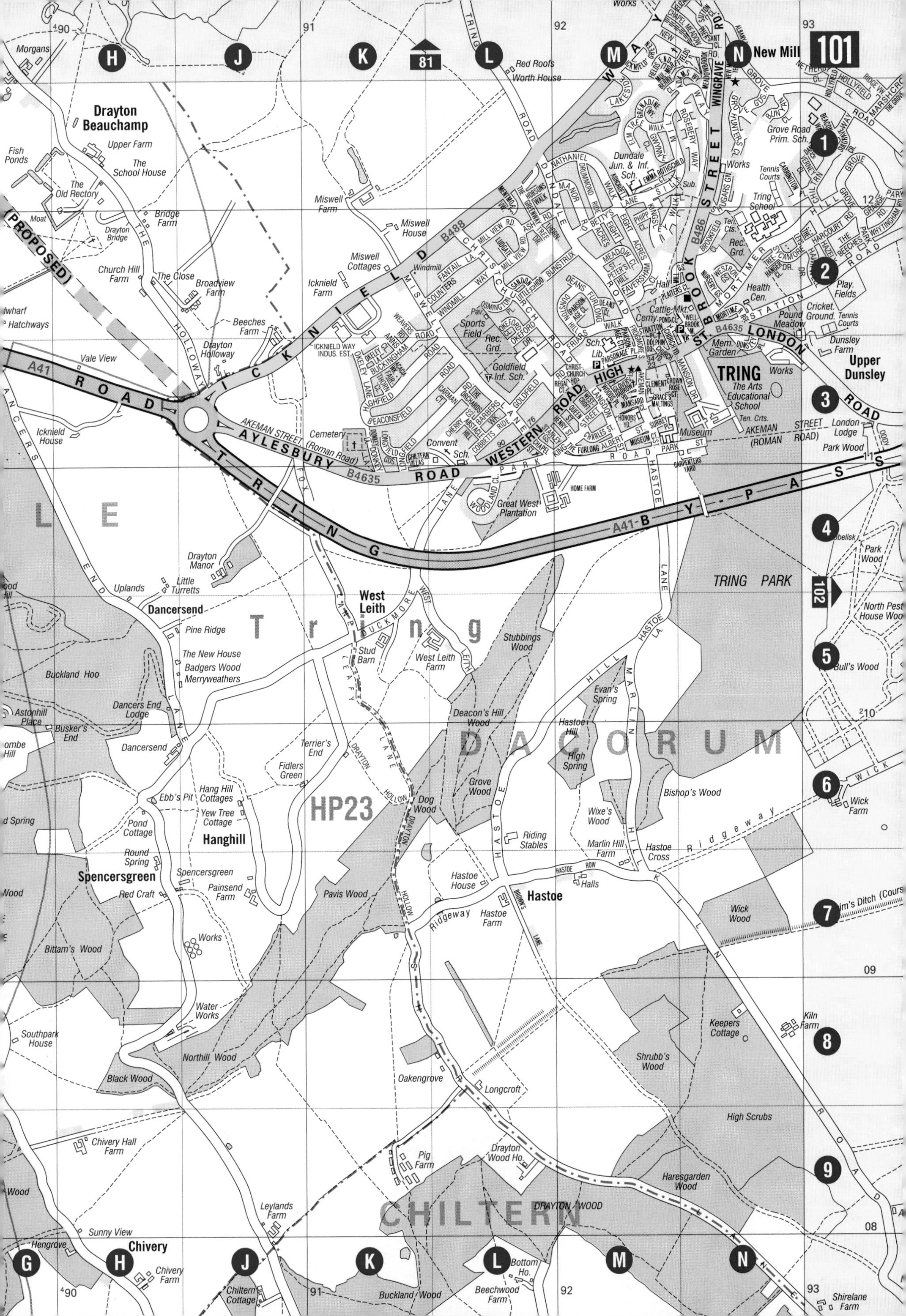
81
New Mill
Drayton Beauchamp
Upper Farm
The School House
The Old Rectory
Fish Ponds
Moat
Bridge Farm
Drayton Bridge
Church Hill Farm
The Close
Broadview Farm
(PROPOSED)
Beeches Farm
Drayton Holloway
Vale View
A41 ROAD
Icknield House
Red Roofs
Worth House
Miswell Farm
Miswell House
Miswell Cottages
Icknield Farm
ICKNIELD WAY INDUS. EST.
ICKNIELD B488
Windmill
Sports Field
Rec. Grd.
Goldfield Inf. Sch.
Cemetery
AKEMAN STREET (Roman Road)
AYLESBURY ROAD B4635
Convent Sch.
WESTERN ROAD
HIGH
Dundale Jun. & Inf. Sch.
Grove Road Prim. Sch.
Tring School
Tennis Courts
Rec. Grd.
Health Cen.
Play. Fields
Cricket Ground
Pound Meadow
Cattle Mkt.
Cemy.
Mem. Garden
Dunsley Farm
Upper Dunsley
LONDON ROAD
TRING
The Arts Educational School
Works
Museum
Ten. Crts.
AKEMAN STREET (ROMAN ROAD)
London Lodge
Park Wood
Great West Plantation
HOME FARM
A41 BYPASS
TRING PARK
Obelisk
Park Wood
North Pest House Wood
102
Drayton Manor
Little Turretts
Uplands
Dancersend
Pine Ridge
The New House
Badgers Wood
Merryweathers
Tring
West Leith
Stud Barn
West Leith Farm
Stubbings Wood
Bull's Wood
Buckland Hoo
Astonhill Place
Busker's End
Dancers End Lodge
Dancersend
Deacon's Hill Wood
Evan's Spring
Hastoe Hill
High Spring
DACORUM
Terrier's End
Fidlers Green
Grove Wood
Dog Wood
HP23
Bishop's Wood
Wick Farm
Ebb's Pit
Hang Hill Cottages
Yew Tree Cottage
Pond Cottage
Hanghill
Round Spring
Spencersgreen
Spencersgreen
Painsend Farm
Red Craft
Riding Stables
Wixe's Wood
Marlin Hill Farm
Hastoe Cross
Ridgeway
Hastoe House
Halls
Hastoe
Hastoe Farm
Pavis Wood
Wick Wood
Grim's Ditch (Course of)
Bittam's Wood
Works
Water Works
Southpark House
Northill Wood
Black Wood
Oakengrove
Longcroft
Keepers Cottage
Kiln Farm
Shrubb's Wood
High Scrubs
Chivery Hall Farm
Pig Farm
Drayton Wood Ho.
Haresgarden Wood
DRAYTON WOOD
CHILTERN
Leylands Farm
Sunny View
Hengrove
Chivery
Chivery Farm
Chiltern Cottage
Buckland Wood
Bottom Ho.
Beechwood Farm
Shirelane Farm

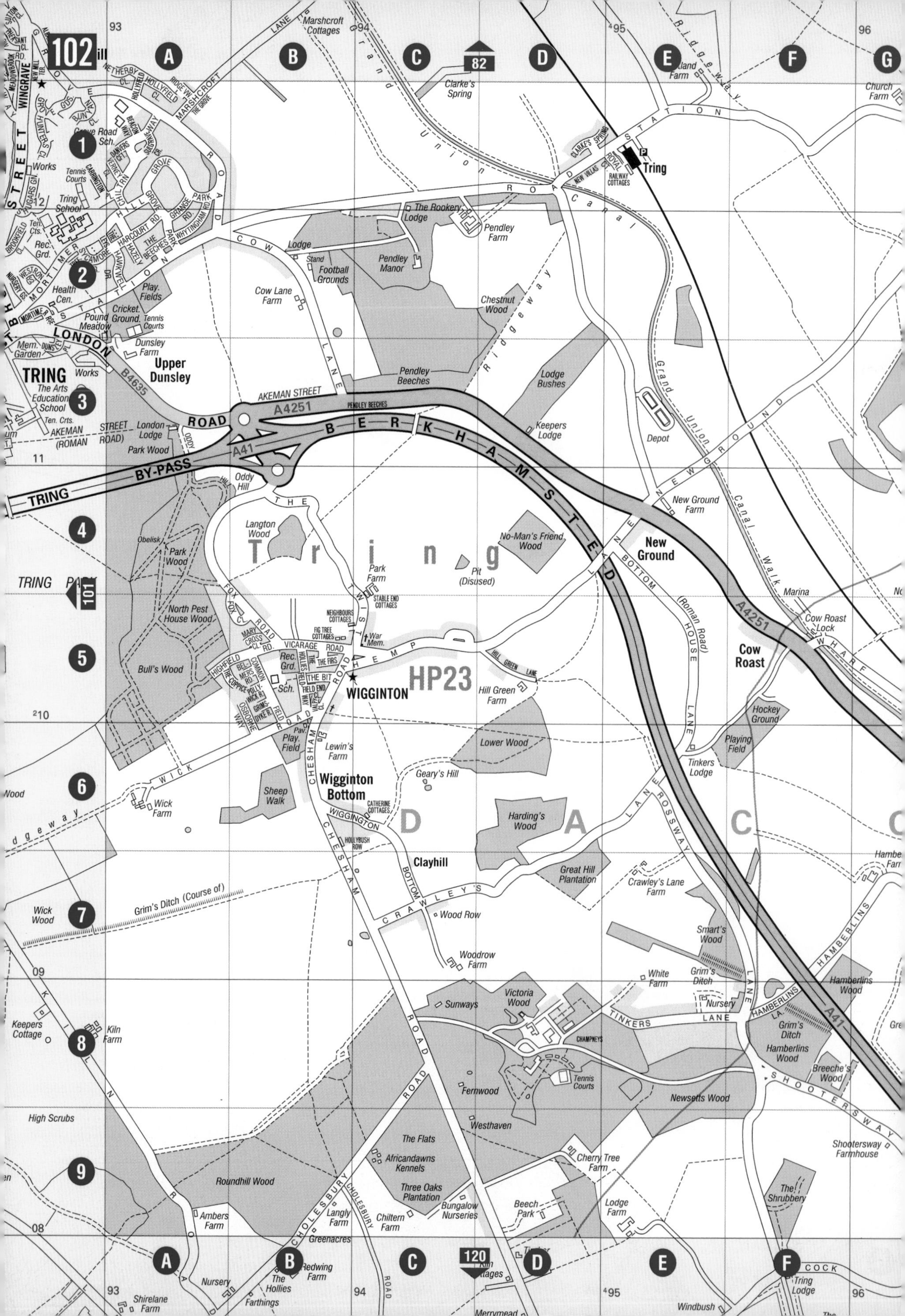

TRING
Upper Dunsley
Wigginton
Wigginton Bottom
Clayhill
New Ground
Cow Roast
HP23
Tring
DACORUM
Tring Park
Pendley Manor
Pendley Farm
Pendley Beeches
Chestnut Wood
Lodge Bushes
Keepers Lodge
New Ground Farm
No-Man's Friend Wood
Langton Wood
Park Farm
Park Wood
North Pest House Wood
Bull's Wood
Oddy Hill
Hill Green Farm
Lower Wood
Geary's Hill
Harding's Wood
Great Hill Plantation
Crawley's Lane Farm
Sheep Walk
Wick Farm
Wick Wood
Grim's Ditch (Course of)
Kiln Farm
Keepers Cottage
High Scrubs
Roundhill Wood
Ambers Farm
Smart's Wood
White Farm
Victoria Wood
Sunways
Champneys
Fernwood
Westhaven
Newsetts Wood
Hamberlins Wood
Breeche's Wood
Shootersway Farmhouse
The Shrubbery
Cherry Tree Farm
The Flats
Africandawns Kennels
Three Oaks Plantation
Bungalow Nurseries
Beech Park
Lodge Farm
Chiltern Farm
Langly Farm
Greenacres
Redwing Farm
The Hollies
Farthings
Shirelane Farm
Tring Lodge
Windbush
Merrymead
Tring Station
Clarke's Spring
Marshcroft Cottages
Church Farm
Grand Union Canal
Ridgeway
Depot
Marina
Cow Roast Lock
Hockey Ground
Playing Field
Tinkers Lodge
Woodrow Farm
Wood Row
Lewin's Farm
Catherine Cottages
Hollybush Row
A41
A4251
B4635
AKEMAN STREET (ROMAN ROAD)
BERKHAMSTED BY-PASS
LONDON ROAD
STATION ROAD
COW LANE
CHESHAM ROAD
CHOLESBURY ROAD
CRAWLEY'S LANE
ROSSWAY LANE
TINKERS LANE
SHOOTERSWAY
HAMBERLINS LANE
NEW GROUND ROAD
BOTTOM HOUSE LANE
WICK ROAD
KILN ROAD
VICARAGE ROAD
HEMP LANE
THE TWIST
FOX ROAD
HILL GREEN LANE
WHARF LANE
COCK LANE
82
101
120

ALDBURY COMMON
ALDBURY
Old Copse
The Old Dairy
Sewage Works (Disused)
Thunderdell Wood
ASHRIDGE GOLF COURSE
The Rookery
Sewage Works
Ashridge Management College
Gryme's Dell
ASHRIDGE PARK
Woodyard Cottage
Harding's Rookery
Rail Copse
Tom's Hill
Tom's Hill House
The Scrubs
Bottom Spring
Little Coldharbour Farm
Coldharbour Spring
Coldharbour Farm
Berkhamsted Common
BERKHAMSTED COMMON
Broomfield Spring
High Spring
Furzefield Wood
Pit (Disused)
NORTHCHURCH COMMON
Norcott Hill
Norcott Hall
Reservoir (Covered)
Tennis Court
Brickkiln Cottage
Berkhamsted
Northchurch Common
Hill Farm
Gorseside
Northchurch Farm
Grand Union Canal
Dudswell House
Dudswell
Morningstar
Hamberlins
Piggery Farm
Cornerfield
HP4
Bridgewater Sch.
New Farm
Castle Hill Farm
BERKHAMSTED
Sports Ground
Hedgelands
Northchurch
Golf Driving Range
Little Dickshill Wood
Works
Swags Spring
St. Mary's First Sch.
Cemy.
Works
Depot
Playground
Rec. Grd.
The Rookery
Grim's Ditch
Cox Dell
Egerton-Rothesay School
Shootersway
The Plantation
Superstore
Berkhamsted
Berkhamsted Castle (Remains)
TRING ROAD
HIGH STREET
GOSSOM'S END
A4251
B4506
NEW ROAD
BRIDGEWATER ROAD
SHOOTERSWAY
BYPASS
ASHRIDGE
PRINCE'S RIDING
83
104
121

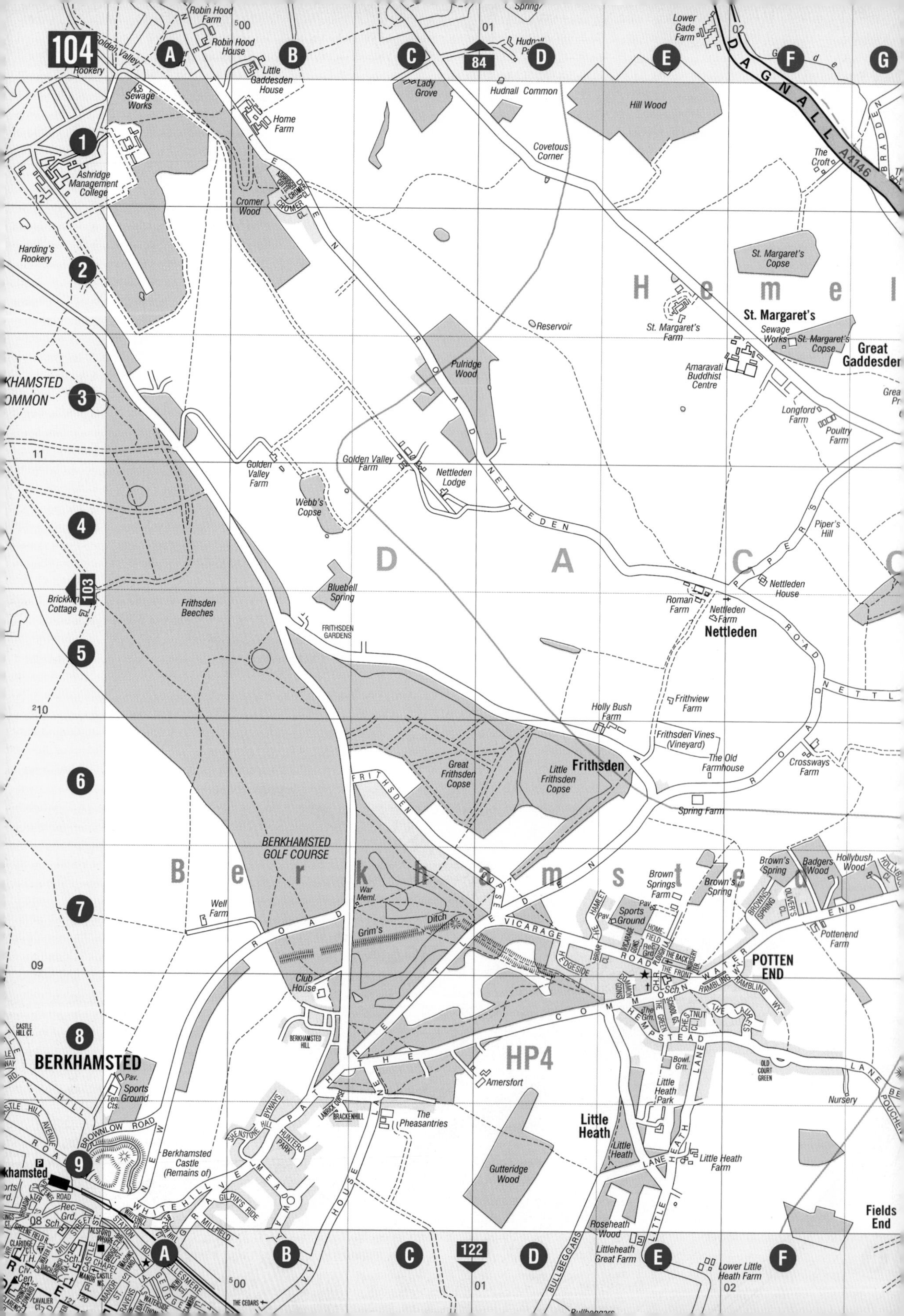
Robin Hood Farm
Robin Hood House
Little Gaddesden House
Home Farm
Lady Grove
84
Hudnall Common
Hill Wood
Lower Gade Farm
DAGNALL
A4146
The Croft
BRADDEN
Rookery
Sewage Works
Ashridge Management College
Harding's Rookery
Cromer Wood
Covetous Corner
St. Margaret's Copse
Hemel
St. Margaret's
St. Margaret's Farm
Sewage Works
St. Margaret's Copse
Great Gaddesden
Amaravati Buddhist Centre
Longford Farm
Poultry Farm
Reservoir
Pulridge Wood
KHAMSTED
OMMON
Golden Valley Farm
Golden Valley Farm
Webb's Copse
Nettleden Lodge
NETTLEDEN
Piper's Hill
PIPERS
D
A
C
103
Brickkiln Cottage
Frithsden Beeches
Bluebell Spring
FRITHSDEN GARDENS
Roman Farm
Nettleden Farm
Nettleden
Nettleden House
ROAD
NETTL
Holly Bush Farm
Frithview Farm
Frithsden Vines (Vineyard)
The Old Farmhouse
Crossways Farm
Great Frithsden Copse
Little Frithsden Copse
Frithsden
FRITHSDEN
Spring Farm
BERKHAMSTED GOLF COURSE
Berkhamsted
Well Farm
War Meml.
Grim's Ditch
Brown Springs Farm
Brown's Spring
Badgers Wood
Hollybush Wood
Sports Ground
VICARAGE ROAD
HEDGESIDE
POTTEN END
Pottenend Farm
Club House
BERKHAMSTED HILL
COMMON
HEMPSTEAD
HP4
Amersfort
Bowl. Grn.
Little Heath Park
OLD COURT GREEN
Nursery
BERKHAMSTED
Pav.
Sports Ground
Ten. Cts.
BROWNLOW ROAD
Berkhamsted Castle (Remains of)
The Pheasantries
BRACKENHILL
Little Heath
Little Heath
Little Heath Farm
Gutteridge Wood
Roseheath Wood
Littleheath Great Farm
Fields End
Lower Little Heath Farm
122
BULLBEGGARS
Berkhamsted
WHITEHILL
GILPIN'S RIDE
MILLFIELD
STATION
THE CEDARS
A B C D E F G
1 2 3 4 5 6 7 8 9

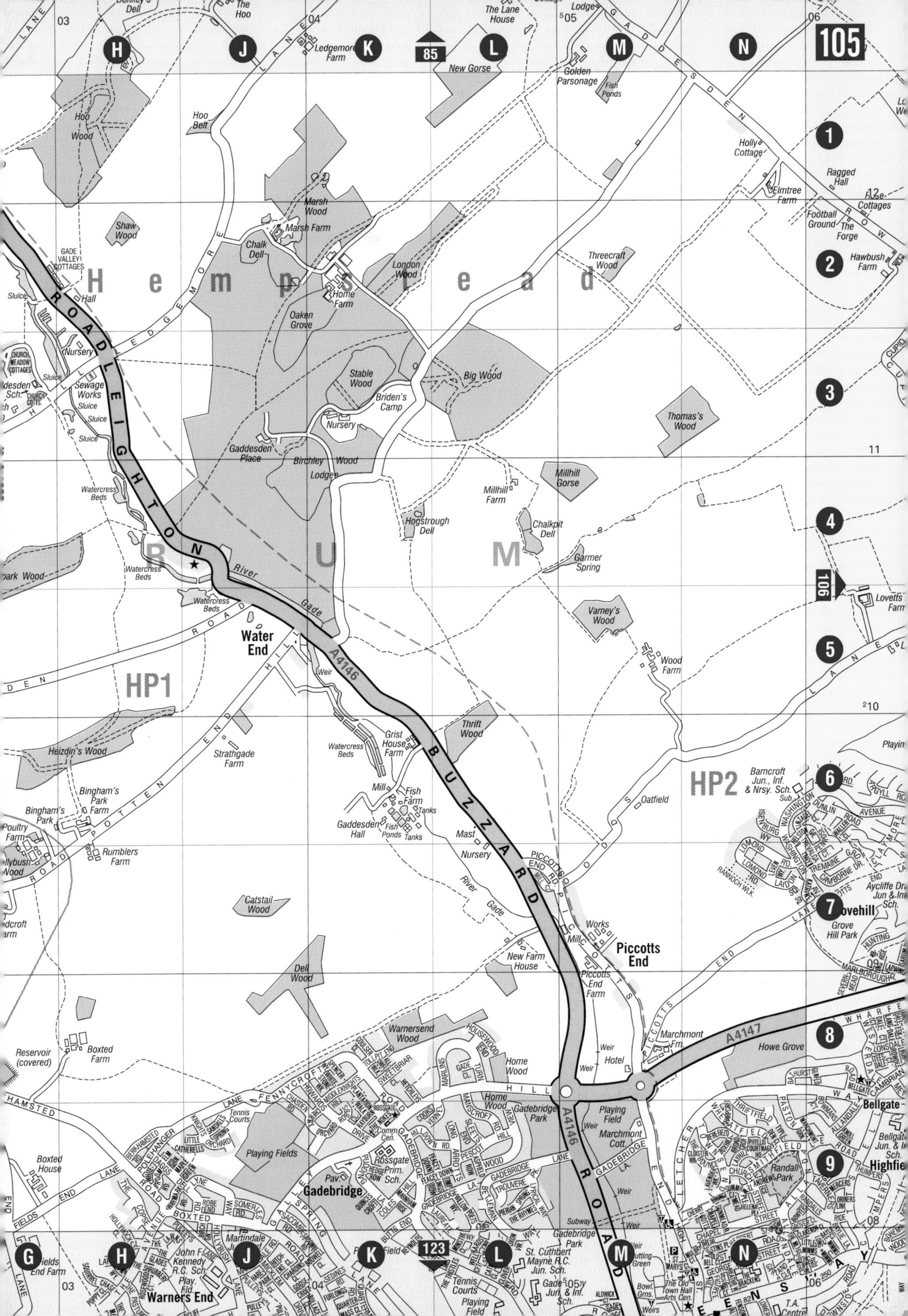
105
85
106
123
H J K L M N
1 2 3 4 5 6 7 8 9
G H J K L M N
Hemel Hempstead
BURY MILL END
HP1
HP2
The Hoo
Ledgemore Farm
The Lane House
New Gorse
Golden Parsonage
Fish Ponds
Lodge
GADDESDEN ROW
Holly Cottage
Ragged Hall
Elmtree Farm
Football Ground
The Forge
Rose Cottages
Hawbush Farm
Hoo Wood
Hoo Belt
Marsh Wood
Marsh Farm
Shaw Wood
Chalk Dell
London Wood
Threecraft Wood
Home Farm
Oaken Grove
GADE VALLEY COTTAGES
Hall
Sluice
Nursery
CHURCH MEADOW COTTAGES
Sewage Works
Stable Wood
Big Wood
Briden's Camp
Thomas's Wood
Nursery
Gaddesden Place
Birchley Wood
Lodge
Millhill Gorse
Millhill Farm
Watercress Beds
Hogstrough Dell
Chalkpit Dell
Garmer Spring
River Gade
Lovetts Farm
Varney's Wood
Water End
A4146
Wood Farm
HEDGEMORE LANE
LEIGHTON BUZZARD ROAD
Heizdin's Wood
Strathgade Farm
Thrift Wood
Grist House Farm
Mill
Fish Farm
Gaddesden Hall
Fish Ponds
Tanks
Mast
Nursery
Oatfield
Barncroft Jun., Inf. & Nrsy. Sch.
Bingham's Park
Bingham's Park Farm
Poultry Farm
Rumblers Farm
POTTEN END HILL
Catstail Wood
PICCOTTS END ROAD
Works
Piccotts End
Piccotts End Farm
Grovehill
Grove Hill Park
New Farm House
Dell Wood
Warnersend Wood
Home Wood
Marchmont Fm.
Hotel
A4147
Howe Grove
Reservoir (covered)
Boxted Farm
Bellgate
Highfield
Weir
Playing Field
Marchmont Cott.
Gadebridge Park
Home Wood
Tennis Courts
Playing Fields
Gadebridge
Rossgate Prim. Sch.
Comm. Cen.
Boxted House
FIELDS END LANE
John F. Kennedy R.C. Sch.
Martindale
Field
Gadebridge Park
St. Cuthbert Mayne R.C. Jun. Sch.
Gade Jun. & Inf. Sch.
Tennis Courts
Playing Field
Randall Park
Warners End
Fields End Farm
The Old Town Hall Arts Cen.
Subway

Hemel Hempstead
DACORUM
Round Spr. Wood
Long Wood
Greenlane Wood
Nirvana
Greenlane Farm
New Wood
Flamsteadbury Farm
Holly Cottage
Ragged Hall
Elmtree Farm
Stags End
Rose Cottages
Football Ground
The Forge
Corner Farm
Stagsend Cottages
Hawbush Farm
GADDESDEN LANE
GADDESDEN ROW
CUPID GREEN LANE
Hay Wood
Great Revel End Lodge
The Holt
Holtsmore End Farm
Holtsmere End
Great Revel End Farm
Pancake Wood
Eastbrookhay Farm
Eastwick
Little Revelend Farm
Betts Cottages
Lovetts End Farm
Little Lovetts End Farm
High Wood
Brocks Wood
Belvedere
Surgery
Playing Field
Wood End Farm Cotts.
Wood End Farm
Reservoir
Cherrytree Cottage
Kennels
Cherry Tree House
The Astley Cooper Sch.
Woodhall Wood
Cupid Green
Grovehill
Grove Hill Park
Aycliffe Drive Jun & Inf. Sch.
Caravan Park
Pratt's Dell
HEMEL HEMPSTEAD INDUSTRIAL ESTATE
Eaton Lodge
High Grange
The Cottage
PUNCH BOWL LANE
REDBOURN ROAD
HEMEL HEMPSTEAD ROAD
HP2
Yewtree Wood
GroveHill Nursery Sch.
Beech Hyde
The Campus
Bellgate
Highfield
Bellgate Jun. & Inf. Sch.
Water Tower
SARACEN INDUSTRIAL AREA
PENTAGON PARK
OIL STORAGE DEPOT
BOUNCEFIELD TERMINAL
Sports Field
Sports Ground
MAYLANDS AVENUE A4147
QUEENSWAY B487
Maylands Wood
Hobletts Manor Jun. & Inf. Schs.
Woodwells Farm
Burial Ground
105
86
124

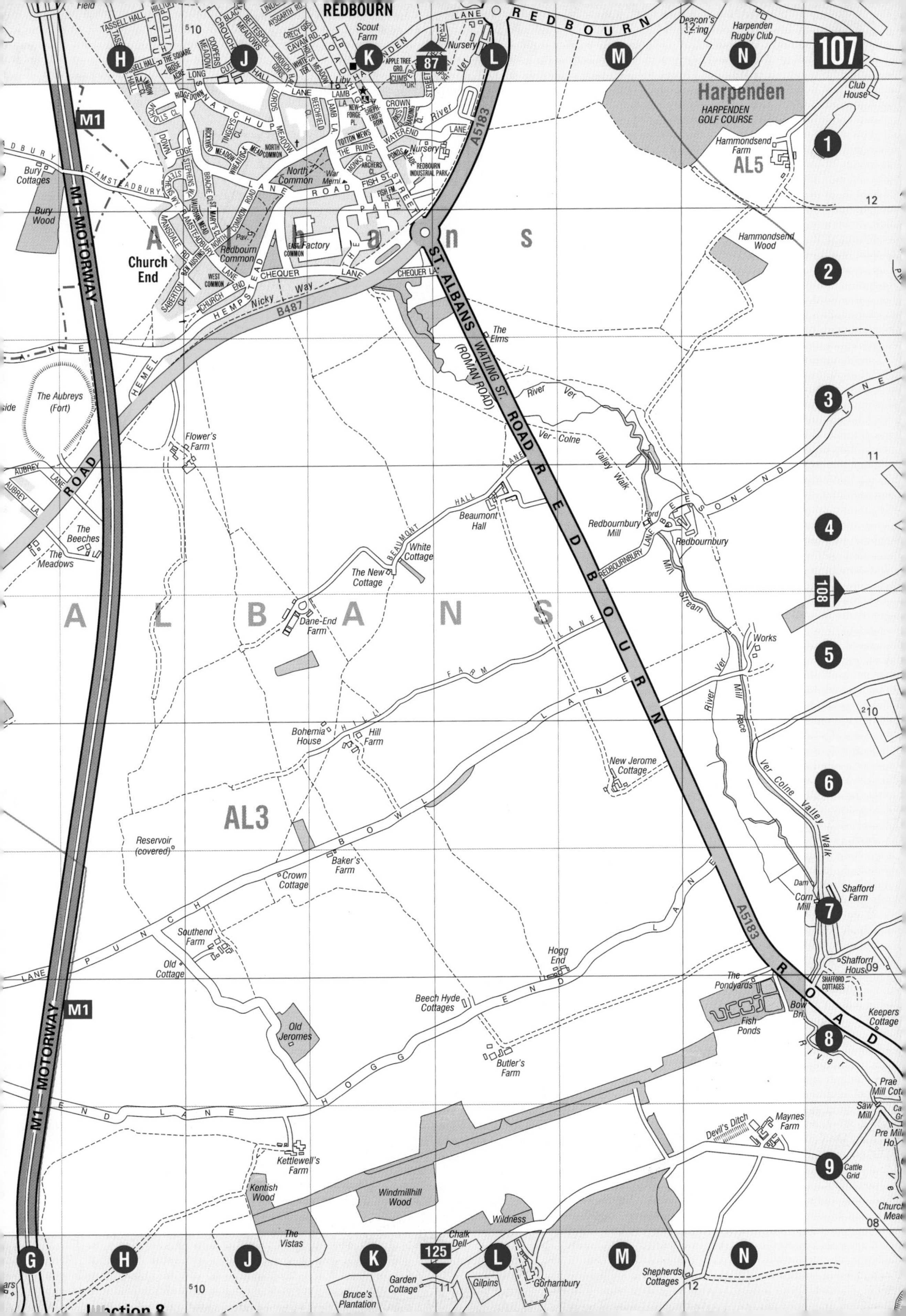
REDBOURN
Harpenden
HARPENDEN GOLF COURSE
Harpenden Rugby Club
Club House
Hammondsend Farm
AL5
Hammondsend Wood
Scout Farm
Nursery
Redbourn Industrial Park
North Common
Redbourn Common
Church End
Bury Cottages
Bury Wood
Factory
The Aubreys (Fort)
M1 MOTORWAY
B487
A5183
ST. ALBANS ROAD (ROMAN ROAD)
WATLING ST.
REDBOURN ROAD
The Elms
River Ver
Ver-Colne Valley Walk
Flower's Farm
Beaumont Hall
White Cottage
The New Cottage
Dane-End Farm
Redbournbury Mill
Redbournbury
Mill Stream
Works
The Beeches
The Meadows
ALBANS
Bohemia House
Hill Farm
New Jerome Cottage
AL3
Reservoir (covered)
Baker's Farm
Crown Cottage
Southend Farm
Old Cottage
Hogg End
Beech Hyde Cottages
Old Jeromes
Butler's Farm
The Pondyards
Fish Ponds
Shafford Farm
Corn Mill
Dam
Shafford House
Shafford Cottages
Keepers Cottage
Prae Mill Cottage
Saw Mill
Pre Mill House
Maynes Farm
Devil's Ditch
Cattle Grid
Kettlewell's Farm
Kentish Wood
Windmillhill Wood
Wildness
The Vistas
Chalk Dell
Garden Cottage
Gilpins
Gorhambury
Bruce's Plantation
Shepherds Cottages
PUNCHBOWL LANE
HOGG END LANE
HILL FARM LANE
BEAUMONT HALL LANE
HEMEL HEMPSTEAD ROAD
87
108
125

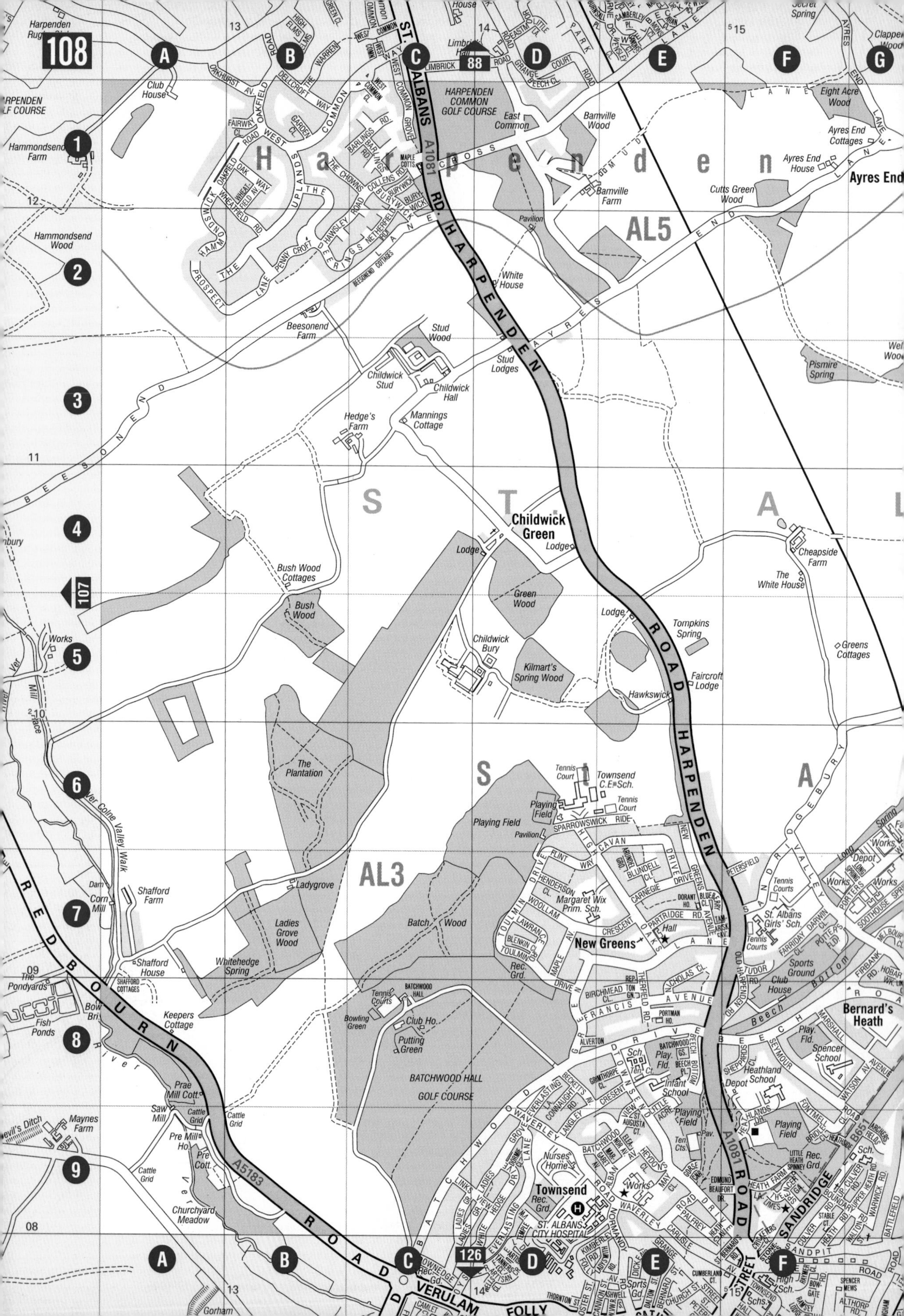
Harpenden
Harpenden Common Golf Course
Club House
Hammondsend Farm
Hammondsend Wood
Beesonend Farm
Stud Wood
Childwick Stud
Childwick Hall
Hedge's Farm
Mannings Cottage
Stud Lodges
White House
Barnville Wood
Barnville Farm
East Common
Limbrick Hall
Eight Acre Wood
Ayres End Cottages
Ayres End House
Ayres End
Cutts Green Wood
Pismire Spring
AL5
Childwick Green
Lodge
Cheapside Farm
The White House
Bush Wood Cottages
Bush Wood
Green Wood
Childwick Bury
Kilmart's Spring Wood
Tompkins Spring
Faircroft Lodge
Hawkswick
Greens Cottages
Works
Ver Colne Valley Walk
The Plantation
Townsend C.E. Sch.
Playing Field
Pavilion
Ladygrove
Shafford Farm
Corn Mill
Ladies Grove Wood
Batch Wood
Whitehedge Spring
Shafford House
Shafford Cottages
AL3
New Greens
Margaret Wix Prim. Sch.
St. Albans Girls' Sch.
Sports Ground
Club House
Bernard's Heath
Heathlands School
Spencer School
The Pondyards
Fish Ponds
Keepers Cottage
Prae Mill Cott.
Saw Mill
Cattle Grid
Pre Mill Ho.
Pre Cott.
Maynes Farm
Churchyard Meadow
Batchwood Hall Golf Course
Bowling Green
Putting Green
Club Ho.
Townsend
Nurses Home
St. Albans City Hospital
Infant School
High Sch.
Sandridge
Redbourn Road
A5183
Harpenden Road
A1081
St. Albans Rd.
Verulam
Folly
Gorham
107
88
126

Nomansland
Coleman Green
Sandridgebury
SANDRIDGE
Marshalswick
AL1
AL4
B A N S
l b a n s
89
110
127
West End Farm
Westend Cottages
Glen Nurseries
Silverlands Kennels
Cricket Club
Lane Farm Cottage
Old Beech
NOMANSLAND COMMON
Long Spinney
Kents Dell
FERRERS LANE
B651
Walcy
Darblay
Sollar Wood
Furzefield Wood
Nomansland Farm
Round Wood
Ceres
Hillend Farm
Pudler's Wood
Hammond's Farm Cottages
Park Croft
Hammond's Farm
Long Acres
HAMMOND'S LANE
COLEMAN GREEN LANE
TOWER HILL LANE
BEECH HYDE LANE
Langley Wood
School Annexe
Pound Farm
Sandridgebury Farm
Recreation Ground
Sandridge Jun. & Inf. Sch.
Fairshot Court
Hammond's Wood
Hariowdell Spring
Hill Wood
Rec. Grd.
Cem.
Harefield
WOODCOCKHILL
Fairfolds
Wireless Station
Mast
Sutton's Farm
Fairfold's Farm
Cap's Cottages
HIGH STREET
ST. ALBANS ROAD
Bridge Cottage
Nashe's Farm
Hook's Wood
Sleeve Hall Wood
Freelands Cottages
The Glen
Wheatfields Inf. & Jun. Schs.
Playing Field
Tennis Court
Sandringham School
Works
METRO CENTRE
Oak Wood
Sand & Gravel Pit
Rec Grd
School
Sky's Wood
St.John Fisher Sch.
Oak Farm
Beech Farm
Lye Ho.
Ash Green
Oak Cottage
Oak House
Ardens Rise
Woodstock Lodge
Woodstock
Conveyor
MARSHALSWICK LANE
St. John Fisher R.C. Jun. Mixed & Inf. Sch.
Lib.
Club Ho.
Tennis Courts
Recreation Ground
OAKLANDS LANE
COOPERS GREEN LANE
HOUSE LANE
NORTH DRIVE
Works
Radio Station
St.Davids
Playing Field
Pav.
Oakwood Primary School
Beaumont School
Verulam School
Fleetville
Oaklands College (Oaklands Campus)
Sports Ground
Club House
SANDPIT LANE
H J K L M N G
1 2 3 4 5 6 7 8 9
16 17 18 19 12 11 10 09 08

Cromer Hyde
Upper Cromer Hyde Farm
Lamb's Grove
Beechen Dell
BROCKET PARK
Four Gate Plantation
Kents Dell
Sprite Field Spring
Fletcher's Wick
Benstead's Wood
Templehill Plantation
Lodgehill Plantation
Cattle Grid
Lemsford
Wet Grove
Long Spring Grove
Cromer House
Brocket Corner
St. John's C.E. Jun. & Inf. Sch.
Meadowcroft
Vicarage
St. Albans
Titnol's Wood
Long Grove Plantation
Cromerhyde Farm
Welwyn
Hammond's Farm Cottages
Park Croft
Dogsheart Spring
The Holding
Gosmoor Kennels
AL8
Stanborough
Long Acres
Chalkdell Wood
Symondshyde Farm
Symonds Hyde
SYMONDSHYDE GREAT WOOD
WELWYN
Whitegate Lodge
Whitegate Cottages
The Old Cott
Furze Field
AL4
Factory
Sports Ground
Prim. Sch.
West Lodge
Sutton's Farm
Sutton's Farm Bungalows
Astwick Manor Cottages
Astwick Manor Farm
Astwick Manor Lodge
Works
Astwick Manor (Aeronautical Technical College)
Moat
Hatfield Garden Village
HATFIELD BUSINESS PARK
Coopers Green
Old Forge Cott.
Coopers Green Cotts.
Hook's Wood
Sleeve Hall Wood
Cut Field Wood
Freelands Cottages
Ball's Covert
Oak Wood
Sand & Gravel Pit
Round Wood
Beech Cottage
Home Covert
Beech Farm
Ash Green
Oak Cottage
Aircraft Works
HATFIELD AERODROME
AL10
Conveyor
Works
Aircraft Works
BISHOP SQUARE BUSINESS PARK
ST. ALBANS
Radio Station
St.Davids
Popefield Farm
Nursery
Nine Nursery
Wilkinsgreen Farm
Sports Ground
Club House
Tennis Ct.
Playground
Nast Hyde
HATFIELD RD.
ST. ALBANS ROAD
A1057
A1001
COMET WAY
CAVENDISH WY.
B6426
MARFORD ROAD
B653
BROCKET ROAD
GREEN LANES
COOPERS LANE
COOPERS GREEN
GREAT BRAITCH LANE
HATFIELD AVENUE
FROBISHER WY.
GYPSY MOTH AV.
A1(M)

90
109
128

H
J
K
L
M
N
G
1
2
3
4
5
6
7
8
9
91
112
129
A1(M)
A1(M) MOTORWAY
GREAT NORTH RD.
VALLEY ROAD
B195
Handside
Peartree
Woodhall
Hatfield Hyde
Hall Grove
Bushey Leys
Training Centre
Warehouse
Works
Herm's Wood
Twentieth Mile Bridge
Depot
Sports Centre
Golf Driving Range
The Gosling Stadium
Playing Field
Football Ground
Our Lady Prim. Sch.
Sir John Newsom Sch.
King George V Playing Fields
Police Headquarters
Sports Ground
Stanborough School
Stanborough Park
Swimming Pool
Boating Lake
Sailing Lake
Lakeside School
Oaklands College
Stanborough Bury
STANBOROUGH ROAD
A6129
BROADWATER ROAD
QUEEN ELIZABETH II HOSPITAL
Caravan Park
Creswick Plantation
Woodhall Farm
AL7
HATFIELD
Junction 4
A414
HERTFORD ROAD
CHEQUERS
Sewage Disposal Works
Lea Green
Filter Beds
Sewage Wks.
Mill Green
Hertford Road Lodges
Cecil Saw Mill
Sawmill Lodge
The Warren
The Vineyard
River Lea or Lee
The Broadwater
Vineyard Cottage
The Lodge House
HOME PARK
Head Keeper's House
Hill End
Hillend Cottages
Hillend Lodges
The Furze Field
Pollard Wood
Brickkiln Wood
Conduit Wood
HATFIELD PARK
AL9
Old Hatfield
Bishop's Palace (remains of)
Hatfield House
The Ryde
Birchwood
Roe Green
Hatfield
MT. PLEASANT
ST. ALBANS RD.
FRENCH HORN LA.
GREAT NORTH ROAD
A1000
Onslow St. Audrey's Sch.
Howe Dell
Merrows Cottages
Cemetery
New Gardens
Orchard Ho.
Home Farm
Jun. Mixed & Inf. Sch.
COOMBE WOOD
Pope's Pondholes
A1001
B197
B653
23
24
25
12
11
10
09
08

Welwyn Garden City
AL7
Hatfield
AL9
WELWYN HATFIELD
Hall Grove
Cole Green
Letty Green
Holwell
Essendon
West End
Hill End
Howe Green
Hertford Road
A414
B195
B1455
B158
Birchall Lane
Black Fan Road
Cole Green Lane
Holwell Lane
Hyde Lane
Panshanger Lane
Essendon Hill
High Road
Mill Grn.
West End Lane
Bedwell Avenue
Station Rd
Woolmers La.
Henry Wood
Birchall Wood
Nursery Gardens
High Grove
Rolls Wood
Blackthorn Wood
Howick's Wood
Great Captain's Wood
Holwellpark Wood
Holwell Hyde Farm
Commonswood Jun. & Inf. Sch.
QUEEN ELIZABETH II HOSPITAL
The Commons
Burnside
Caravan Park
Council Depot
Holwell Court Farm
Cumberland Green
Munn's Farm
Farthing Hall
Labby Green
Kit's Stockings
Orchard House
The Oaks
New Cottages
Cole Green Way
Lea Valley Walk
River Lea or Lee
Essendon Pumping Station
Holwell Manor
Essendon Mill
Holwell Bri.
Sub Station
Essendonbury Farm
South Lodge
Hertford Lodge
Kennel Hall Farm
Hillend Farm
Hillend Cottages
Hillend Lodges
Ox Wood
Larkinshill Grove
Bury Cottages
The Bungalows
Parsonage
Pumping Station
Poundfield Wood
Field House Fm.
Lower West End Farm
Upper West End Fm.
West End Farm
Essendon Brook
Backhorse Wood
Sports Grd.
Essendon Primary School
Poultry Houses
Sandpit Lodge
Bedwellpark Farm
Pinatum
Water Tower
HATFIELD LONDON COUNTRY CLUB
Sandpit Grove
Ashfield Farm
Furze Field
The Furze Field
Flint Farm
Pollard Wood
Edwards Wood
Deeve Wood
Wellington Wood
Pope's Pondholes
Long Wood
Essendon Place
Essendon Place Farm
Tewin Hospice
92
111
130

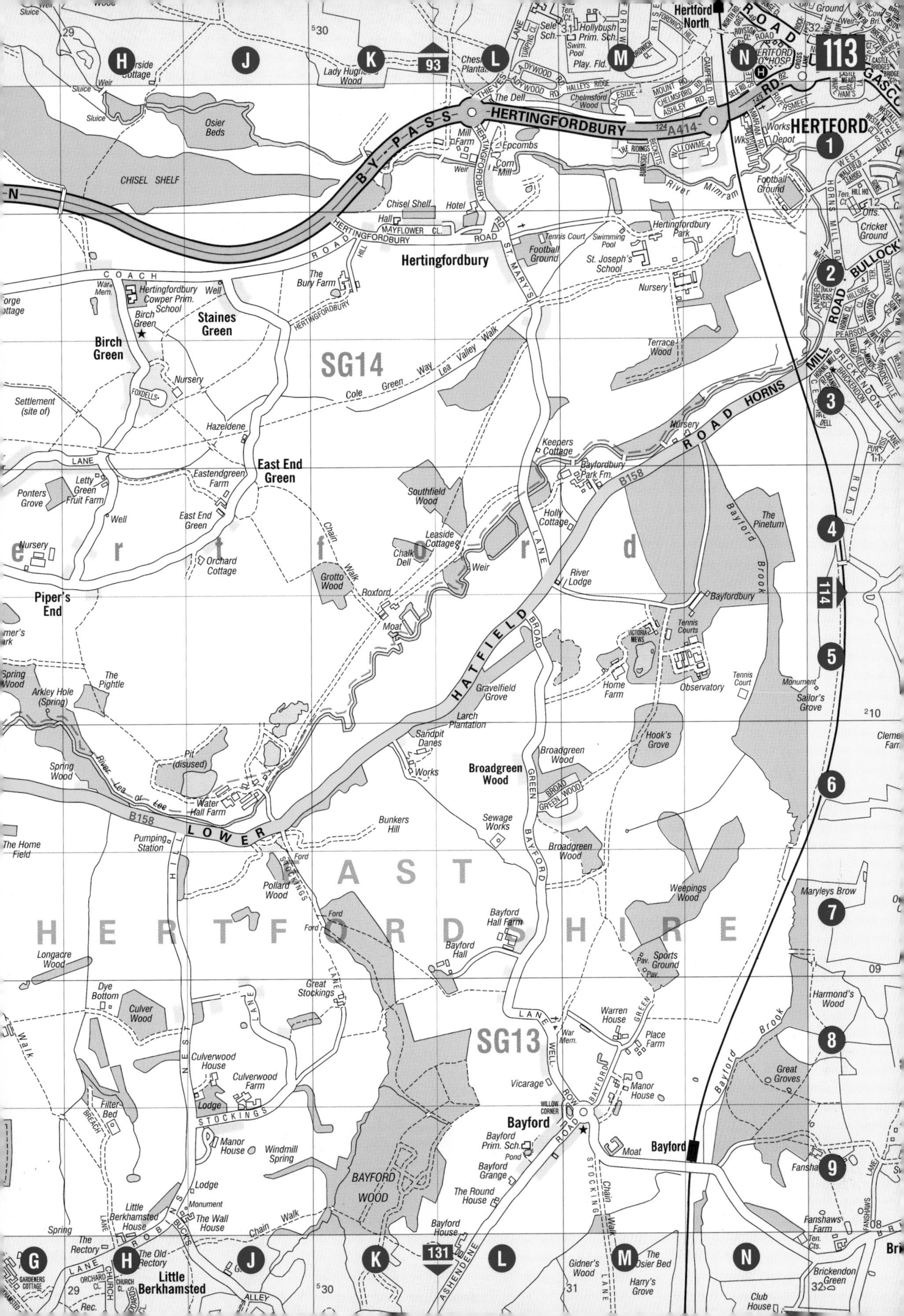
113
93
114
131
Hertford North
HERTFORD
HERTINGFORDBURY BY-PASS
A414
Hertingfordbury
SG14
SG13
Birch Green
Staines Green
East End Green
Piper's End
Broadgreen Wood
Bayford
Little Berkhamsted
HERTFORDSHIRE
EAST
Chisel Shelf
Osier Beds
Hertingfordbury Cowper Prim. School
St. Joseph's School
Terrace Wood
Cole Green Way
Lea Valley Walk
Southfield Wood
Grotto Wood
Roxford
Bayfordbury
Observatory
Hook's Grove
Weepings Wood
Bayford Hall Farm
Bayford Hall
Bayford Wood
Bayford Prim. Sch.
Bayford Grange
Bayford House
The Round House
Manor House
Culverwood House
Culverwood Farm
Pollard Wood
Great Stockings
Water Hall Farm
Spring Wood
Arkley Hole (Spring)
The Pightle
Longacre Wood
Culver Wood
Dye Bottom
The Wall House
The Old Rectory
The Rectory
Harmond's Wood
Great Groves
Maryleys Brow
Sailor's Grove
The Pinetum
Fanshaws Farm
Brickendon Green
Gidner's Wood
The Osier Bed
Harry's Grove
Club House
HORNS ROAD
HATFIELD ROAD
LOWER ROAD
B158
River Lea or Lee
River Mimram
Bayford Brook
STOCKINGS LANE
BAYFORD GREEN
BROADGREEN WOOD
ASHENDENE
ROBINS NEST HILL
Chain Walk
Hazeldene
Eastendgreen Farm
East End Green
Letty Green Fruit Farm
Ponters Grove
Settlement (site of)
Orchard Cottage
Keepers Cottage
Bayfordbury Park Fm.
Holly Cottage
Leaside Cottage
Chalk Dell
River Lodge
Gravelfield Grove
Larch Plantation
Sandpit Danes
Bunkers Hill
Sewage Works
Pumping Station
The Home Field
Warren House
Place Farm
Vicarage
Moat
Lady Hughes Wood
Hertingfordbury Park
Mill Farm
Epcombs
Corn Mill
Football Ground
Cricket Ground
Sports Ground
Windmill Spring
Filter Bed
Monument
G H J K L M N
1 2 3 4 5 6 7 8 9
29
530
31
32
210
09
08

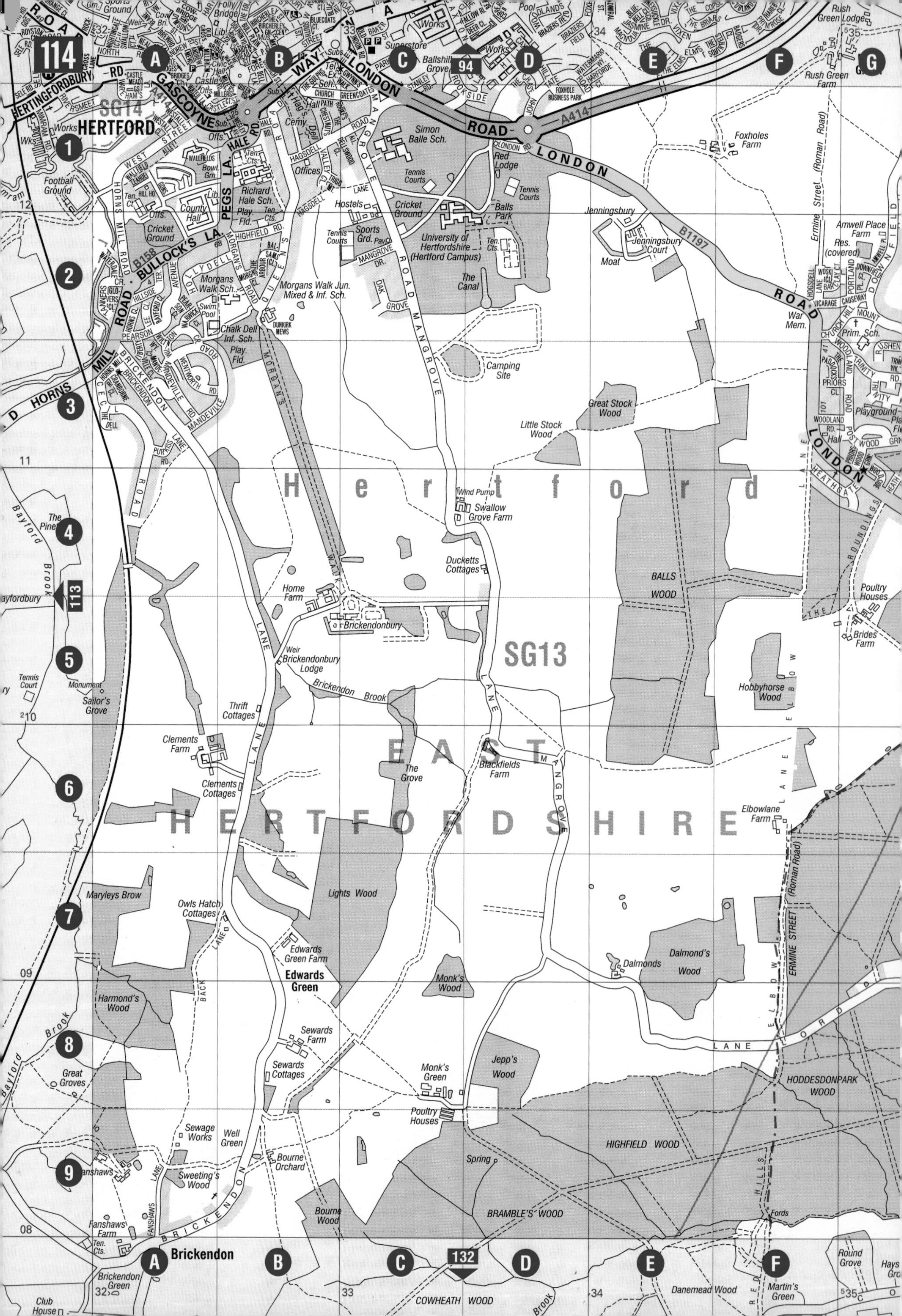
HERTFORD
SG14
SG13
Hertford
EAST
HERTFORDSHIRE
GASCOYNE WAY
LONDON ROAD
A414
B1197
B158
Simon Balle Sch.
Richard Hale Sch.
County Hall
University of Hertfordshire (Hertford Campus)
Balls Park
Jenningsbury
Jenningsbury Court
Foxholes Farm
Rush Green Farm
Rush Green Lodge
Amwell Place Farm
Ermine Street (Roman Road)
Morgans Walk Sch.
Morgans Walk Jun. Mixed & Inf. Sch.
Chalk Dell Inf. Sch.
Camping Site
Great Stock Wood
Little Stock Wood
Wind Pump
Swallow Grove Farm
Ducketts Cottages
Home Farm
Brickendonbury
Brickendonbury Lodge
Brickendon Brook
Thrift Cottages
Clements Farm
Clements Cottages
The Grove
Blackfields Farm
MANGROVE LANE
BALLS WOOD
Poultry Houses
Brides Farm
Hobbyhorse Wood
Elbowlane Farm
ELBOW LANE
Maryleys Brow
Owls Hatch Cottages
Lights Wood
Edwards Green Farm
Edwards Green
Monk's Wood
Dalmonds
Dalmond's Wood
Harmond's Wood
Sewards Farm
Sewards Cottages
Monk's Green
Jepp's Wood
HODDESDONPARK WOOD
HIGHFIELD WOOD
Great Groves
Sewage Works
Well Green
Bourne Orchard
Sweeting's Wood
Spring
BRAMBLE'S WOOD
Bourne Wood
Fanshaws Farm
Brickendon
Brickendon Green
BRICKENDON LANE
BACK LANE
Fords
Round Grove
Danemead Wood
Martin's Green
COWHEATH WOOD
Club House
Bayford Brook
Bayfordbury
The Pines
Sailor's Grove
Monument
HORNS MILL ROAD
94
113
132

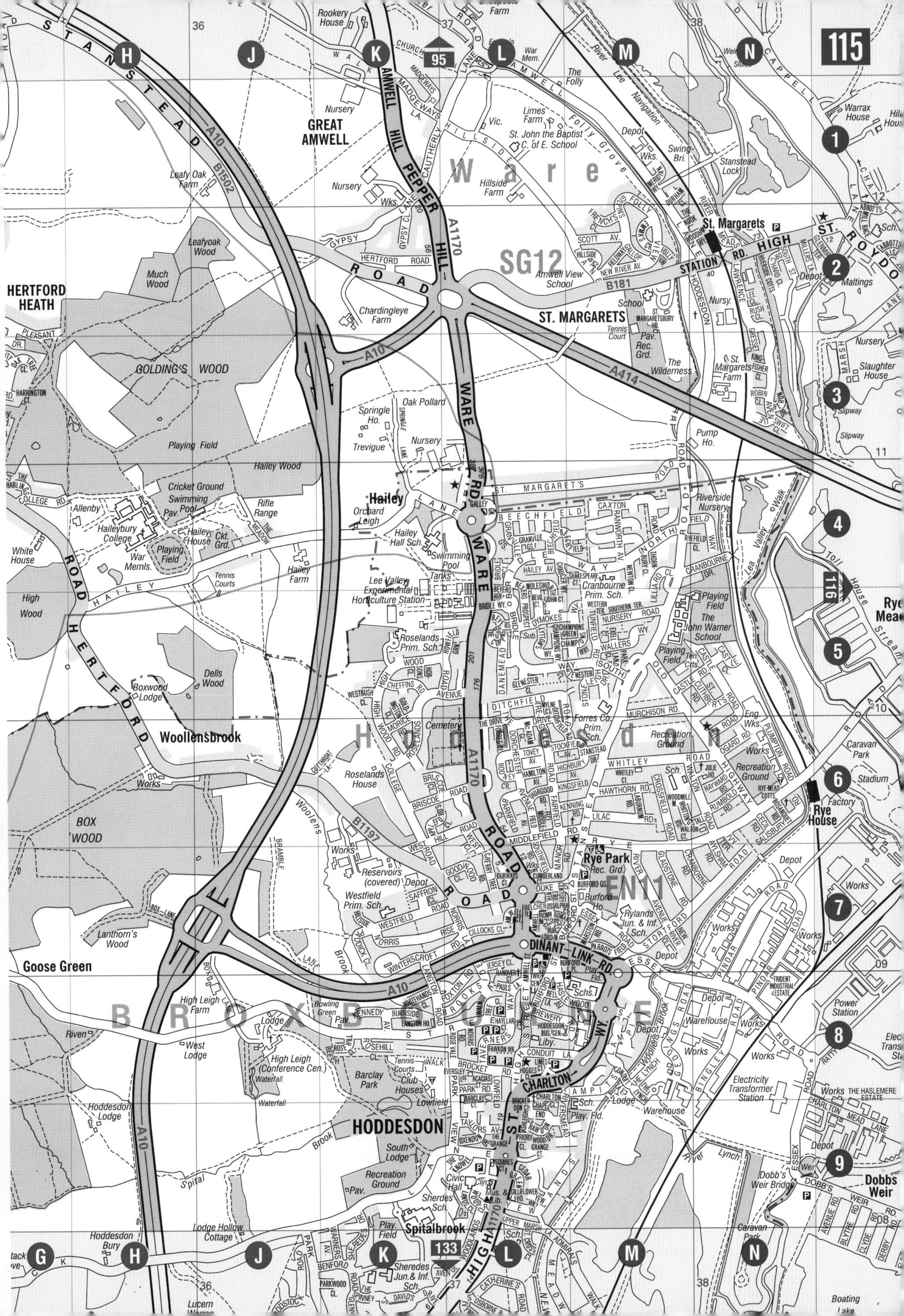

95
116
133
GREAT AMWELL
HERTFORD HEATH
Ware
SG12
ST. MARGARETS
St. Margarets
Hailey
Woollensbrook
Goose Green
Hoddesdon
EN11
Rye Park
BROXBOURNE
HODDESDON
Spitalbrook
Rye House
Dobbs Weir
Haileybury College
Golding's Wood
Box Wood
High Wood
Dells Wood
Much Wood
Leafyoak Wood
Lanthorn's Wood
Hailey Wood
Leafy Oak Farm
Chardingleye Farm
Hillside Farm
Limes Farm
Hailey Farm
High Leigh Farm
St. Margarets Farm
Rookery House
The Folly
Stanstead Lock
Warrax House
Slaughter House
The Wilderness
Lee Valley Experimental Horticulture Station
Roselands Prim. Sch.
Forres Co. Prim. Sch.
The John Warner School
Cranbourne Prim. Sch.
Westfield Prim. Sch.
Rylands Jun. & Inf. Sch.
Sheredes Jun. & Inf. Sch.
Amwell View School
St. John the Baptist C. of E. School
High Leigh (Conference Cen.)
Barclay Park
Recreation Ground
Electricity Transformer Station
Trident Industrial Estate
The Haslemere Estate
Caravan Park
Stadium
Power Station
Dobb's Weir Bridge
Lee Navigation
Lea Valley Walk
River Lee
River Lynch
A10
A1170
A414
B181
B1502
B1197
STANSTEAD ROAD
HERTFORD ROAD
AMWELL HILL
PEPPER HILL
WARE ROAD
DINANT LINK RD.
CHARLTON WY.
HIGH ST.
AMWELL ST.
STATION RD.
HIGH ST.
ST. MARGARET'S ROAD
HAILEY LANE
ESSEX ROAD

STANSTEAD ABBOTS
EAST HERTS
Ware
SG12
Roydon
ROYDON
EPPING FOREST
Rye Meads
Rye House
Hoddesdon
EN11
BROXBOURNE
Dobbs Weir
Glen Faba
Kingsmead Hill
Halls Green
ROYDON HAMLET
ROYDON PARK
BRIGGENS HOUSE HOTEL GOLF COURSE
Lord's Wood
Square Spring
Long Spring
Pogden's Wood
Coldharbour Wood
Coldharbour Farm
Stanstead Bury
Stanstead Bury Farm
Stanstead Lodge
Black Cottages
Briggens House Farm
Briggens Park
The Lodge
Club House
Gravel Pit
Sewage Works
Caravan & Camping Park
Camping Site
Roydon Mill
Rood Well
Temple Farm
Roydon Lock
Roydon Lodge Chalet Estate
Pumping Station
Mount Pleasant
Worlds End
Roydon Prim. Sch.
Rec. Grd.
Playground
Parklands Nursery
Kingsmead
The Grove
Didgemere Hall
Didgemere Common
Didgemere Old Cottage
New Barns Farm
Downe Hall
Hailes Farm
Burles Fm.
Netherhall Common
Netherhall (remains of)
Netherhall Farm
Tower Nursery
Westland Nursery
Netherhall Nursery
Eagle Nursery
Totwellhill Bushes
Nurseries
The Anchorage Nursery
Limes Nursery
Halls Green Fm.
Highland Nursery
Cramond Nursery
Evalina Lucia Nursery
Poplars Farm
Gladwyns Farm
Paradise Farm
Power Station
Electricity Transformer Station
Kart Race Track
Stadium
Caravan Park
Factory
Riverfields
River Stort (Navigation)
Lea Valley Walk
Flood Relief Channel
Toll House Stream
Hunsdon Brook
Harcamlow Way
Warrax House
Hill House
Newlands
Home Farm
Little Briggens
Olives Farm
Moat
Hunsdon Road Cottages
Cat's Hill
Almshouses
Slaughter House
Netherfield House
Maltings
Ryegate Farm
Nursery
Slipway
A414
B180
B181
HUNSDON ROAD
EPPING ROAD
HIGH STREET
LOW HILL ROAD
GLEN FABA ROAD
NETHERHALL ROAD
DOBBS WEIR ROAD
SEDGE GREEN HAMLET ROAD

96
115

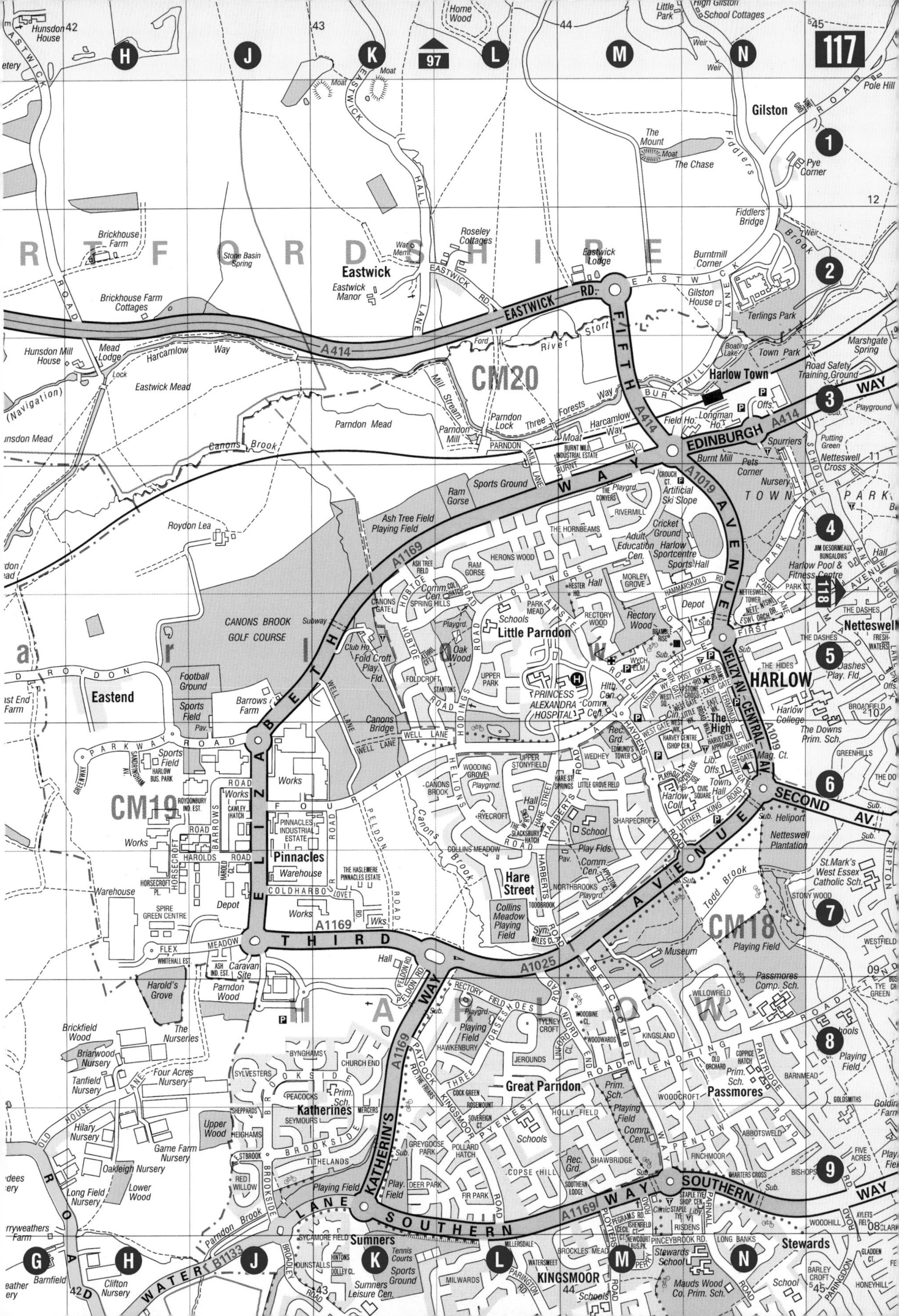

97
118
H J K L M N
G H J K L M N
1 2 3 4 5 6 7 8 9
HERTFORDSHIRE
HARLOW
CM20
CM19
CM18
Eastwick
Gilston
Harlow Town
Little Parndon
Eastend
Great Parndon
Katherines
Passmores
Kingsmoor
Sumners
Stewards
Hare Street
Netteswell
Pinnacles
PRINCESS ALEXANDRA HOSPITAL
CANONS BROOK GOLF COURSE
Terlings Park
Town Park
Pye Corner
Brickhouse Farm
Hunsdon House
Hunsdon Mill House
Eastwick Mead
Parndon Mead
Roydon Lea
River Stort
Canons Brook
Parndon Brook
Todd Brook
EDINBURGH WAY
FIFTH AVENUE
ELIZABETH WAY
THIRD AVENUE
SECOND AV.
SOUTHERN WAY
KATHERIN'S WAY
VELIZY AV.
CENTRAL AV.
EASTWICK RD.
FOURTH AVENUE
HODINGS ROAD
A414
A1169
A1019
A1025
B1133

EAST HERTFORDSHIRE
HARLOW
Harlow Town
Harlow Mill
Old Harlow
Temple Fields
Mark Hall North
Mark Hall South
Netteswell
Tye Green
Brays Grove
Potter Street
Church Langley
Latton Bush
Gilston
Pye Corner
Fiddlers' Bridge
Terlings Park
Town Park
Hollingson Meads
Latton Island
Latton Lock
Harlowbury
Harlowbury County Primary School
The Kennels
Essex Hunt Cottages
Newpond Spring
New Hall Farm
Gravelpit Spring
Roundhouse
Brenthall Wood
Barnsley Wood
Barnsley Cottage
Perry Spring
Markhall Wood
Mark Hall Comp. Sch.
Mark Hall Sports Ground
Harlow Pool & Fitness Centre
Harlow College
The Downs Prim. Sch.
St.Mark's West Essex Catholic Sch.
Passmores Comp. Sch.
Brays Grove Comp. Sch.
Latton Green Co. Prim. Sch.
Latton Common
Harlow Common
Harlow Park
Newhouse
Windyridge
Kitchen Hall
Wayside Farm
Hoggs Fm
Stewards
Passmores
Goldings Farm
Latton Farm
Puffers Green
Todd Brook
Gravelpit Springs
The Moors
Long Ley
Netteswell Plantation
Heliport
CM20
CM18
EDINBURGH WAY
SECOND AVENUE
SOUTHERN WAY
FIRST AVENUE
GILDEN WAY
A414
A1025
A1169
A1184
B183
M11
98
117

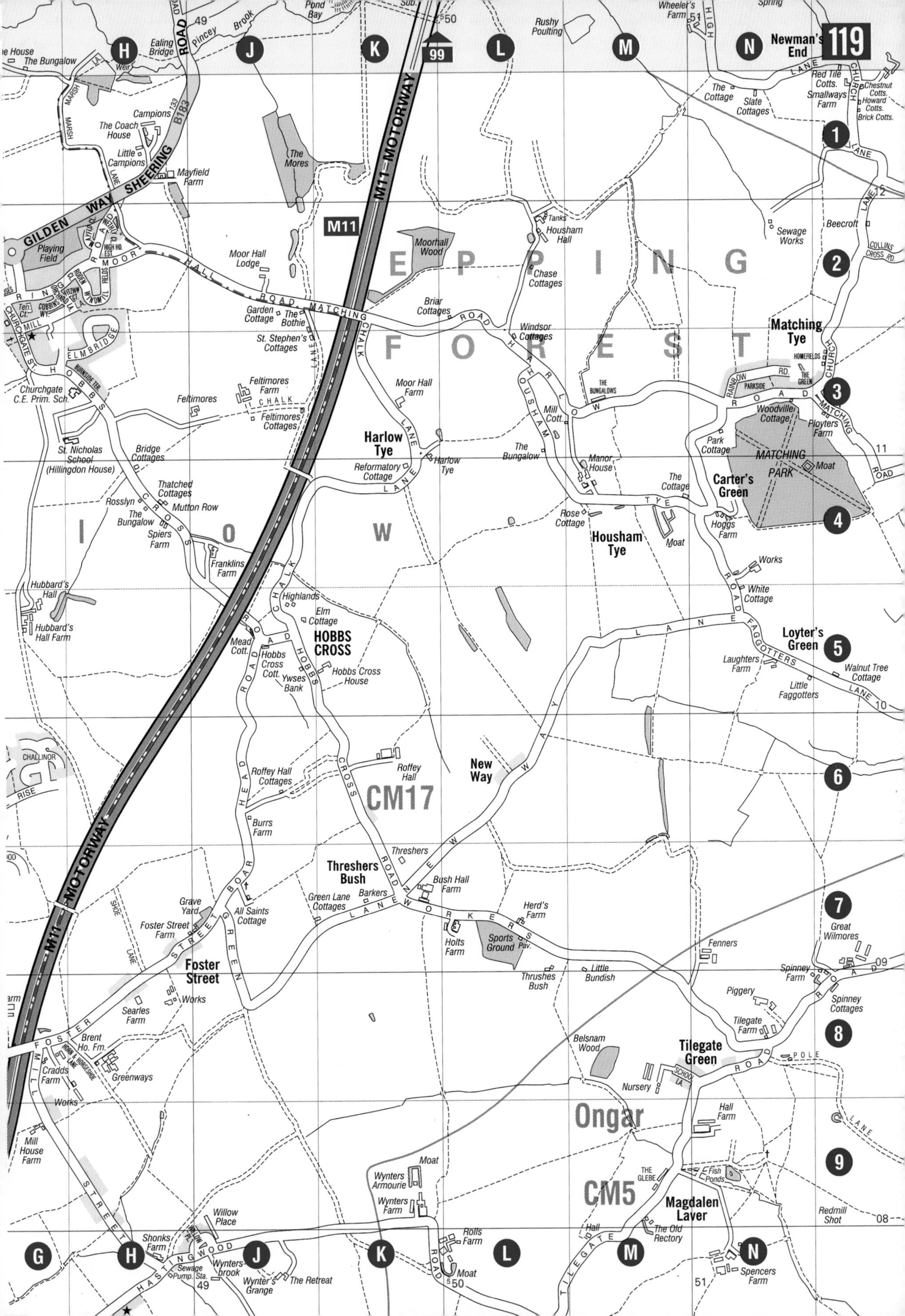
M11 MOTORWAY
EPPING FOREST
IOW
CM17
CM5
Ongar
Newman's End
Matching Tye
Carter's Green
Housham Tye
Harlow Tye
Loyter's Green
HOBBS CROSS
New Way
Threshers Bush
Foster Street
Tilegate Green
Magdalen Laver
Sheering
Moorhall Wood
The Mores
Matching Park
Belsnam Wood
Playing Field
Sports Ground
Rushy Poulting
Pond Bay
99
Housham Hall
Moor Hall Lodge
Moor Hall Farm
Feltimores Farm
Feltimores Cottages
Franklins Farm
Hubbard's Hall
Hubbard's Hall Farm
St. Nicholas School (Hillingdon House)
Churchgate C.E. Prim. Sch.
Roffey Hall
Roffey Hall Cottages
Burrs Farm
Bush Hall Farm
Holts Farm
Herd's Farm
Great Wilmores
Spinney Farm
Spinney Cottages
Tilegate Farm
Hall Farm
Wynters Armourie
Wynters Farm
Rolls Farm
Spencers Farm
The Old Rectory
Redmill Shot
Shonks Farm
Wynter's Grange
The Retreat
Willow Place
Mill House Farm
Cradds Farm
Brent Ho. Fm.
Searles Farm
Foster Street Farm
All Saints Cottage
Grave Yard
Hogg's Farm
Ployters Farm
Woodville Cottage
Park Cottage
Laughters Farm
Little Faggotters
Walnut Tree Cottage
White Cottage
Sewage Works
Beecroft
Mayfield Farm
Campions
The Coach House
Little Campions
Ealing Bridge
Wheeler's Farm
GILDEN WAY
SHEERING ROAD
HARLOW ROAD
CHALK LANE
HOBBS CROSS ROAD
NEW WAY LANE
FAGGOTTERS LANE
HASTINGWOOD ROAD
TILEGATE ROAD
FOSTER STREET
BOAR HEAD ROAD
MILL STREET

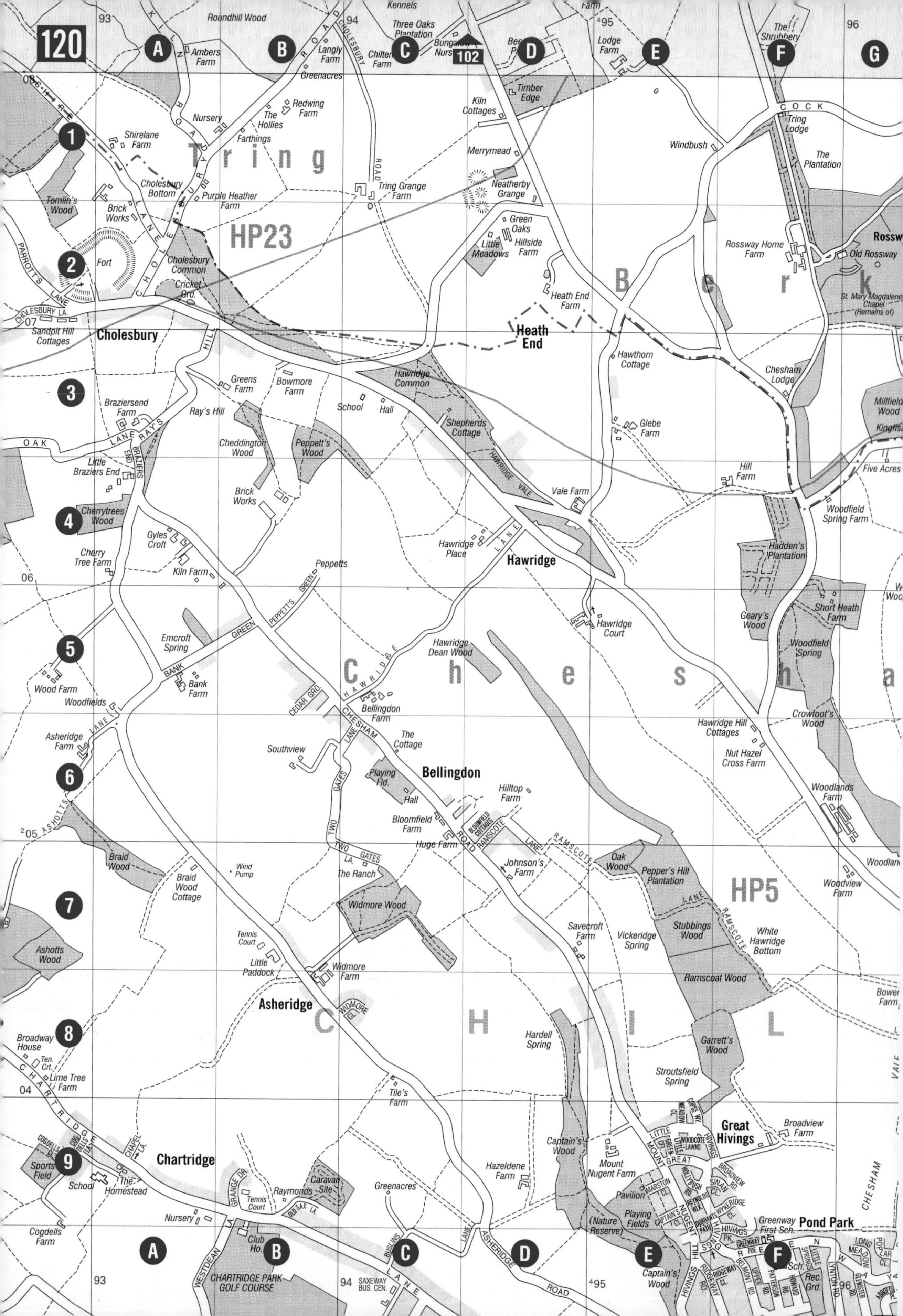
Tring
HP23
Cholesbury
Heath End
Hawridge
Bellingdon
Asheridge
Chartridge
Great Hivings
Pond Park
HP5
Berk
Chesha
CHIL
Roundhill Wood
Ambers Farm
Langly Farm
Greenacres
Three Oaks Plantation
Chiltern Farm
Bungalow Nurs
Kennels
102
Lodge Farm
The Shrubbery
Timber Edge
Redwing Farm
The Hollies
Nursery
Farthings
Shirelane Farm
Kiln Cottages
Merrymead
Tring Lodge
Windbush
The Plantation
Tomlin's Wood
Cholesbury Bottom
Purple Heather Farm
Brick Works
Tring Grange Farm
Neatherby Grange
Green Oaks
Little Meadows
Hillside Farm
Rossway Home Farm
Old Rossway
Fort
Cholesbury Common
Cricket Grd.
Heath End Farm
St. Mary Magdalene Chapel (Remains of)
Sandpit Hill Cottages
Hawthorn Cottage
Chesham Lodge
Greens Farm
Bowmore Farm
Hawridge Common
Braziersend Farm
Ray's Hill
School
Hall
Shepherds Cottage
Glebe Farm
Millfield Wood
Kingsfi
Cheddington Wood
Peppett's Wood
Little Braziers End
Hill Farm
Five Acres
Brick Works
Vale Farm
Woodfield Spring Farm
Cherrytrees Wood
Gyles Croft
Hawridge Place
Hadden's Plantation
Cherry Tree Farm
Kiln Farm
Peppetts
Short Heath Farm
Geary's Wood
Hawridge Court
Emcroft Spring
Hawridge Dean Wood
Woodfield Spring
Bank Farm
Wood Farm
Woodfields
Bellingdon Farm
Crowfoot's Wood
Asheridge Farm
The Cottage
Hawridge Hill Cottages
Southview
Nut Hazel Cross Farm
Playing Fld.
Hall
Hilltop Farm
Woodlands Farm
Bloomfield Farm
Bloomfield Cottages
Huge Farm
Braid Wood
Wind Pump
Johnson's Farm
Oak Wood
Pepper's Hill Plantation
Woodlan
The Ranch
Woodview Farm
Braid Wood Cottage
Widmore Wood
Ashotts Wood
Savecroft Farm
Vickeridge Spring
Stubbings Wood
White Hawridge Bottom
Tennis Court
Little Paddock
Widmore Farm
Ramscoat Wood
Bower Farm
Broadway House
Hardell Spring
Garrett's Wood
Ten. Crt.
Lime Tree Farm
Stroutsfield Spring
Tile's Farm
Broadview Farm
Captain's Wood
Mount Nugent Farm
Sports Field
School
The Homestead
Hazeldene Farm
Caravan Site
Raymonds
Tennis Court
Greenacres
Pavilion
Playing Fields
(Nature Reserve)
Nursery
Greenway First Sch.
Cogdells Farm
Club Ho.
Chartridge Park Golf Course
Saxeway Bus. Cen.
Captain's Wood
Sch.
Rec. Grd.
Cholesbury Road
Kiln Road
Cholesbury Lane
Parrott's Lane
Cholesbury La.
Oak Lane
Ray's Hill
Braziers End
Hawridge Vale
Hawridge Lane
Peppett's Green
Bank Green
Asheridge Lane
Ashotts La.
Cedar Gro.
Chesham Lane
Two Gates Lane
Two Gates La.
Ramscote Lane
Bloomfield Road
Widmore Cl.
Chartridge Lane
Cogdells Cl.
Chapel La.
Grange Dr.
Old Sax La.
Westdean La.
Buslins Lane
Asheridge Road
Cock Lane
Vale Road
Meadow Cl.
Copse Wy.
Little Gr.
Woodcote Lawns
Hivings Hill
Mount Nugent
Great Hivings
Hollybush Rd.
Broadview Rd.
Marston Cl.
Swan Cl.
Reynolds Wlk.
Captain's Cl.
Durrants Path
Wykeridge Cl.
Hivings Pk.
Greenway Pde.
Ridgeway Cl.
Belmont Rd.
Upper Rd.
Paterson Rd.
Howard Rd.
Little Springs
Lynton Rd.
Long Meadow
Glenister Rd.
Abbotts
Chesham
A
B
C
D
E
F
G
1
2
3
4
5
6
7
8
9
93
94
95
96
08
07
06
05
04

Berkhamsted

Shootersway

BERKHAMSTED

DACORUM

HP4

Ashley Green

ASHLEY GREEN

Lye Green

Orchard Leigh

122

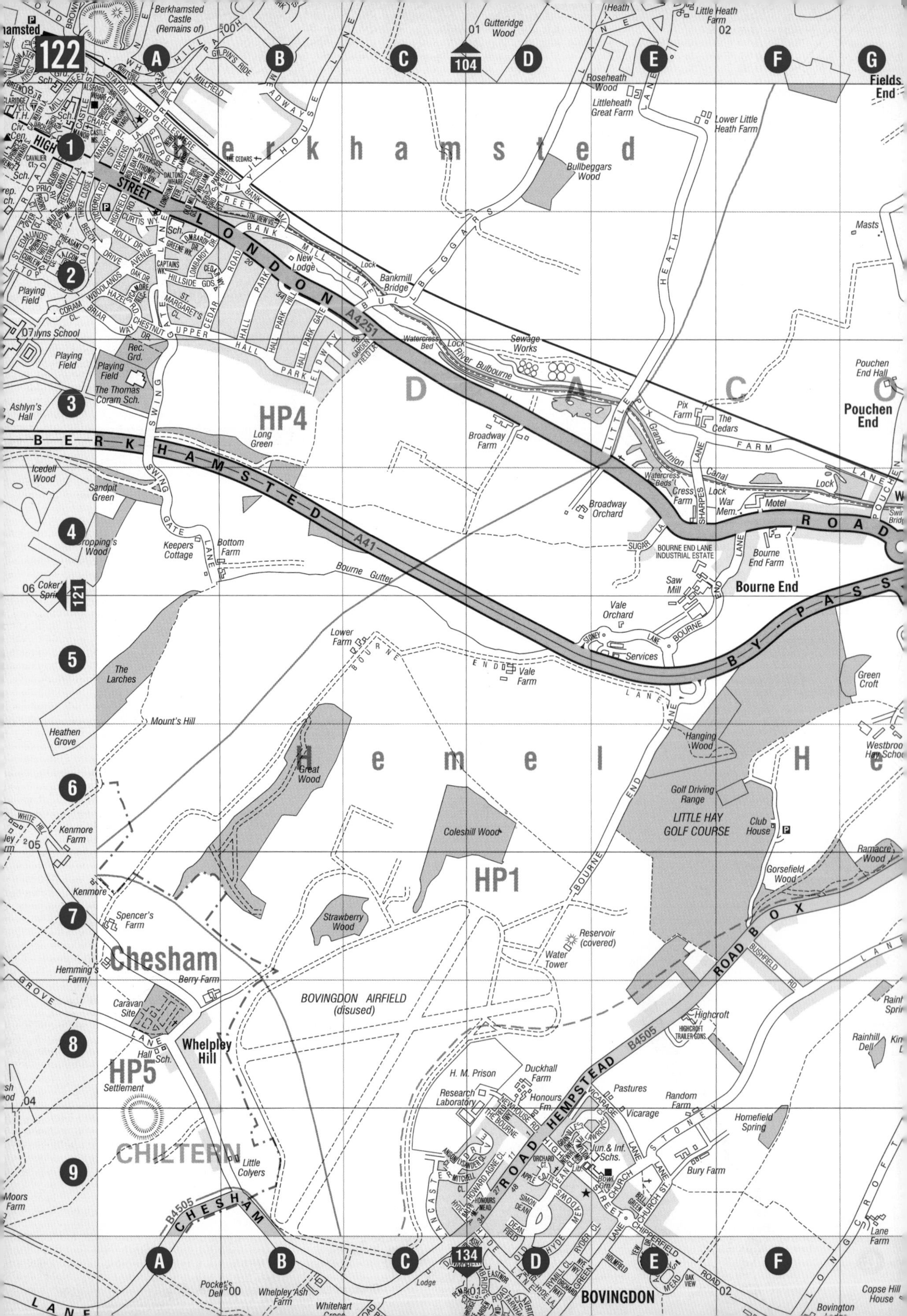

122
Berkhamsted Castle (Remains of)
Gutteridge Wood
104
Little Heath Farm
Roseheath Wood
Littleheath Great Farm
Lower Little Heath Farm
Fields End
Berkhamsted
Bullbeggars Wood
HIGH STREET
LONDON ROAD
A4251
New Lodge
Bankmill Bridge
Lock
Masts
Playing Field
Ashlyns School
Rec. Grd.
The Thomas Coram Sch.
Ashlyn's Hall
Watercress Bed
River Bulbourne
Sewage Works
Pouchen End Hall
Pouchen End
Pix Farm
The Cedars
Grand Union Canal
HP4
Long Green
Broadway Farm
DACO
BERKHAMSTED BY-PASS
A41
Icedell Wood
Sandpit Green
Cropping's Wood
Keepers Cottage
Bottom Farm
Bourne Gutter
Coker's Spring
121
Watercress Beds
Cress Farm
Lock
War Mem.
Motel
Broadway Orchard
BOURNE END LANE INDUSTRIAL ESTATE
Bourne End Farm
Saw Mill
Bourne End
Vale Orchard
Services
Lower Farm
Vale Farm
The Larches
Heathen Grove
Mount's Hill
Green Croft
Hemel Hempstead
Great Wood
Hanging Wood
Westbrook Hay School
Golf Driving Range
LITTLE HAY GOLF COURSE
Club House
Coleshill Wood
Kenmore Farm
HP1
Ramacre Wood
Gorsefield Wood
Kenmore
Spencer's Farm
Strawberry Wood
Reservoir (covered)
Water Tower
BOX LANE
Chesham
Hemming's Farm
Berry Farm
BOVINGDON AIRFIELD (disused)
Caravan Site
Whelpley Hill
Highcroft
HIGHCROFT TRAILER GDNS.
Rainhill Dell
Hall Sch.
HP5
Settlement
H. M. Prison
Duckhall Farm
Research Laboratory
Honours Fm.
Pastures
Random Farm
HEMPSTEAD ROAD
B4505
Vicarage
Homefield Spring
CHILTERN
Little Colyers
Jun. & Inf. Schs.
Bury Farm
Moors Farm
CHESHAM ROAD
Lane Farm
134
Pocket's Dell
Whelpley Ash Farm
Whitehart Cross
Lodge
BOVINGDON
Copse Hill House
Bovington

Gadebridge
Warners End
Chaulden
Counters End
Hammerfield
Green End
Boxmoor
Paradise
Hemel Hempstead
Two Waters
Frogmore End
Corner Hall
Apsley
Felden
HP2
HP3
WD4
Kingsley Langley
RUCKLERS LANE
Fields End Farm
Pouchen End Farm
Boxted House
Moorend Farm
Bury Wood
Hay Wood
Shortridge Wood
Old Dean
Great Wood
Phasels Wood
Scout Wood
Dark Wood
The Nucket
Cock's Head Wood
Hen's Head Wood
Stony Dene
High Oak
The Hangings
The Bungalow
Barnes Farm
Badger Wood
Badgerdell
Kielder
New Farm
Valley Farm
Felden Ridge
Keasden
Felden Orchard
Felden Grange
Felden Manor
Felden Meadows
Felden Barns
Felden Lodge
Felden Farm
Hyde Farm
Tower Farm
Longcroft Farm
Howe's Retreat
Threefields
Nuffield Farm
Lodge
Shendish
Apsley Manor Farm
Sheethanger Common
Roughdown Common
BOXMOOR GOLF COURSE
Boxmoor House Sch.
Hemel Hempstead General Hospital
Hemel Hempstead School
Shrub Hill Common
Northridge Park
Gadebridge Park
LEIGHTON BUZZARD ROAD
QUEENSWAY
ST. ALBANS ROAD
LONDON ROAD
STATION ROAD
TWO WATERS ROAD
TWO WATERS WY.
KINGS LANGLEY BY-PASS
A41
A4146
A4251
A414
B487
B4505
Grand Union Canal
River Bulbourne
River Gade
105
124
135

Highfield
Maylands Wood
106
Adeyfield
HP2
Leverstock Green
HEMEL HEMPSTEAD
Corner Hall
123
Bennetts End
Frogmore End
Apsley
HP3
THREE RIVERS
Nash Mills
RUCKLERS LANE
Kings Langley
WD4
136
ST. ALBANS ROAD
BREAKSPEAR WAY
MAYLANDS AVENUE
LEVERSTOCK GRN. WY.
LONDON ROAD
HEMPSTEAD ROAD
A414
A4147
A4251
A B C D E F G
1 2 3 4 5 6 7 8 9

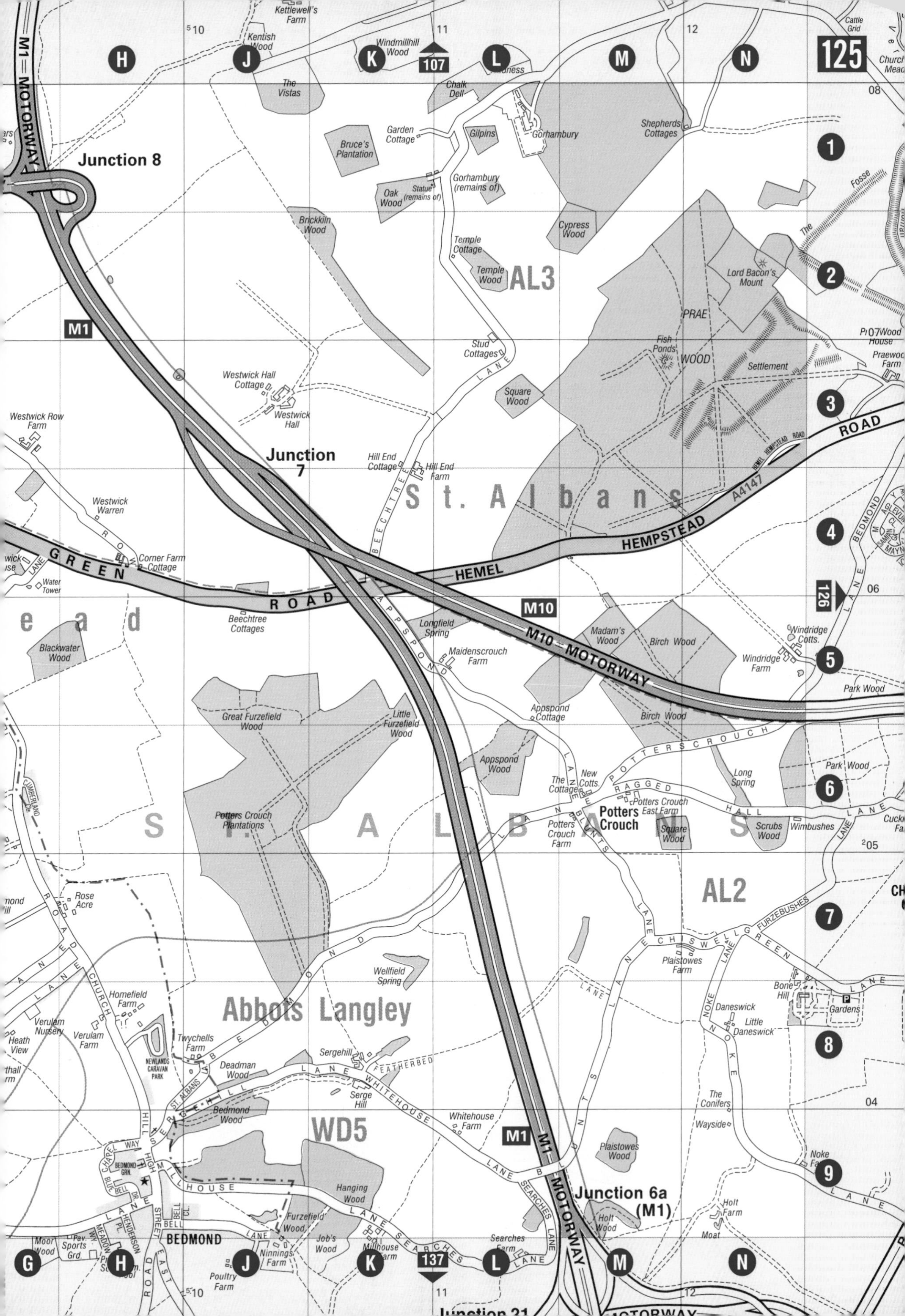
Junction 8
M1 MOTORWAY
M1
Junction 7
M10
M10 MOTORWAY
Junction 6a (M1)
HEMEL HEMPSTEAD ROAD
A4147
GREEN ROAD
St. Albans
ST. ALBANS
AL3
AL2
WD5
Abbots Langley
BEDMOND
Kettlewell's Farm
Kentish Wood
Windmillhill Wood
107
126
137
The Vistas
Chalk Dell
Garden Cottage
Gilpins
Gorhambury
Shepherds Cottages
Bruce's Plantation
Oak Wood
Statue (remains of)
Gorhambury (remains of)
Cypress Wood
Brickkiln Wood
Temple Cottage
Temple Wood
Lord Bacon's Mount
PRAE WOOD
Fish Ponds
Settlement
Stud Cottages
Square Wood
Westwick Hall Cottage
Westwick Hall
Westwick Row Farm
Hill End Cottage
Hill End Farm
Westwick Warren
Corner Farm Cottage
Water Tower
Beechtree Cottages
Blackwater Wood
Longfield Spring
Maidenscrouch Farm
Madam's Wood
Birch Wood
Windridge Cotts.
Windridge Farm
Park Wood
Praewood House
Praewood Farm
Great Furzefield Wood
Little Furzefield Wood
Appspond Cottage
Appspond Wood
The Cottage
New Cotts.
Long Spring
Potters Crouch Plantations
Potters Crouch
Potters Crouch Farm
Potters Crouch East Farm
Scrubs Wood
Wimbushes
Rose Acre
Plaistowes Farm
Wellfield Spring
Homefield Farm
Verulam Nursery
Verulam Farm
Heath View
Twychells Farm
NEWLANDS CARAVAN PARK
Deadman Wood
Sergehill
Serge Hill
Bedmond Wood
Whitehouse Farm
Daneswick
Little Daneswick
Bone Hill
Gardens
The Conifers
Wayside
Noke Farm
Plaistowes Wood
Hanging Wood
Furzefield Wood
Job's Wood
Millhouse Farm
Searches Farm
Holt Wood
Holt Farm
Moat
Ninnings Farm
Poultry Farm
Moor Wood
Sports Grd.
BEECHTREE LANE
APPSPOND LANE
POTTERSCROUCH LANE
RAGGED HALL LANE
BLUNTS LANE
CHISWELL GREEN LANE
FURZEBUSHES LANE
NOKE LANE
BEDMOND LANE
BEDMOND ROAD
SERGEHILL LANE
FEATHERBED LANE
WHITEHOUSE LANE
SEARCHES LANE
MILLHOUSE LANE
HIGH STREET
EAST LANE
CHURCH LANE
CHAPEL WAY
HENDERSON PL.
BELL CL.
1 2 3 4 5 6 7 8 9
G H J K L M N
08 07 06 05 04
10 11 12
Cattle Grid
Junction 21
MOTORWAY

A
B
C
D
E
F
G
1
2
3
4
5
6
7
8
9
108
125
138
ST. ALBANS
AL1
AL2
AL3
VERULAMIUM
Roman Town
RECREATION
GROUND
Roman Theatre
Gorham Block
Lord Bacon Mount
Prae Wood House
Praewood Farm
Settlement
Churchyard Meadow
Townsend
ST. ALBANS CITY HOSPITAL
REDBOURN ROAD
A5183
VERULAM ROAD
FOLLY LANE
CATHERINE ST.
ST. PETER'S ST.
HATFIELD ROAD
VICTORIA ST.
LONDON ROAD
HOLYWELL HILL
HIGH ST.
HEMEL HEMPSTEAD ROAD
A4147
KING HARRY LANE
BEDMOND LANE
ST. STEPHEN'S HILL
WATLING STREET
ABBEY VIEW GOLF COURSE
Westminster Lodge & Abbey Theatre
St. Albans Abbey
St. Columba's College
Marlborough School
St. Stephens
St. Julians
Sopwell
Sopwell Mill Farm
Community Centre
Recreation Ground
Superstore
Gasholders
Cottonmill Bridge
M10 MOTORWAY
M10
Park Wood
Westfield's Farm
Long Spring
Scrubs Wood
Wimbushes
Cuckman's Farm
RAGGED HALL LANE
POTTERS CROUCH
CHISWELL GREEN
FURZEBUSHES LANE
CHISWELL GREEN LANE
Junction 1
NORTH ORBITAL ROAD
A405
A414
B4630
WATFORD ROAD
St. Julian's Wood
Killigrew Infs. & Jun. Schs.
Bone Hill
Daneswick
Little Daneswick
Gardens
Noke Farm
Holt Farm
Burston Manor Farm
Burston Nurseries
HOW WOOD
Birchwood Farm
Park Street
PARK STREET
FROGMORE
Park Street C.E. Jun.Mixed & Inf. Sch.
Recreation Ground
RADLETT AERODROME (DISUSED)
How Wood
Chalkdell Wood
Flint Cottages
Windridge Cotts.
Spielplatz
The Vicarage
Tenterden

109
Fleetville
Verulam School
Oakwood Primary School
Beaumont School
Winches Farm Field Station
Home Wood
Oaklands College (Oaklands Campus)
Playing Field
Nursery
Sports Ground
Radio Station
St Davids
HATFIELD ROAD
A1057
Fleetville Jun. Sch.
Cemetery
Skyswood Prim. Sch.
Depot
Works
Smallford
Nicholas Breakspear R.C. School
AL4
Smallford Farm
Recreation Ground
The Camp
Oaklands College
Home Farm
Sewage Farm (disused)
Little Orchard
Hill End Farm
CELL BARNES HOSPITAL
Tyttenhanger
Highfield Farm
Knight's Wood
HIGH WICK HOSPITAL
Blount Spring
128
NORTH ORBITAL ROAD
A414
A1081
VERULAM GOLF COURSE
The Lodge
NORTH ORBITAL TRADING ESTATE
Hatfield Coll. Annexe
Cemy.
NAPSBURY LA.
Wolfsbane
Coppice Wood
HERTSMERE
Tyttenhanger Park
River Colne
Rugby Ground
Cricket Ground
Sports Ground
Colvend
Napsbury Farm
Orchard House
Conolly House
NAPSBURY HOSPITAL
Bowmansgreen Prim. Sch.
Recreation Ground
LONDON COLNEY
Active Workings
Bowmansgreen Farm
Lodge Plantation
Nurses' Quarters
Napsbury
Nurses' Home
Piggery
South Farm Cottages
139
SHENLEY LANE
B5378
Fir Tree Farm
Works

Radio Station
Nursery
Ninefields Nursery
Popefield Farm
Ellenbrook
Nast Hyde
Sports Ground
Club House
Wilkinsgreen Farm
Nast Hyde Farm
WILKINS GREEN
Smallford
Works
Depot
Factories
Smallford Nurseries
Junction 3
HATFIELD
UNIVERSITY OF HERTFORDSHIRE
Playing Field
Oxlease
AL10
Roehyde
South Hatfield
Hazel Grove
ST. ALBANS
Sleapshyde Farm
Sleapshyde
Roehyde Farm
Smallford Farm
Johnson's Spring
The Bungalow
Sewage Farm (disused)
Little Orchard
Sports Ground
Colney Heath Jun. Mixed & Inf. Sch.
Roundhouse Farm
Bullen's Green
Park Corner
Colney Heath Farm
COLNEY HEATH
Roestock
Junction 2
Football Grd.
Angerland Common Playing Fields
Water Works
Colney Heath
AL4
Electricity Sub Station
Tollgate Wood
Tollgate Farm
Mill (disused)
Warren Farm
Caravan Site
Frederick's Wood
Park Cottage
Blount Spring
Tyttenhanger
Tyttenhanger Farm
The Osierbeds
Red Lodge
Garden Wood
The New Plantation
Coursers Farm
NORTH MYMMS PARK
Tyttenhanger Park
Tanks
Vicarage
Fish Pond
Grave Yard
Red Lodge
HERTSMERE
Bowmansgreen Farm
Lodge Plantation
North Mymms Park
Pumping Tower
WALSINGHAM WOOD
Cattle Grid
Reservoir (covered)
Residential Club

WELWYN HATFIELD
Hatfield
GREAT NORTH ROAD
A1000
SOUTH WAY
A1001
A1(M) MOTORWAY
COOMBE WOOD
MILLWARDS PARK
Halfwayoak Pond
Marshmoor
Welham Green
WELHAM GREEN
AL9
Lower Woodside
Woodside
Woodside Green
Woodside Place
Woodside Place Farm
Essendon Lodge
The Roughs
Wellington Wood
Conduit Wood
Pope's Pondholes
Park Dairy
Orchard Ho.
Home Farm
New Gardens
Lime Cottages
Merrows Cottages
Cemetery
Dairy Lodges
New Cottages
Bunnyfield House
Buttfield Cottage
Hatfield Leisure Cen.
Southfield School
Warehouse
Factory
Nurseries
Depot
Works
Caravan Park
The Rookery
ALPHA BUSINESS CENTRE
WINGATE BUSINESS CENTRE
Dellsome Bottom
St. Mary's C.E. Prim. Sch.
BUSH WOOD
Recreation Grd.
Pig Farm
Moat
Kennels
Skimpans Bridge
Skimpans Farm
Potterells Farm
Water Splash Cotts.
Swallow Hole
Potterells Lodge
Potterells
Works
Swallow Holes
Water End
Brick Kiln Wood
Pumping Station
Abdale House
North Mymms
Teakettle Br.
Home Fm. Cotts.
Cricket Gd.
The Gables
PEPLIN'S WOOD
Flinter's Wood
BROOKMANS PARK GOLF COURSE
Round Wood
Club Ho.
Tennis Courts
Home Farm
Chancellor's School
GEORGE'S WOOD
Bell Bar
The Legg
White Lodge Farm
Nursery
Caravan Park
The Firs
Lower Woodside Farm
Longmeadow
Swimming Pool
St. Michael's
Brookmans Park Prim. Sch.
Library
Brookmans Park
BROOKMANS PARK
Gobions Open Space
Gobions Garden
Gobions Pond (Fish Pond)
Gobions Wood
Deep Bottom
Swallow Hole
Raybrook
Raybrook Farm
Blue Bri.
The Royal Veterinary College (University of London)
Hawkshead
New Cottages
GREEN STREET
WOODSIDE ROAD
GRUBBS LANE
WESTFIELD
BELL LANE
DIXONS HILL CLOSE
SWANLAND ROAD
WARRENGATE
BRADMORE LANE
WISE'S LANE
STATION ROAD
HOLLOWAYS LANE
MOFFATS LANE
BROOKMANS AVENUE
GEORGE'S WOOD ROAD
MYMMS DRIVE
GOLF CLUB ROAD
UPLAND
PINE GROVE
FOX'S LANE
TRAVELLERS LANE
PEPLINS WAY
BLUEBRIDGE AV.
WESTLAND DRIVE
OAKLANDS AVENUE
THE GARDENS
CALDER AV.
SHRUBLANDS
TOLLGATE ROAD
LOVE LANE
111
130
141
H J K L M N G
1 2 3 4 5 6 7 8 9
23 24 25
04 05 06 07 08

112
129
142
Edwards Wood
Deeve Wood
Wellington Wood
The Roughs
Pope's Pondholes
Pope's Farm
Harefield Wood
Bath Wood
Home Wood
Long Wood
Essendon Place
Essendon Place Farm
Water Tower
Bedwellpark Farm
Sandpit Grove
HATFIELD LONDON COUNTRY CLUB
BEDWELL PARK
Club Ho.
Tennis Cts.
Berkhamsted Lane Plantation
Belvedere Farm
Poultry House
Duncan's Wood
Panther's Wood
Bedwell Lodge Farm
Cucumber Hall Farm
Camfield Place
Camfield Farm
Waterfalls
Wildhill Brook
Brewhouse Farm
Woodside
Woodside Green
Wildhill
Little Elephant
Hoppett's Wood
Whitbury Wood
Nursery
Riding Sch.
Warren Wood
Meadow Cottage
The Lodge
Nine Acre Wood
Hatfield
Woodhill
Westfield Lodge
Woodhill House
Woodhill Farm
Chestnut Farm
Birchwood Cotts.
Westfield
School
Woodfield Farm
WELWYN
Coldharbour Farm
The Firs
Barbers Lodge Farm
Kentish Lane Farm
AL9
Bell Bar
Nursery
Mast
Water Tower
Reservoir (covered)
Hell Wood
Brookmans Park Transmitting Station
Edge House
Mymfield
Tennis Courts
Home Farm
Club Ho.
Chancellor's School
GEORGE'S WOOD
Broombarns Wood
Coldharbour Plantation
ROWBOURNE HILL
Potters
GREAT WOOD
Grimes Brook
The Bungalow
The Cottage
Gobions Gardens
Gobions Pond (Fish Pond)
The Cottages
Mymwood
Queenswood Home Farm
Woodside Cottages
Tennis Courts
Sheepwell Cotts.
Pavs.
Playing Field
Woodlands
WELL WOOD
Gobions Wood
Old Walls
Queens School
Vine Cottage
Griffins Hole
Lodge
WILDHILL ROAD
GREEN STREET
HIGH ROAD
HIGH LANE
CUCUMBER LANE
BERKHAMSTED LANE
HORNBEAM LANE
GRUBBS LANE
WOODFIELD LANE
WESTFIELD
BELL LANE
GREAT NORTH ROAD
A1000
B158
B157
KENTISH LANE
UPLAND DRIVE
PINE GROVE
GOLF CLUB ROAD
GEORGE'S WOOD ROAD
AVENUE
MOFFATS LANE
CALDER AVENUE
CALDER AV.
SHRUBLANDS
WOODLANDS
MYMMS DRIVE
GROVE
SHEPHERDS WAY
TYLERS
26
27
28
08
07
06
05
04
A B C D E F G
1 2 3 4 5 6 7 8 9

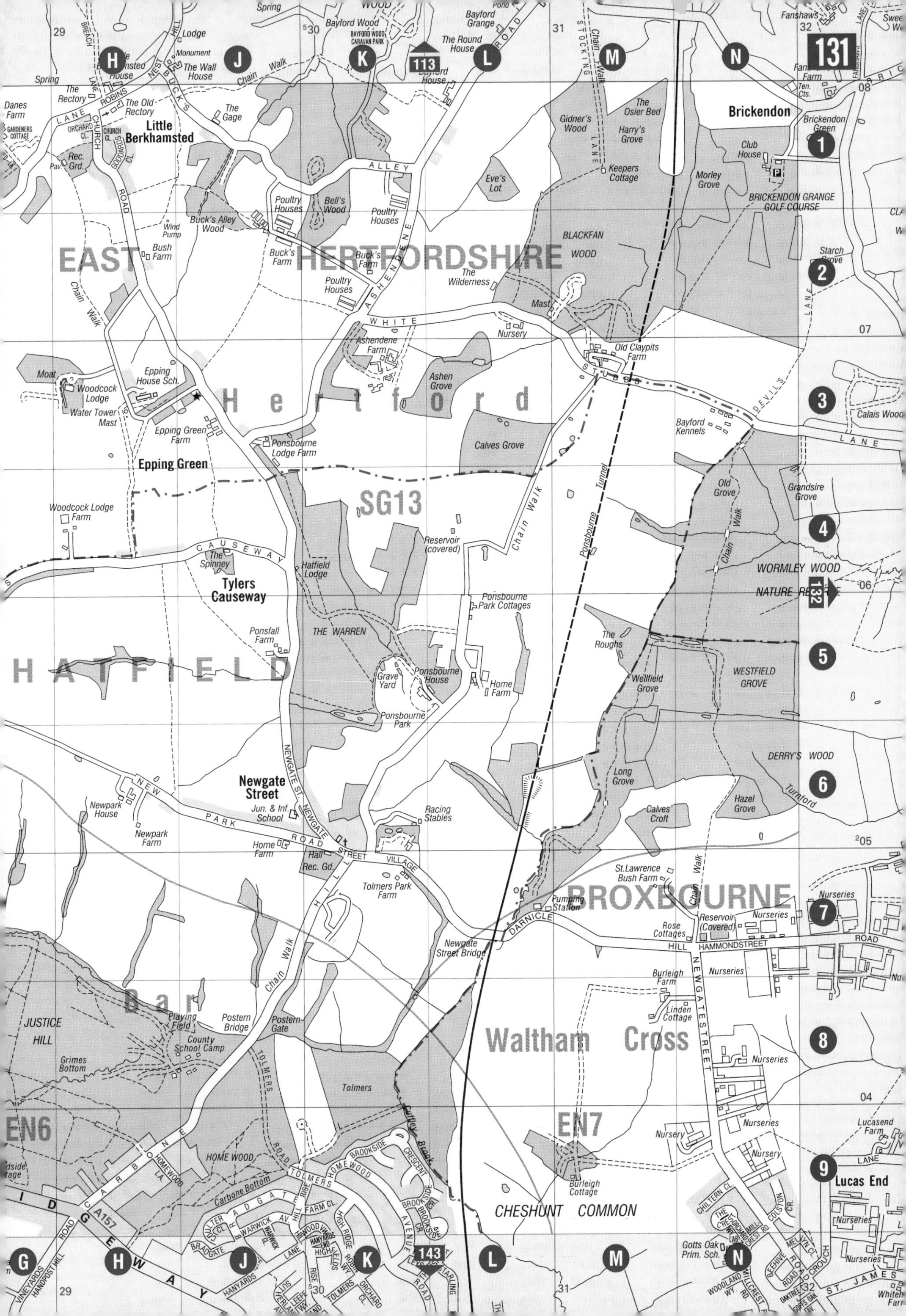

Little Berkhamsted
Brickendon
EAST HERTFORDSHIRE
Hertford
Epping Green
SG13
Tylers Causeway
HATFIELD
Newgate Street
BROXBOURNE
Waltham Cross
EN6
EN7
CHESHUNT COMMON
Lucas End
Bayford Wood
Bayford Grange
The Round House
Bucks Alley Wood
Blackfan Wood
Ashenden Farm
Ashen Grove
Calves Grove
Old Claypits Farm
Bayford Kennels
Wormley Wood Nature Reserve
Westfield Grove
Derry's Wood
Hazel Grove
Long Grove
The Warren
Ponsbourne House
Ponsbourne Park
Ponsbourne Tunnel
Hatfield Lodge
Tolmers
Justice Hill
Grimes Bottom
Home Wood
Tolmers Park Farm
Newgate Street Bridge
Brickendon Grange Golf Course
113
132
143

Brickendon
Brickendon Green
Fanshaws Farm
Sweeting's Wood
Bourne Wood
BRAMBLE'S WOOD
Danemead Wood
Martin's Green
Hoddesdon
Round Grove
Nursery Grove
Chestnut Grove
Club House
Morley Grove
BRICKENDON GRANGE GOLF COURSE
Hertford
COWHEATH WOOD
CLAYPITS WOOD
Broxbourne Common
Great Grove
EN11
BROAD RIDING WOOD
Starch Grove
SG13
Hedgerows Wood
Little Grove
THE HERTFORDSHIRE GOLF & COUNTRY CLUB
BROXBOURNE MEWS
Hedgegrove Farm
BROXBOURNE WOOD
Edgewood Farm
Pembridge Lane Farm
Paradise Wildlife Park
Lower White Stubbs
White Stubbs Bungalow
Home Farm
Ettridge Farm
Stocking Wood
Upper White Stubbs
WELWYN HATFIELD
Calais Wood
WHITE STUBBS LANE
Birch Farm
Reservoir (covered)
White Stubbs Farm
Emanuel Pollards
Mortals Wood
Old Grove
Grandsire Grove
Broom Spring
Carneles Green
Bushy Pightle
Fir Grove
Broxbourne
BENCROFT WOOD
Chain Walk
Wormley West End
Manor Farm
Tudor Farm
WORMLEY WOOD
Nut Wood
Westlea
Manor House
131
Filter Bed
Wormleybury Brook
Holborn Stud Farm
Firs Wood
Nursery
Fouracres
WESTFIELD GROVE
Cony Grove
Biggs Grove
EN10
Beech Grove
Beaumont Villas
New Plantation
DERRY'S WOOD
Beaumont Manor
Beaumont Manor Farm
BEAUMONT ROAD
Baisley's Wood
THUNDERFIELD GROVE
BROXBOURNE
HOLY CROSS HILL
Hazel Grove
Turnford Brook
Bramble Grove
Bread and Cheese Bridge
Factory Farm
Kitchener Wood
Tanfield Stud Farm
Priests Osiers
Spring Wood
Nurseries
Doggett Hill
Reservoir (Covered)
HAMMONDSTREET
Gammon Farm
Gravel Works
Cromwell Wood
CHESHUNT PARK
Francis Farm
Rec. Ground
Appleby Street Farm
Appleby Street
Park House
Cheshunt Park Farm
PARADISE HOUSE
Smartsgreen
Roundcroft Wood
The Lodge
Roundcroft
EN7
HAMMOND STREET
Waltham
Elms Farm
Lucasend Farm
High View Farm
Oak View Farm
Burton Lodge
Burton Grange
Club
Playing Field
Schs.
St. Paul's R.C. Prim. Sch.
CHESHUNT GOLF C
Cheshunt Park
Lucas End
Nursery
Malaya Farm
Twelve Acres Farm
Fairfields Prim. Sch.
FLAMSTEAD END
Rosedale
Laurel Bank Farm
Primrose Cottage
ST. JAMES ROAD
RAGS LANE
Rags Brook
BROOKFIELD
144
Comm. Cen.
Rec. Gr.
Whitehouse Farm
114

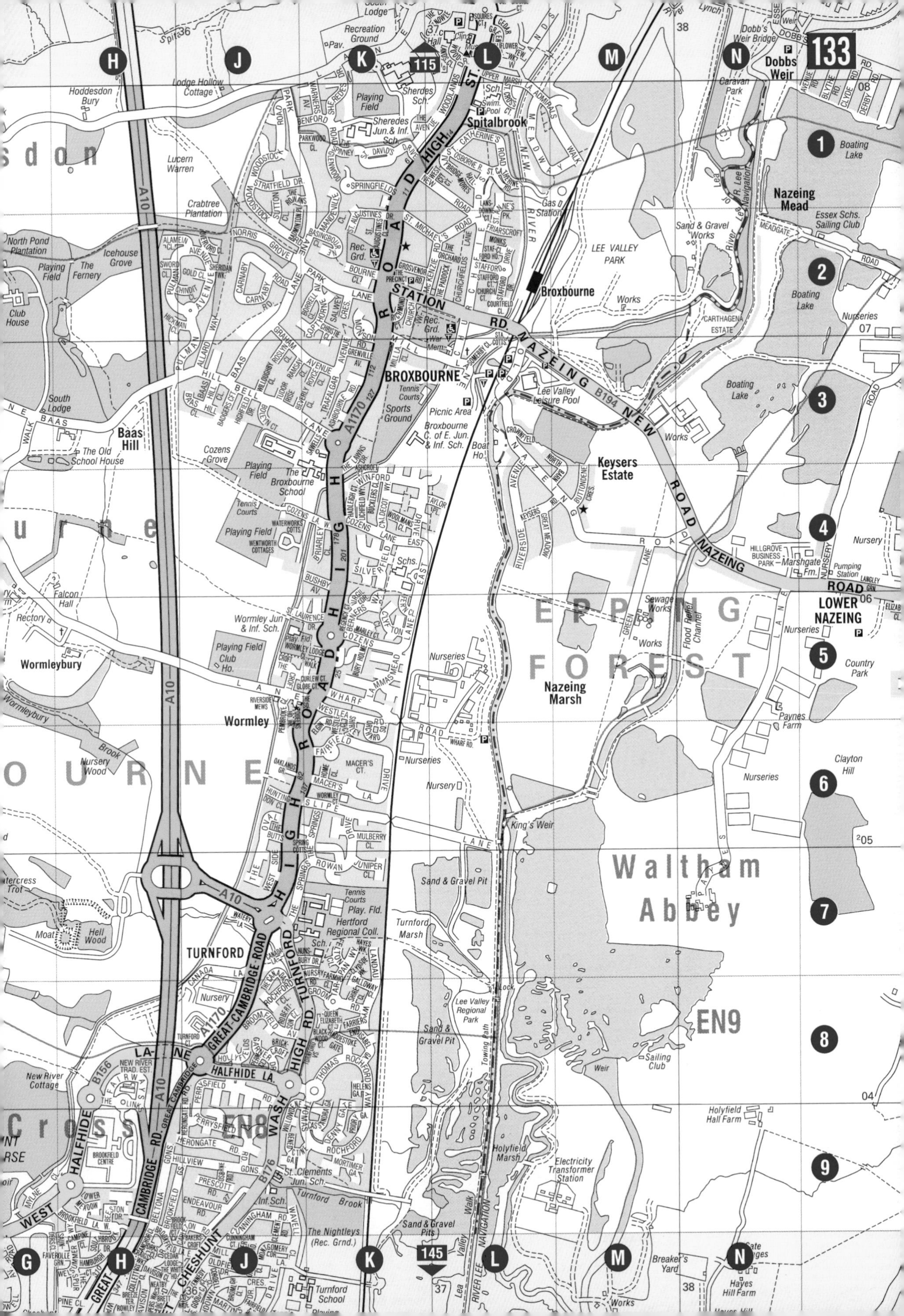
Dobbs Weir
Hoddesdon Bury
Lodge Hollow Cottage
Recreation Ground
Sheredes Sch.
Sheredes Jun.& Inf. Sch.
Playing Field
Spitalbrook
Boating Lake
Nazeing Mead
Essex Schs. Sailing Club
Lucern Warren
Crabtree Plantation
North Pond Plantation
Icehouse Grove
The Fernery
Club House
Gas Station
Sand & Gravel Works
LEE VALLEY PARK
Broxbourne
STATION RD.
NAZEING NEW ROAD
B194
CARTHAGENA ESTATE
Nurseries
BROXBOURNE
Tennis Courts
Sports Ground
Picnic Area
Broxbourne C. of E. Jun. & Inf. Sch.
Lee Valley Leisure Pool
Keysers Estate
South Lodge
Baas Hill
The Old School House
Cozens Grove
The Broxbourne School
HIGH ROAD
A1170
A10
Playing Field
HILLGROVE BUSINESS PARK
Marshgate Fm.
Pumping Station
LOWER NAZEING
Falcon Hall
Rectory
Wormleybury
Wormley Jun & Inf. Sch.
Playing Field
Club Ho.
Wormley
EPPING FOREST
Nazeing Marsh
Sewage Works
Flood Relief Channel
Country Park
Paynes Farm
Nursery Wood
Nurseries
Clayton Hill
King's Weir
Waltham Abbey
Sand & Gravel Pit
Turnford Marsh
Hertford Regional Coll.
Moat
Hell Wood
TURNFORD
Lee Valley Regional Park
Sand & Gravel Pit
EN9
Sailing Club
Weir
New River Cottage
NEW RIVER TRAD. EST.
HALFHIDE LA.
GREAT CAMBRIDGE ROAD
EN8
BROOKFIELD CENTRE
Holyfield Marsh
Electricity Transformer Station
Holyfield Hall Farm
St.Clements Jun. Sch.
Turnford Brook
The Nightleys (Rec. Grnd.)
Sand & Gravel Pits
RIVER LEE NAVIGATION
Breaker's Yard
Hayes Hill Farm
Turnford School
CHESHUNT
115
145
H J K L M N G
1 2 3 4 5 6 7 8 9

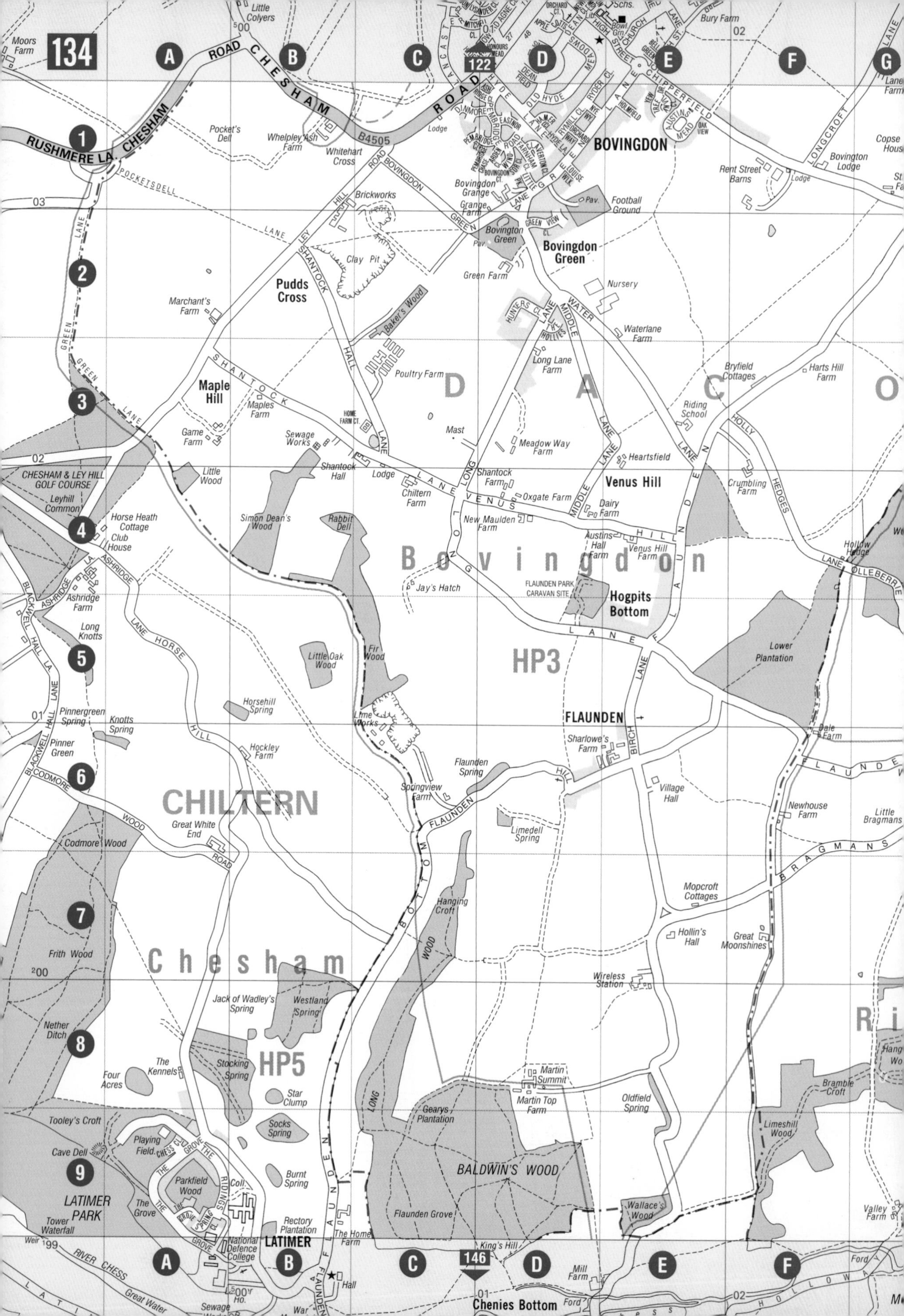

134
A
B
C
D
E
F
G
1
2
3
4
5
6
7
8
9
122
146
Moors Farm
Little Colyers
Bury Farm
ROAD CHESHAM ROAD
RUSHMERE LA. CHESHAM
B4505
Pocket's Dell
Whelpley Ash Farm
Whitehart Cross
Lodge
BOVINGDON
Copse House
Bovington Lodge
Rent Street Barns
LONGCROFT
POCKETSDELL LANE
BOVINGDON ROAD
Brickworks
Bovingdon Grange
Grange Farm
Football Ground
Pav.
Bovington Green
Bovingdon Green
Clay Pit
Green Farm
Nursery
Pudds Cross
Marchant's Farm
Baker's Wood
Waterlane Farm
WATER LANE
MIDDLE LANE
Long Lane Farm
Poultry Farm
Bryfield Cottages
Harts Hill Farm
Maple Hill
Maples Farm
SHANTOCK LANE
SHANTOCK HALL LANE
LEY HILL ROAD
D A C O
Riding School
Game Farm
Sewage Works
HOME FARM CT.
Mast
Meadow Way Farm
Heartsfield
HOLLY HEDGES
Crumbling Farm
CHESHAM & LEY HILL GOLF COURSE
Leyhill Common
Little Wood
Shantock Hall
Lodge
Chiltern Farm
Shantock Farm
Oxgate Farm
Venus Hill
Dairy Farm
VENUS HILL
Horse Heath Cottage
Club House
Simon Dean's Wood
Rabbit Dell
New Maulden Farm
Austins Hall Farm
Venus Hill Farm
Bovingdon
Hollow Hedge
OLLEBERRIE LANE
Ashridge Farm
ASHRIDGE LA.
Jay's Hatch
FLAUNDEN PARK CARAVAN SITE
Hogpits Bottom
Long Knotts
HORSE HILL LANE
BLACKWELL HALL LANE
Little Oak Wood
Fir Wood
HP3
Lower Plantation
Pinnergreen Spring
Knotts Spring
Horsehill Spring
Lime Works
FLAUNDEN
Dale Farm
Pinner Green
Hockley Farm
Sharlowe's Farm
BIRCH LANE
CODMORE WOOD ROAD
Flaunden Spring
Springview Farm
FLAUNDEN HILL
Village Hall
Newhouse Farm
Little Bragmans
CHILTERN
Great White End
Limedell Spring
Codmore Wood
BRAGMANS LANE
FLAUNDEN BOTTOM
Hanging Croft
Mopcroft Cottages
Hollin's Hall
Great Moonshines
Frith Wood
Chesham
Jack of Wadley's Spring
Westland Spring
Wireless Station
Nether Ditch
HP5
The Kennels
Stocking Spring
Four Acres
Star Clump
Martin Summit
Martin Top Farm
Oldfield Spring
Bramble Croft
Hang Wood
Tooley's Croft
Gearys Plantation
Socks Spring
Limeshill Wood
Cave Dell
Playing Field
CHESS CL.
THE GROVE
THE RIDINGS
Parkfield Wood
Burnt Spring
BALDWIN'S WOOD
LONG WOOD
LATIMER PARK
The Grove
Coll.
Flaunden Grove
Wallace's Wood
Rectory Plantation
Valley Farm
Tower Waterfall
National Defence College
LATIMER
The Home Farm
King's Hill
Weir
RIVER CHESS
Mill Farm
Ford
Hall
Great Water
Chenies Bottom
HOLLOWAY
Sewage
Ho.

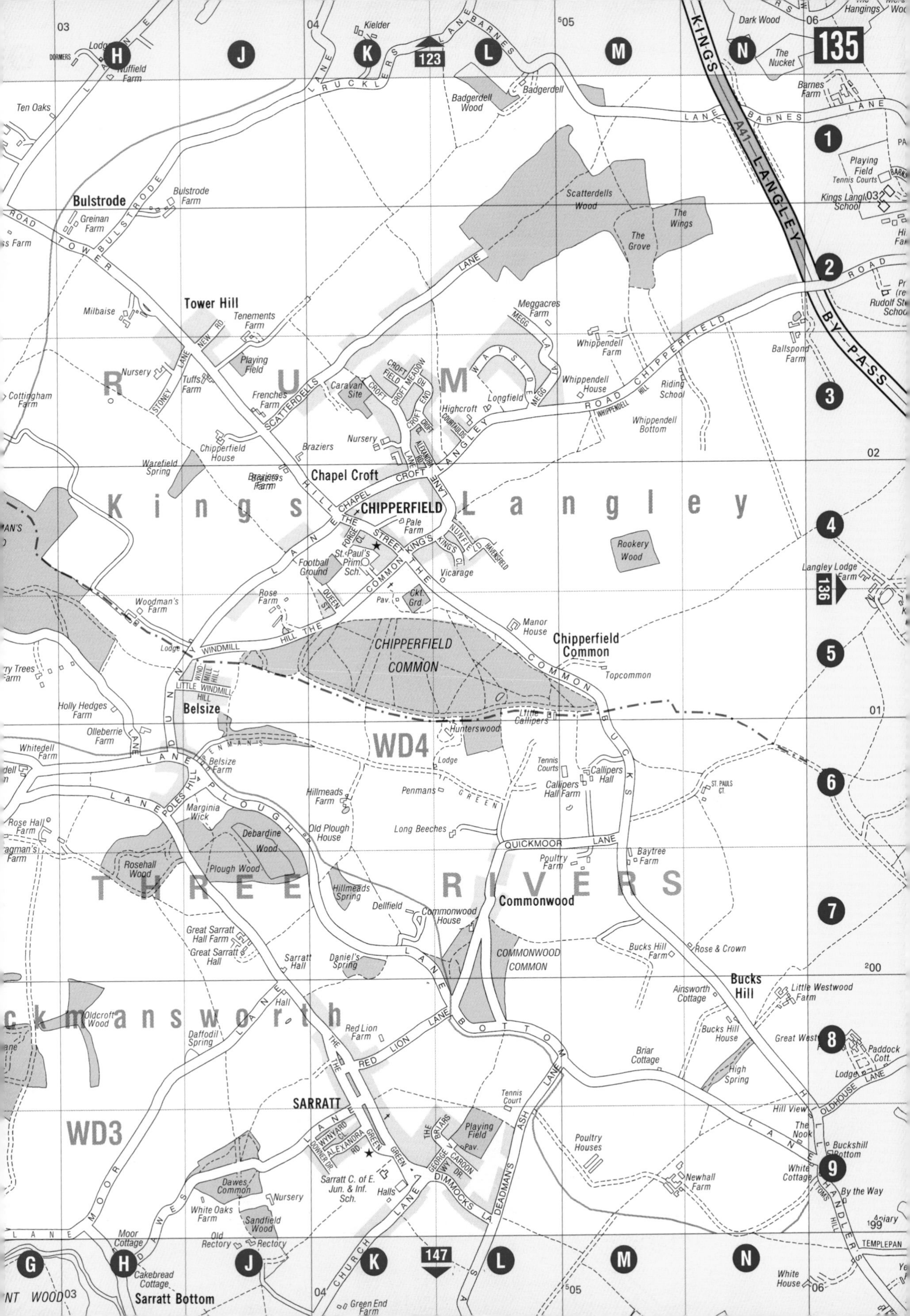

123
136
147
Bulstrode
Tower Hill
Chapel Croft
CHIPPERFIELD
Chipperfield Common
CHIPPERFIELD COMMON
Belsize
WD4
Commonwood
COMMONWOOD COMMON
Bucks Hill
SARRATT
Sarratt Bottom
WD3
Kings Langley
THREE RIVERS
Rickmansworth
Scatterdells Wood
The Grove
The Wings
Badgerdell Wood
Badgerdell
Barnes Farm
Playing Field
Kings Langley School
Rudolf Steiner School
Ballspond Farm
Meggacres Farm
Whippendell Farm
Whippendell House
Whippendell Bottom
Riding School
Longfield
Highcroft
Caravan Site
Frenches Farm
Tenements Farm
Tuffs Farm
Milbaise
Nursery
Cottingham Farm
Greinan Farm
Bulstrode Farm
Ten Oaks
Nuffield Farm
Kielder
Dark Wood
The Nucket
The Hangings
Chipperfield House
Warefield Spring
Braziers
Braziers Farm
Pale Farm
St. Paul's Prim. Sch.
Football Ground
Rose Farm
Vicarage
Ckt. Grd.
Pav.
Manor House
Topcommon
Rookery Wood
Langley Lodge Farm
Woodman's Farm
Lodge
Holly Hedges Farm
Olleberrie Farm
Whitedell Farm
Belsize Farm
Hunterswood
Little Callipers
Tennis Courts
Callipers Hall
Callipers Hall Farm
Penmans
Hillmeads Farm
Marginia Wick
Debardine Wood
Plough Wood
Rosehall Wood
Rose Hall Farm
Old Plough House
Long Beeches
Poultry Farm
Baytree Farm
Hillmeads Spring
Dellfield
Commonwood House
Great Sarratt Hall Farm
Great Sarratt Hall
Sarratt Hall
Daniel's Spring
Bucks Hill Farm
Rose & Crown
Ainsworth Cottage
Little Westwood Farm
Bucks Hill House
Great Westwood
Paddock Cott.
Briar Cottage
High Spring
Oldcroft Wood
Daffodil Spring
Red Lion Farm
Hall
Tennis Court
Playing Field
Poultry Houses
Newhall Farm
Hill View
The Nook
Buckshill Bottom
White Cottage
By the Way
Apiary
Dawes Common
White Oaks Farm
Sandfield Wood
Nursery
Sarratt C. of E. Jun. & Inf. Sch.
Halls
Moor Cottage
Old Rectory
Rectory
Cakebread Cottage
Green End Farm
White House
A41 KINGS LANGLEY BY-PASS
BARNES LANE
CHIPPERFIELD ROAD
TOWER ROAD
BULSTRODE LANE
SCATTERDELLS LANE
LANGLEY ROAD
WINDMILL HILL
THE COMMON
COMMON ROAD
BUCKS HILL
QUICKMOOR LANE
PENMANS GREEN
PLOUGH LANE
POLES HILL
DUNNY LANE
BOTTOM LANE
RED LION LANE
THE GREEN
DIMMOCKS LA.
DEADMAN'S ASH LANE
CHURCH LANE
DAWES LANE
MOOR LANE
OLDHOUSE LANE
TEMPLEPAN

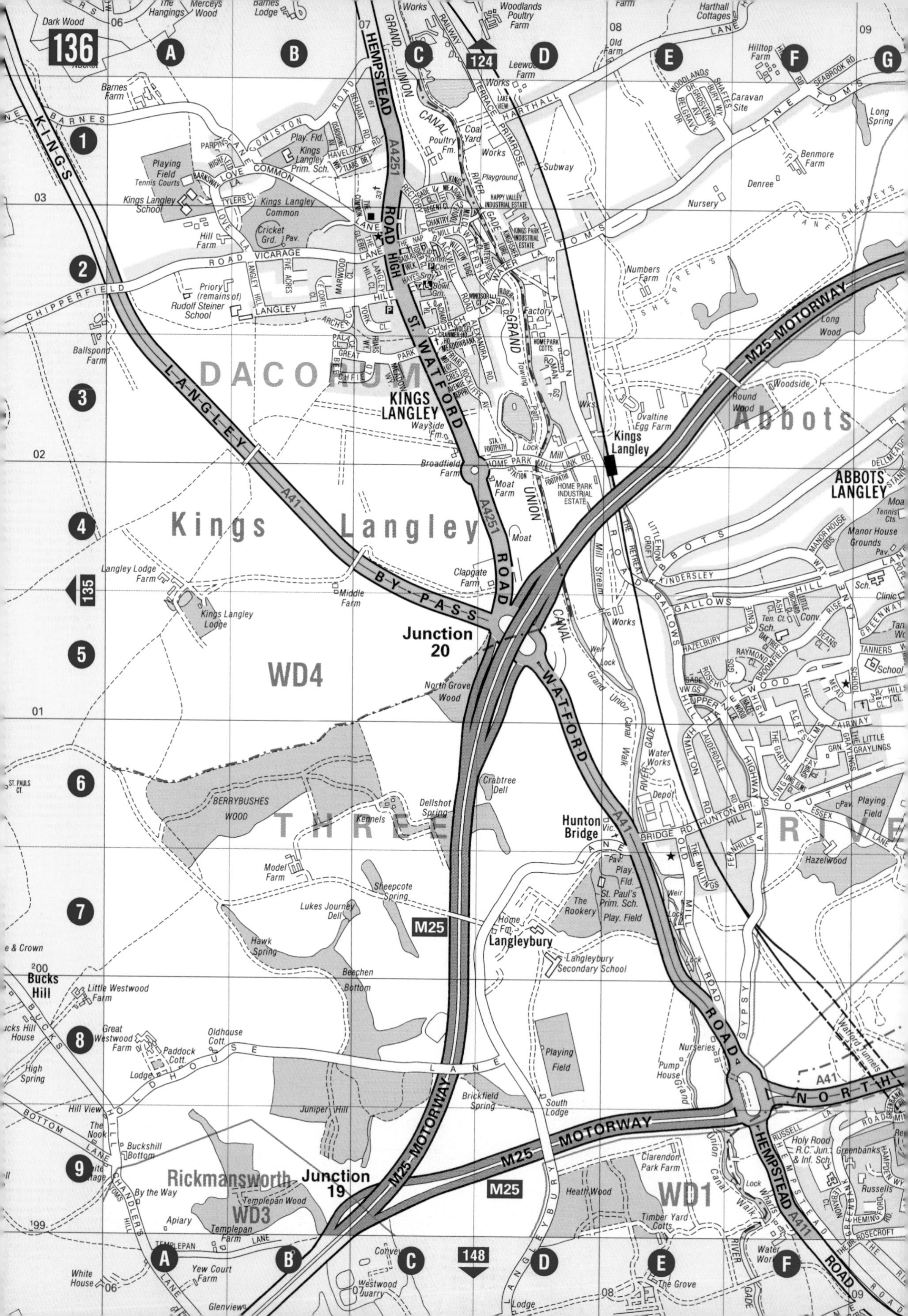

Bedmond
Junction 21 (M25)
M25 Motorway
Junction 21a
St. Albans
St. Albans AL2
M1 Motorway
North Orbital Road
Langley
Waterdale
Bricket Wood
Leavesden
Woodside
Watford
Kingswood
Garston
Meriden
Leavesden Green
WD5
WD2
Garston Manor Rehabilitation Centre
Building Research Station
Western Avenue
Colne Way
St. Albans Road
Garston Park
Bloom Wood
Hanging Wood
Furzefield Wood
Job's Wood
Ninnings Farm
Millhouse Farm
Searches Farm
Poultry Farm
Tenements Farm
Great Notley
Little Notley
Stowes Wood
Winch Hill Wood
Ovaltine Dairy Farm
Parsonage Farm
Mansion House Farm
Abbots Langley Jun & Inf. Sch.
Cemetery
Coles Farm
Home Farm
Football Grd.
Fortunes Farm
Country Park
Parmiter's Sec. Sch.
Crematorium
Brookdell Farm
Sports Ground
St. Michael's R.C. Secondary School
Francis Combe School
Garston Manor School
St. Catherine Siena R.C. Prim. Sch.
Mount Pleasant Lane Mixed & Infant Sch.
Alban Wood Jun. Sch.
Woodside Arena
Sports & Leisure Centre
Woodside Playing Fields
Woodside Leisure Park
Bus Depot
Mutchetts Wood
Coldharbour Plantation
Munden Spring
North Watford Cemetery
Stanborough Park
Lea Farm Rec. Grd.
Lea Farm Jun. & Garston Inf. Sch.
West Herts College (Legatts Campus)
The Bill Everett Cen.
Cherry Tree Prim. Sch.
Harebreaks Recreation Ground
Orchards Prim. Sch.
Meriden Prim. Sch.
Parkgate Sch.
Otterspool
Leavesden Aerodrome (Disused)
125
138
149

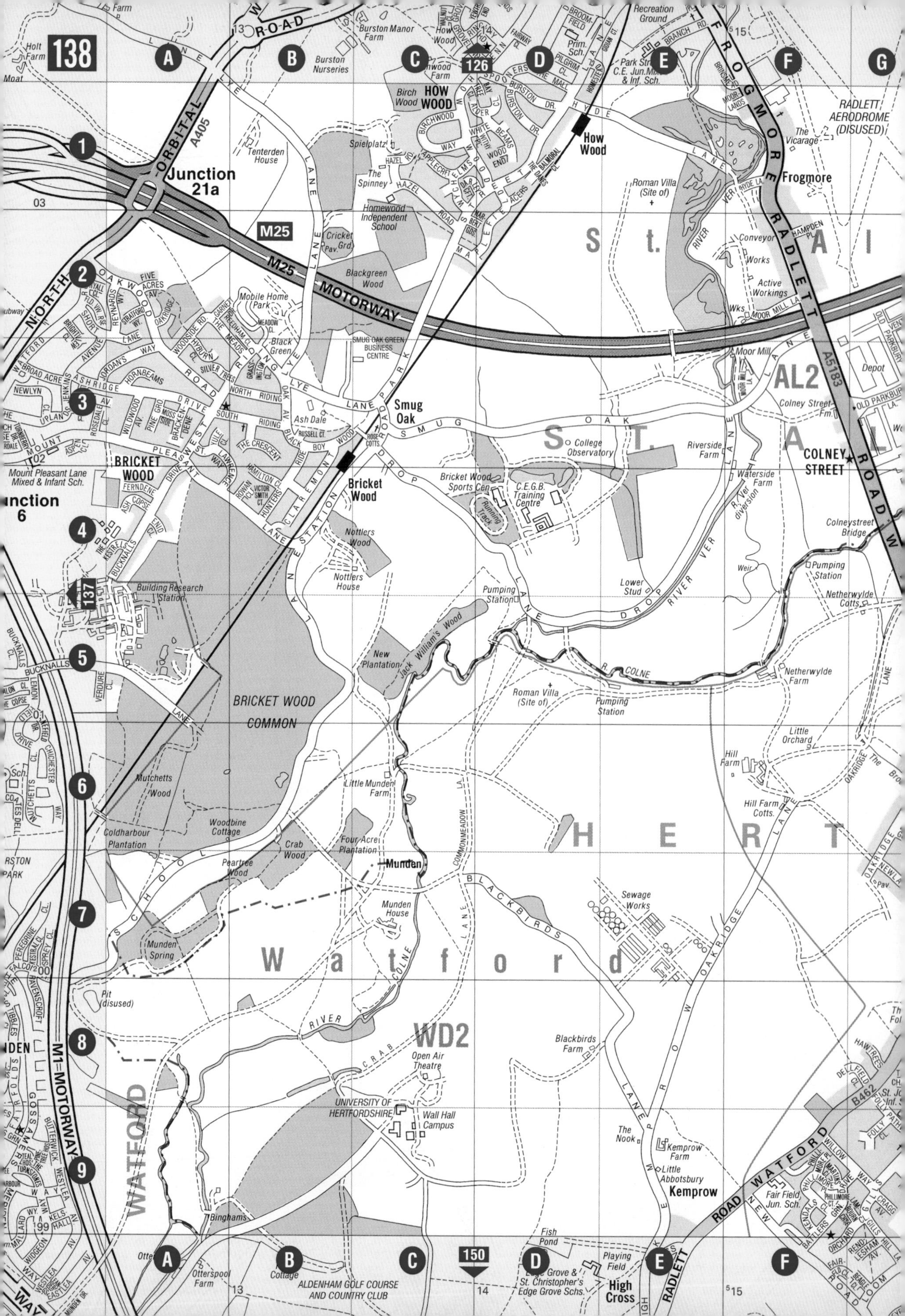
Junction 21a
M25
M25 MOTORWAY
NORTH ORBITAL ROAD
A405
HOW WOOD
How Wood
Birch Wood
Burston Manor Farm
Burston Nurseries
Recreation Ground
Park St. C.E. Jun. Mixed & Inf. Sch.
FROGMORE
Frogmore
RADLETT AERODROME (DISUSED)
The Vicarage
Roman Villa (Site of)
Tenterden House
Spielplatz
The Spinney
Homewood Independent School
Cricket Grd.
Pav.
Blackgreen Wood
Mobile Home Park
Black Green
SMUG OAK GREEN BUSINESS CENTRE
Smug Oak
Conveyor
Works
Active Workings
Wks
Moor Mill
AL2
A5183
Depot
Colney Street Fm.
COLNEY STREET
St. Al
S T. A L
College Observatory
Riverside Farm
Waterside Farm
Bricket Wood Sports Cen.
Running Track
C.E.G.B. Training Centre
BRICKET WOOD
Bricket Wood
Mount Pleasant Lane Mixed & Infant Sch.
Junction 6
Nottlers Wood
Nottlers House
Building Research Station
Pumping Station
Lower Stud
R. Ver diversion
Weir
Colneystreet Bridge
Netherwylde Cotts.
Netherwylde Farm
RIVER VER
R. COLNE
Jack William's Wood
New Plantation
Roman Villa (Site of)
BRICKET WOOD COMMON
Little Orchard
Hill Farm
Hill Farm Cotts.
Mutchetts Wood
Little Munden Farm
Woodbine Cottage
Coldharbour Plantation
Crab Wood
Four Acre Plantation
Peartree Wood
Munden
H E R T
Sewage Works
Munden House
Munden Spring
Watford
Pit (disused)
WD2
Open Air Theatre
Blackbirds Farm
UNIVERSITY OF HERTFORDSHIRE
Wall Hall Campus
The Nook
Kemprow Farm
Little Abbotsbury
Kemprow
Fair Field Jun. Sch.
WATFORD
M1 MOTORWAY
Binghams
Otterspool Farm
Cottage
ALDENHAM GOLF COURSE AND COUNTRY CLUB
Fish Pond
Playing Field
Edge Grove & St. Christopher's Edge Grove Schs.
High Cross
RADLETT
B462
WATFORD ROAD
ROAD
OAKRIDGE
LANE
SCHOOL LANE
BLACKBIRDS LANE
COMMONMEADOW LA.
SMUG OAK LANE
DROP LANE
HYDE LANE
BUCKNALLS
ORCHARD
MOOR MILL LA.
RADLETT ROAD
LYE LANE
PARK STREET LANE
HOW WOOD
MUNDEN
ROAD
126
137
150
A B C D E F G
1 2 3 4 5 6 7 8 9
03 02 01 00 99
13 14 15

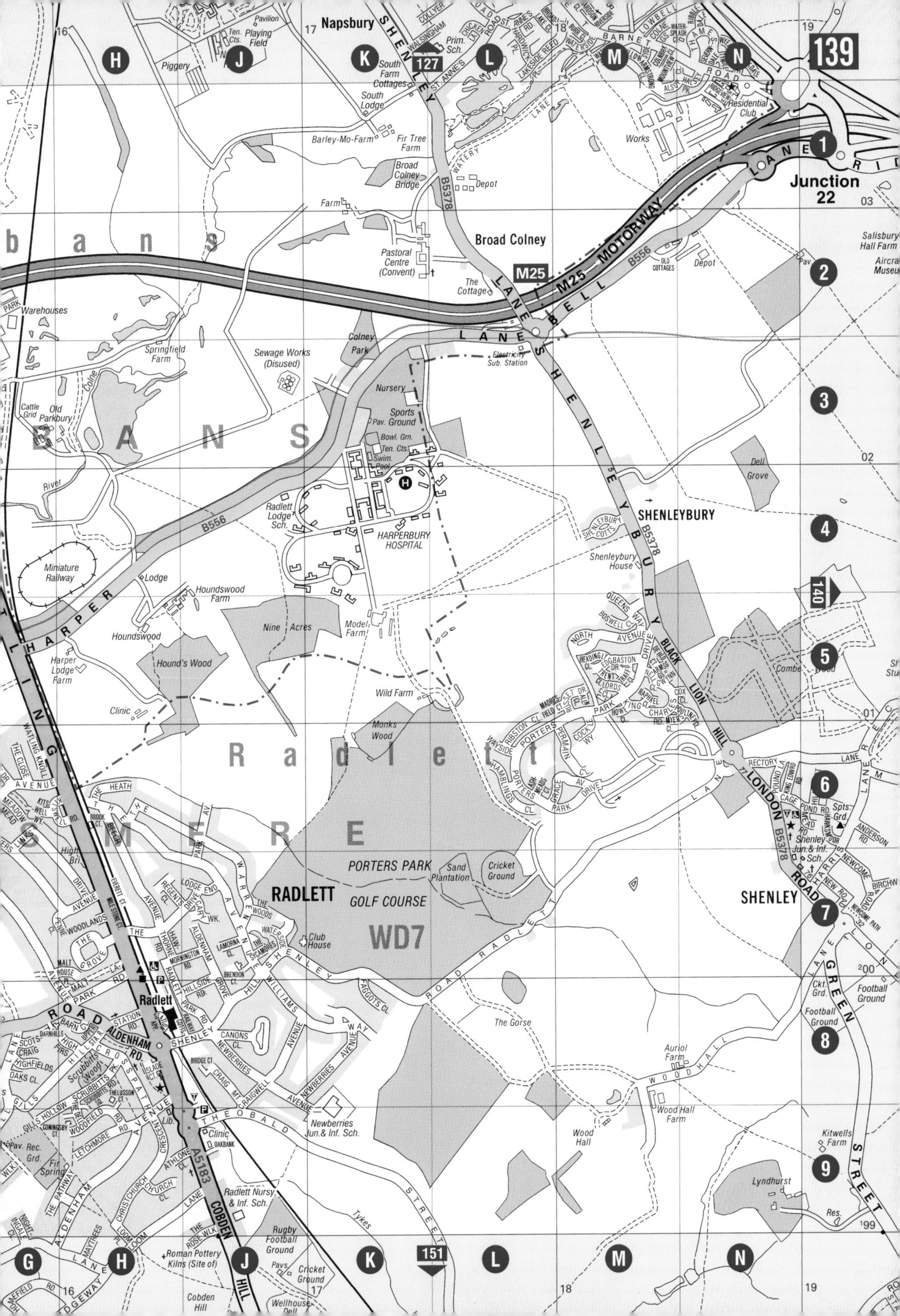

139
Napsbury
Broad Colney
Junction 22
M25 MOTORWAY
SHENLEYBURY
HARPERBURY HOSPITAL
RADLETT
PORTERS PARK GOLF COURSE
WD7
SHENLEY
Radlett
Miniature Railway
Nine Acres
Hound's Wood
Monks Wood
The Gorse
Wood Hall
Wood Hall Farm
Lyndhurst
Kitwells Farm
Dell Grove
Pastoral Centre (Convent)
Sewage Works (Disused)
Springfield Farm
Old Parkbury
Colney Park
Radlett Lodge Sch.
Newberries Jun.& Inf. Sch.
Radlett Nursy & Inf. Sch.
Roman Pottery Kilns (Site of)
Shenley Jun.& Inf. Sch.
Residential Club
Salisbury Hall Farm
140
127
151

Junction 22
St. Albans
AL4
AL2
AL9
M25
M25 MOTORWAY
HILL
B556
BELL
LANE
RIDGE
A1081
Residential Club
Salisbury Hall Farm
Salisbury Hall
Aircraft Museum
Pav.
Cobs Ash
Reservoir (covered)
Cangsley Grove
Round Wood
Swallow Holes
Oak Lodge
Hawkshead Wood
Redwell Wood Farm
Redwell Wood
Flint Cottage
Mymmshall Wood
Shenley Lodge Farm
Manor Lodge School
The Grange
Woodhill Farm
BLACKHORSE
PACKHORSE
Southridge Farm
HERTS
ST. ALBANS
Dell Grove
Radlett
Rabley Park Farm
Rabley Park
Rabley
Bourne
Potters
Comber Wood
Shenley Stud Farm
RECTORY
WD7
Shenley Hill
Catharine
LANE
EARLS
DEEVES
HALL
SOUTH MIMMS
St. Catherine's Farm
Ravenscroft Farm
Earls Farm
MIMMS
Sewage Works
SHENLEY
Spts. Grd.
ANDERSON RD
LONDON
ROAD
HILLCREST
POND RD.
Shenley Jun. & Inf. Sch.
HARRIS
NEWCOME
BIRCHWOOD
NEWCOME PATH
NEW RD.
Litteridge Wood
Church Farm
Ridge Farm
DIALMEAD
RIDGE
Imperial Cancer Research Centre
BLANCHE
Blanche Farm
Bigpursley Wood
CROSSOAKS
SUMMERSWOOD
Pursley Farm
GREEN
Ckt. Grd.
Football Ground
Littlepursley Wood
Crossoaks Farm
Crossoaks Wood
WOODHALL
Borehamwood
Summerswood Farm
WD6
Kitwells Farm
B5378
STREET
Birch Wood
SILVER HILL ROAD
Silver Hill Cottages
Lyndhurst
Res.
High Canons
Holmshill House
HOLMSHILL
SHENWOOD CT.
BARNET A1 BY-PASS
BUCKETTSLAND
Bucketsland
COWLEY HILL
HIGH
FROWYKE CRES.
HAMILTON
Towe Farm
BROOKS
19
20
21
22
200
199
03
02
01
A
B
C
D
E
F
G
1
2
3
4
5
6
7
8
9
128
139
152

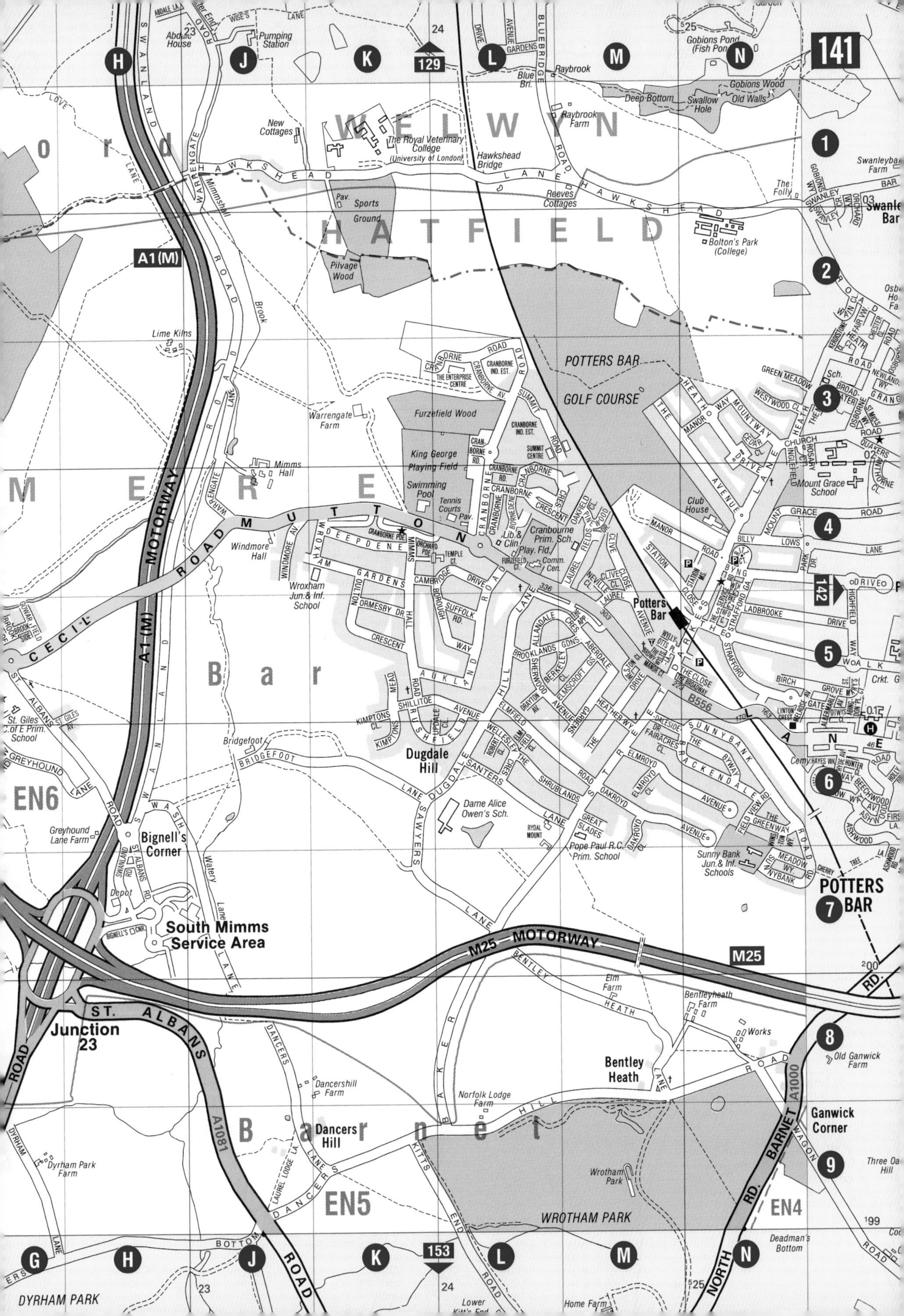

WELWYN
HATFIELD
HERTSMERE
Barnet
Potters Bar
POTTERS BAR
POTTERS BAR GOLF COURSE
Dugdale Hill
Bignell's Corner
South Mimms Service Area
Junction 23
Bentley Heath
Dancers Hill
Ganwick Corner
WROTHAM PARK
DYRHAM PARK
The Royal Veterinary College (University of London)
Furzefield Wood
King George Playing Field
Swimming Pool
Pilvage Wood
Sports Ground
Mimms Hall
Warrengate Farm
Windmore Hall
Wroxham Jun.& Inf. School
Dame Alice Owen's Sch.
Pope Paul R.C. Prim. School
Sunny Bank Jun.& Inf. Schools
Mount Grace School
Bolton's Park (College)
Gobions Wood
Gobions Pond (Fish Pond)
Deep Bottom
Swallow Hole
Old Walls
Raybrook
Raybrook Farm
Hawkshead Bridge
Reeves Cottages
New Cottages
Lime Kilns
Pumping Station
Abdale House
Greyhound Lane Farm
St. Giles C.of E Prim. School
Dancershill Farm
Norfolk Lodge Farm
Dyrham Park Farm
Elm Farm
Bentleyheath Farm
Old Ganwick Farm
Wrotham Park
Deadman's Bottom
Three Oak Hill
HAWKSHEAD LANE
MUTTON LANE
CECIL ROAD
ST. ALBANS ROAD
NORTH BARNET RD.
A1(M)
A1 MOTORWAY
M25 MOTORWAY
M25
A1000
A1081
B556
EN6
EN5
EN4
129
142
153

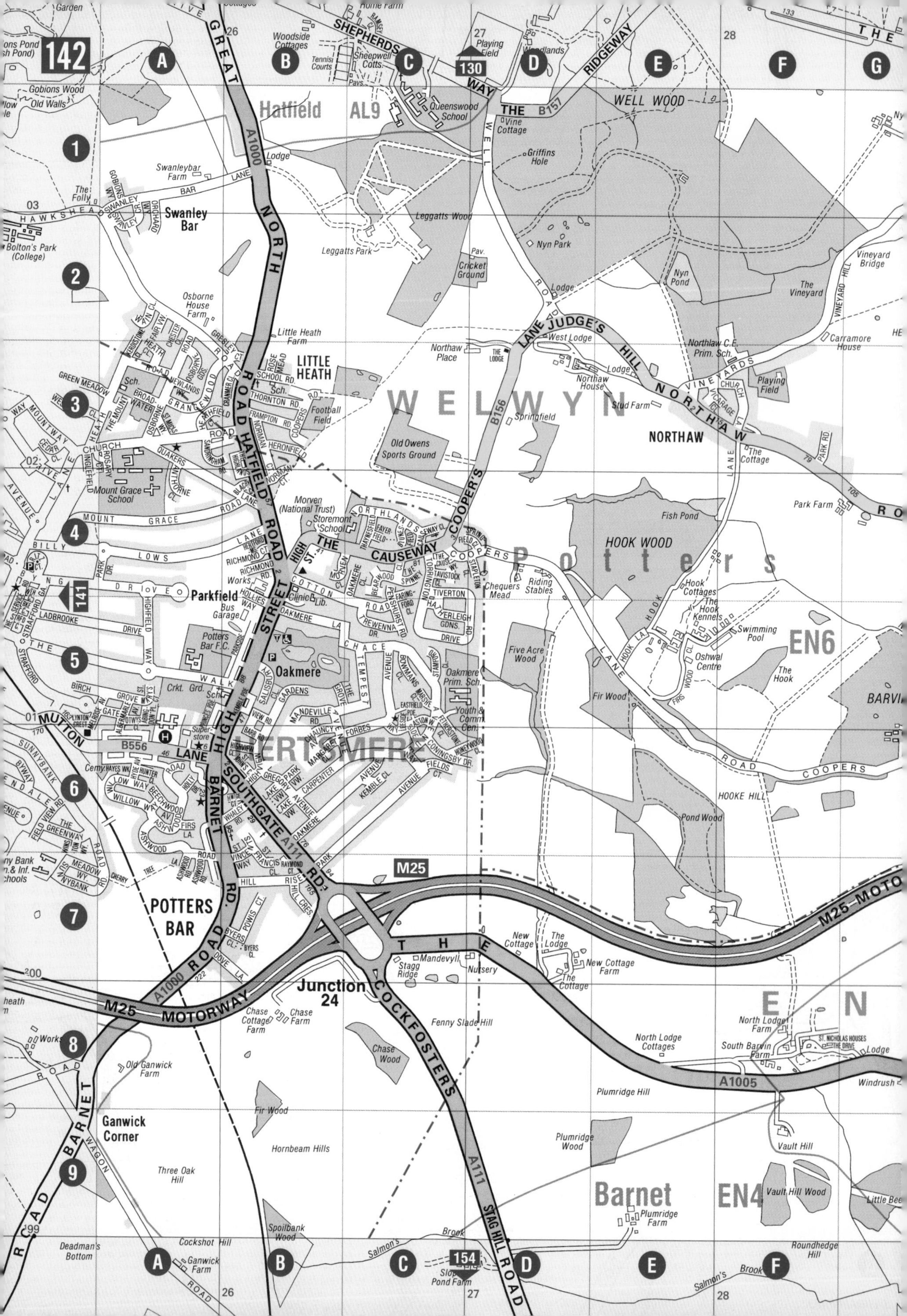

Hatfield AL9
Swanley Bar
Little Heath
WELWYN
Northaw
Potters
EN6
Hertsmere
Potters Bar
Oakmere
Parkfield
Junction 24
Ganwick Corner
Barnet
EN4
Well Wood
Hook Wood
Leggatts Wood
Leggatts Park
Queenswood School
Mount Grace School
Northaw House
Nyn Park
The Vineyard
Five Acre Wood
Fir Wood
Pond Wood
Hooke Hill
Chase Wood
Fenny Slade Hill
Plumridge Hill
Plumridge Wood
Vault Hill
Vault Hill Wood
Hornbeam Hills
Three Oak Hill
Spoilbank Wood
Cockshot Hill
Deadman's Bottom
Ganwick Farm
Old Ganwick Farm
Chase Cottage Farm
Chase Farm
Mandevyll
Stagg Ridge
Nursery
New Cottage Farm
North Lodge Farm
North Lodge Cottages
South Barvin Farm
Plumridge Farm
Roundhedge Hill
Salmon's Brook
Great North Road
Hatfield Road
High Street
Barnet Road
Southgate Road
The Causeway
Coopers Lane
Judge's Hill
The Ridgeway
Cockfosters Road
Stag Hill Road
M25 Motorway
A1000
A111
A1005
B156
B157
B556
130
141
154

143
Lucas End
CHESHUNT
COMMON
HATFIELD
BROXBOURNE
Waltham Cross
Bar
Enfield
FIELD
EN7
EN2
CUFFLEY
Cuffley
GOFF'S OAK
Cattlegate
CREWS HILL
Crews Hill
BOTANY BAY
HOME WOOD
Carbone Bottom
Burleigh Cottage
Gotts Oak Prim. Sch.
Nursery
Nurseries
Playing Field
Thornton's Farm
Cuffley Hills Farm
Chantree Wood
Pumping Station
Waterworks Cottages
Wells Farm
Pav.
Tennis Courts
Sports Ground
Bowling Green
COLES HILL
Colesdale Farm
Hill View Farm
Cuffley School
Hlth.Cen & Lib.
CUFFLEY CENTRE
Brook Farm
Ford
Works
Woodside Jun. & Inf. Sch.
Poyndon Farm
Dell View
Burnt Farm Camp
Burnt Farm
Soper's Viaduct
Northaw Brook
Chain Walk
OLDPARK (Private Road)
Nursery Plantation
Burnt Farm Cottage
Cuffley Brook
Cattlegate Wood
Robin Hill
Woodhurst
Cattlegate Farm
Woodhurst Farm Cottages
Woodhurst Farm
BARVIN HILL
Turkey Brook
Tilekiln Osiers
M25 MOTORWAY
M25
Cinder Ash
Crews Hill Paddocks
Owls Hall
Crews Hill Piggeries
Glasgow Stud
Garden Centre
Stud Cottages
Sander's Corner
SOUTH HILL
Holly Hill Farm
Golf Cottages
Club House
Sloeman's Farm
Sloeman's Cottage
Whitewebbs Cottage
The Whitewebbs Museum of Transport & Industry
WHITEWEBBS WOOD
CREWS HILL GOLF COURSE
Holyhill Brook
Riding Sch.
TINGEYS Nurseries
Water Garden Centre
Wildwoods
The Lodge
King's Oak Plain
Parting Hill
Cricket Ground
East Lodge
Botany Bay Farm
Plant Farm
Cricket Grd.
Queenswood Farm
The Red House
RIDGEWAY
B157
B156
NORTHAW ROAD WEST
EAST RIDGEWAY
PLOUGH HILL
STATION RD.
CUFFLEY HILL
CATTLEGATE ROAD
CATTLEGATE HILL
CREWS HILL ROAD
WHITEWEBBS ROAD
THEOBALDS PARK ROAD
STRAYFIELD RD.
FLASH LANE
EAST LODGE LANE
BURNTFARM RIDE
SILVER STREET
HANDPOSTHILL ROAD
131
144
155
H J K L M N
G H J K L M N
1 2 3 4 5 6 7 8 9
29 30 31 32
03 02 01 00 99

Lucas End
Malaya Farm
Twelve Acres Farm
Burton Grange
Burton Lodge
132
Rosedale
FLAMSTEAD END
Laurel Bank Farm
Primrose Cottage
Rags Brook
BROOKFIELD
ST. JAMES ROAD
ANDREW'S
Whitehouse Farm
Nurseries
Playing Field
Liby.
CUFFLEY
GOFF'S HILL
Tennis Courts
Rosedale Sports Ground
Playing Field
GOFF'S OAK
B156
GOFF'S LANE
Water Tower
Woodside Jun. & Inf. Sch.
Poyndon Farm
Theobalds Brook
Colesgrove Manor
Swimming Pool
South Lodge
Halstead Hill House
CHURCHGATE
Goffs Sch.
St. Mary's High Sch.
Bonneygrove Prim. Sch.
Waltham
SILVER STREET
Chain Walk
Dell View
Burnt Farm Camp
Cemetery
BARROW LA.
BEVERLEY GS.
FLAMSTEAD END RELIEF RD.
Cheshunt School
Burnt Farm
Broadfield Bungalow
Broadfield Farm
BROXBOURNE
BURY GREEN
Bury Green Farm
143
OLDPARK RIDE
(Private Road)
Chain Walk
Burygreen Plantation
Broom Hills
Cattlins
Dysons Osiers
Home Wood
EN7
Rush Lodge
THEOBALDS LANE
Hanging Plantation
Temple Bar
Home Plantation
Spring Farm
Theobalds Manor
Temple House
Playground
Tennis Courts
Sports Ground
Caravan & Camping Site
Theobald's Park College
Cinder Ash
Theobald Stud
M25-MOTORWAY
Square Planting
South Osiers
Littlefield
Bullscross Farm
Theobalds Park Riding School
Theobald's Park Farm
Cuffley Brook
Glasgow Stud
M25
Western Cemetery (Jewish)
Theobalds Camp Site
Moat
Junction 25
A10
GREAT CAMBRIDGE ROAD
Sloeman's Farm
Whitewebbs Farm
Sloeman's Cottage
Aqueduct
WHITEWEBBS ROAD
Whitewebbs Cottage
Guy Lodge
Meux Cottages
CREWS HILL
North Lodge
Clydesdale Stud
Capel Manor Horticultural & Environmental Centre
BULLSMOOR
Fish Pond
Keeper's Cottage
Cricket Grd.
WHITEWEBBS WOOD
The Cottage
Sports Ground
Capel House
Nurseries
ENFIELD
Water Garden Centre
WHITEWEBBS PARK
White Webbs
BULLS CROSS
Capel Manor Prim. Sch.
Wildwoods
Myddelton Farm
Enfield
EN2
WHITE WEBBS (PUBLIC) GOLF COURSE
Sports Ground
Myddelton House
EN1
The Lodge
Turkey Brook
New River (Old Course)
Cuffley Brook
Sports Ground
Brayside Farm
156
St. Ignatius College
Cricket Grd.
Queenswood Farm
Maiden's Bri.
Turkey Street

CHESHUNT
WALTHAM CROSS
WALTHAM ABBEY
HOLYFIELD
Fishers Green
Bullsmoor
FREEZY WATER
Holdbrook
EPPING FOREST
Waltham Abbey
LEE VALLEY REGIONAL PARK
RAMMEY MARSH
EN8
EN9
EN3
M25
M25 MOTORWAY
HOLMESDALE TUNNEL
A10
A121
A1055
A112
B176
B194
133
157
Turnford School
Playing Field
Brookland Inf. & Jun. Sch.
The Nightleys (Rec. Grnd.)
Sand & Gravel Pits
Sailing Club
Seventy Acres
Cheshunt Lake
Youth Sail Training & Canoeing Base
Turnershill Marsh
Hooks Marsh
Cheshunt Junction
Thistly Marsh
Sand & Gravel Works
Hall Marsh
Bowyer's Water
Cheshunt Marsh
Waltham Marsh
Waltham Lock
Small Lea Bridge
Marsh Bridge
Timber Yard
Grundy Park
Downfield Jun. & Inf. Sch.
Holy Trinity Prim. Sch.
Theobalds Palace (Site of)
The Cedars Park
Theobalds Grove
Cheshunt Reservoir (South)
Sports Ground
Albury Farm
Rifle Range
Government Research Establishment
Abbey Fish Ponds
Abbey (Rems. of)
Town Mead
Cobbins Brook
Sewage Works
Sludge Beds
Settling Tanks
Lea Valley High Sch. & Bullsmoor Sports Cen.
Quinton Hill Farm
Avey La. Nursery
The Downing Nursery
Kennels Portulaca
Homefield Wood
Holyfield Farm
Monkhams Hall
Stable Lodge
Eagle Lodge
Hayes Hill Farm
Hayes Hill Cottages
Gate Cottages
Breaker's Yard
Stubbings Cottages
Woodside
Electricity Transformer Station
Arboretum
Tree Nursery
Cornmill Stream
Horsemill Stream
River Lee Navigation
Small River Lea or Lee
Powdermill Cut
Hooksmarsh Ditch
Rammey Marsh Flood Relief Channel
Cattlegate Flood Relief Channel
Lea Valley Walk
CROOKED MILE
HOLYFIELD
SEWARDSTONE ROAD
ABBEY VIEW
HIGHBRIDGE ST.
STATION RD.
ELEANOR CROSS RD.
MONARCHS WY.
HIGH ST.
CROSSBROOK ST.
TURNER'S HILL
HIGH STREET CHESHUNT
COLLEGE RD.
WINDMILL LANE
MOLLISON AVENUE
HERTFORD ROAD
GREAT CAMBRIDGE ROAD
FARM HILL RD.
LOWER ISLAND WAY
QUINTON WAY
ORDNANCE RD.

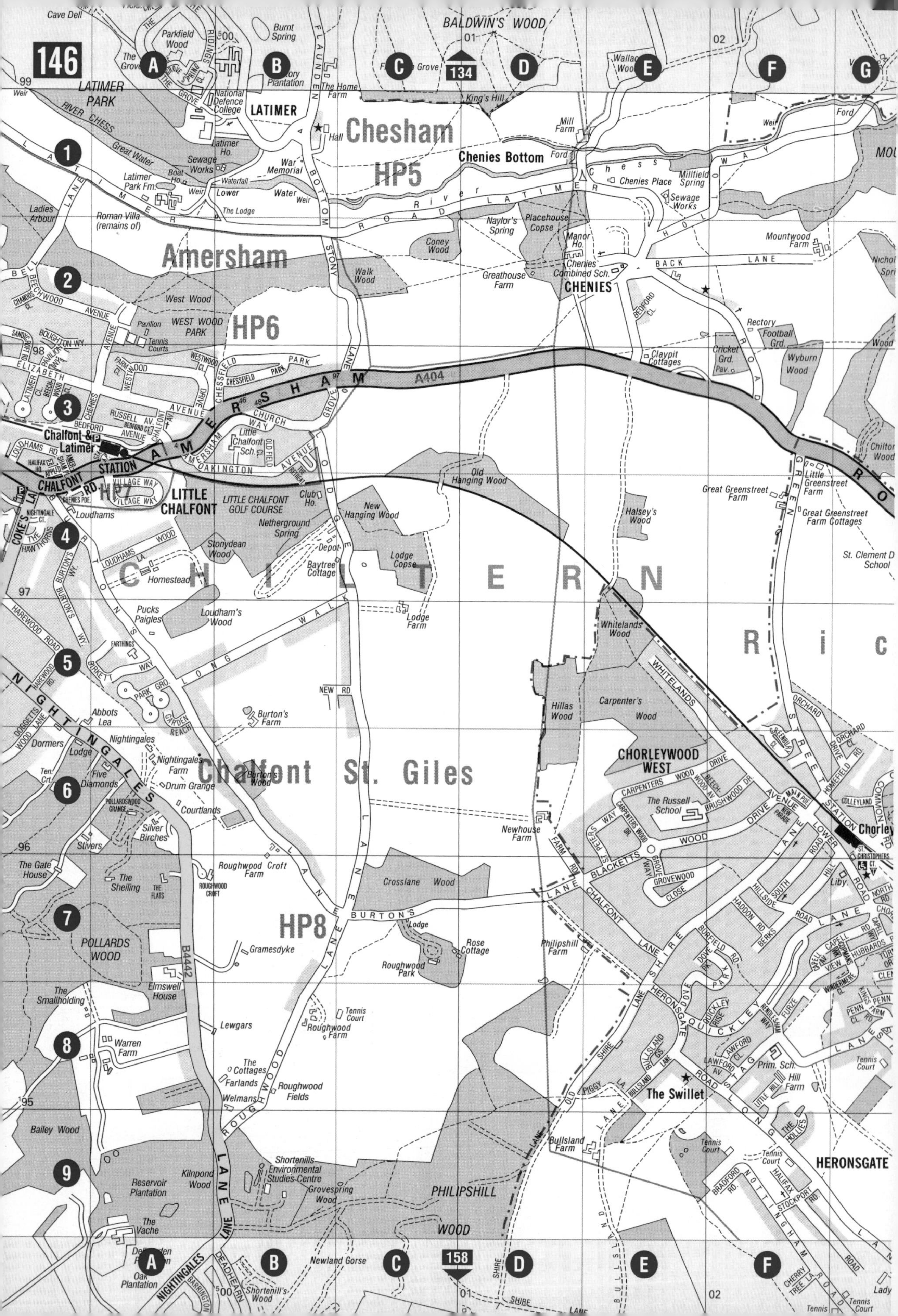

134
158
Chesham
HP5
Amersham
HP6
HP7
HP8
CHILTERN
Chalfont St. Giles
Ric
LATIMER PARK
LATIMER
Chenies Bottom
CHENIES
LITTLE CHALFONT
CHORLEYWOOD WEST
HERONSGATE
The Swillet
Chalfont & Latimer
BALDWIN'S WOOD
PHILIPSHILL WOOD
POLLARDS WOOD
A404
B4442
River Chess
Great Water
Cave Dell
Parkfield Wood
Burnt Spring
Rectory Plantation
The Home Farm
King's Hill
Mill Farm
National Defence College
Latimer Ho.
Sewage Works
War Memorial
Latimer Park Fm.
Roman Villa (remains of)
Ladies Arbour
West Wood
WEST WOOD PARK
Coney Wood
Walk Wood
Naylor's Spring
Placehouse Copse
Manor Ho.
Chenies Combined Sch.
Greathouse Farm
Chenies Place
Millfield Spring
Mountwood Farm
Rectory
Football Grd.
Cricket Grd.
Wyburn Wood
Claypit Cottages
Old Hanging Wood
New Hanging Wood
Little Chalfont Sch.
LITTLE CHALFONT GOLF COURSE
Netherground Spring
Stonydean Wood
Lodge Copse
Baytree Cottage
Halsey's Wood
Great Greenstreet Farm
Little Greenstreet Farm
Great Greenstreet Farm Cottages
St. Clement Danes School
Loudhams
Homestead
Pucks Paigles
Loudham's Wood
Lodge Farm
Whitelands Wood
Hillas Wood
Carpenter's Wood
Burton's Farm
Abbots Lea
Dormers
Nightingales
Nightingales Farm
Drum Grange
Five Diamonds
Courtlands
Silver Birches
Stivers
The Gate House
The Sheiling
Roughwood Croft Farm
Crosslane Wood
Newhouse Farm
The Russell School
Gramesdyke
Roughwood Park
Rose Cottage
Philipshill Farm
Elmswell House
The Smallholding
Lewgars
Warren Farm
Roughwood Farm
The Cottages
Farlands
Welmans
Roughwood Fields
Bailey Wood
Reservoir Plantation
Kilnpond Wood
Shortenills Environmental Studies Centre
Grovespring Wood
The Vache
Oak Plantation
Newland Gorse
Shortenill's Wood
Bullsland Farm
Prim. Sch.
Hill Farm
Chorleywood

THREE RIVERS
Rickmansworth
Sarratt Bottom
Church End
Micklefield Green
Loudwater
Chorleywood
Chorleywood Bottom
Chorleywood Common
Chorleywood Golf Course
Junction 18
Junction 17
M25 Motorway
Chorleywood Road
Rickmansworth Road
Chenies Road
Beechengrove Wood
Welling Grove
Great Wood
Scrubbs Wood
Blunts Wood
Royal Masonic School
Solomon's Wood
Pheasant's Wood
Moneyhill
Mill End
WD3
135
148
159

M25 MOTORWAY
Junction 19
136
WD4
WD3
Rickmansworth
Chandler's Cross
WHIPPENDELL WOOD
HARROCKS WOOD
LEES WOOD (Forestry Commission)
THE GROVE PARK
WEST HERTS GOLF COURSE
JACOTTS HILL
GRAND UNION CANAL
THREE RIVERS
CROXLEY GREEN
Croxley
Croxley Green
Croxley Centre
LOUDWATER
RICKMANSWORTH
Royal Masonic School
Common Moor
Moor Park Crossing
Grand Union Canal Walk
WATFORD ROAD
SCOTS HILL
A412
A4145
TOLPITS
ROUSEBARN LANE
LITTLE GREEN LANE
LANGLEYBURY LANE
SARRATT ROAD
DICKINSON AVENUE
NEW ROAD
BALDWINS LANE
147
160

NORTH WATFORD
Watford North
Watford Junction
WATFORD
Watford
WD1
WD2
WEST WATFORD
Watford High St.
Watford West
Watford Stadium
THE ROOKERY
OXHEY
Bushey
Watford Heath
CASSIOBURY PUBLIC PARK
BUSHEY HALL GOLF COURSE
Scotts Wood
Bushey Hall Farm
Bushey Hall Mobile Home Park
Watford College
Watford F.C.
WATFORD GENERAL HOSP.
OXHEY PARK
Sports Ground
King George V Playing Fields
Brightwells Farm
Brightwells Spring
Oxhey Hall
Swimming Pool
Watford Grammar Sch.
West Herts Sch. of Music
Nascot Wood Jun. & Inf. Sch.
West Herts Coll. (Cassio Campus)
Northfield Sch.
Willow Grange
Nascot Grange
The Peace Hospice
Harwoods Rec. Grd.
Laurance Haines Prim. Sch.
Sewage Works
Croxley Green Junction
Electricity Transmission Station
Gravel Pit (disused)
Caravan Site
Bowling Green Sports Grd.
Bromet Prim.Sch.
Riding School
Reservoir
Nursery
Woodlands
Haydon Hill House
Bushey Manor Jun.& Inf. School
Bushey Hall School
Highwood Jun.& Inf. Sch.
Meriden Prim. Sch.
Meriden Pk.
Otterspool
Colne Bri.
Busheymill Bri.
Parkgate Sch.
Callowland Rec. Grd.
Harebreaks Recreation Grd.
Cherry Tree Prim. Sch.
Orchards Prim. Sch.
The Bill Everett Cen.
Coal Depot
Head Post Office
Playing Field
T.A. Cen.
St. Anthony's R.C. Prim. Sch.
Westfield School
Tolpits Lane Caravan Site
Ebury Way
Brightwells Farm Cotts.
Watford Tunnels
Superstore
Gas Works
Water Works
Viaduct
THE HARLEQUIN
THE CLOISTERS
Mkt.
ST. ALBANS ROAD A412
A41 NORTH WESTERN AV.
COLNE WAY
M1 MOTORWAY
STEPHENSON WAY A4008
WATERFIELDS WAY A411
WIGGENHALL ROAD A4178
EASTBURY ROAD A4125
PINNER ROAD A4008
CHALK HILL A411
LONDON ROAD
HEMPSTEAD ROAD A411
RICKMANSWORTH ROAD A412
VICARAGE ROAD A4145
HAGDEN LANE
HAMPERMILL LANE A4125
BROOKDENE B4542
OXHEY LANE
BUSHEY HALL ROAD
BEECHEN GROVE
EXCHANGE RD.
CASSIO ROAD
DEACONS HILL
CASSIOBURY PARK AVENUE
CASSIOBURY DRIVE
BUSHEY MILL LANE
BALMORAL ROAD
HARTSMERE
137
150
161
H J K L M N
G H J K L M N
1 2 3 4 5 6 7 8 9

Junction 5
M1 MOTORWAY
NORTH-WESTERN AV.
ALDENHAM GOLF COURSE & COUNTRY CLUB
ALDENHAM
High Cross
Kemprow
Round Bush
Batlers Green
LETCHMORE HEATH
Patchetts Green
Aldenham Grange
Holland Farm House
Electricity Transforming Station
Bushey Jewish Cemetery
Metropolitan Police Sports Ground
Royal Caledonian Schools
Queens School
United States International University School
BUSHEY HALL GOLF COURSE
Bushey Meads Sec. Sch.
WD2
BUSHEY
BUSHEY GOLF & COUNTRY CLUB
Merry Hill
Hilfield Castle
Immanuel College
BUSHEY HOSP.
HERNE
138
149
162

Radlett
Borehamwood
WD7
WD6
ELSTREE GOLF COURSE
ALDENHAM PARK
ALDENHAM COUNTRY PARK
ALDENHAM RESERVOIR
ELSTREE
Stanmore
HA7
Caldecote Hill
Elstree & Borehamwood
WATLING STREET
A5183
COBDEN HILL
ELSTREE HILL NTH.
ELSTREE HILL STH.
WATFORD ROAD
A411
BARNET LANE
DEACONS HILL
ALLUM LANE
B5378
SHENLEY ROAD
ALDENHAM ROAD
BUTTERFLY LANE
WARDS LANE
HOG LANE
DAGGER LANE
THEOBALD STREET
TYKESWATER LANE
M1 MOTORWAY
WATFORD BY PASS
A41
ELSTREE WAY
EDGWARE
Junction 4
Moses Dell
Cobden Hill
Cobdenhill Dell
Kendal Wood
Fish Pond
Radlett Preparatory School
Kendal Hall Farm
Little Kendals Farm
Little Kendals Wood
Rugby Football Ground
Cricket Ground
Wellhouse Dell
Roman Pottery Kilns (Site of)
Medburn House
Play. Fld.
Aldenham School
Boydens Hill
Playing Field
Slades Farm
Letchmore Lodge
Site of Penne's Place
Moats
North Medburn Farm
South Medburn Farm
Medburn Bri.
Rifle Range
The Haberdashers Aske's School
Tykes Water Lake
Boathouse
Home Farm
Pumping Station
Dam
Sailing Club
Sports Ground
Ham Farm
Flying School
Flying Club
Page's Farm
Sewage Works
Laboratories
Club House
Parkfields Open Space
Organ Hall Farm
Meryfield First Sch.
Lyndhurst School
Parkside Sch.
Clinic
Cemetery
RADNOR HALL MOBILE HOMES
St. Nicholas C.of E. Jun.& Inf. Sch.
Elstree Hill Open Space
Elstree Open Space
Hill House
Edgwarebury Ho. Farm
Edgwarebury Country Club
Norwegian Barn
Elstree Manor
Penniwells Farm
The Dower House
Deacons Hill Open Space
The Chantry
Works
LISMIRRANE INDUSTRIAL PARK
Reservoir
Berkeley Cottage
Brockleyhill Farm
Bury Farm
Sports Ground
Research Station
Fire Station
THE BOULEVARD CENTRE
Lyndhurst
(Proposed)
139
152
163
M1

152
Lyndhurst
Res.
Radlett
WD7
Birch Wood
Silver Hill
140
High Canons
Holmshill
House
HOLMSHILL LANE
GREEN ST
COWLEY
Cowleyhill
Farm
Well End
Farm
Wheatsheaf
Farm
Bucketsland
Farm
BUCKETTSLAND
CANONS
Electricity
Sub. Station
Well
End
Borehamwood
B5378
Valentine's
Farm
Strangeways
Farm
Rowley
Farm
PACKHORSE LANE
ARKLEY LANE
Clinic
Sports
Ground
Torworth
Ho.
Hawksmoor
School
Sports
Cen.
ROWLEY LANE
HERTSMERE
A1 BY PASS
Lyndhurst
School
GATESHEAD
Aberford
Park
School
Cowley Hill
First Sch.
Meadow Park
Holmshill
School
Hotel
Warehouse
WROTHAM PARK OPEN SPACE
Saffron
Green
Syn.
Comm.
Cen.
Football
Grd.
Bowl.
Grn.
Pav.
MEADOW
RD.
BOREHAMWOOD
Coll.
Swim.
Pool
Civic
Cen.
Clin.
Tennis
Courts
School
Depot
BOREHAMWOOD
IND. PARK
Sports
Ground
Tennis
Cts.
YORK WAY
A5135
ELSTREE WAY
151
Council
Offs.
Subway
Works
Shooting Ground
Golf
Driving
Range
Arkley Lane
Open Space
B.B.C.
Centre
Play-
Grd.
GROSVENOR ROAD
Studios
WD6
CHESTER
DURHAM RD.
HERTSMERE
IND. PARK
Works
ELSTREE
DISTRIBUTION
PARK
Tennis
Courts
KINETIC
BUS. CEN.
THE BOULEVARD
CENTRE
B5378
Superstore
Tank
King George's
Field
Kenilworth
First Sch.
Woodland
Farm
ARKLEY LANE
OPEN SPACE
SHENLEY
Offs.
Sch.
Hillside
Sch.
KENILWORTH
Playing
Field
Laing's
Playing
Field
Wks.
Playing
Field
ROWLEY
ALLUM
LANE
Elstree &
Borehamwood
Furzehill
Sch.
Sports
Ground
School
Comm.
Cen.
Ripon
Park
School
Rowley Green
Farm
ARKLEY
GOLF COURSE
Arkley
Rise Estate
Open Space
Rowley
Green
Research
Station
HARKNESS
IND. EST.
Fire
Research
Station
Arkley
Manor
BARNET GATE
OPEN SPACE
Club
House
Rowley
Bank
Nurseries
Sports
Ground
ROWLEY GREEN
DEACONS HILL
A411
WOODCOCK HILL
LANE
BARNET LA
Woodcock
Farm
Memorial
Sports Centre
Windmill
DEACONS
HEIGHTS
Deacons Hill
The Chantry
Deacons Hill Open Space
ELSTREE
PARK
ARKLEY PARK
MOBILE HOMES
STIRLING
CORNER
BARNET GATE
Tennis Courts
Sports
Ground
BARNET
Clinic
HENDON
Scratch Wood
Froghall
Wood
Caravan Park
Hyver Hall
Hyver
Farm
Elstree Tunnel
Scratchwood
Open
Space
Boys Hill Wood
Thistle
Wood
Barnet Gate
Wood
B552
The Dower
House
M1
M1 MOTORWAY
Gravel Pit
Wood
NW7
Moat
Mount
Open Space
Tanglewood
Scratchwood Open Space
MOAT MOUNT
OPEN SPACE
Depot
164
MILL HILL
GOLF COURSE
Target
Wood
Shrubbery
Clump of Trees
Wood
Moat Mount
Camp Site
Leg of Mutton
Bury
Farm
EDGWAREBURY
BARNET WAY
A
B
C
D
E
F
G
1
2
3
4
5
6
7
8
9
19
20
21
22
95
96
97
98
99

Dyrham Park Farm
DYRHAM PARK GOLF COURSE
DYRHAM PARK
Dyrham Park Country Club
Knightsland Farm
Fold Farm
Galley Lane Farm
Poor Claire Monastery
GALLEY LANE
WROTHAM PARK
Wrotham Park
Deadman's Bottom
Three Oak Hill
Lower Kitt's End Farm
Kitt's End
Kitt's End Farm
Home Farm
KITTS END
ST. ALBANS ROAD
A1081
GREAT NORTH ROAD
A1000
OLD FOLD MANOR GOLF COURSE
Nursery Farm
Bartram's Quash
EN4
EN5
N20
Barnet
Rectory Farm
Monkton Hadley C. of E. Prim. Sch.
St. Martha's Convent R.C. School
Bournwell Hill
MONKEN HADLEY COMMON
MONKEN HADLEY
Hadley Green
HADLEY
Priddeon's Hill
HIGHSTONE
HADLEY GREEN
CAMLET
Electricity Transformer Sta.
Playing Field
HIGH BARNET
Christ Church C. of E. Prim. Sch.
Queen Elizabeth's School
King George's Field
BARNET
Queen Elizabeth Girls Sch.
High Barnet
HIGH STREET
WOOD ST.
A411
WOOD ROAD
BARNET HILL
Whalebone Park
BARNET GENERAL HOSP.
Psychiatric Unit
CHIPPING BARNET
Whitings Hill Prim. Sch.
WHITINGS HILL OPEN SPACE
ARKLEY
Ducks Island
Recreation Ground
Underhill Jun. & Inf. Sch.
Underhill
Playing Fields
Barnet F.C.
Grosvenor Inf. Sch.
KING GEORGE PLAYING FIELDS
Cottage Farm
(Old Elizabethans) Playing Field
Brent Lodge Farm
Allendale
East Barnet Old Grammarians Playing Field
Grange Playing Fields
TOTTERIDGE PARK OPEN SPACE
GRANGE AVENUE OPEN SPACE
Tennis Courts
Ravenscroft School
Playing Field
SOUTH HERTS GOLF COURSE
Wyatts Farm Open Space
Recreation Ground
Brook Farm Op
ENDON WOOD LANE OPEN SPACE
Sports Ground
Fairlight Cottage
Hillsborough Cottage
Totteridge Park
TOTTERIDGE VILLAGE
TOTTERIDGE
TOTTERIDGE COMMON
Club House
Sports Ground
Hillsdown
Dollis Brook
STATION
GREAT NORTH ROAD
141
154
165

Three Oak Hill
Deadman's Bottom
Cockshot Hill
Ganwick Farm
Spoilbank Wood
Potters Bar
EN6
Salmon's Brook
Slopers Pond Farm
Vault Hill Wood
Roundhedge Hill
Duncan's Wood
HERTSMERE
ENFIELD
Bartram's Quash
Hadley Wood
Hadley Wood Prim. Sch.
Lawn Tennis Club
West Lodge Park (Hotel)
Ash Wood
HADLEY WOOD
Great Broadgates Hill
Ferny Hill Cottage
Ferny Hill Farm
Rectory Farm
Monken Hadley C. of E. Prim. Sch.
Club House
BEECH HILL PARK
HADLEY WOOD GOLF COURSE
Fernyhill Wood
Rough Lot
Bournwell Hill
Green Brook
Fish Pond
Seedfield Spinney
MONKEN HADLEY COMMON
Sewits Hill
EN4
Priddeon's Hill
Newmans Hill
Oak Wood
Beech Hill Lake
EAST BARNET GOLF CLUB
Tudor Sports Ground Club House
Playing Field East Barnet Sch. 5th. & 6th. Form Centre
Livingston Prim. Sch.
Play Fld.
Church Wood
NEW BARNET
Cromer Road Prim. Sch.
Recreation Ground
Playing Fields
War Meml.
Cemetery
Cockfosters
COCKFOSTERS
EN5
New Barnet
Barnet Vale
Lyonsdown
Nrsy. Sch.
Pleasure Ground
EAST BARNET
Playing Field
Southgate School
Oaktree Sch.
De Bohun Prim. Sch.
Saracens Rugby Football Club
Middlesex University
Greenhill Gdns.
East Barnet Sch.
Danegrove Inf. Sch.
Oakhill College
Wyatts Farm Open Space
Bandstand Playground
OAK HILL PARK
Recreation Ground
Oakleigh Park
N20
Miniature Golf Course
Monkfirth Prim. Sch.
SOUTH HERTS GOLF COURSE
Bowling Green
Pavilion
Brook Farm Open Space
Playing Field
Owen's Centre
Warehouses
Sprts. Grd.
Club House
South Barnet
A111
A110
A1000
B193
142
153

155
BOTANY BAY
Botany Bay Farm
Cricket Ground
East Lodge
143
THE RIDGEWAY
A1005
Salmon's Brook
CHASE
Cuckolds Hill
Rectory Farm
The Red House
Rendlesham Viaduct
Turkey Brook
Clovelly
HILLY FIELDS PARK
CLAY HILL
Queenswood Farm
Kingswood
Cricket Grd.
Nursery
KINGS OAK HOSPITAL
CHASE FARM HOSP.
CEMETERY
Parkside House
Park Farm
Park Farm Cottages
Reservoir
Camlet Moat
HADLEY ROAD
Picnic Area
Camlet Hill
Ride Wood
Parkside Farm
Pumping Station
Vicarage Farm
Wolverton
RIDGE ROAD
Enfield
TRENT PARK (Country Park)
Leeging Beech Gutter
Fish Pond
Icehouse Wood
Williams Wood
Hog Hill
Tennis Courts
Noddins Well
Lodge
Middlesex University
Shaws Wood Cottages
Shaws Wood
The Rookery
Rookery Cottages
Miniature Rifle Range
Merryhills Brook
EN2
Gordon Hill
Chase Side
Sports Ground
WINDMILL HILL
SLADES HILL
A110
ENFIELD ROAD
Enfield Chase
TRENT PARK PUBLIC GOLF COURSE
Triangular Wood
Eastpole Farm
Eastpole Cottages
Club House
Lodge
Depot
Oakwood
World's End
Moat
Club House
ENFIELD GOLF COURSE
Playing Fields
Playing Field
Grange Park Prim. Sch.
GRANGE PARK
Boxer's Lake
Highlands Village
Nursing Home
Sports Ground
CHASEVILLE PARK RD.
N14
OAKWOOD
OAKWOOD PARK
Yacht Pond
N21
Grange Park
The Golf House
BUSH HILL PARK GOLF COURSE
New River (old course)
Hounsden Gutter
WINCHMORE HILL
Winchmore Hill
GROVELANDS PARK
Bowling Green
Tennis Courts
Boating Lake
Bourneside Sports Centre
GROVELANDS PRIORY HOSPITAL
Superstore
Southgate
A111
B1453
OSIDGE
Osidge Prim. Sch.
The Paulin Ground
New River
GREEN LANES
H J K L M N
1 2 3 4 5 6 7 8 9
29 30 31 32
99 98 97 96 95
156

WHITEWEBBS PARK
WHITE WEBBS (PUBLIC) GOLF COURSE
144
Sports Ground
Myddelton House
New River (Old Course)
Turkey Brook
Brayside Farm
Club House
Cricket Grd.
Kingswood
CLAY HILL
HILLY FIELDS PARK
Clovelly
CEMETERY
St. Ignatius College
Maiden's Bri.
Aqueduct
Turkey Street
Turke St.
War Memorial
Crem. Cemetery
Forty Hill C. of E. Prim. Sch.
Forty Hall Farm
Forty Hall & Museum
Nursery
Worcesters Prim. Sch.
FORTY HILL
Play. Field
Lavender Prim. Sch.
Gordon Hill
Sports Ground
Chase Side
ENFIELD CARE CEN.
Chase Community Sch.
Sports Grd.
EN2
Cemetery
Playing Field Sch.
Playing Fields
Sports & Leisure Centre
Running Track
Trinity St.
Chase Side Prim. Sch.
Graeme Prim. Sch.
Playing Field
Suffolk's Prim. Sch. & Bishop Stopford's Sch.
155
Enfield Grammar School (Lower)
Play. Field
ENFIELD TOWN
Enfield County Sch.
Civic Cen.
Playing Fields
MARTIN DALE INDUSTRIAL ESTATE
Factory
Nursery
EN1
ENFIELD
WINDMILL
A110
HILL
Enfield Chase
CHURCH ST.
SOUTHBURY
Enfield Town
Enfield F.C.
Swim. Baths
Kingsmead School
Superstore
Warehouse
NORTHGATE BUSINESS PARK
Works
Town Park
Tennis Courts
Club
BUSH HILL PARK (Recreation Ground)
Southbury
QUEENSWAY INDUSTRIAL ESTATE
Bus Garage
HASLEMERE BUSINESS CENTRE
MARTINBRIDGE TRADING ESTATE
Middlesex University
GRANGE PARK
Cricket Ground
The Golf House
GREAT CAMBRIDGE IND. EST
Grange Park
BUSH HILL PARK GOLF COURSE
Bush Hill
BUSH HILL PARK
Bush Hill Park
N21
Play. Field
Galliard Prim. Sch.
N9
Play. Fld.
Play. Field
Edmonton Sch.
King George's Field
JUBILEE PARK
Min. Golf Course
Pavilion
Stadium
Recreation Ground
Bury Lodge Park
Rec. Grd.
The Paulin Ground
Winchmore Hill
A10
A105
A1010
B154
CAMBRIDGE
HERTFORD
GREAT
LONDON ROAD
VILLAGE RD.
GREEN LANES
RIDGE A105 AV.
CHURCH STREET
96
95
97
98
32
33
34
35

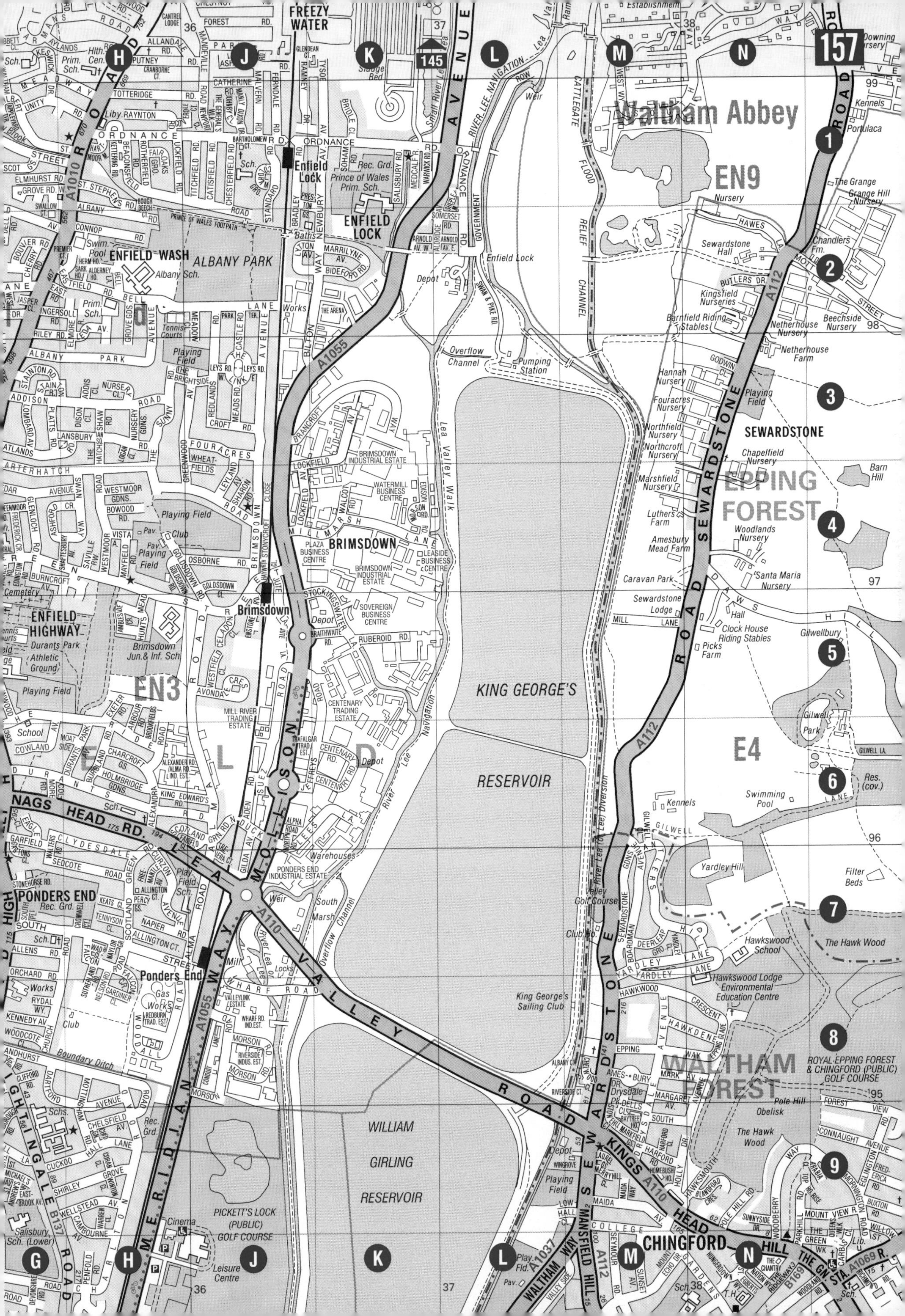

FREEZY WATER
145
Waltham Abbey
EN9
Enfield Lock
ENFIELD LOCK
ENFIELD WASH
ALBANY PARK
SEWARDSTONE
EPPING FOREST
BRIMSDOWN
Brimsdown
ENFIELD HIGHWAY
EN3
KING GEORGE'S
RESERVOIR
E4
PONDERS END
Ponders End
WILLIAM
GIRLING
RESERVOIR
PICKETT'S LOCK (PUBLIC) GOLF COURSE
WALTHAM FOREST
CHINGFORD
ROYAL EPPING FOREST & CHINGFORD (PUBLIC) GOLF COURSE
SEWARDSTONE ROAD
LEA VALLEY ROAD
MERIDIAN WAY
MOLLISON AVENUE
NAGS HEAD RD.
KINGS HEAD HILL

158
146
A
B
C
D
E
F
G
1
2
3
4
5
6
7
8
9
94
93
92
91
90
500
01
02
Reservoir Plantation
Kilnpond Wood
Environmental Studies Centre
Grovespring Wood
The Vache
Dellgarden Plantation
Oak Plantation
Newland Gorse
PHILIPSHILL WOOD
Shortenill's Wood
Shrubs Wood
CHILTERN OPEN AIR MUSEUM
Chalfont St. Giles
SHRUBS WOOD
Hostel
Lake
The Buckingham College
Lodge
Swim. Pool
Playing Field
Gorelands
Tennis Court
NEWLAND PARK
HP8
Rowan Farm
Model Farm
Five Plantation
BOTTOM WOOD
Pollardshill Wood
M25
C H I L T E R N
T H R E
Ashwell's Farm
Turner's Wood
Turner's Wood Farm
River Misbourne
Dibden Hill
Foxdell Wood
Playing Field
Skipping's Farm
Brawlings Farm
High Trees
DEBENHAM HOUSE HOSPITAL
Workshops
THE NATIONAL SOCIETY FOR EPILEPSY
CHALFONT COMMON
Horn Hill
Kiln Wood
Tubb's Farm
Village Hall
Springview Farm
Hornhill Court
Robert's Farm
Robert's Wood
Hotel
Bowstridge
Windmill Farm
ROBERTSWOOD LODGE
Round Rocket Plantation
Gerrards Cross
Redleaf Cottage
Gravel Pit
Robertswood Combined School
Middle Wood
Bloom Wood
Cemetery
Rec. Grd.
SL9
CHALFONT ST. PETER
Woodlands Farm
Montague's Dell
Chalfont St. Peter First Sch.
Tennis Courts
Cricket Grd.
Football Grd.
Depot
Comm. Cen.
Recreation Grd.
Chalfont Leisure Centre
Willow Tree Farm
Warren Farm Cottages
Winkers Farm
Warren Farm
Holy Cross Convent
Library
Goldhill Common
Chalfont Heights Scout Camp
HOGTROUGH WOOD
M25 MOTORWAY
GERRARDS CROSS GOLF COURSE
Mopes Farm
AUSTENWOOD
St. Joseph's R.C.Combined School
Play. Fld.
School
Tennis Ct.
Hollytree Fm.
Club House
Chalfont Lodge
Tennis Courts
SOUTH BUCKS
NOCKHILL WOOD
JUNIPER WOOD
A413
B4442
B416
AMERSHAM ROAD
LONDON ROAD
GRAVEL HILL
CHALFONT-ST-PETER BY-PASS
NIGHTINGALES LANE
RICKMANSWORTH LANE
HORNHILL
CHALFONT LANE
SHIRE LANE

Junction 17
M25 MOTORWAY
Mill End
Moneyhill
RICKMANSWORTH
RIVERSIDE DR.
A404
A412
UXBRIDGE ROAD
Batchworth Lake
The Aquadrome
Bury Lake
Stocker's Lake (Nature Reserve)
Grand Union Canal
Colne Valley Trail
Ladywalk Wood
Woodoaks Farm
Froghall Farm
Watercress Beds
Drayton Ford
Garrett Wood
High Wood
Chalk Pit
Springwell Lake
Quarry Farm
Chalk Pit (disused)
Hertford Place
Maplelodge Farm
MAPLE CROSS
Recreation Ground
MAPLE LODGE NATURE RESERVE
Sewage Works
WD3
Lynsters
Sixteen Acre Spring
Cooks Wood
Woodcock Hill
Cripp's Farm
Juniper Hill
Andrews Ley Farm
Juniper Dell
Greenbroom Spring
Sandfield Spring
Cemetery
HAREFIELD ROAD INDUSTRIAL ESTATE
160
DENHAM WAY (NORTH ORBITAL ROAD)
Community Centre
Lynsters Lake
Weybeards Farm
HILLINGDON
Hill End
White Heath Farm
One Tree Hill
Tumbling Bay
WEST HYDE
Pynesfield Manor
Pynesfield Lake
HAREFIELD MEDIPARC
PARK WOOD
Parkwood Farm Kennels
Uxbridge
Watts Common
Taylors Meadow Sports Ground
Harefield Grove
Pearson's Wood
Woodcock Hill Farm
Sports Ground
HAREFIELD HOSPITAL
UB9
John Penrose School
Mount Pleasant
Iron Foundry
Horse Shoe Bay
Colney Farm
Troy Mill Flats
Black Jack's Mill
Black Jacks Lock
HAREFIELD
Harefield Infs. & Jun. Sch.
Cricket Grd.
The Dairy Farm
Preston Park Football Ground
Manor Court (Nurses Home)
Ashain Spring
Knightscote Farm & Agricultural Museum
Claypits
Langley Farm
West Hyde House
Yacht Club House
Gravel Pit
Tile House
Little Halings
Lesser Halings
Little Halings Wood
BROADWATER
RIVER COLNE
Grand Union Canal Walk
G H J K L M N
1 2 3 4 5 6 7 8 9
03 04 05 06
90 91 92 93 94

RICKMANSWORTH
BATCHWORTH
MOOR PARK
Rickmansworth
WD3
Batchworth Heath
Woodcock Hill
THREE RIVERS
HILLINGDON
Uxbridge
UB9
HA6
Northwood
NORTHWOOD GOLF COURSE
RICKMANSWORTH GOLF COURSE
MOOR PARK GOLF COURSE
MOUNT VERNON HOSPITAL
BISHOPS WOOD HOSP.
Merchant Taylors School
Bishop's Wood
Park Wood
COPSE WOOD
148
159

161
149
162
H
J
K
L
M
N
G
1
2
3
4
5
6
7
8
9
94
93
92
90
Brightwells Farm Cotts.
Brightwells Farm
Brightwells Spring
Gravel Pit
Green Sports Grd
Pavilion
Depot
Riding School
Oxhey Hall
Moat
Pumping Works Station
Lake
Hampermill Wood
HAMPERMILL
BROOKDENE AV
B4542
PRESTWICK ROAD
A4125
SANDY LANE
A4008
OXHEY LANE
Watford Heath
Sherwoods Wood
Front Lodge
Woodlands
Cook Wood
Brick Works
Oxhey Grange
Margeholes Wood
NANCY DOWNS
Tennis Courts
Oxhey Pav.
South Oxhey Playing Fields
Ox Pasture Spring
Big Wood
Warren Dell
Playground
Round Spring
Hampermill Spring
RIVERS
Watford
Carpenders Park
St. Joseph's R.C. Jun. & Inf. Sch.
Little Furze Prim. Sch.
Little Furze Field
Young Hangings
Old Furze Field
The Roughs
Old Hangings
Social Cen.
Sch.
School
Clinic
Comm. Cen.
Pond Wood
Cemetery
Sandpit Wood
Woodwalks
St. Meryl Sch.
Beck Mason's Wood
OXHEY WOODS
The Plantation
Oxhey Wood Lodge
Oxhey Woods House
WD1
SOUTH OXHEY
Comm. Centre
Woodhall Jun. & Inf. Sch.
LITTLE OXHEY LANE
B4542
Lib.
EASTBURY
Prim. Sch.
H.M.S. Warrior
Offices
THE WOODS
PRESTWICK
Bracken Hill House
Wild Woods
Birchanger
Reservoir (covered)
Pretty Corner
Nanscot Wood
Play Fld.
Pinnerwood House
Pinnerwood Farm
Pinnerwood Cottage
Tennis Courts
SEVEN ACRES
St. John's School
Club House
ORTHWOOD
St. Helen's School
MOUNTBATTEN HO.
WATFORD ROAD
Pinner Wood
HARROW
PINNER HILL GOLF COURSE
Pinner
Shaftesbury Playing Field
Cricket Club
Pinnerwood Park
Hillside Jun. & Inf. Sch.
HA5
Pinner Park Sch.
Sports Cen.
Northwood School
Playing Fld.
Rec. Grd.
PINNER GREEN
Playing Field
Northwood Hills
NORTHWOOD HILLS
Playing Field
Rec. Grd.
Cemetery
HIGH ST.
A4125
PINNER ROAD
A404
RICKMANSWORTH RD.
UXBRIDGE RD.
A410
ST. THOMAS' DR.
GEORGE V AV
Little Common
Superstore
Harlyn Prim. Sch.
Innellan House Sch.
Tennis Courts
Cemetery
HASTE HILL
JOEL ST.
B472
B466
CUCKOO HILL
Carpenders Park Farm

HERTSMERE
WD2
Watford
WD1
THREE RIVERS
Merry Hill
CARPENDERS PARK
BUSHEY HEATH
HA3
HA5
HA2
Pinner
Harrow Weald
HARROW WEALD
HATCH END
Hatch End
Headstone Lane
PINNER PARK
HARTSBOURNE COUNTRY CLUB
GOLF COURSES
GRIM'S DYKE GOLF COURSE
HARROW WEALD COMMON
UXBRIDGE ROAD
OXHEY LANE
HATCH LANE
BROOKSHILL
HIGH ROAD
ELSTREE ROAD
HEATHBOURNE ROAD
ST. GEORGE V AVENUE
A4008
A4140
A409
A410
A404
B4542
Cook Wood
Levels Wood
Weald Wood
Stony Wood
Mutton Wood
Valley View Farm
Oxheylane Farm
Carpenders Park Farm
Grimsdyke Open Space
Harrow Weald Cemetery
Weald Tertiary College
Hatch End High School
Cedars School
Shaftesbury Playing Field
Rugby Football Ground
Pinner Park Farm
Sports Ground
Headstone Manor
150
161

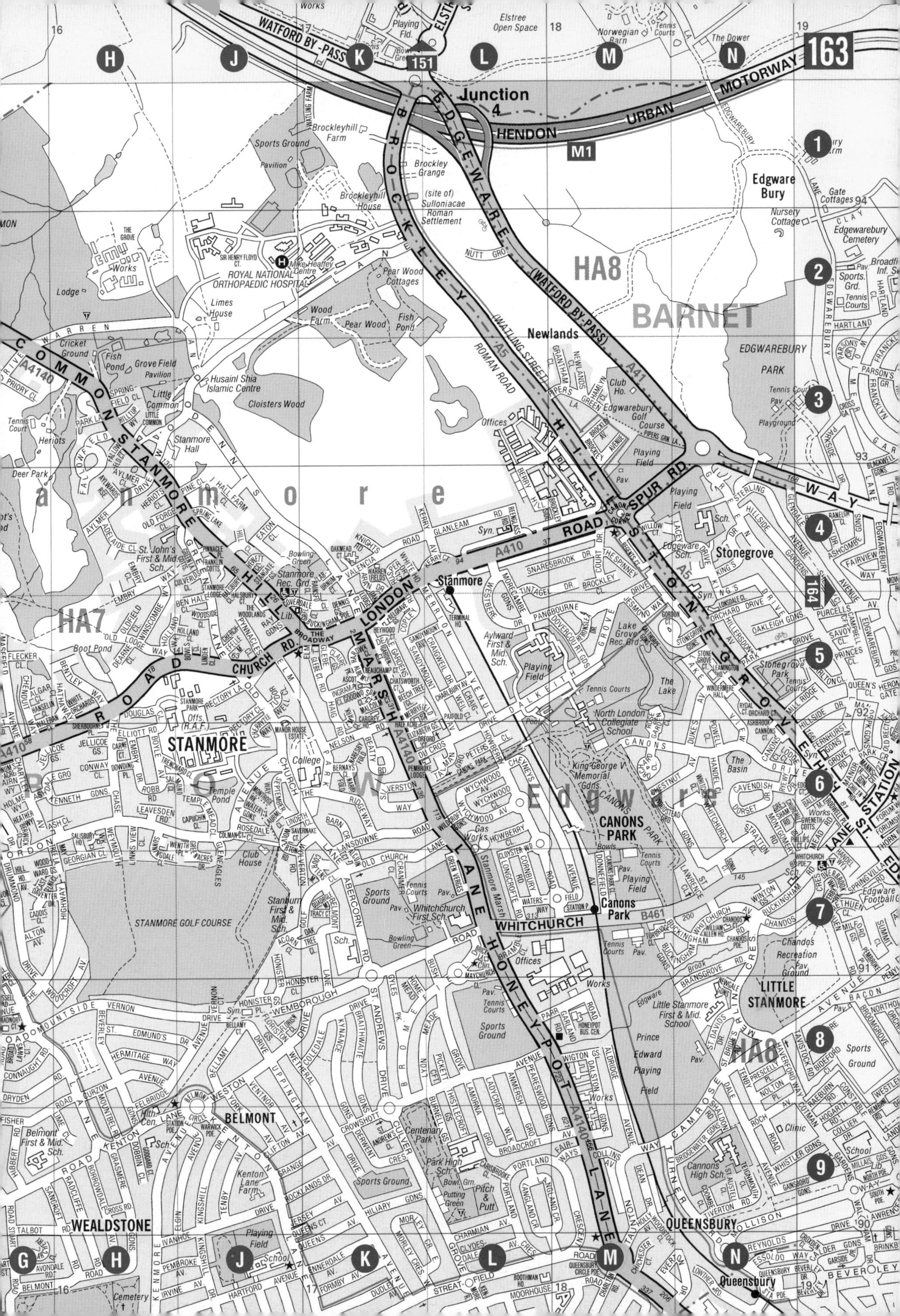

WATFORD BY-PASS
HENDON URBAN MOTORWAY
Junction 4
M1
151
Elstree Open Space
Norwegian Barn
The Dower
Brockleyhill Farm
Sports Ground
Brockley Grange
(site of) Sulloniacae Roman Settlement
Brockleyhill House
ROYAL NATIONAL ORTHOPAEDIC HOSPITAL
Limes House
Wood Farm
Pear Wood
Fish Pond
Cloisters Wood
Husaini Shia Islamic Centre
Grove Field
Little Common
Stanmore Hall
Edgware Bury
Edgwarebury Cemetery
HA8
BARNET
Newlands
EDGWAREBURY PARK
Edgwarebury Golf Course
Stonegrove
Stanmore
HA7
Boot Pond
STANMORE
Temple Pond
Lake Grove Rec. Grd.
The Lake
North London Collegiate School
King George V Memorial Gdns.
CANONS PARK
Canons Park
The Basin
Stonegrove Park
Edgware
STANMORE GOLF COURSE
WHITCHURCH LANE
HONEYPOT LANE
Chandos Recreation Ground
LITTLE STANMORE
Prince Edward Playing Field
BELMONT
Centenary Park
Park High Sch.
Cannons High Sch.
WEALDSTONE
QUEENSBURY
Queensbury
164

London Gateway Service Area
Edgware Bury
Moat Mount Open Space
Mill Hill Golf Course
Scratchwood Open Space
Edgwarebury Park
Stonegrove
Edgware
The Hale
Mill Hill Broadway
Burnt Oak
Watling Park
Highwood Hill
Mill Hill Park
Little Stanmore
Grahame Park
Montrose Recreation Ground
Colindale Hospital
Colindale
Queensbury
Harrow
Brent
NW9
M1 Motorway
Watford Way
Barnet Way
Edgware Way
Deansbrook Rd.
Hale Lane
Station Rd.
Edgware Road
Broadway
Burnt Oak Broadway
Peel Centre (Metropolitan Police Training Establishment)
R.A.F. Museum Hendon
Battle of Britain Hall

TOTTERIDGE
N20
TOTTERIDGE COMMON A5109
TOTTERIDGE VILLAGE A5109 TOTTERIDGE LA.
Darland Nature Reserve
Folly Brook
N12
Woodside Park
MILL HILL
NW7
THE RIDGEWAY
BITTACY HILL B552
Mill Hill East
FINCHLEY GOLF COURSE
West Finchley
FINCHLEY
N3
Finchley Central
CHURCH END
HENDON CEMETERY
COPTHALL SPORTS CENTRE
Junction 2
NW4
M1
GREAT NORTH WAY A1 (BARNET-BY-PASS)
SUNNY HILL PARK
Holders Hill
REGENTS PARK ROAD A598
EAST END ROAD A504
BALLARDS LANE A598
DOLLIS ROAD
NETHER ST.
HENDON LANE A504

INDEX TO PLACES & AREAS

Names in this index shown in CAPITAL LETTERS, followed by their Postcode District(s), are Posttowns.

ABBOTS LANGLEY. (WD5) —3G **137**
Adeyfield. —1C **124**
ALBURY. (SG11) —3K **57**
Albury End. —5J **57**
ALDBURY. (HP23) —1H **103**
ALDENHAM. (WD2) —2C **150**
ALEY GREEN. (LU1) —6B **66**
ALLEN'S GREEN. (CM21) —1B **98**
Amwell. —8J **89**
Ansells End. —6G **69**
ANSTEY. (SG9) —5D **28**
Appleby Street. —8C **132**
Apsley. —6A **124**
Apsley End. —4N **19**
ARDELEY. (SG2) —7L **37**
ARKLEY. (EN5) —7G **153**
ARLESEY. (SG15) —8A **10**
Ashbrook. —6C **34**
ASHERIDGE. (HP5) —8B **120**
ASHLEY GREEN. (HP5) —6K **121**
Ashridge. —9L **83**
ASHWELL. (SG7) —9M **5**
Ashwell End. —8J **5**
ASPENDEN. (SG9) —5H **39**
ASTON. (SG2) —7D **52**
ASTON CLINTON. (HP22) —1C **100**
ASTON END. (SG2) —4D **52**
ASTROPE. (HP23) —4F **80**
Astwick. —2E **10**
Austage End. —2H **49**
Austenwood. —9A **158**
Ayot Green. —6F **90**
Ayot Little Green. —6F **90**
AYOT ST LAWRENCE. (AL6) —1A **90**
AYOT ST PETER. (AL6) —4F **90**
Ayres End. —1G **108**

Baas Hill. —3H **133**
Babbs Green. —2B **96**
BALDOCK. (SG7) —3M **23**
Ballingdon Bottom. —7J **85**
BARKWAY. (SG8) —9N **15**
BARLEY. (SG8) —3C **16**
Barleycroft. —6L **41**
Barnes Wood. —1A **92**
BARNET. (EN4 & EN5) —6L **153**
Barnet Gate. —8F **152**
Barnet Vale. —7A **154**
BARTON-LE-CLAY. (MK45) —9E **18**
Barwick. —4N **75**
Barwick Ford. —6A **76**
BASSINGBOURN. (SG8) —1M **7**
Bassus Green. —1K **53**
Batchworth. —2A **160**
BATCHWORTH HEATH. (WD3) —4C **160**
Batford. —4E **88**
Batlers Green. —9F **138**
BAYFORD. (SG13) —9M **113**
BEDMOND. (WD5) —9H **125**
Bedwell. —4M **51**
Beecroft. —9C **44**
Bell Bar. —6N **129**
Bellgate. —8A **106**
BELLINGDON. (HP5) —5C **120**
Belmont. —8J **163**
Belsize. —5J **135**
BENDISH. (SG4) —9J **49**
Bengeo. —7A **94**
BENINGTON. (SG2) —5K **53**
Bennetts End. —5C **124**
Bentfield Bower. —1L **59**
Bentfield Bury. —9K **43**
Bentfield End. —2M **59**
Bentfield Green. —2L **59**
Bentley Heath. —8M **141**
BERDEN. (CM23) —2D **42**
Bericot Green. —8D **92**
BERKHAMSTED. (HP4) —8J **103**
Berkhamsted Common. —3L **103**
Bernard's Heath. —8G **108**
BIDWELL. (LU5) —3D **44**
Bignell's Corner. —6H **141**
BIRCHANGER. (CM23) —7M **59**
BIRCH GREEN. (SG14) —2H **113**
Birchwood. —7H **111**
Bird Green. —3N **29**
Bisgcot. —7E **46**
BISHOP'S STORTFORD. (CM22 & CM23) —1H **79**
Blackhall. —7L **29**
Blackmore End. —1J **89**
Blue Hill. —2H **73**
BOREHAMWOOD. (WD6) —5A **152**
Botany Bay. —9J **143**
Bourne End. —3F **122**
BOVINGDON. (HP3) —2D **134**
Bovingdon Green. —2D **134**
Bower Heath. —1D **88**
Boxmoor. —4L **123**
Bragbury End. —1C **72**
BRAMFIELD. (SG14) —3H **93**
BRAUGHING. (SG11) —2C **56**
Braughing Friars. —3G **56**
Brays Grove. —7C **118**
BREACHWOOD GREEN. (SG4) —8F **48**
BRENT PELHAM. (SG9) —9K **29**
BRICKENDON. (SG13) —1A **132**
BRICKET WOOD. (AL2) —3A **138**
Brick House End. —5D **42**
Bridgefoot. —3N **9**
BRIMSDOWN. (EN3) —4J **157**
Broad Colney. —1L **139**
Broad Green. —1M **17**
Broadgreen Wood. —6L **113**
Broadoak End. —7L **93**
Broadwater. —8M **51**
Bromley. —1F **76**
Brook End. —3A **100** (Aston Clinton)
Brook End. —3A **38** (Cottered)
Brook End. —3C **82** (Pitstone)
Brook End. —7E **10** (Stotfold)
BROOKMANS PARK. (AL9) —8L **129**
BROXBOURNE. (EN10) —2K **133**
BUCKLAND. (HP22) —1E **100** (Aston Clinton)
BUCKLAND. (SG9) —3H **27** (Buntingford)
BUCKS HILL. (WD4) —8N **135**
Building End. —5L **17**
BULBOURNE. (HP23) —7A **82**
Bullen's Green. —4E **128**
Bulls Cross. —8E **144**
Bull's Green. —9D **72**
Bullsmill. —3M **93**
Bullsmoor. —9G **144**
Bulstrode. —2H **135**
BUNTINGFORD. (SG9) —3J **39**
Burge End. —6D **20**
Burnham Green. —1B **92**
Burn's Green. —7L **53**
Burnt Oak. —8C **164**
Bury End. —1N **19**
Bury Green. —1A **78** (Bishop's Stortford)
Bury Green. —4E **144** (Cheshunt)
Bury Park. —9E **46**
BUSHEY. (WD2) —9C **150**
Bushey Heath. —1E **162**
Bush Hill Park. —8D **156**
Bye Green. —3A **100**
BYGRAVE. (SG7) —7B **12**

CADDINGTON. (LU1) —4A **66**
Cadwell. —6N **21**
CALDECOTE. (SG7) —3K **11**
Caldecote Hill. —9F **150**
California. —2D **64**
Camp, The. —3H **127**
Campus, The. —9E **106**
Canons Park. —7M **163**
Carneles Green. —4F **132**
Carpenders Park. —3M **161**
Carter's Green. —4N **119**
Cattlegate. —6K **143**
CHALFONT COMMON. (SL9) —5C **158**
CHALFONT ST PETER. (SL9) —8B **158**
Chalk Hill. —5B **44**
CHANDLER'S CROSS. (WD3) —2B **148**
Chapel Croft. —4K **135**
Chapel End. —7H **81**
Chapel Green. —9E **14**
CHAPMORE END. (SG12) —2B **94**
CHARLTON. (SG5) —6L **33**
CHARTRIDGE. (HP5) —9A **120**
Chase Side. —3B **156**
Chatter End. —2E **58**
Chaulden. —3J **123**
Chaul End. —9M **45**
Cheapside. —3E **28**
CHEDDINGTON. (LU7) —9M **61**
Chells. —3A **52**
Chells Manor. —2C **52**
CHENIES. (WD3) —2E **146**
Chenies Bottom. —1D **146**
Cherry Green. —9H **39**
CHESHUNT. (EN7 & EN8) —1H **145**
Cheverell's Green. —3M **85**
Childwick Green. —4D **108**
CHILTERN GREEN. (LU2) —5B **68**
Chingford. —9N **157**
CHIPPERFIELD. (WD4) —4K **135**
Chipperfield Common. —5L **135**
CHIPPING. (SG9) —7G **27**
Chipping Barnet. —6L **153**
Chiswell Green. —7N **125**
CHIVERY. (HP23) —9H **101**
CHOLESBURY. (HP23) —2A **120**
CHORLEYWOOD. (WD3) —7G **146**
Chorleywood Bottom. —7G **147**
Chorleywood West. —6E **146**
CHRISHALL. (SG8) —1N **17**
Church End. —5A **10** (Arlesey)
Church End. —2C **56** (Braughing)
Church End. —5J **63** (Edlesborough)
CHURCH END. (N3) —8M **165** (Finchley)
Church End. —5G **65** (Kensworth)
Church End. —7N **57** (Little Hadham)
Church End. —4C **82** (Pitstone)
Church End. —2J **107** (Redbourn)
Church End. —2J **147** (Sarratt)
Church End. —1M **63** (Totternhoe)
Church End. —9C **24** (Weston)
Churchgate. —3E **144**
Church Langley. —7F **118**
Clapgate. —3M **57**
Clay End. —2K **53**
Clay Hill. —1A **156** (Enfield)
Clayhill. —7C **102** (Wigginton)
Clement's End. —4G **84**
CLOTHALL. (SG7) —7D **24**
COCKERNHOE. (LU2) —6N **47**
COCKFOSTERS. (EN4) —6F **154**
CODICOTE. (SG4) —7F **70**
Codicote Bottom. —7D **70**
Cold Christmas. —9N **75**
Cold Harbour. —3D **88**
Cole Green. —8K **29** (Brent Pelham)
COLE GREEN. (SG14) —2F **112** (Hertford)
Coleman Green. —1N **109**
Colemans Green. —8E **48**
Colindale. —9E **164**
COLNEY HEATH. (AL4) —4B **128**
COLNEY STREET. (AL2) —3G **138**
Commonwood. —7L **135**
Coney Acre. —1M **43**
Coopers Green. —6B **110**
Copt Hall. —4N **67**
Corey's Mill. —9H **35**
Corner Hall. —4N **123**
COTTERED. (SG9) —3N **37**
Counters End. —2K **123**
COW ROAST. (HP23) —5F **102**
Cox Green. —3H **49**
Crabb's Green. —4B **42**
Cradle End. —9B **58**
CRAFTON. (LU7) —4E **60**
Crawley End. —1N **17**
Crews Hill. —8M **143**
CROMER. (SG2) —5J **37**
Cromer Hyde. —1C **110**
Crouch Green. —2E **70**
Croxley Centre. —8F **148**
CROXLEY GREEN. (WD3) —6C **148**
Cuckolds Cross. —5L **69**
CUFFLEY. (EN6) —2K **143**
Cumberlow Green. —5K **25**
Cupid Green. —6C **106**
Cutting Hill. —8M **53**

DAGNALL. (HP4) —2N **83**
Damask Green. —2A **36**
Dancersend. —5H **101**
Dancers Hill. —9K **141**
Dane End. —8F **14** (Therfield)
DANE END. (SG12) —1C **74** (Watton At Stone)
Danesbury. —9J **71**
Darleyhall. —8D **48**
Dassels. —7B **40**
DATCHWORTH. (SG3) —5C **72**
Datchworth Green. —7C **72**
Daw's End. —6E **28**
Dewes Green. —1B **42**
Diamond End. —2D **68**
DIGSWELL. (AL6) —4L **91**
Digswell Park. —5K **91**
Digswell Water. —5M **91**
Downside. —1H **65**
DRAYTON BEAUCHAMP. (HP22) —1H **101**
Driver's End. —4G **70**
Duck End. —8N **59**
Ducks Island. —8K **153**
DUDSWELL. (HP4) —6H **103**
Dugdale Hill. —6L **141**
DUNSTABLE. (LU5 & LU6) —9E **44**
DUNTON. (SG18) —1F **4**

EAST BARNET. (EN4) —8D **154**
Eastbury. —4H **161**
Eastend. —5H **117** (Harlow)
East End. —6N **41** (Furneux Pelham)
EAST END GREEN. (SG14) —5J **113**
Easthall. —7B **50**
EAST HYDE. (LU2) —9A **68**
EASTWICK. (CM20) —2L **117**
EATON BRAY. (LU6) —2J **63**
EDGWARE. (HA8) —6A **164**
Edgware Bury. —1N **163**
EDLESBOROUGH. (LU6) —4J **63**
Edwards Green. —7B **114**
EDWORTH. (SG18) —7C **4**
Ellenbrook. —9D **110**
ELSTREE. (WD6) —8L **151**
ENFIELD. (EN1 to EN3) —5B **156**
Enfield Highway. —4H **157**
Enfield Lock. —1K **157**
Enfield Town. —5B **156**
Enfield Wash. —1H **157**
ESSENDON. (AL9) —8D **112**

Farley Hill. —2D **66**
FARNHAM. (CM23) —3F **58**
Farnham Green. —2D **58**
FINCHLEY. (N3) —8N **165**
Fisher's Green. —1H **51** (Stevenage)
Fishers Green. —2M **145** (Waltham Abbey)
FLAMSTEAD. (AL3) —5D **86**
Flamstead End. —1F **144**
Flanders Green. —4B **38**
FLAUNDEN. (HP3) —6E **134**
Fleetville. —2J **127**
Flints, The. —8B **32**
Folly, The. —5J **89**
Ford End. —7N **29**
Forty Hill. —2C **156**
Foster Street. —7H **119**
Freezy Water. —9H **145**
Friar's Wash. —4E **86**
FRITHSDEN. (HP1 & HP4) —6D **104**
FROGMORE. (AL2) —1F **138** (St Albans)
Frogmore. —6K **49** (Whitwell)
Frogmore End. —5A **124**
FURNEUX PELHAM. (SG9) —6K **41**
Further Ford End. —5N **29**

GADDESDEN ROW. (HP2) —8L **85**
Gadebridge. —9K **105**
Ganwick Corner. —9A **142**
Gardners End. —7N **37**
Garston. —8L **137**
Gaston Green. —9K **79**
Gatley End. —7D **6**
GILSTON. (CM20) —9N **97**
GOFF'S OAK. (EN7) —1A **144**
Goose Green. —7G **115**
GOSMORE. (SG4) —7N **33**
Gover's Green. —8C **72**
Grahame Park. —8F **164**
Grange Park. —8N **155**
GRAVELEY. (SG4) —6J **35**
Gravesend. —1L **57**
GREAT AMWELL. (SG12) —1K **115**
GREAT CHISHILL. (SG8) —2H **17**
GREAT GADDESDEN. (HP1 & HP2) —3G **105**
Great Gap. —1C **82**
GREAT HALLINGBURY. (CM22) —4N **79**
Great Hivings. —9E **120**
GREAT HORMEAD. (SG9) —2D **40**
GREAT MUNDEN. (SG11) —4H **55**
Great Offley. —7D **32**
Great Parndon. —8L **117**
Great Seabrook. —1N **81**
GREAT WYMONDLEY. (SG4) —4E **34**
Green End. —2B **56** (Braughing)
Green End. —8B **54** (Dane End)
Green End. —3K **123** (Hemel Hempstead)
Green End. —4B **26** (Sandon)
Green End. —9B **24** (Weston)
Green Street. —9A **58**
Green Tye. —7M **77**
Grovehill. —7B **106**
GUBBLECOTE. (HP23) —5J **81**
GUILDEN MORDEN. (SG8) —1A **6**
Gustard Wood. —2K **89**

Hadham Cross. —6J **77**
Hadham Ford. —9L **57**
Hadley. —4M **153**
Hadley Wood. —2B **154**
HAILEY. (SG13) —4L **115**
Haldens. —6M **91**
Hale, The. —5D **164**
Hall Grove. —2A **112**
Halls Green. —9F **116** (Roydon)
Hall's Green. —4D **36** (Weston)
Hammerfield. —2L **123**
Hammond Street. —8C **132**
Handside. —9J **91**
HANGHILL. (HP23) —6J **101**
HAREFIELD. (UB9) —8M **159**
Haresfoot Park. —4M **121**
HARE STREET. (SG9) —2A **40** (Buntingford)
Hare Street. —4L **37** (Cottered)
Hare Street. —6L **117** (Harlow)
HARLOW. (CM17 to CM20) —5N **117**
Harlow Tye. —3K **119**
Harmer Green. —2A **92**
HARPENDEN. (AL5) —6B **88**
Harpendenbury. —7J **87**
HARROW WEALD. (HA3) —7F **162**
Hartham. —8B **94**
Hart Hill. —9H **47**
HASTOE. (HP23) —7L **101**
HATCH END. (HA5) —7A **162**
Hatching Green. —9B **88**
HATFIELD. (AL9 & AL10) —8H
Hatfield Garden Village. —6E
HAULTWICK. (SG11) —6D
HAWRIDGE. (HP5) —4D **1**
Hay Green. —6D **14**
Hay Street. —9B **40**
Hazel End. —4J **59**
Heath End. —2D **120**
Heath, The. —7E **48**
Hebing End. —7L **53**
Helham Green. —3C **96**
HEMEL HEMPSTEAD. (HP1 to HP3) —1N
HERONSGATE. (WD3) —9F
Herringworth Hall. —6G **55**
HERTFORD. (SG13 & SG14) —9A
HERTFORD HEATH. (SG13) —2G
Hertingfordbury. —1L **113**
HEXTON. (SG5) —9K **19**
Higham Gobion. —5J **19**
HIGH BARNET. (EN5) —5L
High Cross. —1E **150** (Radlett)
HIGH CROSS. (SG11) —6J (Ware)
Highfield. —9B **106**
Highlands Village. —7L **15**
High Town. —9G **47**
Highwood Hill. —3F **164**
HIGH WYCH. (CM21) —6C
Hill End. —6L **159** (Harefield)
Hill End. —8N **111** (Hatfield)
Hillfoot End. —2N **19**
HINXWORTH. (SG7) —7E
HITCHIN. (SG4 & SG5) —3M
Hitchin Hill. —5N **33**
Hobbs Cross. —5J **119**
Hobbs Hill. —3J **91**
Hockerill. —1J **79**
HODDESDON. (EN11) —8L
Hogpits Bottom. —5E **134**
Holdbrook. —7K **145**
Holders Hill. —9K **165**
Holwell. —5D **112** (Hatfield)
HOLWELL. (SG5) —4J **21** (Hitchin)
Holwellbury. —1J **21**
Holyfield. —2N **145**
Holywell. —8H **149**
Hoo End. —4L **69**
Hook's Cross. —2E **72**
Horn Hill. —5D **158**
HORTON. (LU7) —5M **61**
Houghton Hall Park. —5F
Houghton Park. —3H **45**
HOUGHTON REGIS. (LU5) —5E
Housham Tye. —4M **119**
Howe Green. —6M **79** (Bishop's Stortford)
HOWE GREEN. (SG13) —7F (Hertford)
How Wood. —9D **126**
Hudnall. —8C **84**
HUNSDON. (SG12) —6G **9**
Hunsdonbury. —8F **96**
Hunton Bridge. —6E **136**

ICKLEFORD. (SG5) —7M
IVINGHOE. (LU7) —2C **82**
IVINGHOE ASTON. (LU7) —7E

Jockey End. —7K **85**

Katherines. —9K **117**
KELSHALL. (SG8) —7B **14**
Kemprow. —9E **138**
KENSWORTH. (LU6) —6G
Kensworth Common. —8H
Kensworth Lynch. —7K **65**
Kettle Green. —7G **76**
Keysers Estate. —4M **133**
Killem's Green. —8K **17**
KIMPTON. (SG4) —7L **69**
KINGS LANGLEY. (WD4) —2C

INDEX TO STREETS

HOW TO USE THIS INDEX

1. Each street name is followed by its Postal District (or, if outside the London Postal Districts, by its Posttown or Postal Locality), and then by its map reference; e.g. Abbey Av. *St Alb* —5B **126** is in the St Albans Posttown and is found in square 5B on page **126**. The page number being shown in bold type.
A strict alphabetical order is followed in which Av., Rd., St. etc. (though abbreviated) are read in full and as part of the street name; e.g. Abbeydale Clo. appears after Abbey Ct. but before Abbey Dri.

2. Streets and a selection of Subsidiary names not shown on the Maps, appear in this index in *Italics* with the thoroughfare to which it is connected shown in brackets;
e.g. *Abbey Mills. Wal A —6M **145** (off Highbridge St.)*

3. With the now general usage of Postcodes for addressing mail, it is not recommended that this index be used for such a purpose.

GENERAL ABBREVIATIONS

All : Alley
App : Approach
Arc : Arcade
Av : Avenue
Bk : Back
Boulevd : Boulevard
Bri : Bridge
B'way : Broadway
Bldgs : Buildings
Bus : Business
Cvn : Caravan
Cen : Centre
Chu : Church
Chyd : Churchyard
Circ : Circle
Cir : Circus
Clo : Close
Comn : Common
Cotts : Cottages
Ct : Court
Cres : Crescent
Dri : Drive
E : East
Embkmt : Embankment
Est : Estate
Gdns : Gardens
Ga : Gate
Gt : Great
Grn : Green
Gro : Grove
Ho : House
Ind : Industrial
Junct : Junction
La : Lane
Lit : Little
Lwr : Lower
Mnr : Manor
Mans : Mansions
Mkt : Market
M : Mews
Mt : Mount
N : North
Pal : Palace
Pde : Parade
Pk : Park
Pas : Passage
Pl : Place
Quad : Quadrant
Rd : Road
S : South
Sq : Square
Sta : Station
St : Street
Ter : Terrace
Trad : Trading
Up : Upper
Vs : Villas
Wlk : Walk
W : West
Yd : Yard

POSTTOWN AND POSTAL LOCALITY ABBREVIATIONS

Ab L : Abbots Langley
Alb : Albury
Ald : Aldbury
A'ham : Aldenham
Al G : Aley Green
A Grn : Allens Green
Amer : Amersham
Ans : Anstey
Ard : Ardeley
Ark : Arkesden
A'ly : Arkley
Arl : Arlesey
Asher : Asheridge
Ash G : Ashley Green
A'wl : Ashwell
Ast : Aston
Ast C : Aston Clinton
Ast E : Aston End
Ay L : Ayot St Lawrence
Bald : Baldock
B'wy : Barkway
Bar : Barley
Barn : Barnet
Bar C : Barton-le-Clay
Bass : Bassingbourn
B Hth : Batchworth Heath
B'frd : Bayford
Bayf : Bayfordbury
Bedm : Bedmond
Bell : Bellingdon
Bend : Bendish
B'tn : Benington
Ber : Berden
Berk : Berkhamsted
Bid : Bidwell
Big : Biggleswade
Bir : Birchanger
Bir G : Birch Green
Bis S : Bishop's Stortford
Borwd : Borehamwood
Bov : Bovingdon
B'fld : Bramfield
Brau : Braughing
Braz E : Braziers End
B Grn : Breachwood Green
Bre P : Brent Pelham
Brick : Brickendon
Brick W : Bricket Wood
Brk P : Brookmans Park
Brox : Broxbourne
Buck : Buckland
Buck C : Buckland Common
Bul : Bulbourne
Bunt : Buntingford
Bush : Bushey
Byg : Bygrave
Cad : Caddington
Chal G : Chalfont St Giles
Chal P : Chalfont St Peter
Chal : Chalton
Chan X : Chandlers Cross
Chap E : Chapmore End
Chart : Chartridge
Ched : Cheddington
Chen : Chenies
Che : Chesham
Chesh : Cheshunt
C'bry : Childwickbury
Chfd : Chipperfield
Chipp : Chipping
C'bry : Cholesbury
Chor : Chorleywood
Chris : Chrishall
Clot : Clothall
Clot C : Clothall Common
C'hoe : Cockernhoe
Cockf : Cockfosters
Cod : Codicote
Col G : Cole Green
Col H : Colney Heath
Col S : Colney Street
Cot : Cottered
Cro : Cromer
Crox G : Croxley Green
Cuff : Cuffley
Dagn : Dagnall
D End : Dane End
D'wth : Datchworth
Deb : Debden
Dig : Digswell
Dud : Dudswell
Dunst : Dunstable
Dun : Dunton
E Barn : East Barnet
E Hyde : East Hyde
Eat B : Eaton Bray
Edgw : Edgware
Edl : Edlesborough
Els : Elstree
Enf : Enfield
Ess : Essendon
Farnh : Farnham
Fel : Felden
Flam : Flamstead
Flau : Flaunden
Flit : Flitton
Fox P : Foxholes Business Park
F'den : Frithsden
Frog : Frogmore
Fur P : Furneux Pelham
Gad R : Gaddesden Row
Ger X : Gerrards Cross
Gil : Gilston
G Oak : Goffs Oak
G'bry : Gorhambury
Gos : Gosmore
G'ley : Graveley
Gt Amw : Great Amwell
Gt Chi : Great Chishill
Gt Gad : Great Gaddesden
Gt Hal : Great Hallingbury
Gt Hor : Great Hormead
Gt Mun : Great Munden
Gt Wym : Great Wymondley
Gub : Gubblecote
G Mor : Guilden Morden
Hail : Hailey
Hal : Halton
Hal C : Halton Camp
Hal V : Halton Village
Hare : Harefield
Hare S : Hare Street
H'low : Harlow
Hpdn : Harpenden
Harr : Harrow
Har W : Harrow Weald
H'wd : Hastingwood
Hast : Hastoe
H End : Hatch End
Hat : Hatfield
Hat H : Hatfield Heath
Haul : Haultwick
Hawr : Hawridge
Hem H : Hemel Hempstead
Hem I : Hemel Hempstead Ind. Est.
Henl : Henlow
Herons : Heronsgate
Hert : Hertford
Hert H : Hertford Heath
H'tn : Hexton
H Bar : High Barnet
H Cro : High Cross
H Lav : High Laver
H Wych : High Wych
Hinx : Hinxworth
Hit : Hitchin
Hockl : Hockliffe
Hod : Hoddesdon
Hol : Holwell
Hort : Horton
H Reg : Houghton Regis
Hun : Hunsdon
Ickl : Ickleford
I'hoe : Ivinghoe
I Ast : Ivinghoe Aston
Kens : Kensworth
K Lan : Kings Langley
K Wal : Kings Walden
Kim : Kimpton
Kneb : Knebworth
Lang : Langford
Langl : Langley
Lang U : Langley Upper Green
Lat : Latimer
Leag : Leagrave
Leav : Leavesden
Lem : Lemsford
Let H : Letchmore Heath
Let : Letchworth
Let G : Letty Green
Lil : Lilley
Lit : Litlington
L Berk : Little Berkhamsted
L Buzz : Leighton Buzzard
L Chal : Little Chalfont
L Gad : Little Gaddesden
L Had : Little Hadham
L Hall : Little Hallingbury
L Hth : Little Heath
L Wym : Little Wymondley
Lon C : London Colney
Lut A : London Luton Airport
Stan A : London Stansted Airport
Long M : Long Marston
Loud : Loudwater
Lwr C : Lower Caldecote
L Ston : Lower Stondon
Lut : Luton
Mag L : Magdalen Laver
Man : Manuden
Mark : Markyate
Marsh : Marshalswick
Mars : Marsworth
Mat T : Matching Tye
Mee : Meesden
Mel : Melbourn
Ment : Mentmore
Mill E : Mill End
M Hud : Much Hadham
Naps : Napsbury
Naze : Nazeing
New Bar : New Barnet
New S : Newgate Street
Newn : Newnham
N'all : Northall
N'thaw : Northaw
N'chu : Northchurch
N Har : North Harrow
N Mym : North Mymms
N'wd : Northwood
Nuth : Nuthampstead
Oakl : Oaklands
Odsey : Odsey
Offl : Offley
Old G : Oldhall Green
Old K : Old Knebworth
Ong : Ongar
Orch : Orchard Leigh
Oving : Oving
Pan A : Panshanger Aerodrome
Par I : Paradise Ind. Est.
Park : Park Street
Pep : Pepperstock
P Grn : Peters Green
Pic E : Piccotts End
Pim : Pimlico
Pinn : Pinner
Pir : Pirton
Pit : Pitstone
Pott E : Potten End
Pot B : Potters Bar
Pres : Preston
Puck : Puckeridge
Pull : Pulloxhill
Putt : Puttenham
Rad : Radlett
Radw : Radwell
Redb : Redbourn
Reed : Reed
R Grn : Rickling Green
Rick : Rickmansworth
Ridge : Ridge
R'way : Ridgeway, The
Ring : Ringshall
Roy : Roydon
R'ton : Royston
Rush : Rushden
Sac : Sacombe
Saf W : Saffron Walden
St Alb : St Albans
St I : St Ippolyts
St Pau : St Pauls Walden
S'don : Sandon
Sandr : Sandridge
Sarr : Sarratt
Saw : Sawbridgeworth
S'hoe : Sharpenhoe
Srng : Sheering
Shenl : Shenley
Shil : Shillington
Sils : Silsoe
Slap : Slapton
S End : Slip End
Smal : Smallford
S Mim : South Mimms
Spel : Spellbrook
Stdn : Standon
Stan : Stanmore
Stan A : Stanstead Abbotts
Stans : Stansted
Stfrd : Stapleford
Stpl M : Steeple Morden
Stev : Stevenage
Stoc P : Stocking Pelham
Stot : Stotfold
Streat : Streatley
Stud : Studham
S'dn : Sundon
Tew : Tewin
Ther : Therfield
Thor : Thorley
Thr B : Threshers Bush
Thro : Throcking
Thun : Thundridge
Ton : Tonwell
Tot : Totternhoe
Town I : Townsend Ind. Est.
Tring : Tring
T'frd : Tringford
Turn : Turnford
Tyngr : Tyttenhanger
Ugley : Ugley
Up Ston : Upper Stondon
Wad : Wadesmill
Walk : Walkern
Wall : Wallington
Wal A : Waltham Abbey
Wal X : Waltham Cross
Ware : Ware
W'side : Wareside
Wat E : Water End
W'frd : Waterford
Wat : Watford
Wat S : Watton At Stone
W'stone : Wealdstone
Well E : Well End
Welw : Welwyn
Wel G : Welwyn Garden City
Wend : Wendover
W Hyd : West Hyde
W Lth : West Leith
W'mll : Westmill
W'ton : Weston
W'ton T : Weston Turville
Wheat : Wheathampstead
Whip : Whipsnade
W'wll : Whitwell
Widd : Widdington
Wid : Widford
Wig : Wigginton
W'ian : Willian
Will : Willingale
Wils : Wilstone
Wils G : Wilstone Green
Wing : Wing
W'fld : Wingfield
W'grv : Wingrave
Wood : Woodside
Wood E : Woodside Estate
Wool G : Woolmer Green
Worm : Wormley
Wyd : Wyddial

INDEX TO STREETS

Abbey Av. *St Alb* —5B **126**
Abbey Clo. *Pinn* —9K **161**
Abbey Ct. *Wal A* —7M **145**
Abbeydale Clo. *H'low* —7E **118**
Abbey Dri. *Ab L* —5J **137**
Abbey Dri. *Lut* —8J **47**
Abbey Gateway. *St Alb* —2D **126**
Abbey Mead Ind. Est. *Wal A* —7N **145**
Abbey M. *Dunst* —2F **64**
Abbey Mill End. *St Alb* —3D **126**
Abbey Mill La. *St Alb* —3D **126**
*Abbey Mills. Wal A —6M **145** (off Highbridge St.)*
Abbey Rd. *Enf* —7C **156**
Abbey Rd. *Wal X* —7J **145**
Abbey View. *NW7* —3F **164**
Abbey View. *St Alb* —4E **126**
Abbey View. *Wal A* —6M **145**
Abbey View. *Wat* —9M **137**
Abbey View Rd. *St Alb* —2D **126**
Abbey Wlk. *H Reg* —3H **45**
Abbis Orchard. *Ickl* —6M **21**
Abbots Av. *St Alb* —5F **126**
Abbots Av. W. *St Alb* —5E **126**
Abbots Clo. *D'wth* —7C **72**
Abbots Ct. *Lut* —8J **47**
Abbots Gro. *Stev* —5M **51**
Abbots Hill. *Hem H* —7C **124**
Abbots Pk. *St Alb* —4H **127**
Abbots Rise. *K Lan* —8B **124**
Abbots Rd. *Ab L* —4E **136**
Abbots Rd. *Edgw* —7C **164**
Abbots View. *K Lan* —9B **124**
Abbotsweld. *H'low* —9N **117**
Abbotswood Pde. *Lut* —8J **47**
Abbots Wood Rd. *Lut* —8J **47**
Abbott John M. *Wheat* —6L **89**
Abbotts. *Stan A* —2A **116**
Abbotts Clo. *Lit* —3H **7**
Abbotts Cres. *Enf* —4N **155**
Abbotts La. *Wid* —3G **96**
Abbotts Pl. *Che* —9G **120**
Abbotts Rise. *Stan A* —2A **116**
Abbotts Rd. *Let* —5D **22**
Abbotts Rd. *New Bar* —6A **154**
Abbotts Way. *Bis S* —5G **78**
Abbotts Way. *W'grv* —4A **60**
Abdale La. *N Mym* —9H **129**
Abel Clo. *Hem H* —2B **124**
Abercorn Clo. *NW7* —7L **165**
Abercorn Rd. *NW7* —7L **165**
Abercorn Rd. *Lut* —6J **45**
Abercorn Rd. *Stan* —7K **163**
Abercrombie Dri. *Enf* —3E **156**
Abercrombie Way. *H'low* —7M **117**
Aberdale Gdns. *Pot B* —5M **141**
Aberdare Gdns. *NW7* —7K **165**
Aberdare Rd. *Enf* —6G **156**
Aberdeen Rd. *Harr* —9G **162**
Aberford Rd. *Borwd* —4A **152**
Abigail Clo. *Lut* —6F **46**
Abigail Ct. *Lut* —6F **46**
Abingdon Pl. *Pot B* —5A **142**
Abingdon Rd. *Lut* —6M **45**
Abinger Clo. *Stev* —6L **51**
Abington Rd. *Lit* —1G **6**
Abram's La. *Chris* —1M **17**
Abridge Clo. *Wal X* —8H **145**
Abstacle Hill. *Tring* —3L **101**
Acacia Clo. *G Oak* —9C **132**
Acacia Clo. *Stan* —6F **162**
Acacia Gro. *Berk* —2M **121**
Acacia Ho. *Ger X* —8B **158**
Acacia Rd. *Enf* —3B **156**
Acacias Ct. *Hod* —8L **115**
Acacias, The. *Barn* —7C **154**
Acacia St. *Hat* —3G **128**
Acacia Wlk. *Hpdn* —9E **88**
Acacia Wlk. *Tring* —3K **101**
Acers. *Park* —1D **138**
Achilles Clo. *Hem H* —9B **106**
Acklington Dri. *NW9* —8E **16**
Ackroyd Rd. *R'ton* —5E **8**
Acme Rd. *Wat* —2J **149**
Acorn Clo. *Enf* —3N **155**
Acorn Clo. *Lut* —6H **47**
Acorn Clo. *Stan* —7J **163**
Acorn Ct. *Wal X* —6H **145**
Acorn La. *Cuff* —1K **143**
Acorn M. *H'low* —8B **118**

Acorn Pl.—Ash Clo.

rn Pl. Wat —1J 149
rn Rd. Hem H —3C 124
rns, The. Lut —5N 45
rns, The. St Alb —2L 127
rn St. Hun —8F 96
emore St. Ware —1L 77
e Piece. Hit —4A 34
e Way. N'wd —8H 161
e Wood. Hem H —3A 124
ewood Way. St Alb —2N 127
on Clo. Chesh —4J 145
worth Clo. N9 —9G 156
worth Ct. Lut —4M 45
worth Cres. Lut —4M 45
ams Clo. N3 —7N 165
ams Ct. R'ton —7D 8
amsfield. Chesh —8D 132
ams Ho. H'low —5N 117
amsrill Clo. Enf —8B 156
ams Way. Tring —1N 101
am's Yd. Hert —9B 94
derley Rd. Bis S —1H 79
derley Rd. Harr —8G 162
dis Clo. Enf —3H 157
discombe Rd. Wat —6K 149
dison Av. N14 —8G 155
dison Clo. N'wd —8J 161
dison Rd. Enf —3G 157
dison Way. N'wd —8H 161
elaide Clo. Enf —2C 156
elaide Clo. Stan —4H 163
elaide St. Lut —1F 66
elaide St. St Alb —1E 126
ele Av. Welw —4M 91
en Rd. Enf —6J 157
eyfield Gdns. Hem H —1B 124
eyfield Rd. Hem H —2A 124
hara Rd. N'wd —5H 161
ia Ho. Borwd —4C 152
lington Ct. Lut —5M 45
miral Hood Ho. Ger X —4B 158
mirals Clo. Col H —5E 128
miral St. Hert —9E 94
mirals Wlk. Hod —1L 133
mirals Wlk. St Alb —5H 127
miral Way. Berk —8K 103
rian Clo. Hare —8N 159
rian Rd. Ab L —4G 137
stone Rd. Cad —5B 66
rodrome Rd. NW9 & NW4 —9F 164
roville. NW9 —9E 164
ricola Pl. Enf —7D 156
dans Clo. Dunst —8B 44
sworth Rd. Lut —3B 46
nsdale Cres. Pinn —9B 162
nsdale Rd. Wat —3L 161
nsley Clo. N9 —9C 156
ntree Rd. R'ton —7F 8
ntree Way. Stev —1B 52
edale. Hem H —8A 106
port Executive Pk. Lut —9L 47
port Way. Lut —5G 67
ken Rd. Barn —7J 153
eman Clo. St Alb —4A 126
eman St. Tring —3M 101
ers La. Chor —8G 147
amein Clo. Brox —2H 133
andale Dri. Pinn —8K 161
an Dri. Barn —8L 153
ban Av. St Alb —9E 108
ban Ct. St Alb —2J 127 (off Burleigh Rd.)
ban Cres. Borwd —3A 152
ban Ho. Borwd —3B 152
ban Pk. Ind. Est. St Alb —2N 127
ban Rd. Let —8J 23
bans View. Wat —6K 137
ban Way. Hat —9F 110
bany Clo. Bush —9E 150
bany Ct. NW9 —8D 164
bany Ct. Hpdn —7D 88
bany Cres. Edgw —7A 164
bany Ga. St Alb —3E 126 (off Belmont Hill)
bany M. St Alb —9B 126 (off N. Orbital Rd.)
bany M. Ware —6J 95
bany Pk. Av. Enf —3G 157
bany Rd. Enf —1H 157
bany Ter. Tring —9N 81
batross. NW9 —9F 164
bemarle Av. Chesh —1G 144
bemarle Av. Pot B —5A 142
bemarle Pk. Stan —5K 163
bemarle Rd. E Barn —9D 154
bermarle Clo. Lut —6J 45
berta Rd. Enf —8D 156
bert Ct. Dunst —1F 64
bert Gdns. H'low —7F 118
Albert Pl. N3 —8N 165
Albert Rd. NW7 —5F 164
Albert Rd. Arl —8A 10
Albert Rd. Barn —6B 154
Albert Rd. Lut —2G 67
Albert Rd. N. Wat —5K 149
Albert Rd. S. Wat —5K 149
Albert St. Mark —2A 86
Albert St. St Alb —3E 126
Albert St. Stev —2J 51
Albert St. Tring —3M 101
Albion Clo. Hert —9C 94
Albion Ct. Dunst —9E 44
Albion Ct. Lut —9G 46
Albion Hill. Hem H —3N 123
Albion Pl. Tring —3M 101 (off Akeman St.)
Albion Rd. Lut —9G 46
Albion Rd. Pit —2B 82
Albion Rd. St Alb —2G 127
Albion St. Dunst —9E 44
Albion, The. Ware —5H 95
Albuhera Clo. Enf —3M 155
Albury Clo. Lut —9C 30
Albury Dri. Pinn —8L 161
Albury Gro. Rd. Chesh —3H 145
Albury Ride. Chesh —4H 145
Albury Rd. L Had —7M 57
Albury Wlk. Chesh —3G 145 (in two parts)
Alconbury. Bis S —8K 59
Alconbury. Wel G —9D 92
Alcorns, The. Stans —2N 59
Alcuin Ct. Stan —7K 163
Aldbanks. Dunst —8B 44
Aldbury Clo. St Alb —6K 109
Aldbury Clo. Wat —9M 137
Aldbury Gdns. Tring —9N 81 (off Morefields.)
Aldbury Gro. Wel G —9A 92
Aldbury M. N9 —9B 156
Aldbury Rd. Rick —9J 147
Aldeburgh Clo. Stev —9G 35
Aldenham Av. Rad —9H 139
Aldenham Clo. Lut —6J 45
Aldenham Gro. Rad —7J 139
Aldenham Rd. Els —5H 151
Aldenham Rd. Let H & Borwd —3F 150
Aldenham Rd. Rad —8H 139
Aldenham Rd. Wat & Bush —8N 149
Alderbury Rd. Stans —1N 59
Alder Clo. Bald —4L 23
Alder Clo. Bis S —4F 78
Alder Clo. Park —1D 138
Alder Cres. Lut —5C 46
Alderley Ct. Berk —2N 121
Alderman Clo. N Mym —6J 129
Alderney Ho. Enf —2H 157
Aldersbrook Av. Enf —4C 156
Alders Clo. Edgw —5C 164
Alders End La. Hpdn —5A 88
Alders Rd. Edgw —5C 164
Alders, The. N21 —8N 155
Alders Wlk. Saw —5G 99
Alderton Clo. Lut —8M 47
Alderton Dri. L Gad —7L 83
Alder Wlk. Wat —8K 137
Aldhous Clo. Lut —4D 46
Aldock. Wel G —3N 111
Aldock Rd. Stev —2L 51
Aldridge Av. Edgw —3B 164
Aldridge Av. Enf —2L 157
Aldridge Av. Stan —8M 163
Aldridge Wlk. N14 —9K 155
Aldwick. St Alb —4J 127
Aldwickbury Cres. Hpdn —6E 88
Aldwick Ct. Hem H —1M 123
Aldwick Ct. St Alb —4J 127
Aldwick Rd. Hpdn —7F 88
Aldwyke Rise. Ware —4G 94
Aldykes. Hat —9F 110
Alesia Rd. Lut —3B 46
Alexander Clo. Barn —6C 154
Alexander Ga. Stev —1B 52
Alexander Rd. Hert —9M 93
Alexander Rd. Lon C —7K 127
Alexander Rd. Stot —6F 10
Alexandra Av. Lut —6E 46
Alexandra Ct. N14 —7H 155
Alexandra Ct. Chesh —3H 145
Alexandra Gro. N12 —5N 165
Alexandra Rd. N9 —9F 156
Alexandra Rd. Borwd —2D 152
Alexandra Rd. Chfd —3K 135
Alexandra Rd. Enf —6H 157
Alexandra Rd. Hem H —1N 123
Alexandra Rd. Hit —1N 33
Alexandra Rd. K Lan —2C 136
Alexandra Rd. Sarr —9K 135
Alexandra Rd. St Alb —2F 126
Alexandra Rd. Wat —4J 149
Alexandra Way. Wal X —7K 145
Alex Ct. Hem H —1N 123
Aleyn Way. Bald —3A 24
Alfred St. Dunst —9F 44
Alfriston Clo. Lut —6L 47
Algar Clo. Stan —5G 163
Alien Clo. Wheat —8L 89
Alington La. Let —8F 22
Alison Ct. Hem H —1E 124
Allandale. Hem H —9N 105
Allandale. St Alb —5C 126
Allandale Av. N3 —9L 165
Allandale Cres. Pot B —5L 141
Allandale Rd. Enf —9H 145
Allard Clo. Chesh —9D 132
Allard Cres. Bush —1D 162
Allard Way. Brox —3J 133
Alldicks Rd. Hem H —4B 124
Allenby Av. Dunst —8K 45
Allen Clo. Dunst —9G 44
Allen Clo. Shenl —5M 139
Allen Ct. Hat —2H 129
Allendale. Lut —9C 30
Allens Rd. Enf —7G 157
Allerton Clo. Borwd —2N 151
Allerton Rd. Borwd —2M 151
Alleyns Rd. Stev —2K 51
Alleys, The. Hem H —1N 123
Allied Bus. Cen. Hpdn —3D 88
Allington Ct. Enf —7H 157
Allison. Let —6J 23
All Saints Clo. Bis S —9J 59
All Saints Cres. Wat —6M 137
All Saints La. Crox G —8C 148
All Saints M. Harr —6F 162
All Saints Rd. H Reg —4E 44
Allum La. Els —7M 151
Allwood Rd. Chesh —9D 132
Alma Ct. Borwd —2N 151
Alma Ct. N'chu —8J 103
Alma Cut. St Alb —3F 126
Alma Link. Lut —1F 66
Alma Rd. Enf —7J 157
Alma Rd. N'chu —8J 103
Alma Rd. St Alb —3F 126
Alma Rd. Ind. Est. Enf —6H 157
Alma Row. Harr —8E 162
Alma St. Lut —1F 66
Alma St. Pas. Lut —1F 66 (off Alma St.)
Almhouses, The. Chesh (off Turner's Hill) —3H 145
Almond Clo. Lut —4C 46 (in two parts)
Almonds La. Stev —9L 35
Almonds, The. St Alb —6J 127
Almond Wlk. Hat —3G 129
Almond Way. Borwd —6B 152
Almond Way. Harr —9C 162
Almshouse La. Enf —1F 156
Alms La. A'wl —9M 5
Alnwick Dri. Tring —9D 60
Alpha Bus. Cen. N Mym —5J 129
Alpha Ct. Hod —7L 115
Alpha Pl. Bis S —9H 59
Alpha Rd. Enf —6J 157
Alpine Clo. Hit —5A 34
Alpine Wlk. Stan —2F 162
Alpine Way. Lut —1N 45
Alsa St. Stans —9N 43
Alsford Wharf. Berk —1A 122
Alsop Clo. H Reg —4E 44
Alsop Clo. Lon C —1M 139
Alston Rd. Barn —5L 153
Alston Rd. Hem H —3K 123
Altair Way. N'wd —4H 161
Altham Gro. H'low —4B 118
Altham Rd. Pinn —7N 161
Althorp Rd. Lut —8E 46
Althorp Rd. St Alb —1G 126
Alton Av. Stan —7G 163
Alton Rd. Lut —3H 67
Altwood. Hpdn —6E 88
Alva Way. Wat —2M 161
Alverstone Av. E Barn —9D 154
Alverton. St Alb —8D 108
Alwin Pl. Wat —6G 149
Alwyn Clo. Els —8N 151
Alwyn Clo. Lut —7G 46
Alyngton. N'chu —7J 103
Alzey Gdns. Hpdn —7E 88
Amberden Av. N3 —9N 165
Amberley Clo. Hpdn —5C 88
Amberley Clo. Lut —5M 47
Amberley Clo. Wat —8N 149 (off Villiers Rd.)
Amberley Gdns. Enf —9C 156
Amberley Grn. Ware —4G 95
Amberley Rd. Enf —9D 156
Amberry Ct. H'low —5N 117 (off Netteswell Dri.)
Ambleside. Lut —4B 46
Ambleside Cres. Enf —5H 157
Ambrose La. Hpdn —3A 88
Amenbury La. Hpdn —6A 88
Amersham Ho. Wat —9G 149 (off Chenies Way)
Amersham Pl. Amer —3A 146
Amersham Rd. Chal G & Chal P (in two parts) —2A 158
Amersham Rd. L Chal & Chor —3A 146
Amersham Way. Amer —3A 146
Amesbury Ct. Enf —4M 155
Amesbury Dri. E4 —8M 157
Ames Clo. Lut —9B 30
Amhurst Rd. Lut —6J 45
Amor Way. Let —5H 23
Amwell Clo. Enf —7B 156
Amwell Clo. Wat —8N 137
Amwell Comn. Wel G —1A 112
Amwell Ct. Hod —7L 115
Amwell End. Ware —6H 95
Amwell Hill. Gt Amw —9K 95
Amwell La. Gt Amw & Stan A —9L 95
Amwell La. Wheat —8J 89
Amwell Pl. Hert H —2G 114
Amwell St. Hod —7L 115
Amy Johnson. Edgw —9B 164
Anchor Clo. Chesh —1H 145
Anchor Cotts. Ware —9H 75
Anchor Ct. Enf —7C 156
Anchor La. Hem H —4L 123
Anchor La. Wad —1E 94
Anchor Rd. Bald —4M 23
Anchor St. Bis S —2J 79
Ancient Almshouses. Wal X (off Turner's Hill) —3H 145
Anderson Clo. Hare —8K 159
Anderson Clo. Man —8H 43
Anderson Rd. Shenl —6A 140
Anderson Rd. Stev —3C 52
Anderson's La. Gt Hor —9D 28
Andover Clo. Lut —3M 45
Andrews Clo. Hem H —9N 105
Andrewsfield. Wel G —9B 92
Andrew's La. Chesh —1C 144
Anelle Rise. Hem H —6B 124
Anershall. W'grv —5A 60
Angel Cotts. Offl —8E 32
Angell's Meadow. A'wl —9M 5
Angel Pavement. R'ton —7D 8 (off High St. Royston,)
Angels La. H Reg —4E 44
Anglefield Rd. Berk —1L 121
Angle Pl. Berk —1L 121
Anglesey Clo. Bis S —1E 78
Anglesey Rd. Enf —6F 156
Anglesey Rd. Wat —5L 161
Anglesmede Cres. Pinn —9B 162
Angle Ways. Stev —7N 51
Anglian Bus. Pk. R'ton —6C 8
Anglian Clo. Wat —4L 149
Angotts Mead. Stev —3H 51
Angus Clo. Lut —6K 45
Angus Gdns. NW9 —8D 164
Anmer Gdns. Lut —5L 45
Anmersh Gro. Stan —8L 163
Annables La. Hpdn —3H 87
Annette Clo. Harr —9F 162
Anns Clo. Tring —3K 101
Ansell Ct. Stev —9H 35
Anselm Rd. Pinn —7A 162
Anson Clo. Bov —9C 122
Anson Clo. Sandr —5K 109
Anson Clo. St Alb —4J 127
Anson Wlk. N'wd —4E 160
Anstee Rd. Lut —3L 45
Anstey Brook. W'ton T —3A 100
Anthony Clo. NW7 —4E 164
Anthony Clo. Wat —1L 161
Anthony Gdns. Lut —3F 66
Anthony Rd. Borwd —4N 151
Anthorne Clo. Pot B —4A 142
Anthus M. N'wd —7G 160
Antlers Hill. E4 —7M 157
Antoinette Ct. Ab L —2H 137
Antoneys Clo. Pinn —9M 161
Antonine Ct. St Alb —3B 126
Antonine Ga. St Alb —3B 126
Anvil Av. Lit —4H 7
Anvil Clo. Bov —1E 134
Anvil Ct. Lut —4A 46
Anvil Ho. Hpdn —5B 88
Apex Bus. Cen. Dunst —7F 44
Aplins Clo. Hpdn —5A 88
Apollo Av. N'wd —5J 161
Apollo Clo. Dunst —1G 65
Apollo Way. Hem H —9B 106
Apollo Way. Stev —1B 52
Appleby Gdns. Dunst —1E 64
Appleby St. Chesh —8C 132
Apple Cotts. Bov —9D 122
Applecroft. L Ston —1J 21
Applecroft. N'chu —8J 103
Applecroft. Park —1C 138
Applecroft Rd. Lut —5L 47
Applecroft Rd. Wel G —9H 91
Appledore Clo. Edgw —8A 164
Applefield. Amer —3A 146
Appleford's Clo. Hod —6K 115
Apple Glebe. Bar C —9E 18
Apple Gro. Enf —5C 156
Apple Gro. Lut —5J 45
Apple Orchard, The. Hem H —9B 106
Appleton Av. W'side —2B 96
Appleton Clo. H'low —7M 117
Appleton Fields. Bis S —4G 79
Appletree Gdns. Barn —6D 154
Apple Tree Gro. Redb —9K 87
Appletrees. Hit —4M 33 (off Wratten Rd. W.)
Appletree Wlk. Wat —7K 137
Applewood Clo. N20 —9D 154
Applewood Clo. Hpdn —4N 87
Appleyard Ter. Enf —1G 157
Approach Rd. Barn —6C 154
Approach Rd. Edgw —6A 164
Approach Rd. St Alb —3F 126
Approach, The. Enf —4F 156
Approach, The. Pot B —5M 141
Appspond La. Hem H —5K 125
April Pl. Saw —4H 99
Apsley Clo. Bis S —4H 79
Apsley End Rd. Shil —6M 19
Apsley Grange. Hem H —7A 124
Apsley Ind. Est. Hem H —6N 123
Apsley Mills Retail Pk. Hem H —6A 124
Apton Ct. Bis S —1H 79
Apton Fields. Bis S —2H 79
Apton Rd. Bis S —2H 79
Aquarius Way. N'wd —5J 161
Aquila Clo. N'wd —4J 161
Arabia Clo. E4 —9N 157
Aragon Clo. Enf —2L 155
Aragon Clo. Hem H —6E 106
Aran Clo. Hpdn —9E 88
Aran Dri. Stan —4K 163
Arbour Clo. Lut —9C 30
Arbour Rd. Enf —5H 157
Arbour, The. Hert —2B 114
Arbroath Grn. Wat —3J 161
Arbroath Rd. Lut —1N 45
Arcade, The. Hat —8H 111 (off Wellfield Rd.)
Arcade, The. Let —5F 22
Arcade, The. Lut —8E 46
Arcade Wlk. Hit —3M 33
Arcadia Av. N3 —8N 165
Arcadian Ct. Hpdn —5B 88
Archer Clo. K Lan —2B 136
Archer Rd. Stev —3M 51
Archers. Bunt —2K 39
Archers Clo. Hert —8A 94
Archers Clo. Redb —1K 107
Archers Dri. Enf —4G 156
Archers Fields. St Alb —9G 108
Archers Ride. Wel G —2A 112
Archers Way. Let —5D 22
Arches, The. Let —4G 23
Archfield. Wel G —6L 91
Archive Rd. Ast C —1C 100
Arch Rd. Gt Wym —6D 34
Archway Ct. Hem H —1N 123 (off Chapel St.)
Archway Ho. Hat —8J 111
Archway Pde. Lut —5B 46 (off Marsh Rd.)
Archway Rd. Lut —5A 46
Arcon Ter. N9 —9E 156
Arden Clo. Bov —1D 134
Arden Clo. Bush —9G 150
Arden Gro. Hpdn —6C 88
Arden Pl. Lut —8G 47
Arden Press Way. Let —5H 23
Arden Rd. N3 —9M 165
Ardens Way. St Alb —9L 109
Ardentinny. St Alb —3F 126 (off Grosvenor Rd.)
Ardleigh Grn. Lut —8M 47
Ardley Clo. Dunst —3F 64
Ardross Av. N'wd —5G 161
Arena Pde. Let —5F 22
Arenson Way. H Reg —7E 44
Argyle Ct. Wat —6H 149
Argyle Rd. N12 —5N 165
Argyle Rd. Barn —6J 153
Argyle Way. Stev —4H 51
Argyll Av. Lut —7E 46
Argyll Gdns. Edgw —9B 164
Argyll Rd. Hem H —6A 106
Aricola Pl. Enf —7D 156
Arkley Ct. Hem H —6D 106
Arkley Dri. Barn —6G 153
Arkley La. Barn —2F 152
Arkley Pk. Mobile Homes. Barn —8D 152
Arkley Rd. Hem H —6D 106
Arkley View. Barn —6H 153
Arkwrights. H'low —5B 118
Arlesey Rd. Arl & Stot —5D 10
Arlesey Rd. Ickl —8M 21
Arlesey-Stotfold By-Pass. Arl —4A 10
Arlington. N12 —3N 165
Arlington Cres. Wal X —7J 145
Armand Clo. Wat —2H 149
Armfield Rd. Enf —3B 156
Armitage Clo. Loud —6N 147
Armitage Gdns. Lut —8N 45
Armour Rise. Hit —9B 22
Armstrong Clo. Lon C —9M 127
Armstrong Cres. Cockf —5C 154
Armstrong Gdns. Shenl —5M 139
Armstrong Pl. Hem H —9N 105 (off High St. Hemel Hempstead,)
Arncliffe Cres. Lut —8G 46
Arndale Cen. Lut —1G 66
Arndale Ct. Lut —9H 47 (off Moulton Rise)
Arnett Clo. Rick —8K 147
Arnett Way. Rick —8K 147
Arnold Av. E. Enf —2L 157
Arnold Av. W. Enf —2K 157
Arnold Clo. Bar C —9E 18
Arnold Clo. Hit —2B 34
Arnold Clo. Lut —6J 47
Arnold Clo. Stev —8K 35
Arnold Ct. Dunst —1D 64
Arran Clo. Hem H —4E 124
Arran Ct. NW9 —9F 164
Arran Ct. Lut —1F 66
Arranmore Ct. Bush —6N 149
Arran Way. Turn —8K 133
Arretine Clo. St Alb —4A 126
Arrow Clo. Lut —3A 46
Artesian Gro. Barn —6B 154
Arthur Gibbens Ct. Stev —9N 35
Arthur Rd. St Alb —2J 127
Arthur St. Bush —5M 149
Arthur St. Lut —2G 66
Artillery Pl. Harr —7D 162
Artisan Cres. St Alb —1D 126 (in two parts)
Art School Yd. St Alb —2E 126 (off Chequer St.)
Arundel Clo. Ast —6D 52
Arundel Clo. Chesh —1F 144
Arundel Clo. Hem H —1D 124
Arundel Dri. Borwd —7C 152
Arundel Gdns. Edgw —7D 164
Arundel Gro. St Alb —7E 108
Arundel Ho. Borwd —6C 152
Arundel Rd. Ab L —5J 137
Arundel Rd. Cockf —5D 154
Arundel Rd. Lut —6C 46
Arwood M. Bald —3M 23
Ascot Clo. Bis S —9L 59
Ascot Clo. Els —7A 152
Ascot Cres. Stev —9A 36
Ascot Gdns. Enf —1G 157
Ascot Ind. Est. Let —4H 23
Ascot Pl. Stan —5K 163
Ascot Rd. Lut —7D 46
Ascot Rd. R'ton —7F 8
Ascot Rd. Wat —7G 148
Ascots La. Hat —5L 111
Ashanger La. Clot —7C 24
Ashbourne Clo. Let —8H 23
Ashbourne Ct. St Alb —5K 127
Ashbourne Gro. NW7 —5D 164
Ashbourne Rd. Brox —3K 133
Ashbourne Sq. N'wd —6G 160
Ashbrook. Edgw —6N 163
Ashbrook La. St I —7B 34
Ashburnham Clo. Wat —3J 161
Ashburnham Ct. Pinn —9M 161
Ashburnham Dri. Wat —3J 161
Ashburnham Rd. Lut —1D 66
Ashburnham Wlk. Stev —8M 51
Ashbury Clo. Hat —9E 110
Ashby Ct. Hem H —5D 106
Ashby Dri. Bar C —8E 18
Ashby Gdns. St Alb —6E 126
Ashby Rise. Bis S —8K 59
Ashby Rd. N'chu —7H 103
Ashby Rd. Wat —2J 149
Ash Clo. Ab L —5F 136
Ash Clo. Brk P —7N 129
Ash Clo. Edgw —4C 164
Ash Clo. Hare —8N 159

atchwood View. St Alb —9D 108
atchworth Heath Hill. Moor P —4C 160
atchworth Hill. Rick —2A 160 (in two parts)
atchworth La. N'wd —5E 160
ateman Rd. Crox G —8C 148
ates Ho. Stev —3L 51
atford Clo. Wel G —1A 112
atford Rd. Hpdn —4E 88
ath Pl. Barn —5M 153
ath Rd. Lut —7F 46
athurst Rd. Hem H —8N 105
atley Rd. Enf —3A 156
atterdale. Hat —8J 111
attlefield Rd. St Alb —9G 108
attlers Grn. Dri. Rad —9F 138
attleview. Wheat —7M 89
aud Clo. L Had —7A 58
aulk, The. Ched —9L 61
aulk, The. I'hoe —2D 82
aulk, The. Lut —8M 31
awdsey Clo. Stev —1H 51
ay Clo. Lut —3L 45
ay Ct. Berk —1M 121
ayford Clo. Hem H —6E 106
ayford Clo. Hert —2A 114
ayford Grn. B'frd —8M 113
ayford La. B'frd —6L 113
ayhurst Dri. N'wd —6H 161
aylam Dell. Lut —8N 47
aylie Ct. Hem H —1A 124
aylie La. Hem H —1A 124
ayliss Clo. N21 —7K 155
aynes Clo. Enf —3E 156
ays Ct. Edgw —5B 164
ay Tree Clo. Chesh —9D 132
ay Tree Clo. Park —1D 138
aytree Ho. E4 —9M 157
ay Tree Wlk. Wat —2H 149
ayworth. Let —6H 23
azile Rd. N21 —8M 155
eacon Av. Dunst —1B 64
eacon Clo. Chal P —7B 158
eacon Ho. St Alb —2G 126
eacon Rd. Ring —5H 83
eacon Rd. Ware —5L 95
eaconsfield. Lut —9K 47
eaconsfield Ct. Leav —5K 137 (off Horsehoe La.)
eaconsfield Rd. Ast C —1D 100
eaconsfield Rd. Enf —1H 157
eaconsfield Rd. Hat —8J 111
eaconsfield Rd. St Alb —2F 126
eaconsfield Rd. Tring —3K 101
eacon Way. Rick —9K 147
eacon Way. Tring —1A 102
eadles, The. L Hall —8K 79
eadlow Rd. Lut —5J 45
eagle Clo. Rad —1G 150
eale Clo. Stev —3B 52
eale St. Dunst —8D 44
eamish Dri. Bush —1D 162
Beamonds. St Alb —2F 126
Beane Av. Stev —3C 52
Beane River View. Hert —9A 94
Beane Rd. Hert —9N 93
Beane Rd. Wat S —4J 73
Beaneside, The. Wat S —4J 73
Beane Wlk. Stev —3C 52
Beanfield Rd. Saw —3C 98
Beanley Clo. Lut —7N 47
Beardow Gro. N14 —8H 155
Beard's La. Saf W —2N 29
Bear La. A'wl —9M 5
Bearton Av. Hit —2M 33
Bearton Grn. Hit —1L 33
Bearton Rd. Hit —1L 33
Bearwood Clo. Pot B —4C 142
Beatrice Rd. N9 —9G 156
Beatty Rd. Stan —6K 163
Beatty Rd. Wal X —7K 145
Beauchamp Ct. Stan —5K 163
Beauchamp Gdns. Rick —1K 159
Beaufort Ct. New Bar —7B 154
Beaulieu Clo. Wat —1L 161
Beaulieu Gdns. N21 —9A 156
Beaumayes Clo. Hem H —3L 123
Beaumont Av. St Alb —9J 109
Beaumont Cen. Chesh —3H 145
Beaumont Clo. Hit —2L 33
Beaumont Ct. Hpdn —6C 88
Beaumont Ga. Rad —8J 139
Beaumont Hall La. St Alb —4K 107
Beaumont Pk. Dri. Roy —6E 116
Beaumont Pl. Barn —3M 153
Beaumont Rd. Brox —6C 132
Beaumont Rd. Lut —7D 46
Beaumont View. Chesh —8B 132
Beaumont Works. St Alb —2J 127
Beazley Clo. Ware —5J 95
Beckbury Clo. Lut —7N 47
Becket Gdns. Welw —3J 91
Beckets Sq. Berk —8L 103
Beckets Wlk. Ware —6H 95
Becketts. Hert —1M 113
Beckett's Av. St Alb —8D 108
Beckfield La. S'don —4A 26
Beckham Clo. Lut —2F 46
Becks Clo. Mark —2N 85
Bedale Rd. Enf —2A 156
Bede Clo. Pinn —8M 161
Bede Ct. L Gad —7N 83
Bedford Av. Amer —3A 146
Bedford Av. Barn —7M 153
Bedford Clo. Chen —2E 146
Bedford Ct. H Reg —5E 44
Bedford Ct. L Chal —3A 146
Bedford Cres. Enf —8J 145
Bedford Gdns. Lut —9F 46
Bedford Ho. Stev —3H 51
Bedford Pk. Rd. St Alb —2F 126
Bedford Rd. N9 —9F 156
Bedford Rd. NW7 —2E 164
Bedford Rd. Bar C —8E 18
Bedford Rd. Hol —4L 21
Bedford Rd. H Reg —1C 44
Bedford Rd. Let —4D 22
Bedford Rd. N'wd —3E 160
Bedford Rd. St Alb —3F 126
Bedford Sq. H Reg —5E 44
Bedford St. Berk —1A 122
Bedford St. Hit —3L 33
Bedford St. Wat —3K 149
Bedmond Grn. Ab L —9H 125
Bedmond La. Bedm —8J 125
Bedmond La. St Alb —4A 126
Bedmond Rd. Ab L —2H 137
Bedmond Rd. Hem H —3E 124
Bedwell Av. Ess —6F 112
Bedwell Clo. Wel G —1L 111
Bedwell Cres. Stev —4L 51
Bedwell La. Stev —4L 51
Bedwell Rise. Stev —4L 51
Beech Av. Enf —8M 143
Beech Av. Rad —6H 139
Beech Bottom. St Alb —8E 108
Beech Clo. N9 —8E 156
Beech Clo. Hpdn —1D 108
Beech Clo. Hat —1G 129
Beech Ct. Hpdn —4A 88
Beech Ct. N'wd —7G 160
Beech Cres. Wheat —8L 89
Beechcroft. Berk —2N 121
Beechcroft. D'wth —7C 72
Beechcroft Av. Crox G —8E 148
Beechcroft Rd. Bush —7N 149
Beech Dri. Berk —2N 121
Beech Dri. Borwd —4N 151
Beech Dri. Saw —7E 98
Beech Dri. Stev —6A 52
Beechen Gro. Wat —5K 149
Beeches, The. B'wy —7D 8
Beeches, The. Chor —7J 147
Beeches, The. Hit —4A 34
Beeches, The. Park —9E 126
Beeches, The. Tring —2A 102
Beeches, The. Wat —5K 149 (off Halsey Rd.)
Beeches, The. Welw —3J 91
Beeches, The. Wend —9B 100
Beech Farm Dri. St Alb —7N 109
Beechfield. Hod —4L 115
Beechfield. K Lan —3B 136
Beechfield. Saw —5H 99
Beechfield Clo. Redb —1K 107
Beechfield Rd. Hem H —3L 123
Beechfield Rd. Ware —5K 95
Beechfield Rd. Wel G —2L 111
Beechfield Wlk. Wal A —8N 145
Beech Grn. Dunst —8C 44
Beech Hill. Barn —2C 154
Beech Hill. Let —4D 22
Beech Hill. Lut —2L 47
Beech Hill Av. Barn —3B 154
Beech Hill Ct. Berk —9A 104
Beech Hill Path. Lut —8D 46
Beech Hyde La. Wheat —8N 89
Beeching Clo. Hpdn —3C 88
Beechlands. Bis S —3H 79
Beech M. Ware —8H 95
Beecholm M. Wal X —1J 145 (off Lawrence Gdns.)
Beechpark Way. Wat —1G 148
Beech Pl. St Alb —8E 108
Beech Ridge. Bald —5M 23
Beech Rd. Dunst —4G 65
Beech Rd. Lut —9E 46
Beech Rd. St Alb —8F 108
Beech Rd. Wat —1J 149
Beech Tree Clo. Stan —5K 163
Beechtree La. G'bry —4K 125
Beech Tree Way. H Reg —4E 44
Beech Wlk. NW7 —6E 164
Beech Wlk. Hod —8K 115
Beech Wlk. Tring —2A 102 (off Mortimer Hill.)
Beech Way. Wheat —1J 89
Beechwood Av. Amer —2A 146
Beechwood Av. Chor —6F 146
Beechwood Av. Mel —1J 9
Beechwood Av. Pot B —6A 142
Beechwood Av. St Alb —9J 109
Beechwood Clo. NW7 —5E 164
Beechwood Clo. Amer —3A 146
Beechwood Clo. Bald —6M 23
Beechwood Clo. Chesh —8C 132
Beechwood Clo. Hert —9D 94
Beechwood Clo. Hit —9L 21
Beechwood Ct. Dunst —1C 64
Beechwood Dri. Ald —1H 103
Beechwood La. Wend —9C 100
Beechwood Mobile Homes. Cad —4A 66
Beechwood Pk. Hem H —6J 123
Beechwood Rise. Wat —9K 137
Beechwood Rd. Lut —5N 45
Beechwood Way. Ast C —1E 100
Beecroft La. Walk —8H 37
Beecroft Way. Dunst —9C 44
Beehive Clo. Els —8L 151
Beehive Grn. Wel G —2N 111
Beehive La. Wel G —3N 111
Beehive Rd. G Oak —1N 143
Beesonend Cotts. Hpdn —2C 108
Beesonend La. St Alb —4N 107
Beeston Clo. Wat —4M 161
Beeston Dri. Chesh —9H 133
Beeston Rd. Barn —8C 154
Beetham Ct. Ware —3C 94
Beethoven Rd. Els —8K 151
Beeton Clo. Pinn —7B 162
Beggarman's La. Ware —9H 55
Beggars Bush La. Wat —7F 148
Beggars Hollow. Enf —1B 156
Beken Ct. Wat —8L 137
Belcham's La. Saf W —2M 43
Belcher Rd. Hod —7L 115
Beldam Av. R'ton —8D 8
Beldams La. Bis S —3K 79
Belfield Gdns. H'low —7E 118
Belford Rd. Borwd —2N 151
Belfry Av. Hare —7K 159
Belfry La. Rick —1M 159
Belfry, The. Lut —3G 47
Belgrave Av. Wat —7H 149
Belgrave Clo. N14 —7H 155
Belgrave Clo. St Alb —7K 109
Belgrave Dri. K Lan —1E 136
Belgrave Gdns. N14 —6J 155
Belgrave Gdns. Stan —5K 163
Belgrave Ho. Bis S —9K 59
Belgrave Rd. Lut —4N 45
Belham Rd. K Lan —1C 136
Belhaven Ct. Borwd —3N 151
Bell Acre. Let —7H 23
Bell Acre Gdns. Let —7H 23
Bellamy Clo. Kneb —4M 71
Bellamy Clo. Wat —3J 149
Bellamy Ct. Edg —2C 164
Bellamy Ct. Stan —8J 163
Bellamy Dri. Stan —8J 163
Bellamy Rd. Chesh —2J 145
Bellamy Rd. Enf —4B 156
Bell Clo. Bedm —9H 125
Bell Clo. Hit —4B 34
Bell Clo. Kneb —3N 71
Bell Clo. Pinn —9L 161
Bellerby Rise. Lut —3L 45
Bellevue La. Bush —1E 162
Belle Vue Rd. Ware —6J 95
Bellevue Ter. Hare —7K 159
Bellfield Av. Harr —6E 162
Bellgate. Hem H —8A 106
Bell Grn. Bov —9E 122
Bellis Ho. Wel G —2A 112
Bell La. Amer —2A 146
Bell La. Bedm —9H 125
Bell La. Brk P —6N 129
Bell La. Brox —3J 133
Bell La. Enf —2H 157
Bell La. Hert —9B 94
Bell La. Hod —8L 115
Bell La. Lon C —2M 139
Bell La. N'chu —9J 103
Bell La. Stev —2J 51
Bell La. Wid —3G 97
Bell Leys. W'grv —5A 60
Bell Mead. Saw —5G 98
Bellmount Wood Av. Wat —3G 148
Bell Rd. Enf —3B 156
Bells Clo. Shil —2A 20
Bells Hill. Barn —7K 153
Bells Hill. Bis S —1G 79
Bells Meadow. G Mor —1B 6
Bell St. Saw —5G 98
Bell Wlk. W'grv —5A 60
Belmers Rd. Wig —5B 102
Belmont Av. N9 —9E 156
Belmont Av. Barn —7E 154
Belmont Circ. Harr —8J 163
Belmont Clo. N20 —1N 165
Belmont Clo. Cockf —6E 154
Belmont Ct. St Alb —3E 126
Belmont Hill. St Alb —3E 126
Belmont La. Stan —7K 163
Belmont Lodge. Har W —7E 162
Belmont Rd. Bush —7N 149
Belmont Rd. Harr —9G 163
Belmont Rd. Hem H —6A 124
Belmont Rd. Lut —1E 66
Belmor. Els —8A 152
Belper Rd. Lut —7N 45
Belsham Pl. Lut —7N 47
Belsize Clo. Hem H —3C 124
Belsize Clo. St Alb —6K 109
Belsize Rd. Harr —7E 162
Belsize Rd. Hem H —3C 124
Belsize Rd. Lut —6H 45
Belswains Grn. Hem H —5A 124
Belswains La. Hem H —5A 124
Beltona Gdns. Chesh —9H 133
Belton Rd. Berk —9L 103
Belvedere Gdns. St Alb —9B 126
Belvedere Rd. Lut —4D 46
Belvedere Strand. NW9 —9F 164
Bembridge Gdns. Lut —2B 46
Bembridge Pl. Wat —6J 137
Ben Austins. Redb —2J 107
Benbow Clo. St Alb —4J 127
Benchley Hill. Hit —2C 34
Benchleys Rd. Hem H —4J 123
Bench Mnr. Cres. Chal P —9A 158
Bencroft. Chesh —8E 132
Bencroft Rd. Hem H —2A 124
Bendish La. W'wll —9J 49
Bendysh Rd. Bush —5N 149
Benedictine Ga. Wal X —9J 133
Benford Rd. Hod —1K 133
Bengarth Dri. Harr —9E 162
Bengeo Meadows. Hert —6B 94
Bengeo M. Hert —6A 94
Bengeo St. Hert —7A 94
Ben Hale Clo. Stan —5J 163
Benhooks Av. Bis S —3G 78
Benhooks Pl. Bis S —3G 79
Benington Clo. Lut —4G 47
Benington Rd. Ast —7D 52
Benington Rd. Qalk —2F 52
Benneck Ho. Wat —8G 149
Bennett Clo. N'wd —7H 161
Bennett Clo. Wel G —4M 111
Bennett Ct. Let —6G 23
Bennetts Clo. Col H —5D 128
Bennetts Clo. Dunst —1E 64
Bennetts End Clo. Hem H —4B 124
Bennetts End Rd. Hem H —3B 124
Bennettsgate. Hem H —5C 124
Benning Av. Dunst —9C 44
Benningfield Clo. Wid —3G 97
Benningfield Rd. Wid —3G 97
Benningholme Rd. Edgw —6E 164
Benskin Rd. Wat —7J 149
Benskins Clo. Ber —2C 42
Benslow La. Hit —3A 34
Benslow Rise. Hit —3A 34
Benson Clo. Lut —2B 46
Benstede. Stev —9B 52
Bentfield End Causeway. Stans —2M 59
Bentfield Gdns. Stans —2M 59
Bentfield Grn. Stans —2L 59
Bentfield Rd. Stans —1M 59
Bentick Way. Cod —6F 70
Bentley Clo. Bis S —3H 79
Bentley Ct. Lut —9E 46 (off Moor St.)
Bentley Dri. H'low —7E 118
Bentley Heath La. Barn —7L 141
Bentley Rd. Hert —8K 93
Bentley Way. Stan —5H 163
Benton Rd. Wat —5M 161
Bentons, The. Berk —8K 103
Bentsley Clo. St Alb —7K 109
Berceau Wlk. Wat —3G 149
Berefield. Hem H —9N 105
Beresford Gdns. Enf —6C 156
Beresford Rd. Lut —8C 46
Beresford Rd. Rick —1J 159
Beresford Rd. St Alb —3J 127
Berger M. Hpdn —6C 88
Bericot Way. Wel G —9B 92
Berkeley. Let —7G 23
Berkeley Clo. Ab L —5H 137
Berkeley Clo. Els —7A 152
Berkeley Clo. Hit —2L 33
Berkeley Clo. Pot B —5L 141
Berkeley Clo. Stev —9N 51
Berkeley Clo. Ware —5G 95
Berkeley Ct. N3 —8N 165
Berkeley Ct. Crox G —7F 148
Berkeley Ct. Hpdn —5B 88
Berkeley Cres. Barn —7C 154
Berkeley Gdns. N21 —9B 156
Berkeley Path. Lut —9G 46
Berkeley Sq. Hem H —5E 106
Berkhamstead La. Ess —2E 130
Berkhamsted By-Pass. Tring —3B 102
Berkhamsted Hill. Pott E —8B 104
Berkhamsted Pl. Berk —8N 103
Berkhamsted Rd. Hem H (in two parts) —8G 104
Berkley Av. Wal X —7H 145
Berkley Clo. St Alb —7K 109
Berkley Ct. Berk —1N 121 (off Mill St.)
Berkley Pl. Wal X —7H 145
Berks Hill. Chor —7F 146
Bernard Clo. Dunst —8F 44
Bernard St. St Alb —1E 126
Bernays Clo. Stan —6K 163
Berners Dri. St Alb —5F 126
Berners Way. Brox —5K 133
Bernhardt Cres. Stev —3B 52
Berridge Grn. Edgw —7A 164
Berries, The. Sandr —7H 109
Berrow Clo. Lut —7N 47
Berry Av. Wat —9K 137
Berry Clo. N21 —9N 155
Berry Clo. Rick —9L 147
Berryfield. Ched —9L 61
Berry Gro. La. Wat —2N 149 (in two parts)
Berry Hill. Stan —4L 163
Berry La. Chor —8G 147
Berry Leys. Lut —2A 46
Berrymead. Hem H —9B 106
Berry Way. Rick —9L 147
Bert Collins Ct. Lut —1E 66 (off Wolston Clo.)
Bertram Ho. Stev —3L 51
Bertram Rd. Enf —6E 156
Bert Way. Enf —6D 156
Berwick Clo. Stan —6G 163
Berwick Clo. Wal X —7L 145
Berwick Rd. Borwd —2N 151
Besant Ho. Wat —4M 149
Besford Clo. Lut —7N 47
Bessemer Clo. Hit —9M 21
Bessemer Dri. Stev —5H 51
Bessemer Rd. Wel G —4L 91
Bethune Clo. Lut —2D 66
Bethune Ct. Lut —2D 66
Betjeman Clo. Chesh —1E 144
Betjeman Way. Hem H —9L 105
Betony Vale. R'ton —8E 8
Bettespol Meadows. Redb —9J 87
Betty Entwistle Ho. St Alb —5F 126
Betty's La. Tring —2M 101
Beulah Clo. Edgw —3B 164
Bevan Clo. Hem H —4A 124
Bevan Ho. Wat —4M 149
Bevan Rd. Barn —6E 154
Beverley Clo. Enf —6C 156
Beverley Ct. N14 —9H 155
Beverley Dri. Edgw —9A 164
Beverley Gdns. Chesh —3D 144
Beverley Gdns. St Alb —7L 109
Beverley Gdns. Stan —8H 163
Beverley Gdns. Wel G —9B 92
Beverley Rd. Lut —8B 46
Beverley Rd. Stev —8A 36
Beverly Clo. Brox —3J 133
Bevil Ct. Hod —5L 115
Bewcastle Gdns. Enf —6K 155
Bewdley Clo. Hpdn —9E 88
Bewley Clo. Chesh —4H 145
Bexhill Rd. Lut —7M 47
Beyers Gdns. Hod —5L 115
Beyers Prospect. Hod —4L 115
Beyers Ride. Hod —5L 115
Bibbs Hall La. Kim —1L 89
Bibshall Cres. Dunst —2F 64
Bibsworth Rd. N3 —9M 165
Bicknoller Rd. Enf —3C 156
Biddenham Turn. Wat —8L 137
Bideford Clo. Edgw —8A 164
Bideford Gdns. Enf —9C 156
Bideford Gdns. Lut —5F 46
Bideford Rd. Enf —2K 157
Bidwell Clo. H Reg —4E 44
Bidwell Clo. Let —6H 23
Bidwell Hill. H Reg —4D 44
Bidwell Path. H Reg —5E 44
Biggin Hill. Bunt —3A 28
Biggin La. Hit —4N 33
Biggleswade Rd. Dun —1C 4
Bigthan Rd. Dunst —9F 44
Billet La. Berk —9L 103 (in two parts)
Billington Rd. L Buzz —1C 62
Billy Lows La. Pot B —4N 141
Bilton Rd. Hit —9N 21
Bilton Way. Enf —3J 157
Bilton Way. Lut —9B 46
Bincote Rd. Enf —5L 155
Binder Clo. Lut —5H 45
Binder Ct. Lut —5H 45 (off Binder Clo.)
Bingen Rd. Hit —1K 33
Bingley Rd. Hod —8N 115
Binham Clo. Lut —2F 46
Binyon Cres. Stan —5G 162
Birchall La. Col G —2D 112
Birchalls. Stans —1N 59
Birchall Wood. Wel G —1B 112
Birchanger Ind. Est. Bis S —7K 59
Birchanger La. Bir —6L 59
Birch Copse. Brick W —3N 137
Birch Ct. N'wd —6E 160
Birch Dri. Hat —1G 129
Birch Dri. Rick —5G 158
Birchen Gro. Lut —6H 47
Bircherley Ct. Hert —9B 94 (off Priory St.)
Bircherley Grn. Cen., The. Hert —9B 94
Bircherley St. Hert —9B 94
Birches, The. N21 —8L 155
Birches, The. Bush —7D 150
Birches, The. Cod —8G 70
Birches, The. Hem H —5J 123
Birches, The. Let —3E 22
Birchfield Rd. Chesh —2F 144
Birch Grn. NW9 —7E 164
Birch Grn. Hem H —1J 123
Birch Gro. Pot B —5N 141
Birch Gro. Welw —8L 71
Birch La. Flau —6E 134
Birch Leys. Hem H —6E 106
Birch Link. Lut —8E 46
Birchmead. Wat —2H 149
Birchmead Clo. St Alb —8E 108
Birch Pk. Harr —7D 162
Birch Rd. N'chu —7H 103
Birch Rd. Wool G —7A 72
Birch Side. Dunst —2G 65
Birchside Path. Dunst —2G 65
Birch Tree Wlk. Wat —1H 149
Birch Wlk. Borwd —3A 152
Birch Way. Hpdn —7D 88
Birchway. Hat —7H 111
Birch Way. Lon C —9L 127
Birchwood. Bir —7M 59
Birchwood. Shenl —7A 140
Birchwood Av. Hat —7G 110
Birchwood Clo. Hat —7G 111
Birchwood Ct. Edgw —9C 164
Birchwood Ho. Wel G —9A 92
Birchwood Way. Park —1C 138
Birdcroft Rd. Wel G —1K 111
Birdie Way. Hert —8F 94
Bird La. Hare —9M 159
Birdlington Rd. N9 —9F 156
Birds Clo. Wel G —2A 112
Birdsfoot La. Lut —4D 46
Birds Hill. Let —5G 22
Birkbeck Rd. NW7 —5F 164
Birkbeck Rd. Enf —3B 156
Birkdale Av. Pinn —9B 162
Birkdale Gdns. Wat —3M 161
Birken M. N'wd —5D 160
Birkett Way. Chal G —5A 146
Birklands La. St Alb —6J 127
Birling Dri. Lut —4L 47
Birnbeck Ct. Barn —6K 153
Birstall Grn. Wat —4M 161
Birtley Croft. Lut —8N 47

Biscot Rd.—Bridgefoot

Biscot Rd. Lut —6D 46
Bishop Ct. N12 —4N 165
Bishop Ken Rd. Harr —9G 162
Bishop Rd. N14 —9G 154
Bishop's Av. Bis S —5H 79
Bishops Av. Els —7N 151
Bishops Av. N'wd —4G 161
Bishops Clo. Barn —8K 153
Bishops Clo. Enf —4F 156
Bishops Clo. Hat —9F 110
Bishop's Clo. St Alb —7H 109
Bishopscote Rd. Lut —6D 46
Bishops Ct. Chesh —3F 144
Bishops Field. Ast C —2F 100
Bishopsfield. H'low —9N 117
Bishop's Garth. St Alb —7H 109
Bishops Mead. Hem H —4L 123
Bishops Pk. Way. Bis S —2D 78
Bishop Sq. Bus. Pk. Hat —9E 110
Bishops Rise. Hat —9F 110
Bishops Rd. Tew —1C 92
Bishops Wlk. Pinn —9N 161
Biskra. Wat —3J 149
Bisley Clo. Wal X —6H 145
Bittacy Bus. Cen. NW7 —6L 165
Bittacy Clo. NW7 —6K 165
Bittacy Ct. NW7 —7L 165
Bittacy Hill. NW7 —6K 165
Bittacy Pk. Av. NW7 —5K 165
Bittacy Rise. NW7 —6J 165
Bittacy Rd. NW7 —6K 165
Bittern Clo. Stev —7C 52
Bittern Ct. NW9 —9E 164
Bittern Way. Let —2E 22
Bit, The. Wig —5B 102
Blackberry Mead. Stev —6C 52
Blackbirds La. Ald —7D 138
Black Boy Wood. Brick W —3B 138
Blackburn. NW9 —9F 164
Blackburn Rd. Town I —6E 44
Blackbury Clo. Pot B —4B 142
Blackbushe. Bis S —8K 59
Blackbush Spring. H'low —5C 118
Black Cut. St Alb —3F 126
Blackdale. Chesh —9E 132
Black Ditch Rd. Wal A —9N 145
Blacketts Wood Dri. Chor —7E 146
Black Fan Clo. Enf —3A 156
Black Fan Rd. Wel G —8M 91 (in two parts)
Blackford Rd. Wat —5M 161
Blackhill La. Pull —3A 18
Blackhorse La. Hit —6N 33
Blackhorse La. Redb —9J 87
Blackhorse La. S Mim —3E 140
Blackhorse Rd. Let —3J 23
Black La. Stpl M —4C 6
Blackley Clo. Wat —1H 149
Black Lion Ct. H'low —2E 118
Black Lion Hill. Shenl —5M 139
Blackmoor La. Wat —8E 148
Blackmore. Let —8H 23
Blackmore Way. Wheat —1J 89
Blacksmith Clo. Bis S —3D 78
Blacksmith La. St Alb —2C 126
Blacksmith Row. Hem H —3E 124
Blacksmiths Clo. Gt Amw —8L 95
Blacksmiths Ct. Dunst —9E 44 (off Matthew St.)
Blacksmiths Hill. B'tn —5K 53
Blacksmith's La. Reed —7H 15
Blacksmiths Row. Mark —2A 86
Blacksmiths Way. Saw —6C 98
Black Swan Ct. Ware —6H 95 (off Priory St.)
Black Swan La. Lut —4C 46
Blackthorn Clo. St Alb —8K 109
Blackthorn Clo. Wat —5K 137
Blackthorn Dri. Lut —5L 47
Blackthorne Clo. Hat —3F 128
Black Thorn Rd. H Reg —3F 44
Blackthorn Rd. Wel G —1N 111
Blackwater La. Hem H —5G 124
Blackwell Clo. Harr —7E 162
Blackwell Dri. Wat —8L 149
Blackwell Gdns. Edgw —3A 164
Blackwell Hall La. Che —6A 134
Blackwell Rd. K Lan —2C 136
Blackwood Ct. Turn —8K 133
Bladon Clo. L Wym —7F 34
Blair Clo. Hem H —5D 106
Blair Clo. Stev —8M 51
Blairhead Dri. Wat —3K 161
Blake Clo. St Alb —5H 127
Blakelands. Bar C —9F 18
Blakemere Rd. Wel G —7K 91
Blakemore End Rd. Hit —8D 34
Blakeney Dri. Lut —2E 46
Blakeney Ho. Stev —2G 50
Blakeney Rd. Stev —2G 50
Blakes Ct. Saw —5G 99
Blakesware Gdns. N9 —9B 156
Blakes Way. Welw —1J 91
Blaking's La. Bis S —4E 42
Blanche La. S Mim —6F 140
Blandford Av. Lut —3F 46
Blandford Cres. E4 —9N 157
Blandford Rd. St Alb —2H 127
Blanes, The. Ware —4G 94
Blattner Clo. Els —6M 151
Blaxland Ter. Chesh —1H 145 (off Davison Dri.)
Blaydon Rd. Lut —9J 47
Blenheim Clo. N21 —9A 156
Blenheim Clo. Ched —8L 61
Blenheim Clo. Saw —7E 98
Blenheim Clo. Wat —9L 149
Blenheim Ct. Bis S —1E 78
Blenheim Cres. Lut —7E 46
Blenheim Rd. Ab L —5J 137
Blenheim Rd. Barn —5K 153
Blenheim Rd. St Alb —1G 127
Blenheim Way. Stev —1B 72
Blenkin Clo. St Alb —7D 108
Bleriot. NW9 —9F 164 (off Belvedere Strand)
Blessbury Rd. Edgw —8C 164
Blind La. Cot —5L 37
Blindman's La. Chesh —3H 145
Blind Tom's La. Bis S —3J 59
Bloomfield Av. Lut —8J 47
Bloomfield Cotts. Bell —6D 120
Bloomfield Ho. Stev —3L 51
Bloomfield Rd. Hpdn —4A 88
Bloomsbury Ct. Pinn —9A 162
Bloomsbury Gdns. H Reg —4G 44
Blossom La. Enf —3A 156
Blows Rd. Dunst —1G 64
Bluebell Clo. Hem H —3H 123
Bluebell Clo. Hert —9E 94
Bluebell Dri. Bedm —9H 125
Bluebells. Welw —9L 71
Bluebell Wood Clo. Lut —1B 66
Blueberry Clo. St Alb —7E 108
Bluebridge Av. Brk P —9M 129
Bluebridge Rd. Brk P —8L 129
Bluecoats Av. Hert —9B 94
Bluecoats Ct. Hert —9B 94
Bluecoat Yd. Ware —6H 95 (off East St.)
Blue Ho. Hill. St Alb —3B 126
Bluett Rd. Lon C —9L 127
Blundell Clo. St Alb —7E 108
Blundell Rd. Edgw —8D 164
Blundell Rd. Lut —6C 46
Blunesfield. Pot B —4C 142
Blunts La. Abb L —9L 125
Blunts La. Bedm —9M 125
Blunts La. St Alb —6M 125
Blydon Ct. N21 —7L 155 (off Chaseville Pk. Rd.)
Blyth Clo. Borwd —3N 151
Blyth Clo. Stev —2G 51
Blythe Rd. Hod —9A 116
Blyth Pl. Lut —2F 66 (off Russell St.)
Blythway. Wel G —6M 91
Blythway Houses. Wel G —6M 91
Blythwood Gdns. Stans —3M 59
Blythwood Rd. Pinn —8M 161
Boardman Av. E4 —7M 157
Boar Head Rd. H'low —7J 119
Boarhound. NW9 —9F 164 (off Further Acre)
Bockings. Stev —9H 37
Boddington Rd. Wend —9B 100
Bodiam Clo. Enf —4C 156
Bodmin. NW9 —9F 164 (off Further Acre)
Bodmin Rd. Lut —5B 46
Bodwell Clo. Hem H —1K 123
Bogmoor Rd. R'ton —6B 16
Bognor Gdns. Wat —5L 161
Bogs Gap. Stpl M —2C 6
Bohemia. Hem H —1A 124
Bohun Gro. Barn —8D 154
Boissy Clo. St Alb —3M 127
Boleyn Av. Enf —3F 156
Boleyn Clo. Hem H —6E 106
Boleyn Ct. Brox —3J 133
Boleyn Dri. St Alb —4E 126
Boleyn Way. Barn —5B 154
Bolingbroke Rd. Lut —2D 66
Bollingbrook. St Alb —7H 109
Bolney Grn. Lut —6M 47
Bolton Rd. Lut —1H 67
Bond Ct. Hpdn —4A 88
Bonham Carter Rd. Hal —7C 100
Boniface Gdns. Harr —7C 162
Boniface Wlk. Harr —7C 162
Bonks Hill. Saw —6F 98
Bonner Ct. Chesh —1H 145 (off Coopers Wlk.)
Bonneting La. Ber —2D 42
Bonney Gro. G Oak —3E 144
Bonnick Clo. Lut —2E 66
Boothman Ho. Kent —9L 163
Booth Pl. Eat B —2J 63
Booth Rd. NW9 —9D 164
Booths Clo. N Mym —6K 129
Boot Pde. Edgw —6A 164 (off High St. Edgware)
Borden Av. Enf —8B 156
Borders Way. H Reg —3F 44 (off Black Thorn Rd.)
Boreham Holt. Els —6N 151
Borehamwood Ind. Pk. Borwd —4D 152
Bornedene. Pot B —4L 141
Borodale. Hpdn —6B 88
Borough Rd. Dunst —1G 64
Borough Way. Pot B —5L 141
Borrell Clo. Brox —2K 133
Borrowdale Av. Dunst —2F 64
Borrowdale Av. Harr —9H 163
Borrowdale Ct. Enf —3A 156
Borrowdale Ct. Hem H —8A 106
Bosanquet Rd. Hod —6N 115
Boscombe Ct. Let —5H 23
Boscombe Rd. Dunst —7F 44
Bosmore Rd. Lut —3B 46
Boston Rd. Edgw —7C 164
Boswell Clo. Shenl —5M 139
Boswell Dri. Ickl —7M 21
BoswelL Gdns. Stev —9K 35
Boswick La. Dud —6H 103
Bosworth Rd. Barn —5N 153
Botany Clo. New Bar —6D 154
Botham Clo. Edgw —7C 164
Botley Rd. Hem H —6C 106
Bottom Ho. La. Tring —4E 102
Bottom La. K Lan —8L 135
Bough Beech Ct. Enf —1H 157
Boughton Way. Amer —2A 146
Boulevard 25. Borwd —5A 152
Boulevard Cen., The. Borwd —5A 152
Boulevard, The. Wat —7F 148
Boulevard, The. Wel G —7M 91
Boulton Rd. Stev —8B 36
Bounce, The. Hem H —9N 105
Boundary Ct. Wel G —4M 111
Boundary Dri. Hert —7B 94
Boundary Ho. Wel G —3K 111
Boundary La. Wel G —3L 111
Boundary Rd. N9 —8G 156
Boundary Rd. Bis S —3J 79
Boundary Rd. Chal P —7A 158
Boundary Rd. St Alb —9F 108
Boundary Way. Hem I —8E 106
Boundary Way. Leav —5K 137
Bounds Field. L Had —9B 58
Bourne Av. Barn —7C 154
Bourne Clo. Brox —2K 133
Bourne Clo. Ware —5H 95
Bourne End La. Hem H —7D 122
Bourne End La. Ind. Est. Hem H —4E 122
Bourne End Rd. N'wd —4G 160
Bournehall Av. Bush —7B 150
Bournehall La. Bush —8B 150
Bournehall Rd. Bush —8B 150
Bourne Honour. Ton —9C 74
Bournemouth Rd. Stev —1H 51
Bourne Rd. Berk —9K 103
Bourne Rd. Bis S —9J 59
Bourne Rd. Bush —7B 150
Bourne, The. N14 —9J 155
Bourne, The. Bov —9D 122
Bourne, The. Bunt —5J 39
Bourne, The. Ware —5H 95
Bournwell Clo. Barn —5E 154
Bouvier Rd. Enf —2G 157
Bovingdon Ct. Bov —1D 134
Bovingdon Cres. Wat —7M 137
Bovingdon Grn. La. Bov —1C 134
Bovingdon La. NW9 —8E 164
Bowbrook Vale. Lut —8A 48
Bowcock Wlk. Stev —6L 51
Bower Clo. Eat B —3K 63
Bower Heath La. Hpdn —2D 88
Bower La. Eat B —3K 63
Bowershott. Let —7G 23
Bowes Lyon M. St Alb —2E 126
Bowgate. St Alb —1F 126
Bowland Cres. Dunst —2D 64
Bowlers Mead. Bunt —3H 39
Bowles Grn. Enf —9F 144
Bowles Way. Dunst —3G 65
Bowling Clo. Bis S —2H 79
Bowling Clo. Hpdn —8D 88
Bowling Ct. Wat —6J 149
Bowling Grn. Stev —2J 51
Bowling Grn. La. Bunt —2H 39
Bowling Grn. La. Lut —7G 46
Bowling Rd. Ware —6J 95
Bowls Clo. Stan —5J 163
Bowmans Av. Hit —3B 34
Bowmans Clo. Dunst —1F 64
Bowmans Clo. Pot B —5C 142
Bowmans Clo. Welw —1J 91
Bowmans Ct. Hem H —9A 106
Bowmans Grn. Wat —9N 137
Bowmans Way. Dunst —1F 64
Bowman Trading Est. Stev —4H 51
Bownles Grn. Enf —9F 144
Bowood Rd. Enf —4H 157
Bowring Grn. Wat —5L 161
Bowstridge La. Chal G —4A 158
Bowyer Ct. E4 —9N 157 (off Ridgeway, The)
Bowyers. Hem H —9N 105
Bowyer's Clo. Hit —1L 33
Bowyer's Pde. Hpdn —6B 88
Bowyers Way. Hpdn —5B 88
Boxberry Clo. Stev —3L 51
Boxfield. Wel G —3A 112
Boxfield Grn. Stev —1C 52
Boxgrove Clo. Lut —4L 47
Boxhill. Hem H —9N 105
Box La. Hem H —7F 122
Box La. Hod —7H 115 (in two parts)
Boxted Clo. Lut —4M 45
Boxted Rd. Hem H —9J 105
Boxtree La. Harr —8D 162
Boxtree Rd. Harr —7E 162
Boxwell Rd. Berk —1M 121
Boyce Clo. Borwd —3M 151
Boyd Clo. Bis S —9K 59
Boyd Ho. Wel G —9B 92
Boyle Av. Stan —6H 163
Boyle Clo. Lut —9G 46
Boyseland Ct. Edgw —2C 164
Brabourne Heights. NW7 —3E 164
Braceby Clo. Lut —3B 46
Brache Clo. Redb —1J 107
Brache Ct. Lut —2H 67
Brackendale. Pot B —6N 141
Brackendale Gro. Hpdn —4M 87
Brackendale Gro. Lut —4C 46
Brackendene. Brick W —3A 138
Brackenhill. Berk —9B 104
Bracken La. Welw —9M 71
Brackens, The. Enf —9C 156
Brackens, The. Hem H —1N 123
Bracklesham Gdns. Lut —6M 47
Bracknell Clo. Lut —6J 45
Bracknell Pl. Hem H —7B 106
Bradbery. Rick —5G 158
Bradbury Clo. Borwd —3B 152
Bradden Cotts. Hem H —7J 85
Bradden La. Gad R —1G 104
Bradford Rd. Herons —9F 146
Bradgate. Cuff —9J 131
Bradgate Clo. Cuff —1J 143
Bradgers Hill Rd. Lut —5G 46
Bradley Comn. Bir —6L 59
Bradley Ct. Enf —2J 157 (off Bradley Rd.)
Bradley Rd. Enf —2J 157
Bradley Rd. Lut —8M 45
Bradleys Corner. Hit —1C 34
Bradman Row. Edgw —7C 164
Bradman Way. Stev —9N 35
Bradmore Grn. Brk P —8L 129
Bradmore La. N Mym —9J 129
Bradmore Way. Brk P —8L 129
Bradshaw Ct. Stev —6A 52
Bradshaw Rd. Wat —3L 149
Bradshaws. Hat —4F 128
Bradshaws Clo. Bar C —8E 18
Bradway. W'wll —2M 69
Braeburn Ct. Barn —6D 154
Braemar Clo. Stev —1A 72
Braemar Gdns. NW9 —8D 164
Braemar Turn. Hem H —5D 106
Braeside Clo. Pinn —7B 162
Bragbury Clo. Stev —1C 72
Bragbury La. D'wth —3B 72
Bragmans La. Sarr —7F 134
Braham Ct. Hit —3M 33 (off Nun's Clo.)
Brain Clo. Hat —8H 111
Braintree Clo. Lut —6J 45
Braithwaite Ct. Lut —8F 46 (off Malzeard Rd.)
Braithwaite Gdns. Stan —8K 163
Braithwaite Rd. Enf —5K 157
Brakynbery. N'chu —7J 103
Bramble Clo. Chal P —6B 158
Bramble Clo. Hpdn —4A 88
Bramble Clo. Lut —5M 45
Bramble Clo. Stan —7L 163
Bramble Clo. Wat —7J 137
Bramble La. Hod —7J 115
Bramble Rise. H'low —5M 117
Bramble Rd. Hat —9D 110
Bramble Rd. Lut —5M 45
Brambles, The. Bis S —2E 78
Brambles, The. Chesh —4H 145
Brambles, The. R'ton —8E 8
Brambles, The. St Alb —4E 126
Brambles, The. Stev —8K 35
Brambles, The. Ware —4G 94
Brambles, The. Welw —8L 71
Brambling Clo. Bush —6N 149
Brambling Rd. Hem H —8A 106
Bramfield. Hit —4B 34
Bramfield. Wat —7N 137
Bramfield Ct. Hert —8M 93
Bramfield La. W'frd —5K 93
Bramfield Pl. Hem H —5C 106
Bramfield Rd. D'wth —7C 72
Bramfield Rd. Stfrd —6K 93
Bramham Ct. N'wd —5G 160
Bramhanger Acre. Lut —2N 45
Bramingham Bus. Pk. Lut —1D 46
Bramingham La. Lut —8C 30
Bramingham Rd. Lut —4A 46
Bramleas. Wat —7H 149
Bramley Clo. N14 —7G 154
Bramley Clo. Bald —2M 23
Bramley Ct. Barn —6D 154
Bramley Ct. Wat —5K 137
Bramley Gdns. Wat —5L 161
Bramley Ho. Ct. Enf —1B 156
Bramley Pde. N14 —6H 155
Bramley Rd. N14 —7G 154
Brampton Clo. Chesh —1E 144
Brampton Clo. Hpdn —6E 88
Brampton Pk. Rd. Hit —1M 33
Brampton Rise. Dunst —2F 64
Brampton Rd. R'ton —7F 8
Brampton Rd. St Alb —1H 127
Brampton Rd. Wat —3J 161
Brampton Ter. Borwd —2A 152 (off Stapleton Rd.)
Bramshaw Gdns. Wat —5M 161
Bramshott Clo. Hit —6N 33
Bramshot Way. Wat —2J 161
Brancaster Dri. NW7 —7G 164
Branch Rd. Park —9E 126
Branch Rd. St Alb —1C 126
Brancroft Way. Enf —3J 157
Brandles Rd. Let —8G 23
Brandon. NW9 —9F 164 (off Further Acre)
Brandon Clo. Chesh —8C 132
Brandon Ct. Tring —9C 60
Brandreth Av. Dunst —8H 45
Brand St. Hit —3M 33
Brandt Ct. Borwd —4D 152
Branksome Rd. Hem H —1C 124
Branscombe Gdns. N21 —9M 155
Bransgrove Rd. Edgw —8N 163
Branton Clo. Lut —7N 47
Brantwood Gdns. Enf —6K 155
Brantwood Rd. Lut —1E 66
Brawlings La. Chal P & Chal G —4D 158
Bray Clo. Borwd —3C 152
Brayes Mnr. Stot —6F 10
Bray Lodge. Chesh —1J 145 (off High St. Cheshunt,)
Bray Rd. NW7 —6K 165
Bray's Ct. Lut —6K 47
Brays Mead. H'low —8B 118
Brays Rd. Lut —6K 47
Brayton Gdns. Enf —6J 155
Brazier Clo. Bar C —8D 18
Braziers End. Braz E —3A 120
Braziers Field. Hert —9D 94
Braziers Quay. Bis S —2J 79
Breach La. Hert —9H 113
Breachwell Pl. Ched —7M 61
Bread & Cheese La. Chesh —7B 132
Breadcroft. Hpdn —5C 88
Breakmead. Wel G —2A 112
Breakspear. Stev —6B 52
Breakspear Av. St Alb —3G 1
Breakspeare Clo. Wat —2K 1
Breakspeare Rd. Ab L —4G 1
Breakspear Path. Hare —9N 1
Breakspear Rd. N. Hare —8M 1
Breakspear Way. Hem H —2E 1
Breaks Rd. Hat —8H 111
Brearley Clo. Edgw —7C 164
Brecken Clo. St Alb —7H 10
Brecon Clo. Lut —2F 66
Brecon Rd. Enf —6G 156
Breeze Ter. Chesh —1H 145
Brendon Av. Lut —8L 47
Brendon Ct. Rad —7J 139
Brendon Way. Enf —9C 156
Brent Ct. Stev —4L 51
Brenthall Towers. H'low —8E 1
Brent Pl. Barn —7M 153
Brent Way. N3 —6N 165
Brentwood Clo. H Reg —3G 4
Brereton Ct. Hem H —4A 12
Bressey Av. Enf —3E 156
Brett Ho. Chesh —1H 145
Brett Pl. Wat —1J 149
Brett Rd. Barn —7J 153
Bretts Mead. Lut —3E 66
Bretts Mead Ct. Lut —2E 66
Brewers Hill Rd. Dunst —8B 4
Brewery La. Bald —2L 23
Brewery La. Stans —2N 59
Brewery Rd. Hod —8L 115
Brewery Yd. Stans —2N 59
Brewhouse Hill. Wheat —7K 8
Brewhouse La. Hert —9A 94
Briants Clo. Pinn —9A 162
Briarcliff. Hem H —1H 123
Briar Clo. Bis S —1E 78
Briar Clo. Chesh —2G 144
Briar Clo. Lut —5L 47
Briar Clo. Pott E —7D 104
Briardale. Stev —5L 51
Briardale. Ware —4G 94
Briarfield Av. N3 —9N 165
Briarley Clo. Brox —4K 133
Briar Patch La. Let —8D 22
Briar Rd. St Alb —8L 109
Briar Rd. Wat —7J 137
Briars Clo. Hat —9G 110
Briars La. Hat —9G 110
Briars, The. Bush —9F 150
Briars, The. Chesh —4J 145
Briars, The. Hert —9E 94
Briars, The. Sarr —9L 135
Briars Wood. Hat —9F 110
Briar Wlk. Edgw —7C 164
Briar Way. Berk —2N 121
Briarwood Dri. N'wd —9J 161
Briary Gro. Edgw —9B 164
Briary La. R'ton —8C 8
Briary Wood End. Welw —8M 7
Briary Wood La. Welw —8M 7
Brickcroft. Brox —8J 133
Brickendon Ct. Hod —9L 115
Brickendon La. Brick —3A 11 (in two parts)
Bricket Rd. St Alb —2E 126
Brickfield. Hat —3G 129
Brickfield Av. Hem H —3D 12
Brickfield Ct. Hat —3H 129
Brickfield La. Ark —8F 152
Brickfields Cotts. Borwd —5N 15
Brickfields, The. Ware —5F 94
Brickhill Farm Pk. Homes. Lut —8E 6
Brick Kiln La. Hit —5L 33
Brick Kiln La. R Grn —1L 43
Brickkiln Rd. Stev —3J 51
Brick Knoll Pk. St Alb —3K 12
Brick La. Enf —4F 156
Brick La. Stan —7L 163
Brickly Rd. Lut —4L 45
Brickmakers La. Hem H —3D 12
Brick Row. R'ton —1N 17
Brickwell Clo. Welw —7G 90
Brickyard La. Reed —7J 15
Bride Hall La. Ay L —4A 90
Bridewell Clo. Bunt —2J 39
Bridge Clo. Enf —4F 156
Bridge Ct. Berk —1A 122
Bridge Ct. Hpdn —4A 88
Bridge Ct. Rad —8J 139
Bridge End. Bunt —2J 39
Bridgefields. Wel G —8M 91
Bridgefoot. Bunt —3J 39

Bridgefoot—Burymead

idgefoot. Ware —6H 95
idgefoot La. Pot B —6J 141
idgeford Ho. Bis S —2H 79
(off South St.)
idgeford Ho. Wat —5K 149
idge Ga. N21 —9A 156
idgegate Bus. Cen. Wel G —9M 91
idgeman Dri. H Reg —4G 45
idgend Rd. Enf —8G 144
idgenhall Rd. Enf —3D 156
idge Pl. Wat —7M 149
idger Clo. Wat —6M 137
idge Rd. K Lan —6E 136
idge Rd. Let —5F 22
idge Rd. Stev —3H 51
idge Rd. Wel G —8J 91
idge Rd. Wool G —6N 71
idge Rd. E. Wel G —9L 91
idges Ct. Hert —9A 94
idges Rd. Stan —5G 163
idge St. Berk —1A 122
idge St. Bis S —1H 79
idge St. Hem H —3M 123
idge St. Hit —4M 33
idge St. Lut —1G 66
idgewater Ct. L Gad —7N 83
idgewater Gdns. Edgw —9N 163
idgewater Hill. N'chu —7K 103
idgewater Rd. Berk —8L 103
idgewater Way. Bush —8C 150
ridle Clo. Enf —1K 157
ridle Clo. Hod —4L 115
ridle Clo. St Alb —9F 108
ridle La. Loud —5M 147
ridle Path. Wat —4K 149
ridle Way. Berk —8L 103
ridle Way. Gt Amw —9L 95
ridle Way. Hod —5L 115
ridle Way. (North), Hod —4L 115
ridle Way. (South), Hod —5L 115
ridlington Rd. N9 —9F 156
ridlington Rd. Wat —3M 161
rierley Clo. Dunst —3F 64
rierley Clo. Lut —7M 47
riery Field. Chor —6K 147
riery Way. Hem H —9C 106
rigadier Av. Enf —2A 156
rigadier Hill. Enf —2A 156
righton Rd. Wat —2J 149
righton Way. Stev —1G 50
rightside, The. Enf —3J 157
rightview Clo. Brick W —2N 137
rightwell Av. Tot —1N 63
rightwell Rd. Wat —7J 149
rill Clo. Lut —7M 47
rimfield Clo. Lut —7N 47
(off Kempsey Clo.)
rimsdown Av. Enf —4J 157
rimsdown Ind. Est. Enf
(in two parts) —3K 157
rimstone Wlk. Berk —8K 103
rindley Way. Hem H —7B 124
rinkburn Clo. Edgw —9B 164
rinkburn Gdns. Edgw —9A 164
rinklow Ct. St Alb —5C 126
rinley Clo. Chesh —4H 145
rinsley Rd. Harr —9E 162
rinsmead. Frog —9E 126
riscoe Clo. Hod —6K 115
riscoe Rd. Hod —6K 115
ristol Ho. Borwd —4A 152
ristol Rd. Lut —5C 46
riston M. NW7 —7G 164
ritain St. Dunst —9F 44
ritannia. Puck —7B 56
ritannia Av. Lut —4D 46
ritannia Bus. Pk. Wal X —7K 145
Britannia Rd. Wal X —7K 145
Brittains Rise. L Ston —1F 20
Brittain Way. Stev —5A 52
Brittany Ct. Dunst —9F 44
(off High St. S.)
Britten Clo. Els —8L 151
Britton Av. St Alb —2E 126
Brive Rd. Dunst —1H 65
Brixham Clo. Stev —2H 51
Brixton Est. Edgw —9B 164
Brixton La. Bis S —6J 43
Brixton Rd. Wat —3K 149
Broad Acre. Brick W —3N 137
Broad Acres. Hat —6F 110
Broadacres. Lut —3F 46
Broad Ct. Wel G —9L 91
Broadcroft. Hem H —9N 105
Broadcroft. Let —9F 22
Broadcroft Av. Stan —9L 163
Broadfield. Bis S —7H 59
Broadfield. H'low —5A 118
Broadfield Clo. M Hud —7H 77
Broadfield Ct. Bush —2F 162
Broadfield Ct. N Har —8C 162
(off Broadfields)
Broadfield Heights. NW7 —4B 164
Broadfield Pl. Wel G —1H 111
Broadfield Rd. Hem H —2B 124
Broadfield Rd. Wool G —7A 72
Broadfields. G Oak —2N 143
Broadfields. Hpdn —6A 88
Broadfields. Harr —9C 162
Broadfields. H Wych —6D 98
Broadfields Av. N21 —9M 155
Broadfields Av. Edgw —4B 164
Broadfields Cen. Edgw —1B 164
Broadfields La. Wat —1K 161
Broadfield Sq. Enf —4F 156
Broadfield Way. M Hud —7J 77
Broadgates Av. Barn —3A 154
Broad Grn. B'frd —5L 113
Broad Grn. Wood. B'frd —6L 113
Broadhall Way. Stev —7K 51
Broadhead Strand. NW9 —8F 164
Broadhurst Av. Edgw —4B 164
Broadlake Clo. Lon C —9L 127
Broadlands Av. Enf —5F 156
Broadlands Clo. Enf —5G 156
Broadlands Clo. Wal X —7G 145
Broadlawns Ct. Harr —8G 163
Broadleaf Av. Bis S —4F 78
Broadley Rd. H'low —9J 117
Broadmead. Hit —5A 34
Broad Mead. Lut —6C 46
Broadmead Clo. Pinn —7N 161
Broadmeadow Ride. St I —6A 34
Broadmeads. Ware —6H 95
Broadoak Av. Enf —8H 145
Broad Oak Ct. Lut —6M 47
(off Handcross Rd.)
Broad Oak Way. Stev —7M 51
Broadstone Rd. Hpdn —9D 88
Broad St. Hem H —1N 123
Broadview. Stev —3L 51
Broadview Rd. Che —9F 120
Broad Wlk. N21 —9M 155
Broad Wlk. Dunst —8E 44
Broad Walk. H'low —5N 117
Broadwalk Shopping Cen. Edgw —6B 164
Broadwalk, The. N'wd —9E 160
Broadwater. Berk —9N 103
Broadwater. Pot B —3A 142
Broadwater. Stev —8A 52
Broadwater Av. Let —6E 22
Broadwater Cres. Stev —7M 51
Broadwater Cres. Wel G —1K 111
Broadwater Dale. Let —6E 22
Broadwater La. Ast —8B 52
(in two parts)
Broadwater Rd. Wel G —1K 111
Broadway. Let —7E 22
Broadway Av. H'low —2D 118
Broadway M. N21 —9N 155
Broadway, The. N14 —9J 155
Broadway, The. NW7 —5E 164
Broadway, The. Hat —9J 111
Broadway, The. Pot B —5M 141
Broadway, The. Stan —5K 163
Broadway, The. Wat —5L 149
Broadway, The. W'stone —9F 162
Broadway, The. Wheat —2J 89
Brocas Way. Hort —5M 61
Brockenhurst Gdns. NW7 —5E 164
Brocket Ct. Lut —3N 45
Brocket Rd. Hod —8L 115
Brocket Rd. Lem —2F 110
Brockett Clo. Wel G —9H 91
Brocket View. Wheat —6L 89
Brockhurst Clo. Stan —6G 162
Brocklesbury Clo. Wat —5L 149
Brockles Mead. H'low —9M 117
Brockley Av. Stan —3M 163
Brockley Clo. Stan —4M 163
Brockley Hill. Stan —1K 163
Brockley Side. Stan —4M 163
Brockswood La. Wel G —8G 91
Brockwell Shott. Walk —9G 37
Brodewater Rd. Borwd —4B 152
Brodie Rd. Enf —2A 156
Bromborough Grn. Wat —5L 161
Bromefield. Stan —8K 163
Bromet Clo. Wat —2H 149
Bromleigh Clo. Chesh —1J 145
Bromley. Long M —3F 80
Bromley Gdns. H Reg —4G 44
Brompton Clo. Lut —1B 46
Bronte Cres. Hem H —5D 106
Bronte Paths. Stev —3B 52
Brook Av. Edgw —6B 164
Brook Bank. Enf —1F 156
Brookbridge La. D'wth —6C 72
Brook Clo. NW7 —7L 165
Brook Clo. Borwd —4B 152
Brook Cotts. Stans —4N 59
Brook Ct. Edgw —5B 164
Brook Ct. Lut —8F 46
Brook Ct. Rad —6H 139
Brookdene Av. Wat —9K 149
Brookdene Dri. N'wd —7H 161
Brook Dri. Rad —6G 139
Brook Dri. Stev —9A 52
Brooke Clo. Bush —9D 150
Brooke Cres. Bis S —1L 79
Brook End. Saw —5F 98
Brook End. Stpl M —2D 6
Brooke Rd. R'ton —5D 8
Brooker Rd. Wal A —7N 145
Brooke Way. Bush —9D 150
Brook Field. Ast —7D 52
Brookfield Av. NW7 —6H 165
Brookfield Av. H Reg —4F 44
Brookfield Cen. Chesh —9H 133
Brookfield Clo. NW7 —6H 165
Brookfield Clo. Tring —2N 101
Brookfield Ct. Chesh —1H 145
Brookfield Cres. NW7 —6H 165
Brookfield Gdns. Chesh —9H 133
Brookfield La. Ast —6D 52
Brookfield La. E. Chesh —9H 133
Brookfield La. W. Chesh
(in two parts) —1F 144
Brookfield Pk. H Reg —4F 44
Brookfield Park Cvn. Pk. Tot —1K 63
Brookfields. Enf —6H 157
Brookfields. Saw —5F 98
Brookfield Wlk. H Reg —5G 44
Brookhill. Stev —9M 51
Brookhill Clo. E Barn —7D 154
Brookhill Rd. Barn —7D 154
Brooklands Clo. Lut —3M 45
Brooklands Ct. N21 —7B 156
Brooklands Gdns. Pot B —5L 141
Brook La. Berk —9M 103
Brook La. M Hud —8N 77
Brook La. Saw —5F 98
Brooklane Field. H'low —9D 118
Brooklea Clo. NW9 —8E 164
Brookmans Av. Brk P —8M 129
Brook Meadow. N12 —3N 165
Brook Pk. Clo. N21 —8N 155
Brook Pl. Barn —7N 153
Brook Rd. Bass —2K 7
Brook Rd. Borwd —3A 152
Brook Rd. Saw —6F 98
Brook Rd. Stans —3N 59
Brook Rd. Wal X —7K 145
Brooks Ct. Hert —8L 93
Brooksfield. Wel G —8A 92
Brookshill. Harr —5E 162
Brookshill Av. Harr —5E 162
Brookshill Dri. Harr —5E 162
Brookside. N21 —8L 155
Brookside. E Barn —8D 154
Brookside. Hal —5B 100
Brookside. H'low —9J 117
Brookside. Hat —9D 110
Brookside. Hert —9C 94
Brookside. Hod —8L 115
Brookside. Let —6F 22
Brookside. Shil —2N 19
Brookside. S Mim —5G 140
Brookside. Wat —1M 149
Brookside Clo. Barn —8L 153
Brookside Cres. Cuff —9K 131
Brookside Gdns. Enf —1G 156
Brookside Rd. Wat —9K 149
Brookside S. E Barn —9F 154
Brookside Wlk. N12 —6N 165
Brook St. Ast C —1C 100
Brook St. Edl —4K 63
Brook St. Lut —9F 46
Brook St. Stot —6E 10
Brook St. Tring —2N 101
Brook View. Hit —4C 34
Brookview Ct. Enf —7C 156
Brook Wlk. Edgw —6D 164
Broom Clo. Chesh —9E 132
Broom Clo. Hat —3F 128
Broomer Pl. Chesh —3G 144
Broomfield. H'low —3D 118
Broomfield. Park —9D 126
Broomfield Av. Brox —8J 133
Broomfield Clo. Welw —3J 91
Broomfield Ho. Stan —3H 163
(off Stanmore Hill)
Broomfield Rise. Ab L —5F 136
Broomfield Rd. Welw —3J 91
Broom Gro. Kneb —3M 71
Broom Gro. Wat —2J 149
Broomgrove Gdns. Edgw —8A 164
Broom Hill. Hem H —3H 123
Broom Hill. Welw —9N 71
Broomhills. Wel G —8N 91
Broomleys. St Alb —8L 109
Brooms Clo. Wel G —6K 91
Brooms Rd. Lut —9J 47
Broom Wlk. Stev —4L 51
Broughinge Rd. Borwd —4B 152
Broughton Av. N3 —9L 165
Broughton Av. Lut —4E 46
Broughton Hill. Let —5G 23
Broughton Way. Rick —9K 147
Browneymead La. Gt Hor —1E 40
Brownfield. St Alb —1J 89
Brownfields. Wel G —8M 91
Browning Dri. Hit —2B 34
Browning Rd. Enf —1B 156
Browning Rd. Hpdn —5D 88
Browning Rd. Lut —7K 45
Brownlow Av. Edl —5K 63
Brownlow La. Ched —9M 61
Brownlow Rd. N3 —7N 165
Brownlow Rd. Berk —9N 103
Brownlow Rd. Borwd —6A 152
Brown's Clo. Lut —4N 45
Brown's La. Hast —7L 101
Browns Spring. Pott E —7F 104
Brow, The. Chal G —3A 158
Brow, The. Wat —6K 137
Broxbournebury M. Brox —2G 132
Brox Dell. Stev —3L 51
Broxley Mead. Lut —4M 45
Bruce Gro. Wat —2L 149
Bruce Rd. Barn —5L 153
Bruce Rd. Harr —9F 162
Bruce Way. Wal X —6H 145
Brunel Ct. Hem H —4N 123
Brunel Ct. Lut —6H 45
Brunel Rd. Lut —6H 45
Brunel Rd. Stev —2N 51
Brunswick Ct. Barn —7C 154
Brunswick Ct. Hod —9L 115
(off Rawdon Dri.)
Brunswick Ho. N3 —8M 165
Brunswick St. Lut —9G 47
Brushrise. Wat —9K 137
Brushwood Dri. Chor —6F 146
Brussels Way. Lut —9A 30
Bryan Rd. Bis S —9H 59
Bryanston Ct. Hem H —3N 123
Bryanstone Rd. Wal X —7K 145
Bryant Clo. Barn —7M 153
Bryant Ct. Hpdn —4B 88
Bryants Acre. Wend —9A 100
Bryants Clo. Shil —1A 20
Bryce Clo. Ware —4H 95
Bryn Av. St Alb —4K 127
Brynmawr Rd. Enf —6D 156
Bryn Way. St Alb —5K 127
Bryony Way. Dunst —8B 44
Buchanan Clo. N21 —7L 155
Buchanan Clo. Borwd —4C 152
Buchanan Ct. Lut —9K 47
Buchanan Dri. Lut —9K 47
Buckettsland La. Borwd —2D 152
Buckingham Av. N20 —9B 154
Buckingham Clo. Enf —4C 156
Buckingham Dri. Lut —7M 47
Buckingham Gdns. Edgw —7N 163
Buckingham Gro. Borwd —6D 152
Buckingham Pde. Stan —5K 163
Buckingham Rd. Borwd —6D 152
Buckingham Rd. Edgw —7N 163
Buckingham Rd. Tring —3K 101
Buckingham Rd. Wat —1L 149
Buckland Rise. Pinn —8L 161
Buckland Rd. Buck —1F 100
Bucklands, The. Rick —9K 147
Buckle Clo. Lut —2B 46
Bucklersbury. Hit —4M 33
Bucklers Clo. Brox —4K 133
Bucknalls Clo. Wat —5N 137
Bucknalls Dri. Brick W —4A 138
Bucknalls La. Wat —5M 137
Buck's All. L Berk —9H 113
Buck's Av. Wat —9N 149
Bucks Hill. K Lan —6M 135
Buckthorn Av. Stev —5L 51
Buckton Rd. Borwd —2N 151
Buckwood Av. Dunst —8H 45
Buckwood La. Stud —8E 64
Buckwood Rd. Kens & Mark —9H 65
Budd Clo. N12 —4N 165
Buddcroft. Wel G —8A 92
Bude Cres. Stev —2G 51
Building End Rd. R'ton —5L 17
Bulbourne Clo. Berk —8K 103
Bulbourne Clo. Hem H —3K 123
Bulbourne Ct. Tring —8M 81
Bulbourne Rd. Tring —9N 81
Bullace Clo. Hem H —1K 123
Bullbeggars La. Berk —2C 122
Bullen's Grn. La. Col H —4E 128
Bullescroft Rd. Edgw —3A 164
Bullfields. Saw —3G 99
Bullhead Rd. Borwd —5C 152
Bull La. Buck —3G 27
Bull La. Chal P —9A 158
Bull La. Cot —2A 38
Bull La. Lang U —1L 29
Bull La. Wheat —9H 89
Bullock's Hill. St Pau —8A 50
Bullock's La. Hert —2A 114
Bull Plain. Hert —9B 94
Bull Pond La. Dunst —9E 44
Bull Rd. Hpdn —7C 88
Bullrush Clo. Hat —1H 129
Bull's Cross. Enf —8E 144
Bulls Cross Ride. Wal X —8E 144
Bullsland Gdns. Chor —8E 146
Bullsland La. Ger X & Chor —1E 158
Bulls La. N Mym —6K 129
Bullsmoor Clo. Wal X —8G 144
Bullsmoor Gdns. Wal X —8F 144
Bullsmoor La. Enf —8E 144
Bullsmoor Ride. Wal X —8G 144
Bullsmoor Way. Wal X —8G 144
Bull Stag Grn. Hat —7J 111
Bullwell Cres. Chesh —2J 145
Bulstrode La. Fel & Chfd —7K 123
Bulwer Gdns. Barn —6B 154
Bulwer Link. Stev —6L 51
Bulwer Rd. Barn —6A 154
Buncefield La. Hem H —8E 106
Bungalows, The. Berk —4H 103
Bungalows, The. H'low —3M 119
Bungalows, The. Hpdn —4D 88
Bunhill Clo. Dunst —9C 44
Bunkers La. Hem H —7C 124
Bunns La. NW7 —6E 164
(in two parts)
Bunsfield. Wel G —8B 92
Bunstrux. Tring —2L 101
Bunting Ct. NW9 —9E 164
Buntingford Rd. Puck —5A 56
Bunting Rd. Lut —4K 45
Bunyan Clo. Pir —7E 20
Bunyan Clo. Tring —1N 101
Bunyan Rd. Hit —2M 33
Bunyans Clo. Lut —4C 46
Burbage Clo. Chesh —4K 145
Burchell Ct. Bush —9D 150
Bure Ct. New Bar —7A 154
Burfield Clo. Hat —7G 111
Burfield Ct. Lut —6M 47
Burfield Rd. Chor —7E 146
Burford Clo. Lut —9B 30
Burford Gdns. Hod —7M 115
Burford M. Hod —7L 115
Burford Pl. Hod —7L 115
Burford St. Hod —8L 115
Burford Wlk. H Reg —4H 45
Burford Way. Hit —9K 21
Burge End La. Pir —6D 20
Burges Clo. Dunst —3G 65
Burgess La. Bunt —7C 26
Burghley Av. Bis S —9E 58
Burghley Av. Borwd —7C 152
Burghley Clo. Stev —9N 51
Burgoyne Hatch. H'low —5C 118
Burgundy Croft. Wel G —2M 111
Burhill Gro. Pinn —9N 161
Burleigh Gdns. N14 —9H 155
Burleigh Mead. Hat —7J 111
Burleigh Rd. Chesh —5J 145
Burleigh Rd. Enf —6C 156
Burleigh Rd. Hem H —3E 124
Burleigh Rd. Hert —8E 94
Burleigh Rd. St Alb —2J 127
Burleigh Way. Cuff —3K 143
Burleigh Way. Enf —5B 156
Burley. Let —2F 22
Burley Hill. H'low —7F 118
Burley Rd. Bis S —4J 79
Burlington Clo. Pinn —9K 161
Burlington Rise. E Barn —9D 154
Burlington Rd. Enf —3B 156
Burnam Clo. NW7 —7G 164
Burn Clo. Bush —5E 150
Burncroft Av. Enf —4G 157
Burnell Gdns. Stan —9L 163
Burnell Rise. Let —6D 22
Burnells Way. Stans —2N 59
Burnell Wlk. Let —6E 22
Burnet Clo. Hem H —3A 124
Burnett Sq. Hert —8L 93
Burnham Clo. Enf —2C 156
Burnham Clo. Welw —1B 92
Burnham Grn. Rd. Welw —1B 92
Burnham Rd. Lut —7K 47
Burnham Rd. St Alb —2H 127
Burnley Clo. Wat —5L 161
Burnsall Pl. Hpdn —9D 88
Burns Clo. Hit —2B 34
Burns Clo. Stev —1B 52
Burns Dri. Hem H —5D 106
Burnside. Hert —1M 113
Burnside. Hod —8K 115
Burnside. Saw —5F 98
Burnside. St Alb —4J 127
Burnside Clo. Barn —5N 153
Burnside Clo. Hat —6H 111
Burnside Ter. H'low —3H 119
Burns Rd. R'ton —5C 8
Burnt Clo. Lut —2B 46
Burntfarm Ride. Enf & Wal X —7N 143
Burnthouse La. Bald —8E 24
Burnt Mill. H'low —4M 117
Burnt Mill Ind. Est. H'low —3M 117
Burnt Oak B'way. Edgw —7B 164
Burnt Oak Fields. Edgw —8C 164
Burr Clo. Bar C —7E 18
Burr Clo. Lon C —9M 127
Burrell Clo. Edgw —2B 164
Burrowfield. Wel G —2K 111
Burrs La. B'wy —9N 15
Burrs La. Lit —3H 7
Burrs Pl. Lut —2G 67
Burr St. Dunst —9E 44
Burr St. Lut —9G 47
Bursland. Let —5D 22
Bursland Rd. Enf —6H 157
Burston Dri. Park —1D 138
Burton Av. Wat —6J 149
Burton Clo. Wheat —2K 89
Burton Grange. Chesh —9C 132
Burtonhole Clo. NW7 —4K 165
Burtonhole La. NW7 —5J 165
Burton La. Chesh —2C 144
Burton's La. Chal G & Chor —5A 146
Burtons Mill. Saw —4H 99
(in two parts)
Burton's Way. Chal G —4A 146
Burvale Ct. Wat —5K 149
Burwell Rd. Stev —5A 52
Burycroft. Wel G —6L 91
Burydale. Stev —8A 52
Burydell La. Park —9E 126
Bury End. Pir —7E 20
Buryfield Ter. Ware —6G 95
Bury Grn. Hem H —1M 123
Bury Grn. Wheat —7K 89
Bury Grn. Rd. Chesh —5E 144
(in two parts)
Bury Hall Vs. N9 —9D 156
Bury Hill. Hem H —1L 123
Bury Hill Clo. Hem H —1M 123
Bury Holme. Brox —5K 133
Bury La. B'fld —4G 92
Bury La. Chris —3N 17
Bury La. Cod —7F 70
Bury La. D'wth —4C 72
Bury La. Mel —1G 9
Bury La. Rick —1N 159
Bury La. Streat —5C 30
Bury La. Welw —8K 71
Bury Mead. Arl —5A 10
Burymead. Stev —9J 35

Burymead La.—Cedars, The

Burymead La. *Cot* —3B **38**
Bury Meadows. *Rick* —1N **159**
Bury Mead Rd. *Hit* —9N **21**
Bury Pk. Rd. *Lut* —8E **46**
Bury Rise. *Hem H* —7G **123**
Bury Rd. *H'low* —2E **118**
Bury Rd. *Hat* —8J **111**
Bury Rd. *Hem H* —1M **123**
Bury Rd. *Shil* —2N **19**
Bury St. *N9* —9D **156**
Bury St. W. *N9* —9B **156**
Bury, The. *Cod* —6F **70**
Burywick. *Hpdn* —1C **108**
Bushbarns. *Chesh* —2E **144**
Bushby Av. *Brox* —4K **133**
Bush Ct. *N14* —9J **155**
Bushell Grn. *Bush* —2E **162**
Bushel Wharf. *Tring* —9M **81**
Bushey Clo. *Wel G* —1A **112**
Bushey Clo. *Whip* —7C **64**
Bushey Croft. *H'low* —8A **118**
Bushey Grn. *Wel G* —1A **112**
Bushey Gro. Rd. *Bush* —6M **149**
Bushey Hall Dri. *Bush* —6N **149**
Bushey Hall Mobile Home Pk. *Bush* —5N **149**
Bushey Hall Rd. *Bush* —6M **149**
Bushey Ley. *Wel G* —1A **112**
Bushey Mill Cres. *Wat* —1L **149**
Bushey Mill La. *Wat* —1L **149**
Bushey View Wlk. *Wat* —4M **149**
Bush Fair. *H'low* —8B **118**
Bush Fair Ct. *N14* —8G **155**
Bushfield Clo. *Edgw* —2B **164**
Bushfield Cres. *Edgw* —2B **164**
Bushfield Rd. *Bov* —7F **122**
Bush Gro. *Stan* —7L **163**
Bush Hall La. *Hat* —6K **111**
Bush Hill. *N21* —9A **156**
Bush Hill Rd. *N21* —8B **156**
Bushmead Rd. *Lut* —4G **46**
Bush Spring. *Bald* —2N **23**
Bushwood Clo. *N Mym* —5H **129**
Business Cen. E. *Let* —5J **23**
Business Cen. W. *Let* —5J **23**
Buslins La. *Che* —9C **120**
Butchers La. *Hit* —5N **33**
Butchers La. *Pres* —3L **49**
Butely Rd. *Lut* —3L **45**
*Bute Sq. Lut —1G **66***
(off Arndale Cen.)
Bute St. *Lut* —1G **66**
(in two parts)
*Bute St. Mall. Lut —1G **66***
(off Arndale Cen.)
Butlers Dri. *E4* —2N **157**
Butlers Hall La. *Bis S* —5D **78**
Butlin Rd. *Lut* —1D **66**
Buttercup Clo. *Dunst* —1D **64**
Buttercup La. *Dunst* —2D **64**
Butterfield Grn. Rd. *Lut* —3J **47**
Butterfield La. *St Alb* —6F **126**
Butterfield Rd. *Wheat* —7K **89**
Butterfly La. *Els* —5H **151**
Buttermere Av. *Dunst* —2F **64**
Buttermere Clo. *St Alb* —3J **127**
Buttermere Pl. *Wat* —6J **137**
Buttersweet Rise. *Saw* —6G **98**
Butterwick. *Wat* —9N **137**
Butterworth Path. *Lut* —9G **46**
Butt Field View. *St Alb* —6D **126**
Butt La. *Man* —8F **42**
Buttlehide. *Rick* —5G **158**
Buttondene Cres. *Brox* —4M **133**
Butts End. *Hem H* —1K **123**
Buttsmead. *N'wd* —7E **160**
Butts, The. *Brox* —6J **133**
Buxton Clo. *St Alb* —8L **109**
Buxton Path. *Wat* —3L **161**
Buxton Rd. *E4* —9N **157**
Buxton Rd. *Lut* —1F **66**
Buxtons La. *G Mor* —2A **6**
Buzzard Rd. *Lut* —5K **45**
Byculla Av. *Enf* —5N **155**
Byculla Rd. *Enf* —4N **155**
Byde St. *Hert* —8A **94**
Bye Grn. *W'ton T* —3A **100**
Byers Clo. *Pot B* —7B **142**
Bye Way, The. *Harr* —8G **162**
Byeway, The. *Rick* —2A **160**
Byfield. *Wel G* —6L **91**
Byfield Clo. *Lut* —8L **45**
Byfleet Ind. Est. *Crox G* —1E **160**
Byford Ho. *Barn* —6K **153**
Bygrave Rd. *Bald* —2M **23**
Byland Clo. *N21* —9L **155**
Bylands Clo. *Bis S* —2F **78**
Byng Dri. *Pot B* —4N **141**
Bynghams. *H'low* —8J **117**
Byng Rd. *Barn* —4K **153**
Byrd Wlk. *Bald* —4M **23**
Byre Rd. *N14* —8G **154**
Byre Rd., The. *N14* —8G **154**
Byron Av. *Borwd* —7A **152**
Byron Av. *Wat* —3M **149**
Byron Clo. *Hit* —2B **34**
Byron Clo. *Stev* —2B **52**
Byron Clo. *Wal X* —9D **132**
Byron Ct. *Chesh* —1F **144**
Byron Ct. *Enf* —4N **155**
Byron Pl. *Hem H* —5D **106**
Byron Rd. *NW7* —5G **164**
Byron Rd. *Hpdn* —5B **88**
Byron Rd. *Lut* —7L **45**
Byron Rd. *R'ton* —5E **8**
Byron Rd. *W'stone* —9G **162**
Byron Ter. *N9* —8G **156**
Byslips Rd. *Stud* —1H **85**
By The Mount. *Wel G* —1K **111**
By the Wood. *Wat* —2M **161**
Byways. *Berk* —9B **104**
Byway, The. *Pot B* —6N **141**
By-Wood End. *Chal P* —5C **158**

Cabot Clo. *Stev* —2N **51**
Caddington Clo. *Barn* —7D **154**
Caddington Comn. *Mark* —8A **66**
Caddis Clo. *Stan* —7G **163**
Cade Clo. *Let* —2J **23**
Cades Clo. *Lut* —2C **66**
Cades La. *Lut* —2C **66**
Cadia Clo. *Cad* —4A **66**
Cadmore Ct. *Chesh* —1H **145**
Cadmore Ct. *Hert* —7L **93**
Cadmore La. *Chesh* —1H **145**
Cadogan Gdns. *N3* —8N **165**
Cadogan Gdns. *N21* —7M **155**
Cadwell Ct. *Hit* —9A **22**
Cadwell La. *Hit* —9N **21**
Caernarvon Clo. *Hem H* —2N **123**
Caernarvon Clo. *Stev* —1A **72**
Caernarvon Ct. *Hem H* —2N **123**
Caesars Rd. *Wheat* —7L **89**
Cage Pond Rd. *Shenl* —6N **139**
Cairn Way. *Stan* —6G **163**
Caishowe Rd. *Borwd* —3B **152**
Caister Clo. *Hem H* —3A **124**
Caister Clo. *Stev* —9G **35**
Cakebread's La. *Saf W* —7N **29**
Calbury Clo. *St Alb* —3J **127**
Calcote Av. *Chesh* —2D **144**
Calcutt Clo. *Dunst* —7J **45**
Caldecote Gdns. *Bush* —9F **150**
Caldecote La. *Bush* —8G **150**
Caldecote Rd. *Newn* —3K **11**
Caldecote Towers. *Bush* —9F **150**
Caldecot Way. *Brox* —4K **133**
Calder Av. *Brk P* —8N **129**
Calder Clo. *Enf* —5C **156**
Calder Gdns. *Edgw* —9A **164**
Caldwell Rd. *Wat* —4M **161**
Caleb Clo. *Lut* —7B **46**
Caledonian Ct. *Wat* —4K **149**
Caledon Rd. *Lon C* —8K **127**
California. *Bald* —2M **23**
*California Ct. Bush —1E **162***
(off High Rd.)
California La. *Bush* —1E **162**
Callanders, The. *Bush* —1F **162**
Callisto Ct. *Hem H* —8B **106**
Callowland Clo. *Wat* —2K **149**
Calnwood Rd. *Lut* —7L **45**
Calshot Way. *Enf* —5N **155**
Calthorpe Gdns. *Edgw* —5M **163**
Calton Av. *Hert* —8L **93**
Calton Ct. *Hert* —9L **93**
Calton Ho. *Hert* —9L **93**
Calton Rd. *New Bar* —8B **154**
Calverley Clo. *Bis S* —5G **78**
Calverton Rd. *Lut* —3B **46**
Calvert Rd. *Barn* —4K **153**
Camberley Av. *Enf* —6C **156**
Camberley Pl. *Hpdn* —9E **88**
Camborne Dri. *Hem H* —7A **106**
Cambourne Av. *N9* —9H **157**
Cambrian Way. *Hem H* —8A **106**
Cambridge Clo. *Chesh* —2G **145**
Cambridge Cotts. *Ware* —6J **75**
Cambridge Dri. *Pot B* —4K **141**
Cambridge Gdns. *N21* —9B **156**
Cambridge Gdns. *Enf* —4E **156**
Cambridge Pde. *Enf* —3E **156**
Cambridge Rd. *B'wy* —7A **16**
Cambridge Rd. *Bar* —1D **16**
Cambridge Rd. *H'low* —9E **98**
Cambridge Rd. *Puck* —7N **55**
Cambridge Rd. *Saw* —4G **98**
Cambridge Rd. *St Alb* —3J **127**
Cambridge Rd. *Stans* —2N **59**
Cambridge Rd. *Wat* —6L **149**
Cambridge St. *Lut* —3G **67**
Cambridge Ter. *N9* —9D **156**
Cambridge Ter. *Berk* —1A **122**
Camden Ho. *Hem H* —2N **123**
Camden Row. *Pinn* —9L **161**
Cameron Ct. *Ware* —5H **95**
Cameron Dri. *Wal X* —7H **145**
Camfield. *Wel G* —4M **111**
Camfield Pl. *Ess* —3C **130**
Camford Way. *Lut* —1K **45**
Camlet Way. *Barn* —4N **153**
Camlet Way. *St Alb* —1C **126**
Campania Gro. *Lut* —1C **46**
Campbell Clo. *H'low* —8D **118**
Campbell Clo. *Hit* —2B **34**
Campbell Croft. *Edgw* —5A **164**
Camp Dri. *H Reg* —4E **44**
Campers Av. *Let* —6E **22**
Campers Rd. *Let* —6D **22**
Campers Wlk. *Let* —6E **22**
Campfield Rd. *Hert* —9N **93**
Campfield Rd. *St Alb* —3H **127**
Campfield Way. *Let* —6D **22**
Campian Clo. *Dunst* —8B **44**
Campine Clo. *Chesh* —9H **133**
Campion Clo. *Wat* —6J **137**
Campion Ct. *Stev* —1J **51**
Campion Rd. *Hem H* —4H **123**
Campions Clo. *Borwd* —1B **152**
Campions Ct. *Berk* —2M **121**
Campions, The. *Borwd* —2N **151**
Campions, The. *Stans* —2N **59**
Campion Way. *R'ton* —8E **8**
Campkin Mead. *Stev* —6C **52**
Camp Rd. *St Alb* —3H **127**
Campshill La. *Stev* —3N **51**
Campus One. *Let* —4J **23**
Campus, The. *Wel G* —8K **91**
Camp View Rd. *St Alb* —3J **127**
Camrose Av. *Edgw* —9N **163**
Canada La. *Brox* —7J **133**
Canadas, The. *Brox* —7J **133**
Canberra Clo. *NW4* —9G **165**
Canberra Clo. *St Alb* —7G **109**
Canberra Gdns. *Lut* —3D **46**
Candale Clo. *Dunst* —2F **64**
Candlefield Clo. *Hem H* —5C **124**
Candlefield Rd. *Hem H* —5C **124**
Candlefield Wlk. *Hem H* —5C **124**
Candlestick La. *Chesh* —8F **132**
Caneswordе Rd. *Dunst* —1D **64**
Canfield. *Bis S* —9G **59**
Canford Clo. *Enf* —4M **155**
Cangels Clo. *Hem H* —4K **123**
Canham Clo. *Kim* —7L **69**
Canning Rd. *Harr* —9G **162**
Cannix Clo. *Stev* —7N **51**
Cannon Fields. *Wheat* —6L **89**
Cannon La. *Lut* —4K **47**
Cannon M. *Wal A* —6M **145**
Cannon Rd. *Wat* —7L **149**
Cannons Clo. *Bis S* —8J **59**
Cannons Ct. *Stdn* —6A **56**
Cannons Mead. *Stans* —2M **59**
Cannons Meadow. *Tew* —5D **92**
Cannons Mill La. *Bis S* —7J **59**
(in two parts)
Cannon St. *St Alb* —1E **126**
Canonbury Rd. *Enf* —3C **156**
Canon Mohan Clo. *N14* —8F **154**
Canon Mohon Clo. *N14* —8G **154**
Canons Brook. *H'low* —6L **117**
Canons Clo. *Edgw* —6N **163**
Canons Clo. *Rad* —8J **139**
Canons Corner. *Edgw* —4M **163**
Canons Ct. *Edgw* —6N **163**
Canons Dri. *Edgw* —6M **163**
Canons Field. *Welw* —8L **71**
Canonsfield Ct. *Welw* —8L **71**
Canonsfield Rd. *Welw* —8L **71**
Canons Ga. *H'low* —5K **117**
Canons Pk. *Stan* —6L **163**
Canons Rd. *Ware* —5G **95**
Canopus Way. *N'wd* —4J **161**
Canterbury Clo. *Lut* —5B **46**
Canterbury Clo. *N'wd* —6H **161**
Canterbury Ct. *NW9* —9E **164**
*Canterbury Ct. St Alb —1G **126***
(off Battlefield Rd.)
*Canterbury Ho. Borwd —4A **152***
(off Stratfield Rd.)
Canterbury Rd. *Borwd* —4A **152**
Canterbury Rd. *Wat* —4K **149**
Canterbury Way. *Crox G* —5E **148**
Canterbury Way. *Stev* —9L **35**
Cantilupe Clo. *Eat B* —2H **63**
Cantrel Lodge. *Enf* —9H **145**
Capability Grn. *Lut* —4H **67**
Capel Ct. *L Had* —7A **58**
Capella Rd. *N'wd* —4H **161**
Capell Av. *Chor* —7F **146**
Capell Rd. *Chor* —7G **146**
Capell Way. *Chor* —7G **146**
Capel Rd. *Barn* —8D **154**
Capel Rd. *Enf* —9F **144**
Capel Rd. *Wat* —8N **149**
Capelvere Wlk. *Wat* —3G **148**
Cape Rd. *St Alb* —2J **127**
Capital Bus. Cen. *Wat* —9M **137**
*Capital Pl. H'low —7K **117***
(off Lovet Rd.)
Capitol Way. *NW9* —9C **164**
Caponfield. *Wel G* —2A **112**
Cappell La. *Stan A* —9N **95**
Capron Rd. *Dunst* —7D **44**
Capron Rd. *Lut* —5A **46**
Capstan Ride. *Enf* —4M **155**
Captain's Clo. *Che* —9E **120**
Captains Wlk. *Berk* —2A **122**
Capuchin Clo. *Stan* —6J **163**
Caractacus Cottage View. *Wat* —9J **149**
Caractacus Grn. *Wat* —8H **149**
Caravan La. *Rick* —9A **148**
Carbis Clo. *E4* —9N **157**
Carbone Hill. *N'thaw & New S* —9H **131**
Carde Clo. *Hert* —8L **93**
Cardiff Clo. *Stev* —1A **72**
Cardiff Gro. *Lut* —1F **66**
Cardiff Rd. *Enf* —6F **156**
Cardiff Rd. *Lut* —1F **66**
Cardiff Rd. *Wat* —8K **149**
Cardiff Rd. Ind. Est. *Wat* —8K **149**
Cardiff Way. *Ab L* —5J **137**
*Cardigan Ct. Lut —9F **46***
(off Cardigan St.)
Cardigan St. *Lut* —1F **66**
Cardinal Av. *Borwd* —5B **152**
Cardinal Clo. *Chesh* —8D **132**
Cardinal Clo. *Edgw* —7D **164**
Cardinal Gro. *St Alb* —4C **126**
Cardinal Way. *Harr* —9F **162**
Cardy Rd. *Hem H* —3L **123**
Carew Rd. *N'wd* —6G **161**
Carey Pl. *Wat* —6L **149**
Careys Croft. *Berk* —7L **103**
Carfax Clo. *Lut* —6H **45**
Cargrey Ho. *Stan* —5K **163**
Carisbrooke Av. *Wat* —3M **149**
Carisbrooke Clo. *Enf* —3D **156**
Carisbrooke Clo. *Stan* —9L **163**
Carisbrooke Rd. *Hpdn* —5D **88**
Carisbrooke Rd. *Lut* —8A **46**
Carisbrook Rd. *Park* —8C **126**
Carleton Rise. *Welw* —1J **91**
Carleton Rd. *Chesh* —9J **133**
Carlisle Av. *St Alb* —9E **108**
Carlisle Clo. *Dunst* —2E **64**
Carlisle Ho. *Borwd* —4A **152**
Carlisle Rd. *NW9* —9C **164**
Carlton Av. *N14* —7J **155**
Carlton Bank. *Hpdn* —6C **88**
Carlton Clo. *Borwd* —6D **152**
Carlton Clo. *Edgw* —5A **164**
Carlton Clo. *Lut* —7E **46**
Carlton Ct. *Hpdn* —6C **88**
Carlton Cres. *Lut* —6E **46**
Carlton Pl. *N'wd* —5D **160**
Carlton Rise. *Mel* —1K **9**
Carlton Rd. *Hpdn* —5B **88**
Carman Ct. *Tring* —3L **101**
Carmelite Clo. *Harr* —8D **162**
Carmelite Rd. *Harr* —8D **162**
Carmelite Rd. *Lut* —6K **45**
Carmelite Wlk. *Harr* —8D **162**
Carmelite Way. *Harr* —9D **162**
Carnaby Rd. *Brox* —2J **133**
Carnarvon Av. *Enf* —5D **156**
Carnarvon Rd. *Barn* —5L **153**
Carnegie Dri. *St Alb* —7E **108**
Carnegie Gdns. *Lut* —1C **46**
Caro La. *Hem H* —4D **124**
Carol Clo. *Lut* —5D **46**
Caroline Ct. *Stan* —6H **163**
Caroline Pl. *Wat* —8N **149**
Caroline Sharp Ho. *St Alb* —7K **109**
Carolyn Ct. *Lut* —5D **46**
Caroon Dri. *Sarr* —9L **135**
Carpenders Av. *Wat* —3N **161**
Carpenders Clo. *Hpdn* —3M **87**
Carpenters Rd. *Enf* —9G **144**
Carpenters, The. *Bis S* —4E **78**
Carpenters Wood Dri. *Chor* —6E **146**
Carpenters Yd. *Tring* —3N **101**
Carpenter Way. *Pot B* —6B **142**
Carriden Ct. *Hert* —7L **93**
Carrigans. *Bis S* —9G **59**
Carrington Av. *Borwd* —7B **152**
Carrington Clo. *A'ly* —7G **153**
Carrington Clo. *Borwd* —7C **152**
Carrington Cres. *Wend* —7A **100**
Carrington Pl. *Tring* —1N **101**
Carrington Sq. *Harr* —6D **162**
Carrs La. *N21* —7A **156**
Carsdale Clo. *Lut* —3C **46**
Carson Rd. *Cockf* —6E **154**
Carteret Rd. *Lut* —8L **47**
Carterhatch La. *Enf* —2D **156**
Carterhatch Rd. *Enf* —4G **157**
Carters Clo. *Arl* —5A **10**
Carters Clo. *Stev* —5C **52**
Cartersfield Rd. *Wal A* —7N **145**
Carters Hill. *Man* —9J **43**
Carters La. *Hit* —3H **33**
Carters Leys. *Bis S* —9F **58**
Carters Mead. *H'low* —8E **118**
Carters Wlk. *Arl* —5A **10**
Carters Way. *Arl* —5A **10**
Carterweys. *Dunst* —7H **45**
Carthagena Est. *Brox* —2N **133**
Cartmel Dri. *Dunst* —2E **64**
Cart Path. *Wat* —6L **137**
Cart Track, The. *Hem H* —7B **124**
Cartwright Rd. *R'ton* —8D **8**
Cartwright Rd. *Stev* —8B **36**
Carve Ley. *Wel G* —1A **112**
Carvers Croft. *Wool G* —7A **72**
Cary Wlk. *Rad* —7J **139**
Cashio La. *Let* —2G **23**
Caslon Way. *Let* —2F **22**
Cassandra Ga. *Chesh* —9K **133**
Cassiobridge Rd. *Wat* —6G **148**
Cassiobury Ct. *Wat* —4G **149**
Cassiobury Dri. *Wat* —2G **148**
Cassiobury Pk. Av. *Wat* —5G **149**
Cassio Rd. *Wat* —5K **149**
Castano Ct. *Abb L* —4G **137**
Castellane Clo. *Stan* —7G **163**
Castile Ct. *Wal X* —7L **145**
Castle Bridges. *Hert* —9A **94**
Castle Clo. *Bush* —8C **150**
Castle Clo. *Hod* —5N **115**
Castle Clo. *Tot* —1L **63**
Castle Croft Rd. *Lut* —1C **66**
Castlefield Rd. *Enf* —1J **157**
Castle Ga. Way. *Berk* —8N **103**
Castle Hill. *Berk* —8N **103**
Castle Hill Av. *Berk* —9N **103**
Castle Hill Clo. *Berk* —9N **103**
Castle Hill Ct. *Berk* —8N **103**
Castle Hill Rd. *Tot* —1L **63**
Castleleigh Ct. *Enf* —7B **156**
Castle Mead. *Hem H* —4L **123**
Castle Mead Gdns. *Hert* —9A **94**
Castle M. *Berk* —1A **122**
Castle Pk. Rd. *Wend* —8A **100**
Castle Rise. *Wheat* —5G **89**
Castle Rd. *Enf* —3J **157**
Castle Rd. *Hod* —5M **115**
Castle Rd. *St Alb* —2J **127**
*Castle Row. Tring —3M **101***
(off Albert St.)
Castles Clo. *Stot* —4F **10**
Castle St. *Berk* —1N **121**
Castle St. *Bis S* —2H **79**
Castle St. *Hert* —1A **114**
Castle St. *Lut* —2G **66**
(in two parts)
Castle St. *W'grv* —6A **60**
Castle View. *Bis S* —1J **79**
Castle Wlk. *Stans* —3N **59**
Castlewood Rd. *Cockf* —5C **154**
Catchacre. *Dunst* —1D **64**
Catesby Grn. *Lut* —9C **30**
Catham Clo. *St Alb* —4J **127**
Catherall Rd. *Lut* —3D **46**
Catherine Clo. *Hem H* —6D **106**
Catherine Cotts. *Tring* —6C **102**
Catherine Ct. *N14* —7H **155**
Catherine Rd. *Enf* —1J **157**
Catherine St. *St Alb* —1E **126**
Cat Hill. *Barn* —8D **154**
Catisfield Rd. *Enf* —1J **157**
Catkin Clo. *Hem H* —1L **123**
Catlin St. *Hem H* —5L **123**
Catsbrook Rd. *Lut* —3D **46**
Catsdell Bottom. *Hem H* —5D **124**
Catsey La. *Bush* —9D **150**
Catsey Wood. *Bush* —9D **150**
Catterick Way. *Borwd* —3N **151**
Cattlegate Cotts. *Cuff* —4J **143**
Cattlegate Hill. *Cuff* —5J **143**
Cattlegate Rd. *Cuff & Enf* —4J **143**
Cattley Clo. *Barn* —6L **153**
Cattlins Clo. *Chesh* —2D **144**
Cattsdell. *Hem H* —9A **106**
Causeway Clo. *Pot B* —4C **142**
Causeway, The. *Bass* —1N **7**
Causeway, The. *Bis S* —1H **79**
Causeway, The. *Bre P* —1L **41**
Causeway, The. *Bunt* —2J **39**
Causeway, The. *Fur P* —6K **41**
Causeway, The. *Pot B* —4B **142**
Causeway, The. *Saf W* —9M **17**
Causeway, The. *Ther* —4D **14**
Causeway, The. *Ware* —7N **57**
Causeyware Rd. *N9* —9G **156**
Cautherly La. *Gt Amw* —1K **115**
Cavalier Clo. *Lut* —3C **46**
Cavalier Ct. *Berk* —1N **121**
*Cavalier Ct. Stev —9H **35***
(off Ingleside Dri.)
Cavan Ct. *Hat* —1G **128**
Cavan Dri. *St Alb* —6E **108**
Cavan Rd. *Redb* —9J **87**
Cavell Dri. *Enf* —4M **155**
Cavell Rd. *Chesh* —9D **132**
Cavell Wlk. *Stev* —4B **52**
Cavendish Av. *N3* —9N **165**
Cavendish Clo. *Wend* —8A **100**
Cavendish Cres. *Els* —6A **152**
Cavendish Dri. *Edgw* —6N **163**
Cavendish Rd. *Barn* —5J **153**
Cavendish Rd. *Lut* —7D **46**
Cavendish Rd. *Mark* —1N **85**
Cavendish Rd. *St Alb* —2G **127**
Cavendish Rd. *Stev* —4G **51**
Cavendish Way. *Hat* —9E **110**
Cawkell Clo. *Stans* —2M **59**
Cawley Hatch. *H'low* —6J **117**
Caxton Ct. *Lut* —5B **46**
Caxton Hill. *Hert* —9C **94**
Caxton Rd. *Hod* —4M **115**
Caxton Way. *Stev* —5H **51**
Caxton Way. *Wat* —9F **148**
Cecil Av. *Enf* —6D **156**
Cecil Clo. *Bis S* —1M **79**
Cecil Ct. *Barn* —5K **153**
Cecil Ct. *H'low* —9M **117**
Cecil Cres. *Hat* —7H **111**
Cecil Rd. *N14* —9H **155**
Cecil Rd. *Chesh* —5J **145**
Cecil Rd. *Enf* —6A **156**
Cecil Rd. *Harr* —9F **162**
Cecil Rd. *Hert* —3A **114**
Cecil Rd. *Hod* —6N **115**
Cecil Rd. *S Mim* —5G **141**
Cecil Rd. *St Alb* —2G **127**
Cecil St. *Wat* —2K **149**
Cedar Av. *Barn* —9D **154**
Cedar Av. *Enf* —4G **157**
Cedar Av. *Ickl* —7M **21**
Cedar Av. *Wal X* —6H **145**
Cedar Clo. *Hert* —9N **93**
Cedar Clo. *Lut* —6H **45**
Cedar Clo. *Mel* —1J **9**
Cedar Clo. *Pot B* —3N **141**
Cedar Clo. *Saw* —6G **99**
Cedar Clo. *Ware* —7H **95**
Cedar Ct. *Bis S* —8H **59**
Cedar Ct. *St Alb* —2L **127**
Cedar Cres. *R'ton* —7B **8**
Cedar Dri. *Pinn* —7B **162**
Cedar Grange. *Enf* —7C **156**
Cedar Grn. *Hod* —9L **115**
Cedar Gro. *Bell* —5B **120**
Cedar Lawn Av. *Barn* —7L **153**
Cedar Lodge. *Chesh* —1H **145**
Cedar Pk. *Bis S* —4F **78**
Cedar Pk. Rd. *Enf* —2A **156**
Cedar Pl. *N'wd* —6E **160**
Cedar Rise. *N14* —9F **154**
Cedar Rd. *Berk* —2A **122**
Cedar Rd. *Enf* —2N **155**
Cedar Rd. *Hat* —1G **129**
Cedar Rd. *Wat* —8L **149**
Cedars Av. *Rick* —1M **159**
Cedars Clo. *NW4* —9K **165**
Cedars Clo. *Borwd* —6B **152**
Cedars Clo. *Chal P* —5B **158**
Cedars, The. *Berk* —1B **122**
Cedars, The. *Chor* —6J **147**
Cedars, The. *Dunst* —1F **64**
Cedars, The. *Hpdn* —6C **88**

Cedars, The. Wend —9A 100
Cedars Wlk. Chor —6J 147
Cedar Wlk. Hem H —4N 123
Cedar Wlk. Wal A —7N 145
Cedar Way. Berk —2A 122
Cedarwood Dri. St Alb —2L 127
Cedar Wood Dri. Wat —8K 137
Celadon Clo. Enf —5J 157
Celandine Dri. Lut —1C 46
Celia Johnston Ct. Borwd —3C 152
Cell Barnes Clo. St Alb —4J 127
Cell Barnes La. St Alb —3H 127
Cemetery Hill. Hem H —3M 123
Cemetery Rd. Bis S —3H 79
Cemetery Rd. Hit —4N 33
Cemetery Rd. H Reg —5E 44
Cemmaes Ct. Rd. Hem H —1M 123
Cemmaes Meadow. Hem H —2M 123
Centenary Ct. Lut —5J 45
Centenary Rd. Enf —6K 157
Centenary Trading Est. Enf —6K 157
Central Av. Enf —4F 156
Central Av. H'low —5N 117
Central Av. Henl —1J 21
Central Av. Wal X —6J 145
Central Dri. St Alb —1K 127
Central Dri. Wel G —7M 91
Central Pde. Enf —4G 156
Central Rd. H'low —2C 118
Central Way. N'wd —7G 161
Centre Way. Wal A —8N 145
Centro. Hem H —9E 106
Century Ct. Wat —9E 148
Century Rd. Hod —7L 115
Century Rd. Ware —5H 95
Cervantes Ct. N'wd —7H 161
Chace Av. Pot B —5C 142
Chace, The. Stev —8M 51
Chadbury Ct. NW7 —7G 164
Chad La. Flam —4E 86
Chadwell. Ware —7G 94
Chadwell Av. Chesh —1G 145
Chadwell Clo. Lut —8H 47
Chadwell Rise. Ware —7G 95
Chadwell Rd. Stev —5H 51
Chadwick Av. N21 —7L 155
Chadwick Ct. Dunst —8D 44
Chaffinches Grn. Hem H —6C 124
Chaffinch La. Wat —9H 149
Chagney Clo. Let —5E 22
Chailey Av. Enf —4D 156
Chalet Clo. Berk —1K 121
Chalfont Av. Amer —3A 146
Chalfont Clo. Hem H —6D 106
Chalfont Ho. Wat —8G 149
Chalfont La. Chor —7E 146
Chalfont La. Ger X & W Hyd —7F 158
Chalfont Pl. St Alb —2F 126
Chalfont Rd. Ger X & Rick —2E 158
Chalfont St Peter By-Pass. Chal P & Ger X —8B 158
Chalfont Sta. Rd. Amer —4A 146
Chalfont Wlk. Pinn —9L 161
Chalfont Way. Lut —7L 47
Chalgrove. Wel G —8C 92
Chalgrove Gdns. N3 —9L 165
Chalk Dale. Wel G —8A 92
Chalkdell Fields. St Alb —8H 109
Chalkdell Hill. Hem H —2A 124
Chalkden Path. Hit —2L 33
Chalkdown. Lut —3G 46
Chalkdown. Stev —2C 52
Chalk Field. Let —8J 23
Chalk Hill. Lut —5A 48
Chalk Hill. Wat —8M 149
Chalk Hills. Bald —6M 23
Chalk La. Barn —5E 154
Chalk La. H'low —3J 119 (Harlow)
Chalk La. H'low —3K 119 (Hobbs Cross)
Chalks Av. Saw —4F 98
Chalkwell Pk. Av. Enf —6C 156
Chalky La. R'ton —2N 17
Challinor. H'low —6G 119
Challney Clo. Lut —7N 45
Chalton Heights. Chal —1H 45
Chalton Rd. Lut —4M 45
Chamberlain Clo. H'low —6E 118
Chamberlaines. Hpdn —2J 87
Chambersbury La. Hem H (in two parts) —6C 124
Chambers La. Ickl —7M 21
Chambers St. Hert —9A 94
Champions Grn. Hod —5L 115
Champions Way. Hod —5L 115
Champneys. Wat —2N 161
Champneys. Wig —8D 102
Chancellor Pl. NW9 —9F 164
Chancellors Rd. Stev —9J 35
Chancery Clo. St Alb —6L 109
Chanctonbury Way. N12 —4M 165
Chandlers Clo. Bis S —3E 78
Chandler's La. Chan X —9A 136
Chandlers La. H Wych —2A 98
Chandlers Rd. St Alb —8K 109
Chandlers Way. Hert —9M 93
Chandos Av. N20 —9B 154
Chandos Clo. Amer —2A 146
Chandos Ct. Edgw —7N 163
Chandos Cres. Edgw —7N 163
Chandos Pde. Edgw —7N 163
Chandos Rd. Borwd —4N 151
Chandos Rd. Lut —8B 46
Chanfield Clo. Lut —6J 45
Chantree M. Let —7J 23
Chantree Rd. Hit —3M 33
Chantry Clo. Bis S —9G 59
Chantry Clo. Enf —2A 156
Chantry Clo. K Lan —2C 136
Chantry Ct. Hat —1G 128
Chantry La. Hat —1F 128 (in two parts)
Chantry La. Hit —8F 34
Chantry La. Lon C —8L 127
Chantry Mt. Bis S —9G 59
Chantry Pl. Harr —8C 162
Chantry Rd. Bis S —9G 59
Chantry Rd. Harr —8C 162
Chantry, The. E4 —9N 157
Chantry, The. Bis S —9H 59
Chantry, The. H'low —4C 118
Chaomans. Let —8F 22
Chapel Clo. Lit —3H 7
Chapel Clo. L Gad —9A 84
Chapel Clo. Lut —1E 46
Chapel Clo. St Alb —5E 126
Chapel Clo. Wat —7H 137
Chapel Cotts. Hem H —9N 105
Chapel Croft. Chfd —4K 135
Chapel Crofts. N'chu —8J 103
Chapel Dri. Ast C —1D 100
Chapel End. Bunt —3J 39
Chapel End. Chal P —9A 158
Chapel End. Hod —9L 115
Chapel End La. Wils —7H 81
Chapel Fields. H'low —8E 118
Chapelfields. Stan A —1A 116
Chapel Hill. Stans —2N 59
Chapel La. Chart —9A 120
Chapel La. Dunst —3E 62
Chapel La. H'low —8E 118
Chapel La. I Ast —7E 62
Chapel La. Let G —4G 112
Chapel La. L Had —9K 57
Chapel La. Long M —3F 80
Chapel La. N'all —3E 62
Chapel La. Tot —1K 63
Chapel Meadow. Tring —9M 81
Chapel Path. H Reg —5E 44
Chapel Pl. Stot —7F 10
Chapel Rd. B Grn —9F 48
Chapel Rd. Flam —5D 86
Chapel Row. Bis S —2H 79 (off South St.)
Chapel Row. Hare —8M 159
Chapel Row. Hit —2N 33 (off Whinbush Rd.)
Chapel St. Berk —1N 121
Chapel St. Dun —1F 4
Chapel St. Enf —5B 156
Chapel St. Hem H —1N 123
Chapel St. Hinx —7E 4
Chapel St. Lut —2G 66 (in two parts)
Chapel St. Tring —3L 101
Chapel Viaduct. Lut —1G 66
Chapman Rd. Stev —9H 35
Chapmans End. Puck —6A 56
Chapmans, The. Hit —4M 33
Chapmans Yd. Wat —6M 149
Chappell Ct. Ware —9D 74
Chapter Ho. Rd. Lut —7K 45
Charcroft Gdns. Enf —6H 157
Chard Dri. Lut —9D 30
Chardins Clo. Hem H —1J 123
Charlbury Av. Stan —5L 163
Charle Sevright Dri. NW7 —5K 165
Charles St. Berk —1M 121
Charles St. Enf —7D 156
Charles St. Hem H —3M 123
Charles St. Lut —8H 47
Charles St. Tring —3M 101
Charlesworth Clo. Hem H —4N 123
Charlock Way. Wat —8H 149
Charlton Clo. Hod —8L 115
Charlton Mead La. Hod —9A 116
Charlton Rd. N9 —9H 157
Charlton Rd. Harr —9M 163
Charlton Rd. Hit —6L 33
Charlton Way. Hod —8L 115
Charlwood Clo. Harr —6F 162
Charlwood Rd. Lut —8L 45
Charmbury Rise. Lut —5J 47
Charmian Av. Stan —9L 163
Charmouth Ct. St Alb —8H 109
Charmouth Rd. St Alb —9H 109
Charndon Clo. Lut —9D 30
Charnwood Rd. Enf —9F 144
Charter Ct. Hem H —2N 123
Charter Pl. Wat —5L 149
Charters Cross. H'low —9N 117
Charter Way. N14 —8H 155
Chartley Av. Stan —6G 163
Chartridge. Wat —2M 161
Chartridge Clo. Barn —7G 153
Chartridge Clo. Bush —8D 150
Chartridge La. Che —8A 120
Chartridge Way. Hem H —2E 124
Chartwell Ct. Barn —6L 153
Chartwell Dri. Lut —6G 47
Chartwell Rd. N'wd —6H 161
Chasden Rd. Hem H —8J 105
Chase Bank Ct. N14 —8H 155 (off Avenue Rd.)
Chase Clo. Arl —4A 10
Chase Ct. Gdns. Enf —5A 156
Chase Grn. Enf —5A 156
Chase Grn. Av. Enf —4N 155
Chase Hill. Enf —5A 156
Chase Hill Rd. Arl —6A 10
Chase Ridings. Enf —4M 155
Chase Rd. N14 —7H 155
Chase Side. N14 —7F 154
Chase Side. Enf —4A 156
Chase Side Av. Enf —4A 156
Chaseside Clo. Ched —9M 61
Chase Side Cres. Enf —3A 156
Chase Side Pl. Enf —4A 156
Chase Side Works Ind. Est. N14 —9J 155
Chase St. Lut —3G 67
Chase, The. Arl —6A 10
Chase, The. Bis S —2H 79
Chase, The. Edgw —8B 164
Chase, The. G Oak —1N 143
Chase, The. Gt Amw —9L 95
Chase, The. Hem H —3A 124
Chase, The. Hert —9D 94
Chase, The. Rad —8G 139
Chase, The. Stan —6H 163
Chase, The. Wat —6G 149
Chase, The. Welw —9M 71
Chaseville Pde. N21 —7L 155
Chaseville Pk. Rd. N21 —7K 155
Chase Way. N14 —9H 155
Chaseways. Saw —7E 98
Chasewood Av. Enf —4N 155
Chasewood Ct. NW7 —5D 164
Chasten Hill. Let —4D 22
Chatsworth Av. NW4 —9J 165
Chatsworth Clo. NW4 —9J 165
Chatsworth Clo. Bis S —1E 78
Chatsworth Clo. Borwd —5A 152
Chatsworth Ct. St Alb —2G 126 (off Granville Rd.)
Chatsworth Ct. Stan —5K 163
Chatsworth Ct. Stev —8M 51
Chatsworth Dri. Enf —9E 156
Chatsworth Rd. Lut —8D 46
Chatteris Clo. Lut —5N 45
Chatterton. Let —6H 23
Chatton Clo. Lut —7N 47
Chaucer Clo. Berk —9K 103
Chaucer Ct. New Bar —7A 154
Chaucer Ho. Barn —6K 153
Chaucer Rd. Lut —7E 46
Chaucer Rd. R'ton —5C 8
Chaucer Wlk. Hem H —5D 106
Chaucer Way. Hit —2C 34
Chaucer Way. Hod —4L 115
Chaulden Ho. Gdns. Hem H —4J 123
Chaulden La. Hem H —4G 123
Chaulden Ter. Hem H —3J 123
Chaul End La. Lut —8A 46
Chaul End Rd. Cad —9M 45
Chaul End Rd. Lut —8L 45
Chauncey Ho. Wat —8G 148
Chauncy Av. Pot B —6B 142
Chauncy Clo. Ware —4H 95
Chauncy Ct. Hert —9B 94
Chauncy Gdns. Bald —2A 24
Chauncy Ho. Stev —3L 51
Chauncy Rd. Stev —3L 51
Chaworth Grn. Lut —4M 45
Cheapside. Lut —1G 66
Cheapside Mall. Lut —1G 66 (off Arndale Cen.)
Cheapside Sq. Lut —1G 66 (off Arndale Cen.)
Chedburgh. Wel G —8C 92
Cheddington La. Long M —3G 81
Cheddington Rd. Pit —2N 81
Cheena Ho. Ger X —7C 158
Cheffins Rd. Hod —5K 115
Chells La. Stev —2B 52 (in two parts)
Chells Way. Stev —2N 51
Chelmsford Ct. N14 —9J 155 (off Chelmsford Rd.)
Chelmsford Rd. N14 —9H 155
Chelmsford Rd. Hert —1M 113
Chelsea Clo. Edgw —9A 164
Chelsea Gdns. H Reg —4G 44
Chelsfield Av. N9 —9H 157
Chelsfield Grn. N9 —9H 157
Chelsing Rise. Hem H —3E 124
Chelsworth Clo. Lut —8M 47
Cheltenham Ct. Stan —5K 163 (off Marsh La.)
Chelveston. Wel G —8C 92
Chelwood Av. Hat —7G 110
Chelwood Clo. E4 —8M 157
Chelwood Clo. N'wd —7E 160
Chenduit Way. Stan —5G 163
Cheney Rd. Lut —4M 45
Chenies Av. Amer —3A 146
Chenies Ct. Hem H —6D 106
Chenies Grn. Bis S —2F 78
Chenies Pde. L Chal —4A 146
Chenies Rd. Chor —4G 147
Chenies, The. Hpdn —8D 88
Chenies Way. Wat —9G 149
Chennells. Hat —1F 128
Chepstow. Hpdn —5A 88
Chepstow Clo. Stev —1A 52
Chequer Ct. Lut —2H 67
Chequer La. Redb —2J 107
Chequers. Bis S —9E 58
Chequers. Wel G —3K 111
Chequers Bri. Rd. Stev —3J 51
Chequers Clo. Bunt —2H 39
Chequers Clo. Pit —3A 82
Chequers Clo. Puck —5A 56
Chequers Clo. Stot —6G 10
Chequers Field. Wel G —3K 111
Chequers Hill. Mark —5E 86
Chequers La. Pit —3A 82
Chequers La. Pres —3L 49
Chequers La. Wat —3K 137
Chequers, The. Eat B —3K 63
Chequers, The. Pinn —9M 161
Chequer St. Lut —2H 67
Chequer St. St Alb —2E 126
Cherchefelle M. Stan —5J 163
Cheriton Clo. Barn —6E 154
Cheriton Clo. St Alb —7L 109
Cherry Acre. Chal P —4A 158
Cherry Bank. Hem H —1N 123 (off Chapel St.)
Cherry Bounce. Hem H —9N 105
Cherry Clo. Kneb —4M 71
Cherry Ct. Pinn —9M 161
Cherry Croft. Wel G —5K 91
Cherrycroft Gdns. Pinn —7A 162
Cherrydale. Wat —6H 149
Cherry Dri. R'ton —6E 8
Cherry Gdns. Bis S —9J 59
Cherry Gdns. Saw —3G 99
Cherry Gdns. Tring —3L 101
Cherry Hill. Harr —6G 162
Cherry Hill. Loud —5L 147
Cherry Hill. New Bar —8A 154
Cherry Hill. St Alb —7B 126
Cherry Hills. Wat —5N 161
Cherry Hollow. Ab L —4H 137
Cherry Orchard. Hem H —9K 105
Cherry Rise. Chal G —2A 158
Cherry Rd. Enf —2G 157
Cherry Tree Av. Lon C —8L 127
Cherry Tree Clo. Arl —8A 10
Cherry Tree Clo. Lit —4H 7
Cherry Tree Clo. Lut —8J 47
Cherry Tree Grn. Hert —7L 93
Cherrytree La. Chal P —9A 158
Cherry Tree La. Hem H —6E 106
Cherry Tree La. Herons —1F 158
Cherry Tree La. Pot B —7A 142
Cherry Tree La. Wheat —6H 89
Cherry Tree M. Lut —8H 47
Cherry Tree Rise. Walk —1G 52
Cherry Tree Rd. Hod —7L 115
Cherry Tree Rd. Wat —9K 137
Cherry Trees. L Ston —1J 21
Cherry Tree Wlk. H Reg —3E 44
Cherrytree Way. Stan —6J 163
Cherry Wlk. Loud —4M 147
Cherry Way. Hat —3G 128
Chertsey Clo. Lut —9M 47
Chertsey Rise. Stev —5B 52
Cherwell Clo. Crox G —7C 148
Chesfield Clo. Bis S —3H 79
Chesford Rd. Lut —5L 47
Chesham Ct. N'wd —6H 161
Chesham La. Chal P & Chal G —4B 158
Chesham Rd. Ash G —7J 121
Chesham Rd. Bell —6C 120
Chesham Rd. Berk —3M 121
Chesham Rd. Bov —9A 122
Chesham Rd. Wig —6B 102
Chesham Way. Wat —8G 149
Cheshunt Wash. Chesh —9J 133
Cheslyn Clo. Lut —7N 47
Chess Clo. Lat —9A 134
Chess Clo. Loud —6N 147
Chessfield Pk. Amer —3B 146
Chess Hill. Loud —6N 147
Chess La. Loud —6N 147
Chess Vale Rise. Crox G —8B 148
Chess Way. Chor —5K 147
Chesswood Ct. Rick —1N 159
Chesswood Way. Pinn —9M 161
Chestbrook Ct. Enf —7C 156 (off Forsyth Pl.)
Chester Av. Lut —6A 46
Chester Clo. Lut —7B 46
Chester Clo. Pot B —2A 142
Chesterfield Flats. Barn (off Bells Hill) —7K 153
Chesterfield Lodge. N21 (off Church Hill) —9L 155
Chesterfield Rd. N3 —6N 165
Chesterfield Rd. Barn —7K 153
Chesterfield Rd. Enf —1J 157
Chester Gdns. Enf —8F 156
Chester Rd. Borwd —5C 152
Chester Rd. N'wd —7G 161
Chester Rd. Stev —9N 35
Chester Rd. Wat —7J 149
Chesterton Av. Hpdn —6D 88
Chestnut Av. Edgw —6M 163
Chestnut Av. Hal —6B 100
Chestnut Av. Henl —1K 21
Chestnut Av. Lut —1M 45
Chestnut Av. N'wd —9H 161
Chestnut Av. Rick —7K 147
Chestnut Av. Ware —4K 95
Chestnut Clo. N14 —7H 155
Chestnut Clo. Ast C —1E 100
Chestnut Clo. Bis S —2G 79
Chestnut Clo. Chal P —8C 158
Chestnut Clo. Dagn —2N 83
Chestnut Clo. Pott E —8E 104
Chestnut Clo. Ware —6G 96
Chestnut Ct. Hit —2L 33
Chestnut Dri. Berk —2A 122
Chestnut Dri. Harr —7G 162
Chestnut Dri. St Alb —9J 109
Chestnut End. Hal —5B 100
Chestnut Gro. Barn —7E 154
Chestnut La. N20 —1L 165
Chestnut Rise. Bush —9C 150
Chestnut Rd. Enf —9J 145
Chestnut Row. N3 —7N 165
Chestnuts, The. Cod —6F 70
Chestnuts, The. Hem H —6J 123
Chestnuts, The. Hert —1B 114
Chestnuts, The. Pinn —7A 162
Chestnut Wlk. Chal P —7B 158
Chestnut Wlk. R'ton —8E 8
Chestnut Wlk. Stev —9K 35
Chestnut Wlk. Wat —1J 149
Chestnut Wlk. Welw —8M 71
Chetwynd Av. E Barn —9E 154
Cheveralls, The. Dunst —2F 64
Cheverells Clo. Mark —2N 85
Cheviot Clo. Bush —8D 150
Cheviot Clo. Enf —4B 156
Cheviot Clo. Lut —2N 45
Cheviot Rd. Lut —2N 45
Cheviots. Hat —3G 128
Cheviots. Hem H —8B 106
Cheyne Clo. Dunst —6C 44
Cheyne Clo. Pit —3B 82
Cheyne Clo. Ware —5H 95
Cheyne Ct. Bush —6N 149
Cheyne Wlk. N21 —7N 155
Cheyney Clo. Stpl M —3C 6
Cheyneys Av. Edgw —6L 163
Cheyney St. Stpl M —4C 6
Chicheley Gdns. Harr —7D 162 (in two parts)
Chicheley Rd. Harr —7D 162
Chichester Clo. Dunst —1H 65
Chichester Ct. Edgw —6A 164 (off Whitchurch La.)
Chichester Ct. Stan —9M 163
Chichester Rd. N9 —9E 156
Chichester Way. Wat —6N 137
Chidbrook Ho. Wat —8G 149
Chiddingfold. N12 —3N 165
Chigwell Hurst Ct. Pinn —9M 161
Chilcott Rd. Wat —9G 137
Chilcourt. R'ton —7C 8
Childs Av. Hare —9M 159
Childwick Ct. Hem H —5D 124
Chilham Clo. Hem H —3A 124
Chiltern Av. Bush —8D 150
Chiltern Av. Edl —5J 63
Chiltern Clo. Berk —9K 103
Chiltern Clo. Borwd —4N 151
Chiltern Clo. Bush —8C 150
Chiltern Clo. G Oak —9N 131
Chiltern Clo. Ware —4H 95
Chiltern Clo. Wend —9A 100
Chiltern Corner. Berk —9K 103
Chiltern Ct. Dunst —8D 44
Chiltern Ct. Hpdn —6D 88
Chiltern Ct. New Bar —7B 154
Chiltern Ct. St Alb —7L 109 (off Twyford Rd.)
Chiltern Dene. Enf —6L 155
Chiltern Dri. Rick —9J 147
Chiltern Gdns. Lut —6B 46
Chiltern Hill. Chal P —8B 158
Chiltern Pk. Dunst —7G 44
Chiltern Pk. Av. Berk —8L 103
Chiltern Rise. Lut —2F 66
Chiltern Rd. Bald —5M 23
Chiltern Rd. Bar C —9E 18
Chiltern Rd. Dunst —9D 44
Chiltern Rd. Hit —3A 34
Chiltern Rd. St Alb —6K 109
Chiltern Rd. Wend —9A 100
Chiltern Rd. W'grv —5A 60
Chilterns. Hat —3G 129
Chilterns. Hem H —9A 106
Chilterns, The. Hit —4A 34
Chilterns, The. Kens —8J 65
Chiltern View. Let —6D 22
Chiltern View Caravan Pk. Eat B —3G 63
Chiltern Vs. Tring —3K 101
Chiltern Way. Ast C —4E 100
Chiltern Way. Tring —1A 102
Chilters, The. Berk —9K 103
Chilton Ct. Hert —7L 93
Chilton Grn. Wel G —9B 92
Chilton Rd. Edgw —6A 164
Chilwell Gdns. Wat —4L 161
Chindit Clo. Brox —2J 133
Chine, The. N21 —8N 155
Chinnery Clo. Enf —3D 156
Chinnery Hill. Bis S —3H 79
Chipperfield Rd. Abb L —3M 135
Chipperfield Rd. Bov —9E 122
Chipperfield Rd. Hem H —7M 123
Chipping Clo. Barn —5L 153
Chippingfield. H'low —3E 118
Chirdland Ho. Wat —8G 149
Chishill Rd. Bar —2D 16
Chishill Rd. Gt Chi —1J 17
Chiswell Ct. Wat —2L 149
Chiswellgreen La. St Alb —7M 125
Chiswick Ct. Pinn —9A 162
Chivers Bank. Bald —4L 23
Chobham St. Lut —2H 67
Chobham Wlk. Lut —2G 67
Cholesbury La. C'bry —2A 120
Cholesbury Rd. Wig —2A 120
Cholwell Rd. Stev —6B 52
Chorleywood Bottom. Chor —7G 147
Chorleywood Clo. Rick —9N 147
Chorleywood Ho. Chor —5H 147
Chorleywood Rd. Rick —6K 147
Chouler Gdns. Stev —8J 35
Chowns, The. Hpdn —1B 108
Christchurch Clo. St Alb —1D 126
Christchurch Ct. Dunst —8D 44 (off High St. N.)
Christchurch Cres. Rad —9H 139
Christchurch Ho. Tring —3M 101
Christchurch La. Barn —4L 153

Christchurch Pas. H Bar —4L 153
Christchurch Rd. Hem H —1N 123
Christchurch Rd. Tring —2L 101
Christie Clo. Brox —2K 133
Christie Rd. Stev —4B 52
Christopher Ct. Hem H —5N 123
Christopher Pl. St Alb —2E 126 (off Verulam Rd.)
Christy's Yd. Hinx —7F 4
Church All. Ald —2D 150
Churchbury Clo. Enf —4C 156
Churchbury La. Enf —5B 156
Churchbury Rd. Enf —4C 156
Church Clo. Ast C —1C 100
Church Clo. Bass —1M 7
Church Clo. Cod —6F 70
Church Clo. Cuff —2K 143
Church Clo. Dunst —9F 44
Church Clo. Edgw —5C 164
Church Clo. L Berk —1H 131
Church Clo. N'wd —7H 161
Church Clo. Rad —9H 139
Church Clo. Stud —3E 84
Church Cotts. Hem H —3G 105
Church Ct. Brox —2L 133
Church Cres. N3 —8M 165
Church Cres. Saw —5H 99
Church Cres. St Alb —1D 126
Church Croft. Edl —5J 63
Church Dri. Bis S —2D 42
Church End. Arl —4A 10
Church End. Bar —3D 16
Church End. Brau —2C 56
Church End. Edl —5J 63
Church End. Flam —6E 86
Church End. H'low —8K 117
Church End. H Reg —4D 44
Church End. Mark —1N 85
Church End. Redb —2J 107
Church End. Sandr —4K 109
Church End. Walk —8H 37
Church Farm La. Stpl M —4C 6
Churchfield. Bar —3D 16
Churchfield. H'low —4C 118
Churchfield. Hpdn —7D 88
Church Field. Ware —4F 94
Churchfield Ho. Wel G —9J 91
Churchfield Path. Chesh (in two parts) —2G 145
Churchfield Rd. Chal P —8A 158
Churchfield Rd. H Reg —4E 44
Churchfield Rd. Tew —6B 92
Churchfields. Bar —3D 16
Churchfields. Brox —2L 133
Churchfields. Stdn —7B 56
Churchfields. Stans —3N 59
Churchfields La. Brox —2L 133
Churchfields Rd. Wat —9H 137
Church Ga. Berk —1N 121
Churchgate. Chesh —2F 144
Churchgate. Hit —4M 33
Churchgate Rd. Chesh —2F 144
Churchgate St. H'low —2G 119
Church Grn. Gt Wym —4E 34
Church Grn. Hpdn —6B 88
Church Grn. Tot —1M 63
Church Grn. Row. Hpdn —6B 88
Church Gro. Amer —3B 146
Church Hill. N21 —9L 155
Church Hill. Ched —8L 61
Church Hill. Hare —9M 159
Church Hill. Hert H —2F 114
Churchhill Cres. N Mym —5J 129
Church Hill Rd. Barn —8D 154
Churchill Clo. Streat —4B 30
Churchill Ct. N'wd —6F 160
Churchill Ct. Pinn —8N 161
Churchill Rd. Bar C —8E 18
Churchill Rd. Dunst —3G 65
Churchill Rd. Edgw —6N 163
Churchill Rd. Lut —8C 46
Churchill Rd. St Alb —1H 127
Church La. A'ham —2C 150
Church La. Arl —4A 10
Church La. A'wl —9M 5
Church La. Ast C —2C 100
Church La. B'wy —8N 15
Church La. Bend —9K 49
Church La. Berk —1N 121
Church La. Bis S —6F 78
Church La. Bov —9E 122
Church La. Brox —3F 132
Church La. Chal P —8A 158
Church La. Ched —9M 61
Church La. Chesh —2F 144
Church La. Col H —4B 128
Church La. D End —9D 54
Church La. Eat B —2J 63
Church La. Enf —5B 156
Church La. G'ley —6J 35
Church La. G Mor —1A 6
Church La. Harr —8G 162
Church La. Hat —9J 111
Church La. Kim —6L 69
Church La. K Lan —2C 136
Church La. L Hall —7M 99
Church La. Mars —6L 81
Church La. Mat T —3N 119
Church La. Mill E —1K 159
Church La. M Hud —4J 77
Church La. N'thaw —3F 142
Church La. Reed —7J 15
Church La. R'ton —7D 8
Church La. Sarr —2J 147
Church La. Stfrd —1M 93
Church La. Stev —2J 51
Church La. Ther —5D 14
Church La. W'ton —2C 36
Church La. W'ian —2J 23
Church Langley Way. H'low —6E 118
Church Leys. H'low —7B 118
Church Mnr. Bis S —9K 59
Church Mead. Roy —5E 116
Churchmead Clo. E Barn —8D 154
Church Meadow Cotts. Hem H —3G 105
Church Pas. Barn —6M 153
Church Path. Barn —6L 153
Church Path. Gt Amw —9K 95
Church Path. Hert —1B 114
Church Path. Ickl —7M 21
Church Path. L Wym —7F 34
Church Rd. Bar C —1F 30
Church Rd. Chris —1N 17
Church Rd. Dunst —3E 84
Church Rd. Enf —8G 157
Church Rd. Flam —5G 86
Church Rd. Gt Hal —6K 79
Church Rd. H'low —9E 118
Church Rd. Hem H —3E 124
Church Rd. Hert —8N 93 (in two parts)
Church Rd. I'hoe —2D 82
Church Rd. K Wal —6F 48
Church Rd. L Berk —1H 131
Church Rd. L Gad —8N 83
Church Rd. N'wd —7H 161
Church Rd. Pit —4C 82
Church Rd. Pott E —8E 104
Church Rd. Pot B —3N 141
Church Rd. Pull —3A 18
Church Rd. Putt —5E 80
Church Rd. Slap —2A 62
Church Rd. S End —6E 66
Church Rd. Stan —5J 163
Church Rd. Stans —3N 59
Church Rd. Stot —6F 10
Church Rd. Streat —4C 30
Church Rd. Tot —2M 63
Church Rd. Wat —3J 149
Church Rd. Wel G —9K 91 (in two parts)
Church Row. Ware —6H 95 (off Church St.)
Church St. N9 —9B 156
Church St. Bald —2L 23
Church St. Bis S —1H 79
Church St. Bov —9E 122
Church St. Bunt —2J 39
Church St. Dunst —9E 44
Church St. Dun —1F 4
Church St. Enf —5A 156
Church St. Ess —8D 112
Church St. G Mor —1A 6
Church St. Hat —9J 111
Church St. Hem H —9N 105
Church St. Hert —9B 94
Church St. Lit —3H 7
Church St. Lut —1G 67
Church St. Rick —1A 160
Church St. Saw —5G 99
Church St. Shil —3N 19
Church St. St Alb —1E 126
Church St. Stpl M —4C 6
Church St. Wal A —6N 145
Church St. Ware —6H 95
Church St. Wat —6L 149
Church St. Welw —2J 91
Church St. Wheat —7L 89
Church St. W'grv —6A 60
Church St. Ind. Est. Ware (off Church St.) —6H 95
Church St. Mall. Lut —1G 66 (off Arndale Cen.)
Church View. Brox —2K 133
Church View. Hal —5B 100
Church View. Long M —3F 80
Church View Av. Shil —2N 19
Church Wlk. Bush —8B 150
Church Wlk. Dunst —9F 44
Church Wlk. Enf —5B 156
Church Wlk. Saw —5H 99
Church Wlk. Wat S —5K 73
Church Way. Barn —6E 154
Church Way. Edgw —6A 164
Church Yd. Hit —3M 33
Church Yd. Tring —2M 101 (in two parts)
Churchyard Wlk. Hit —3M 33
Cicero Dri. Lut —1C 46
Cillocks Clo. Hod —7L 115
Circle, The. NW7 —6D 164
Cissbury Ring N. N12 —5M 165
Cissbury Ring S. N12 —5M 165
Civic Sq. H'low —6N 117
Claggy Rd. Kim —6J 69
Claigmar Gdns. N3 —8N 165
Claire Ct. Bush —1E 162
Claire Ct. Chesh —5J 145
Claire Ct. Pinn —7A 162
Claire Gdns. Stan —5K 163
Claire Ho. Edgw —9C 164 (off Burnt Oak B'way.)
Clamp Hill. Stan —4E 162
Clapgate Rd. Bush —8C 150
Clare Clo. Els —8N 151
Clare Ct. Enf —8J 145
Clare Ct. Lut —6B 46
Clare Ct. St Alb —3G 126
Clare Cres. Bald —5L 23
Claremont. Brick W —4B 138
Claremont. Chesh —2D 144
Claremont Cres. Crox G —7E 148
Claremont Ho. Wat —8F 148
Claremont Pk. N3 —8L 165
Claremont Rd. Barn —2B 154
Claremont Rd. Harr —9F 162
Claremont Rd. Lut —8D 46
Clarence Clo. Bush —9G 150
Clarence Ct. NW7 —5F 164
Clarence Rd. Berk —1N 121
Clarence Rd. Enf —7G 156
Clarence Rd. Hpdn —4B 88
Clarence Rd. St Alb —2G 127
Clarence Rd. Stans —2N 59
Clarendon Clo. Hem H —1N 123
Clarendon Ct. Lut —8F 46
Clarendon M. Borwd —5A 152
Clarendon Pde. Chesh —2H 145
Clarendon Rd. Borwd —5A 152
Clarendon Rd. Chesh —2H 145
Clarendon Rd. Hpdn —4C 88
Clarendon Rd. Lut —8F 46
Clarendon Rd. Wat —4K 149
Clarendon Way. N21 —8A 156
Claridge Ct. Berk —1N 121
Clarion Clo. Offl —8D 32
Clarke Grn. Wat —8J 137
Clarke's Rd. Hat —8H 111
Clarke's Spring. Tring —1D 102
Clarkes Way. Bass —1N 7
Clarkes Way. H Reg —5F 44
Clarke Way. Wat —8J 137
Clarkfield. Mill E —1L 159
Clark Gro. Lut —8M 47
Clarkhill. H'low —9A 118
Clarklands Ind. Est. Saw —2G 99
Clark Rd. R'ton —6D 8
Clarks Clo. Ware —4H 95
Clarks Mead. Bush —9D 150
Claudian Pl. St Alb —3B 126
Claverley Grn. Lut —7N 47
Claverley Gro. N3 —8N 165
Claverley Vs. N3 —7N 165
Claverton Clo. Bov —1D 134
Claybury. Bush —9C 150
Claybush Rd. A'wl —1C 12
Claycroft. Wel G —8A 92
Claydon End. Chal P —9B 158
Claydon Ho. NW4 —9K 165 (off Holders Hill Rd.)
Claydon La. Chal P —9B 158
Claydown Way. S End —7D 66
Clayfield Rd. Hal —6B 100
Claygate Av. Hpdn —5N 87
Clay Hall Rd. Kens —9H 65
Clay Hill. Enf —1A 156
Clay La. Bush —9F 150
Clay La. Edgw —2A 164
Clay La. Wend —9B 100
Claymore. Hem H —7A 106
Claymore Dri. Ickl —6N 21
Claymores. Stev —3L 51
Clayponds. Bis S —1J 79
Clayton Field. NW9 —7E 164
Cleadon Clo. Enf —5J 157
Cleall Av. Wal A —7N 145
Cleave, The. Hpdn —6E 88
Cleland Rd. Chal P —9A 158
Clement Pl. Tring —3M 101
Clement Rd. Chesh —9J 133
Clements End Rd. Stud & Gad R —4G 84
Clement's Rd. Chor —7G 147
Clements St. Ware —6J 95
Clevedon Rd. Lut —7K 47
Cleveland Cres. Borwd —7C 152
Cleveland La. N9 —9F 156
Cleveland Rd. Hem I —9D 106
Cleveland Rd. Mark —2A 86
Cleveland Way. Hem I —9D 106
Cleves Rd. Hem H —6D 106
Cleviscroft. Stev —5L 51
Clewer Cres. Harr —8E 162
Clifford Ct. Bis S —1J 79
Clifford Cres. Lut —4N 45
Clifford Rd. N9 —8G 157
Clifford Rd. Barn —5A 154
Clifton Av. N3 —8M 165
Clifton Av. Stan —9J 163
Clifton Clo. Chesh —2J 145
Clifton Ct. Hem H —4N 123
Clifton Gdns. Bald —3M 23
Clifton Gdns. Enf —6K 155
Clifton Hatch. H'low —9C 118
Clifton Rd. Dunst —8D 44
Clifton Rd. Lut —9D 46
Clifton Rd. Wat —7K 149
Clifton St. St Alb —1F 126
Clifton Way. Borwd —3A 152
Clifton Way. Ware —4H 95
Climb, The. Rick —8L 147
Clinton Av. Lut —5H 47
Clinton End. Hem H —2E 124
Clitheroe Gdns. Wat —3M 161
Clive Clo. Pot B —4M 141
Clive Ct. Lut —8G 47
Clive Pde. N'wd —7G 160
Clive Rd. Enf —6E 156
Clive Way. Enf —6E 156
Clive Way. Wat —3L 149
Clock Pde. Enf —7B 156
Cloister Gdns. Edgw —5C 164
Cloister Garth. Berk —1N 121
Cloister Garth. St Alb —6F 126
Cloister Lawn. Let —7F 22
Cloisters Rd. Let —7F 22
Cloisters Rd. Lut —6L 45
Cloisters, The. Bush —8C 150
Cloisters, The. Hem H —5C 124
Cloisters, The. H Reg —3F 44 (off Sycamore Rd.)
Cloisters, The. Rick —9A 148
Cloisters, The. Wat —6L 149
Cloisters, The. Wel G —9K 91
Cloister Wlk. Hem H —9N 105
Clonard Way. Pinn —6B 162
Closemead Clo. N'wd —6E 160
Close, The. N20 —2M 165
Close, The. Bald —4L 23
Close, The. Brk P —8L 129
Close, The. Bush —8C 150
Close, The. Cod —7F 70
Close, The. E Barn —8E 154
Close, The. Hpdn —3L 87
Close, The. Harr —9D 162
Close, The. Hinx —7F 4
Close, The. Lut —4C 46
Clo., The. Mark —2A 86
Close, The. Pot B —5N 141
Close, The. Rad —6G 139
Close, The. Rick —1L 159
Close, The. R'ton —6F 8
Close, The. Rush —5K 25
Close, The. St Alb —5D 126
Close, The. Stev —9J 35
Close, The. Ware —6J 95
Clothall Rd. Bald —3M 23
Clovelly Gdns. Enf —9C 156
Clovelly Way. Stev —2G 50
Clover Av. Bis S —2D 78
Clover Clo. Lut —6K 45
Cloverfield. H'low —9C 118
Cloverfield. Wel G —6M 91
Cloverland. Hat —3F 128
Clover Way. Hem H —1L 123
Cloyster Wood. Edgw —7L 163
Clump, The. Rick —7L 147
Clusterbolts. Stfrd —1M 93
Clydach Rd. Enf —6D 156
Clyde Rd. Hod —9A 116
Clydesdale. Enf —6H 157
Clydesdale Av. Stan —9L 163
Clydesdale Clo. Borwd —7D 152
Clydesdale Ct. Lut —6K 45
Clydesdale Path. Borwd —7D 152 (off Clydesdale Clo.)
Clydesdale Rd. Lut —6K 45
Clydesdale Rd. R'ton —7E 8
Clyde Sq. Hem H —6B 106
Clyde St. Hert —9E 94
Clyfton Clo. Brox —5K 133
Clyston Rd. Wat —8H 149
Coach Dri. Hit —5N 33
Coachman's La. Bald —3K 23
Coalport Clo. H'low —7E 118
Coanwood Cotts. Ware —3B 96
Coates Dell. Wat —6N 137
Coates Rd. Els —9L 151
Coates Way. Wat —6M 137
Cobbett Clo. Enf —9G 145
Cobbetts Ride. Tring —3L 101
Cobb Grn. Wat —5K 137
Cobbins Way. H'low —2G 119
Cobblers Wick. W'grv —5A 60
Cobb Rd. Berk —1K 121
Cob Clo. Borwd —7D 152
Cobden Hill. Rad —9J 139
Cobden St. Lut —8G 47
Cobham Rd. Ware —5K 95
Cobmead. Hat —7H 111
Cockbush Av. Hert —8F 94
Cockernhoe La. Lut —7M 47
Cocker Rd. Enf —9F 144
Cockfosters Pde. Barn —6F 154
Cockfosters Rd. Pot B & Barn —8C 142
Cock Grn. H'low —8L 117
Cock Gro. Berk —1F 120
Cockhall Clo. Lit —4H 7
Cockhall La. Lit —4H 7
Cock La. Hod —1F 132
Cockle Way. Shenl —6M 139
Cockrobin La. H'low —7K 97
Codicote Dri. Wat —7M 137
Codicote Heights. Welw —7H 71
Codicote Ho. Stev —9J 35 (off Coreys Mill La.)
Codicote Rd. Welw —8G 70
Codicote Rd. Wheat & Ay P —6L 89
Codicote Rd. W'wll —2N 69
Codicote Row. Hem H —5D 106
Codmore Wood Rd. Che —6A 134
Codmore Wood Rd. Lat —6A 134
Coe's All. Barn —6L 153
Cogdells Clo. Chart —9A 120
Cogdells La. Chart —9A 120
Coke's La. Chal G —4A 146
Colborne Ho. Wat —8G 149
Colburn Av. Pinn —6N 161
Colchester Rd. Edgw —7C 164
Colchester Rd. N'wd —9J 161
Cold Christmas La. Thun —1H 95
Coldham Gro. Enf —1J 157
Coldharbour Ho. Wat —9N 137
Coldharbour La. Bush —8C 150
Coldharbour La. Hpdn —3C 88
Coldharbour Rd. H'low —7J 117
Colebrook Av. Lut —2M 45
Coledale Dri. Stan —8K 163
Cole Grn. By-Pass. Hert —3E 112
Cole Grn. Ho. Wel G —2M 111
Cole Grn. La. Wel G —2M 111
Coleman Grn. La. Wheat —3K 109
Colemans Rd. B Grn —8E 48
Coleridge Clo. Hit —2B 34
Coleridge Clo. Wal X —9D 132
Coleridge Ct. Hpdn —6C 88
Coleridge Ct. New Bar —7A 154 (off Station Rd.)
Coleridge Cres. Hem H —5D 106
Cole Rd. Wat —3K 149
Colesdale. Cuff —3K 143
Coles Grn. Bush —1D 162
Coles Hill. Hem H —9K 105
Colestrete. Stev —5M 51
Colestrete Clo. Stev —4N 51
Coleswood Rd. Hpdn —8D 88
Colesworth Ho. Edgw —9C 164 (off Burnt Oak B'way.)
Colet Rd. Wend —9B 100
Colgrove. Wel G —1J 111
Colindale Av. NW9 —9E 164
Colindale Av. St Alb —4G 126
Colindale Bus. Pk. NW9 —9C 164
Colin Rd. Lut —7H 47
College Av. Harr —8F 162
College Clo. Bis S —1F 78
College Clo. Flam —6D 86
College Clo. Harr —7F 162
College Clo. Ware —7H 95
College Ct. Chesh —3G 145
College Ct. Enf —6G 156
College Gdns. E4 —9M 157
College Gdns. Enf —3B 156
College Hill Rd. Harr —7F 162
College La. Hat —2E 128 (in two parts)
College Pl. St Alb —2D 126
College Rd. Ab L —4H 137
College Rd. Ast C —6B 80
College Rd. Chesh —3G 144
College Rd. Enf —4B 156
College Rd. Har W —8F 162
College Rd. Hert H —4G 115
College Rd. Hod —6K 115
College Rd. St Alb —3J 127
College Sq. H'low —6N 117
College St. St Alb —2E 126
College Ter. N3 —9M 165
College Way. N'wd —6F 160
College Way. Wel G —8K 91
Collens Rd. Hpdn —1C 108
Collenswood Rd. Stev —5A 52
Collett Clo. Chesh —1H 145
Collett Gdns. Chesh —1H 145
Collett Rd. Hem H —2M 123
Collett Rd. Ware —5H 95
Colleyland. Chor —6G 146
Collier Dri. Edgw —9A 164
Collingdon Ct. Lut —9F 46
Collingdon St. Lut —9F 46
Collings Wells Clo. Cad —4A 66
Collingtree. Lut —5K 47
Collingwood Ct. New Bar —7A 154
Collingwood Ct. R'ton —6D 8
Collingwood Dri. Lon C —7L 127
Collins Av. Stan —9M 163
Collins Clo. H Reg —5E 44
Collins Cross. Bis S —8K 59
Collins Cross Rd. H'low —2N 119
Collins Grn. R'ton —1C 26
Collins Meadow. H'low —6L 117
Collins Wood Residential Pk. Cad —3A 66
Collinwood Av. Enf —5G 156
Collison Clo. Hit —9C 22
Collyer Rd. Lon C —9L 127
Colman Ct. Stan —6J 163
Colman Pde. Enf —5C 156
Colmer Pl. Harr —7E 162
Colmore Rd. Enf —6G 157
Colnbrook Clo. Lon C —9M 127
Colne Av. Rick —2K 159
Colne Av. Wat —8K 149
Colne Bri. Retail Pk. Wat —7M 149
Colne Gdns. Lon C —9M 127
Colne Mead. Rick —2K 159
Colne Rd. N21 —9B 156
Colne Way. Hem H —6B 106
Colne Way. Wat —9M 137
Colne Way Ind. Est. Wat —1M 149
Colney Heath La. St Alb —3M 127
Colonade, The. Chesh —1H 145
Colonel's Wlk. Enf —5N 155
Colonial Bus. Pk. Wat —3L 149
Colonial Way. Wat —3L 149
Colonnade, The. Let —5F 22 (off Eastcheap)
Colonsay. Hem H —4E 124
Colston Cres. G Oak —9N 131
Colt Hatch. H'low —5L 117
Colts Corner. Stev —5A 52
Colts Croft. Gt Chi —2H 17
Coltsfield. Stans —1N 59
Coltsfoot. Wel G —2A 112
Coltsfoot Dri. R'ton —7E 8
Coltsfoot Grn. Lut —4K 45
Coltsfoot Rd. Ware —4J 95
Coltsfoot, The. Hem H —3H 123
Colts, The. Bis S —5G 79
Columbia Av. Edgw —8B 164
Columbus Clo. Stev —2N 51
Columbus Gdns. N'wd —8J 161
Colville Rd. N9 —9F 156
Colvin Gdns. Wal X —8H 145
Colwell Ct. Lut —7N 47
Colwell Rise. Lut —7N 47
Colwyn Clo. Stev —2H 51
Colyer Clo. Welw —4M 91
Combe Ho. Wat —8G 149
Combe Rd. R'ton —2M 13
Combe Rd. Wat —8H 149
Combe St. Hem H —2M 123
Comet Clo. Wat —7H 137
Comet Rd. Hat —9F 110

Comet Way—Cross Rd.

Comet Way. *Hat* —1E **128**
Commerce Way. *Let* —5F **22**
Common Field. *Wig* —5B **102**
Commonfields. *H'low* —5A **118**
Common Gdns. *Pott E* —8E **104**
Common Ga. Rd. *Chor* —7G **147**
Common La. *Hpdn* —2E **88**
Common La. *Hit* —8K **19**
Common La. *Kim* —7J **69**
Common La. *K Lan* —1B **136**
Common La. *Let H & Rad* —3F **150**
Common La. *R'ton* —7K **17**
Commonmeadow La. *Wat* —7C **138**
Common Rise. *Hit* —1A **34**
Common Rd. *Chor* —6G **146**
Common Rd. *Dunst* —4C **84**
Common Rd. *Kens* —7E **64**
Common Rd. *Stan* —4E **162**
Common Rd. *Stot* —4F **10**
Commonside Rd. *H'low* —9B **118**
Commons La. *Hem H* —1A **124**
Commons, The. *Wel G* —3N **111**
Common, The. *Berk* —8C **104**
Common, The. *Chfd* —5J **135**
Common, The. *Hpdn* —3K **87**
Common, The. *Hat* —8G **110**
Common, The. *K Lan* —1C **136**
Common, The. *Stan* —3G **163**
Common View. *Let* —3G **22**
Common View Sq. *Let* —4G **23**
*Common Wharf. Ware —6J **95***
(off Star St.)
Compass Point. *N'chu* —8J **103**
Comp Ga. *Eat B* —2J **63**
Comp, The. *Eat B* —2J **63**
Compton Av. *Lut* —5N **45**
Compton Clo. *Edgw* —7C **164**
Compton Gdns. *St Alb* —8C **126**
Compton Pl. *Wat* —3N **161**
Compton Rd. *N21* —9M **155**
Compton Rd. *Wend* —9B **100**
Compton Ter. *N21* —9M **155**
Comreddy Clo. *Enf* —3N **155**
Comyne Rd. *Wat* —9H **137**
Comyns, The. *Bush* —1D **162**
Concorde Dri. *Hem H* —2N **123**
Concorde St. *Lut* —9H **47**
Concord Rd. *Enf* —7F **156**
Concourse, The. *NW9* —8E **164**
Conduit La. *Enf* —9J **157**
Conduit La. *Gt Hor* —1E **40**
Conduit La. *Hod* —8L **115**
Conduit La. E. *Hod* —8M **115**
Coney Clo. *Hat* —2H **129**
Coneydale. *Wel G* —7K **91**
Coney Green. *Saw* —4F **98**
Conical Corner. *Enf* —4A **156**
Conifer Clo. *Stev* —2C **52**
Conifer Clo. *Wal X* —2D **144**
Conifer Ct. *Bis S* —9H **59**
Conifer Gdns. *Enf* —8C **156**
Conifers, The. *Wat* —8L **137**
Conifer Wlk. *Stev* —2B **52**
Coningesby Dri. *Wat* —3G **148**
Coningsby Bank. *St Alb* —6E **126**
Coningsby Clo. *N Mym* —6K **129**
Coningsby Dri. *Pot B* —6C **142**
Conisbee Ct. *N14* —7H **155**
Coniston Clo. *Hem H* —3E **124**
Coniston Rd. *K Lan* —1B **136**
Coniston Rd. *Lut* —4B **46**
Connaught Av. *E4* —9N **157**
Connaught Av. *E Barn* —9E **154**
Connaught Av. *Enf* —4C **156**
Connaught Clo. *Enf* —4C **156**
Connaught Clo. *Hem H* —9C **106**
Connaught Gdns. *Berk* —7K **103**
Connaught Rd. *Barn* —8K **153**
Connaught Rd. *Hpdn* —5C **88**
Connaught Rd. *Harr* —8G **163**
Connaught Rd. *Lut* —8A **46**
Connaught Rd. *St Alb* —8D **108**
Connemara Clo. *Borwd* —8D **152**
Conningsby Ct. *Rad* —9G **139**
Connop Rd. *Enf* —2H **157**
Connors Clo. *G Mor* —1A **6**
Conquerors Hill. *Wheat* —7M **89**
Conquest Clo. *Hit* —5N **33**
Conquest Rd. *H Reg* —4H **45**
Constable Clo. *H Reg* —4G **45**
Constable Ct. *Lut* —7C **46**
Constable Gdns. *Edgw* —8A **164**
Constable Way. *Welw* —2J **91**
Constance Rd. *Enf* —8C **156**
Constantine Clo. *Stev* —9M **35**
Constantine Pl. *Bald* —2A **24**
Convent Clo. *Hit* —2N **33**
Conway Clo. *H Reg* —4H **45**
Conway Clo. *Stan* —6H **163**
Conway Gdns. *Enf* —2C **156**
Conway Ho. *Borwd* —6C **152**
Conway Rd. *Lut* —8D **46**
Conyers, The. *H'low* —4M **117**
Cookfield Clo. *Dunst* —9B **44**
Cook Rd. *Stev* —2A **52**
Cooksaldick La. *Saf W* —3N **29**
Cooks Hole Rd. *Enf* —2N **155**
Cooks Mead. *Bush* —8C **150**
Cook's Meadow. *Edl* —4J **63**
Cooks Spinney. *H'low* —4C **118**
Cooks Vennel. *Hem H* —9K **105**
Cooks Way. *Hat* —3H **129**
Cooks Way. *Hit* —1A **34**
Cook Wlk. *Stev* —2J **51**
Coombe Av. *Wend* —9A **100**
Coombe Clo. *Edgw* —9N **163**
Coombe Dri. *Dunst* —1B **64**
Coombe Gdns. *Berk* —9K **103**
Coombe Hill Rd. *Rick* —9K **147**
Coombehurst Clo. *Barn* —4E **154**
Coombelands Rd. *R'ton* —5E **8**
Coombe Rd. *Bush* —9D **150**
Coombe Rd. *R'ton* —2M **13**
Coombes Rd. *Lon C* —8K **127**
Cooms Wlk. *Edgw* —8C **164**
Cooper Clo. *L Ston* —1F **20**
Coopers Clo. *Bis S* —3D **78**
Cooper's Clo. *Kim* —8J **69**
Coopers Clo. *Stev* —5C **52**
Coopers Cres. *Borwd* —3C **152**
Coopers Field. *Let* —4D **22**
Coopers Grn. La. *Hat* —5C **110**
Coopers Grn. La. *St Alb* —8M **109**
Cooper's Hill. *Kim* —8J **69**
Cooper's La. *Pot B* —4C **142**
Coopers La. Rd. *Pot B* —4C **142**
Coopers Meadow. *Redb* —9J **87**
Coopers Rd. *Pot B* —3B **142**
Coopers Wlk. *Chesh* —1H **145**
Cooters End La. *Hpdn & Lut* —3N **87**
Copenhagen Clo. *Lut* —1N **45**
Copinger Wlk. *Edgw* —8B **164**
Copley Rd. *Stan* —5K **163**
Copmans Wick. *Chor* —7G **146**
Coppens, The. *Stot* —7G **10**
Copper Beech Clo. *Hem H* —5J **123**
Copper Beeches. *Hpdn* —6C **88**
Copper Beeches. *Welw* —9K **71**
Copper Ct. *Saw* —5G **98**
Copperfields. *R'ton* —7C **8**
Copperfields. *Wel G* —1B **112**
Copperfields Clo. *H Reg* —5G **45**
Copperidge. *Ger X* —5C **158**
Coppermill Ct. *W Hyd* —7J **159**
Coppermill La. *Rick & Hare* —7H **159**
Copperwood. *Hert* —9D **94**
Coppice Clo. *Hat* —3F **128**
Coppice Clo. *Stan* —6G **162**
Coppice Hatch. *H'low* —8N **117**
Coppice Mead. *Stot* —7E **10**
Coppice, The. *Enf* —6N **155**
Coppice, The. *Hem H* —1D **124**
Coppice, The. New Bar
*(off Gt. North Rd.) —8A **154***
Coppice, The. *Wat* —8L **149**
Coppice, The. *Wig* —5A **102**
Coppice Wlk. *N20* —3N **165**
Coppings, The. *Hod* —5L **115**
Coppins Clo. *Berk* —1K **121**
Coppins, The. *Harr* —6F **162**
Coppins, The. *Mark* —2N **85**
Copse Clo. *N'wd* —9E **160**
Copse Hill. *H'low* —9L **117**
Copse Hill. *Welw* —8N **71**
Copse, The. *Bis S* —9L **59**
Copse, The. *Hem H* —9H **105**
Copse, The. *Hert* —9E **94**
Copse, The. *Wat* —5N **137**
Copse Way. *Che* —9E **120**
Copse Way. *Lut* —1N **45**
Copsewood Rd. *Wat* —3K **149**
Copse Wood Way. *N'wd* —8D **160**
Copthall Clo. *Chal P* —7C **158**
Copthall Clo. *Gt Hal* —4N **79**
Copthall Corner. *Chal P* —7B **158**
Copthall Dri. *NW7* —7G **164**
Copthall Gdns. *NW7* —7G **165**
Copthall La. *Chal P* —7B **158**
Copthorne. *Lut* —6M **47**
Copthorne Av. *Brox* —2K **133**
Copthorne Clo. *Crox G* —7B **148**
Copthorne Rd. *Crox G* —8B **148**
Coral Clo. *Eat B* —2J **63**
Coral Gdns. *Hem H* —1B **124**
Corals Mead. *Wel G* —1K **111**
Coram Clo. *Berk* —2N **121**
Coran Clo. *N9* —9H **157**
Corbar Clo. *Barn* —3C **154**
Corbridge Dri. *Lut* —7N **47**
Corby Clo. *St Alb* —7B **126**
Corby Cres. *Enf* —6K **155**
Cordell Clo. *Chesh* —1J **145**
Corder Clo. *St Alb* —5B **126**
Cordons Clo. *Chal P* —8A **158**
Coreys Mill La. *Stev* —9H **35**
Corfe Clo. *Hem H* —3A **124**
Corinium Gdns. *Lut* —1C **46**
Corinium Ga. *St Alb* —4B **126**
Cornbury Rd. *Edgw* —7L **163**
Corncastle Path. *Lut* —2F **66**
Corncastle Rd. *Lut* —2E **66**
Corncrake Clo. *Lut* —4L **47**
Corncroft. *Hat* —7H **111**
Cornel Clo. *Lut* —1C **66**
Cornel Ct. *Lut* —1C **66**
Corner Clo. *Let* —5E **22**
Cornerfield. *Hat* —6H **111**
Corner Hall. *Hem H* —4M **123**
(in two parts)
Corner Hall Av. *Hem H* —4N **123**
Corner Mead. *NW9* —7F **164**
Corners. *Wel G* —8N **91**
Corner View. *N Mym* —6J **129**
Corner Wood. *Mark* —2N **85**
Cornfield Cres. *N'chu* —7H **103**
Cornfield Rd. *N21* —7L **155**
Cornfield Rd. *Bush* —6C **150**
Cornfields. *Hem H* —3L **123**
Cornish Ct. *N9* —9F **156**
Corn Mead. *Wel G* —6J **91**
Cornmill. *Wal A* —6M **145**
Cornwall Av. *N3* —7N **165**
Cornwall Clo. *Wal X* —6J **145**
Cornwall Ct. *Pinn* —7A **162**
Cornwall Ho. *Bis S* —4G **78**
Cornwall Rd. *Hpdn* —5C **88**
Cornwall Rd. *Pinn* —7A **162**
Cornwall Rd. *St Alb* —4F **126**
Coronation Av. *R'ton* —8C **8**
Coronation Rd. *Bis S* —3G **79**
Coronation Rd. *Ware* —5H **95**
Corporate Ho. *Har W* —8F **162**
Corringham Ct. *St Alb* —1G **126**
Corton Clo. *Stev* —1H **51**
Cory-Wright Way. *Wheat* —6M **89**
Cosgrove Way. *Lut* —8N **45**
Cosy Corner. *Ast C* —1C **100**
Cotefield. *Lut* —6M **45**
Cotesmore Rd. *Hem H* —3H **123**
Cotlandswick. *Lon C* —7K **127**
Cotman Gdns. *Edgw* —9A **164**
Cotney Croft. *Stev* —6C **52**
*Cotsmoor. St Alb —2G **126***
(off Granville Rd.)
Cotswold. *Hem H* —8A **106**
Cotswold Av. *Bush* —8D **150**
Cotswold Clo. *St Alb* —6K **109**
Cotswold Farm Bus. Pk. *Cad* —6N **65**
Cotswold Gdns. *Lut* —2M **45**
Cotswold Grn. *Enf* —6L **155**
Cotswolds. *Hat* —2G **129**
Cotswold Way. *Enf* —5L **155**
Cottage Clo. *Crox G* —8B **148**
Cottage Clo. *Wat* —4H **149**
Cottered Rd. *Thro* —1C **38**
Cotterells. *Hem H* —2M **123**
Cotterells Hill. *Hem H* —2M **123**
Cotton Dri. *Hert* —8F **94**
Cotton La. *Stev* —8H **53**
Cottonmill Cres. *St Alb* —3E **126**
Cottonmill La. *St Alb* —4E **126**
Cotton Rd. *Pot B* —4B **142**
Coulser Clo. *Hem H* —8K **105**
Coulson Ct. *Lut* —9A **46**
Coulter Clo. *Cuff* —9J **131**
Council Rd. *Bis S* —1K **79**
Counters. *Tring* —2L **101**
Counters Clo. *Hem H* —2K **123**
Countess Clo. *Hare* —9M **159**
Countisbury Av. *Enf* —9D **156**
County Ga. *New Bar* —8A **154**
Coupees Path. *Lut* —9G **46**
Coursers Rd. *Lon C* —9A **128**
Courtaulds. *Chfd* —3L **135**
Court Dri. *Dunst* —8E **44**
Court Dri. *Stan* —4M **163**
Courtenay Av. *Harr* —7D **162**
Courtenay Gdns. *Harr* —9D **162**
Courtens M. *Stan* —7K **163**
Courtfield Clo. *Brox* —2L **133**
Courtfields. *Hpdn* —6E **88**
Court Ho. Gdns. *N3* —6N **165**
Courthouse Rd. *N12* —6N **165**
Courtland Av. *NW7* —2D **164**
Courtlands Clo. *Wat* —8G **137**
Courtlands Dri. *Wat* —1G **149**
Courtleigh Av. *Barn* —2B **154**
Court, The. *Wheat* —7L **89**
Courtway, The. *Wat* —2N **161**
Courtyard M. *Chap E* —3C **94**
Courtyards, The. *Wat* —9F **148**
Courtyard, The. *Bis S* —1H **79**
Courtyard, The. *St Alb* —2N **127**
*Covell Ct. Enf —2L **155***
(off Ridgeway, The)
Covent Garden Clo. *Lut* —6B **46**
Coventry Clo. *Stev* —9N **35**
Coverack Clo. *N14* —8H **155**
Coverdale. *Hem H* —8A **106**
Coverdale. *Lut* —3L **45**
Coverdale Clo. *Stan* —5J **163**
Coverdale Ct. *Enf* —1J **157**
Covert Clo. *N'chu* —8H **103**
Covert Rd. *N'chu* —7H **103**
Covert, The. *N'wd* —8E **160**
Covert Way. *Barn* —4B **154**
Covey's La. *Saw* —2A **98**
Cowards La. *Cod* —8F **70**
Cowbridge. *Hert* —9A **94**
Cowdray Clo. *Lut* —6L **47**
Cowdrey Clo. *Enf* —4C **156**
Cowland Av. *Enf* —6G **157**
Cow La. *Bush* —8B **150**
Cow La. *Edl* —3J **63**
Cow La. *Tring* —2B **102**
Cow La. *Wat* —9L **137**
Cowles. *Chesh* —9D **132**
Cowley Hill. *Borwd* —1A **152**
Cowlins. *H'low* —2F **118**
Cowper Ct. *Mark* —2N **85**
Cowper Ct. *Wat* —1J **149**
Cowper Cres. *Hert* —7N **93**
Cowper Gdns. *N14* —8G **155**
Cowper Rise. *Mark* —2N **85**
Cowper Rd. *Berk* —1M **121**
Cowper Rd. *Hpdn* —6C **88**
Cowper Rd. *Hem H* —4L **123**
Cowper Rd. *Mark* —2N **85**
Cowper Rd. *Wel G* —2M **111**
Cowper St. *Lut* —3G **66**
Cowpers Way. *Tew* —2C **92**
Cowridge Cres. *Lut* —9J **47**
Cowslip Clo. *R'ton* —8F **8**
Cowslip Hill. *Let* —4E **22**
Cox Clo. *Shenl* —5N **139**
Coxfield Clo. *Hem H* —3A **124**
Cox La. *M Hud* —5F **76**
Cox's Way. *Arl* —6A **10**
Coyney Grn. *Lut* —8E **46**
Cozens La. E. *Brox* —4K **133**
Cozens La. W. *Brox* —4J **133**
Cozens Rd. *Ware* —4K **95**
Crabbles Clo. *Hit* —3M **33**
Crabb's La. *Stock P* —3A **42**
Crab La. *Ald* —8C **138**
Crabtree Clo. *Bush* —7C **150**
Crabtree Clo. *Hem H* —4N **123**
Crabtree Ct. *Hem H* —4A **124**
Crabtree Ct. *New Bar* —6A **154**
Crabtree Dell. *Let* —8J **23**
Crabtree La. *Bald* —5L **23**
Crabtree La. *Hpdn* —7C **88**
(in two parts)
Crabtree La. *Hem H* —4N **123**
Crab Tree La. *Pir* —7E **20**
Crab Tree Rd. *Kneb* —4M **71**
Crabtree Way. *Dunst* —8E **44**
Crackley Meadow. *Hem H* —6D **106**
Craddock Rd. *Enf* —5D **156**
Cradock Rd. *Lut* —8K **45**
Craft Way. *Stpl M* —3C **6**
Cragg Av. *Rad* —9G **138**
Cragside. *Stev* —1B **72**
Craigavon Rd. *Hem H* —7B **106**
Craiglands. *St Alb* —7L **109**
Craigmore Ct. *N'wd* —7G **160**
Craig Mt. *Rad* —8J **139**
Craigs Wlk. *Chesh* —1H **145**
Craigweil Clo. *Stan* —5L **163**
Craigweil Dri. *Stan* —5L **163**
Craigwell Av. *Rad* —8J **139**
Crailey Av. *Enf* —4D **156**
Crakers Mead. *Wat* —5K **149**
Cramwell Gdns. *Bis S* —8L **59**
Cranborne Av. *Hit* —4L **33**
Cranborne Av. *Pot B* —3L **141**
Cranborne Clo. *Hert* —3A **114**
Cranborne Clo. *Pot B* —4L **141**
Cranborne Ct. *Enf* —9H **145**
*Cranborne Ct. Stev —9H **35***
(off Ingleside Dri.)
Cranborne Cres. *Pot B* —4L **141**
Cranborne Gdns. *Wel G* —1M **111**
Cranborne Ind. Est. *Pot B* —3L **141**
Cranborne Pde. *Pot B* —4K **141**
Cranborne Rd. *Chesh* —5H **145**
Cranborne Rd. *Hat* —8H **111**
Cranborne Rd. *Hod* —2M **115**
Cranborne Rd. *Pot B* —3K **141**
Cranbourne Dri. *Hpdn* —9D **88**
Cranbourne Dri. *Hod* —4N **115**
Cranbourne Rd. *N'wd* —9H **161**
Cranbrook Clo. *Ware* —4H **95**
Cranbrook Dri. *Lut* —1N **45**
Cranbrook Dri. *St Alb* —2M **127**
Cranbrook Rd. *Barn* —8C **154**
Cranefield Dri. *Wat* —5N **137**
Crane Mead. *Ware* —6J **95**
Cranes Way. *Borwd* —7C **152**
Cranfield Cres. *Cuff* —2K **143**
Cranfield Dri. *NW9* —7E **164**
Cranford Ct. *Hpdn* —6D **88**
Cranford Ct. *Hert* —8L **93**
Cranleigh Clo. *Chesh* —1E **144**
Cranleigh Gdns. *N21* —7M **155**
Cranleigh Gdns. *Lut* —6E **46**
Cranmer Clo. *Pot B* —3B **142**
Cranmer Clo. *Stan* —7K **163**
Cranmer Ct. *N3* —9L **165**
Cranmere Ct. *Enf* —4M **155**
Cranmer Ho. *K Lan* —2C **136**
Cranmer Rd. *Edgw* —3B **164**
*Cranmore Ct. St Alb —1G **126***
(off Avenue Rd.)
Cranwich Av. *N21* —9B **156**
Cravells Rd. *Hpdn* —9C **88**
Crawford Rd. *Hat* —7G **110**
Crawley Clo. *S End* —7E **66**
Crawley Dri. *Hem H* —7B **106**
Crawley Grn. Rd. *Lut* —8L **47**
Crawley Rd. *Enf* —9C **156**
Crawley Rd. *Lut* —1H **67**
Crawley's La. *Wig* —7C **102**
Creamery Ct. *Let* —8J **23**
Creasey Pk. Dri. *Dunst* —7C **44**
Creasy Clo. *Ab L* —4H **137**
Crecy Gdns. *Redb* —9J **87**
Creighton Av. *St Alb* —6E **126**
Crescent E. *Barn* —2B **154**
Crescent Rise. *Barn* —7D **154**
Crescent Rise. *Lut* —9H **47**
Crescent Rd. *N3* —8M **165**
Crescent Rd. *N9* —9E **156**
Crescent Rd. *Barn* —6C **154**
Crescent Rd. *Bis S* —2J **79**
Crescent Rd. *Enf* —6N **155**
Crescent Rd. *Hem H* —2N **123**
Crescent Rd. *Lut* —9H **47**
Crescent, The. *Ab L* —3H **137**
Crescent, The. *A'ham* —2C **150**
Crescent, The. *Ard* —7L **37**
Crescent, The. *Barn* —4A **154**
Crescent, The. *Brick W* —3B **138**
Crescent, The. *Cad* —5B **66**
Crescent, The. *Cot* —3B **38**
Crescent, The. *Crox G* —8D **148**
Crescent, The. *H'low* —9E **98**
Crescent, The. *Hit* —1L **33**
Crescent, The. *Let* —6G **23**
Crescent, The. *Mars* —6M **81**
Crescent, The. *Pit* —3A **82**
Crescent, The. *St I* —7A **34**
Crescent, The. *Wat* —6L **149**
Crescent, The. *Welw* —3J **91**
Crescent W. *Barn* —3B **154**
Cressingham Rd. *Edgw* —6D **164**
Cresswell. *NW9* —9F **164**
Cresswell Gdns. *Lut* —9D **30**
Cresswell Way. *N21* —9M **155**
Cresswick. *W'wll* —1M **69**
Cresta Clo. *Dunst* —7K **45**
Crest Dri. *Enf* —2G **156**
Crest Pk. *Hem H* —1E **124**
Crest, The. *Dunst* —8H **45**
Crest, The. *G Oak* —9N **131**
Crest, The. *Lut* —2D **46**
Crest, The. *Saw* —5F **98**
Crest, The. *Ware* —4H **95**
Crest, The. *Welw* —8K **71**
Creswick Ct. *Wel G* —1K **111**
Crew Curve. *Berk* —7K **103**
Crews Hill. *Enf* —7L **143**
Crib St. *Ware* —5H **95**
Cricketers Arms Rd. *Enf* —4A **156**
Cricketers Clo. *N14* —9H **155**
Cricketers Clo. *St Alb* —1F **126**
Cricketer's Rd. *Arl* —8A **10**
Cricketers Rd. *Enf* —4A **156**
Cricketfield La. *Bis S* —9F **58**
Crispin Field. *Pit* —3A **82**
Crispin Rd. *Edgw* —6C **164**
Criss Gro. *Chal P* —9A **158**
Croasdaile Rd. *Stans* —1N **59**
Croasdale Clo. *Stans* —1N **59**
Crocus Field. *Barn* —8M **153**
Croft Clo. *NW7* —3E **164**
Croft Clo. *Chfd* —3K **135**
Croft Ct. *Hit* —3M **33**
Croft End Rd. *Chfd* —3K **135**
Crofters. *Saw* —4G **98**
Crofters End. *Saw* —4G **98**
Crofters Rd. *N'wd* —4G **161**
Croft Field. *Chfd* —3K **135**
Croft Field. *Hat* —9G **110**
Croft Grn. *Dunst* —9C **44**
Croft La. *Chfd* —3K **135**
Croft La. *Let* —2G **22**
Croft Meadow. *Chfd* —3K **135**
Croft Meadows. *Ched* —9M **61**
Crofton Way. *Barn* —8A **154**
Crofton Way. *Enf* —4M **155**
Croft Rd. *Chal P* —9A **158**
Croft Rd. *Enf* —3J **157**
Croft Rd. *Lut* —6K **47**
Croft Rd. *Ware* —5G **95**
Crofts Path. *Hem H* —4C **124**
Crofts, The. *Hem H* —3D **124**
Crofts, The. *Stot* —6F **10**
Croft, The. *Barn* —6L **153**
Croft, The. *Brox* —5J **133**
Croft, The. *Lut* —1N **45**
Croft, The. *St Alb* —7B **126**
Croft, The. *W'side* —3B **96**
Croft, The. *Wel G* —3M **111**
(in two parts)
Croft Wlk. *Brox* —5J **133**
Croftwell. *Hpdn* —7G **88**
*Crokesley Ho. Edgw —9C **164***
(off Burnt Oak B'way.)
Cromarty Rd. *Edgw* —2B **164**
Cromer Clo. *L Gad* —1B **104**
Cromer Rd. *New Bar* —6B **154**
Cromer Rd. *Wat* —2L **149**
Cromer Way. *Lut* —2F **46**
Crompton Rd. *Stev* —3G **51**
Cromwell Av. *Chesh* —3E **144**
Cromwell Clo. *Bis S* —1D **78**
Cromwell Clo. *Chal G* —3A **158**
Cromwell Clo. *St Alb* —6L **109**
Cromwell Ct. *Enf* —7H **157**
Cromwell Grn. *Let* —3H **23**
Cromwell Hill. *Lut* —8F **46**
Cromwell Rd. *Bar C* —7E **18**
Cromwell Rd. *Borwd* —3M **151**
Cromwell Rd. *Chesh* —1F **144**
Cromwell Rd. *Hert* —8D **94**
Cromwell Rd. *Let* —3H **23**
Cromwell Rd. *Lut* —8F **46**
Cromwell Rd. *Stev* —4B **52**
Cromwell Rd. *Ware* —6K **95**
Cromwell Way. *Pir* —7E **20**
Crooked Mile. *Wal A* —6N **145**
Crooked Usage. *N3* —9L **165**
Crookhams. *Wel G* —7N **91**
Crop Comn. *Hat* —7H **111**
Crosbie. *NW9* —9F **164**
Crosby Clo. *Dunst* —2F **64**
Crosby Clo. *Lut* —7C **46**
Crossbrook. *Hat* —1E **128**
Crossbrook St. *Wal X* —4H **145**
Crossett Grn. *Hem H* —4E **124**
Crossfell Rd. *Hem H* —3E **124**
Crossfield Clo. *Berk* —1K **121**
Crossfield Rd. *Hod* —6M **115**
Crossfields. *St Alb* —5C **126**
Cross Ga. *Edgw* —3A **164**
Crossgates. *Stev* —4L **51**
Crosslands. *Cad* —5A **66**
Cross La. *Hpdn* —1C **108**
Cross La. *Hert* —9N **93**
Cross Lanes. *Chal P* —5B **158**
Cross Lanes Clo. *Chal P* —5C **158**
Crossleys. *Let* —1F **22**
Crossmead. *Wat* —8K **149**
Cross Oak Rd. *Berk* —2L **121**
Crossoaks La. *Borwd & S Mim* —8D **140**
Crosspath. *Rad* —8H **139**
Crosspaths. *Hpdn* —3L **87**
Cross Rd. *Enf* —6C **156**
Cross Rd. *Hert* —8A **94**

Cross Rd.—Dolphin Yd.

Cross Rd. Wal X —6J 145
Cross Rd. Wat —8N 149
Cross Rd. W'stone —9H 163
Cross St. Let —4F 22
Cross St. Lut —9G 46
Cross St. St Alb —2E 126
Cross St. Ware —6J 95
Cross St. Wat —5L 149
Cross St. N. Dunst —8D 44
Crossway. Enf —9C 156
Cross Way. Hpdn —4D 88
Cross Way. Pinn —9K 161
Crossway. Wel G —5J 91
Crossways. N21 —8A 156
Crossways. Bar —3C 16
Crossways. Berk —2K 121
Crossways. Hem H —2D 124
Crossways. H Reg —4F 44
Cross Way, The. Harr —9F 162
Cross Way, The. Lut —3E 66
Crosthwaite Ct. Hpdn —5C 88
Crouch Ct. H'low —4M 117
Crouchfield. Hem H —3L 123
Crouchfield. Hert —6A 94
Crouchfield La. Chap E —3C 94
Crouch Hall Gdns. Redb —9J 87
Crouch Hall La. Redb —9J 87
Crouch La. G Oak —1A 144
Crowborough Path. Wat —4M 161
Crow Furlong. Hit —4L 33
Crowland Gdns. N14 —9K 155
Crowland Rd. Lut —4L 47
Crown Clo. NW7 —2F 164
Crown Clo. Srng —7L 99
Crownfield. Brox —3L 133
Crown Ga. H'low —6N 117
Crown La. N14 —9H 155
Crown Lodge. Arl —8A 10
Crown Pde. N14 —9H 155
Crown Pas. Wat —6L 149
Crown Rise. Wat —7L 137
Crown Rd. Borwd —3A 152
Crown Rd. Enf —5E 156
Crown Rose Ct. Tring —3M 101
Crown St. Redb —1K 107
Crown Ter. Bis S —1J 79
Crowshott Av. Stan —9K 163
Croxdale Rd. Borwd —4N 151
Croxden Clo. Edgw —9A 164
Croxley View. Wat —8G 149
Croxton Clo. Lut —2C 46
Croyland Rd. N9 —9E 156
Crozier Av. Bis S —9E 58
Crunell's Grn. Pres —4M 49
Crusader Way. Wat —8H 149
Cuba Dri. Enf —4G 156
Cubbington Clo. Lut —2C 46
Cubitt Clo. Hit —3C 34
Cubitts Clo. Welw —4M 91
Cublands. Hert —9F 94
Cuckmans Dri. St Alb —7B 126
Cuckoo Hall La. N9 —9G 156
Cuckoo Hall Rd. N9 —9G 157
Cuckoo Hill. Pinn —9L 161
Cuckoo's Nest. Lut —1J 67
Cucumber La. Ess —2D 130
Cuffley Av. Wat —7M 137
Cuffley Cen. Cuff —2K 143
Cuffley Clo. Lut —5B 46
Cuffley Ct. Hem H —6E 106
Cuffley Hill. G Oak —2L 143
Culgaith Gdns. Enf —6K 155
Cullera Clo. N'wd —6H 161
Cullinet Ho. Borwd —4D 152
Culloden Rd. Enf —4N 155
Culver Ct. M Hud —7J 77
Culverden Rd. Wat —3K 161
Culver Gro. Stan —9K 163
Culverhouse Rd. Lut —5E 46
Culverlands Clo. Stan —4J 163
Culver Rd. St Alb —1F 126
Culworth Clo. Cad —5A 66
Cumberland Clo. Pim —6G 125
Cumberland Ct. Hod —7L 115
Cumberland Ct. St Alb —1E 126
Cumberland Dri. Redb —9K 87
Cumberland Gdns. NW4 —8K 165
Cumberland St. H Reg —5E 44
Cumberland St. Lut —2G 67
Cumberlow Pl. Hem H —3E 124
Cumbria Clo. H Reg —4H 45
Cunard Cres. N21 —8B 156
Cundalls Rd. Ware —5J 95
Cunningham Av. Enf —9J 145
Cunningham Av. St Alb —4G 127
Cunningham Ct. Chesh —1J 145
Cunningham Hill Rd. St Alb —4G 127
Cunningham Rd. Chesh —9J 133
Cupid Grn. La. Hem H —3A 106
Curie Gdns. NW9 —9E 164
Curlew Clo. Berk —2N 121
Curlew Clo. Let —2E 22
Curlew Ct. Brox —5K 133
Curlew Rd. Lut —4L 47
Currie St. Hert —9C 94
Curry Rise. NW7 —6K 165
Curteys. H'low —1F 118
Curthwaite Gdns. Enf —6J 155
Curtis Clo. Rick —1K 159
Curtis Cotts. Ash G —6K 121
Curtis Rd. Hem H —3F 124
Curtis Way. Berk —2A 122
Curtlington Ho. Edgw —9C 164 (off Burnt Oak B'way.)
Curzon Av. Enf —7H 157
Curzon Av. Stan —8H 163
Curzon Ga. Ct. Wat —3J 149
Curzon Rd. Lut —8E 46
Cussans Ho. Wat —8G 149
Cussons Clo. Chesh —2E 144
Cusworth Wlk. Dunst —8B 44
Cusworth Way. Dunst —8B 44
Cutenhoe Rd. Lut —4G 67
Cutforth Rd. Saw —4G 98
Cuthbert Clo. Chesh —2D 144
Cutlers Grn. Lut —7A 48
Cutmore Dri. Col H —4B 128
Cut Throat Av. Dunst —9A 64
Cut Throat La. Bre P —9L 29
Cutthroat La. Hod —6J 115
Cuttsfield Ter. Hem H —3J 123
Cutts La. Kim —7L 69
Cuttys La. Stev —4L 51
Cwmbran Ct. Hem H —7B 106
Cyclers Thicket. Welw —1J 91
Cygnet Clo. Borwd —3C 152
Cygnet Clo. N'wd —6E 160
Cygnet Ct. Bis S —2H 79
Cypress Av. Enf —8M 143
Cypress Clo. Wal A —7N 145
Cypress Rd. Harr —9E 162
Cypress Wlk. Wat —8K 137
Cyprus Av. N3 —9L 165
Cyprus Gdns. N3 —9L 165
Cyprus Rd. N3 —9M 165
Cyrils Way. St Alb —5E 126

Dacorum Way. Hem H —2M 123
Dacre Cres. Kim —7K 69
Dacre Gdns. Borwd —7D 152
Dacre Grn. R'ton —7F 8
Dacre Rd. Hal —7D 100
Dacre Rd. Hit —2A 34
Dagger La. Els —8H 151
Daggs Dell Rd. Hem H —9H 105
Dagnall Rd. Dunst —6N 63
Dagnall Rd. Gt Gad —8D 84
Dagnalls. Let —9F 22
Dagnall Way. Edl —8K 63
Dahlia Clo. Lut —6K 47
Daintrees. Wid —3H 97
Daintry Lodge. N'wd —7H 161
Dairy M. Wat —7J 149
Dairy Way. Ab L —2H 137
Dalby Clo. Lut —6L 45
Dale Av. Edgw —8N 163
Dale Av. Wheat —2J 89
Dale Clo. Dunst —8J 45
Dale Clo. Hit —6N 33
Dale Clo. New Bar —8A 154
Dale Clo. Pinn —8K 161
Dale Ct. Saw —6F 98
Dale Rd. Dunst —8J 45
Dale Rd. Lut —1E 66
Daleside Dri. Pot B —6M 141
Dales Path. Borwd —7D 152
Dales Rd. Borwd —7D 152
Dale, The. Let —6E 22
Dalewood. Hpdn —6E 88
Dalewood. Wel G —1C 112
Dalkeith Gro. Stan —5L 163
Dalkeith Rd. Hpdn —5D 88
Dalling Dri. H Reg —4F 44
Dallow Rd. Lut —9A 46
Dalmeny Rd. New Bar —8B 154
Dalroad Ind. Est. Lut —9D 46
Dalrymple Clo. N14 —9J 155
Dalston Gdns. Stan —8M 163
Dalton Gdns. Bis S —4G 79
Dalton Rd. W'stone —9E 162
Dalton St. St Alb —1E 126
Daltons Wharf. Berk —1A 122
Dalton Way. W'wll —2M 69
Daltry Clo. Stev —8J 35
Daltry Rd. Stev —8J 35
Damask Grn. Hem H —3H 123
Damask Grn. Rd. W'ton —2A 36
Dammersey Clo. Mark —3B 86
Danby Ct. Enf —5A 156 (off Horseshoe La.)
Dancers End La. Tring —3G 101
Dancers Hill Rd. Barn —9J 141
Dancers La. Barn —8J 141
Dancote. Kneb —3M 71
Dane Acres. Bis S —9F 58
Dane Bri. La. M Hud —6L 77
Danebridge Rd. M Hud —6K 77
Dane Clo. Hpdn —3D 88
Dane Clo. Stot —4F 10
Dane Ct. Hert —9C 94
Dane End Ho. Stev —9J 35 (off Coreys Mill La.)
Dane End La. Hit —6D 36
Dane End Rd. H Cro —4H 75
Danefield Rd. Pir —7D 20
Dane Ho. N14 —9J 155
Dane Ho. Bis S —9F 58
Daneland. Barn —8E 154
Danemead. Hod —5L 115
Dane O'Coys Rd. Bis S —8F 58
Dane Pk. Bis S —9F 58
Dane Rd. Bar C —8F 18
Dane Rd. Lut —7D 46
Danesbury Pk. Hert —8B 94
Danesbury Park Cvn. Site. Welw —8K 71
Danesbury Pk. Rd. Welw —9H 71
Danescroft. Let —2F 22
Danesgate. Stev —5K 51
Daneshill Ho. Stev —4K 51 (off Danestrete.)
Danes, The. Park —1D 138
Dane St. Bis S —1J 79 (in two parts)
Danestrete. Stev —4K 51
Daniel Ct. NW9 —8E 164
Daniells. Wel G —8N 91
Danleigh Ct. N14 —9J 155
Dansbury La. Welw —8K 71
Danvers Croft. Tring —1A 102
Danvers Dri. Lut —9E 30
Danziger Way. Borwd —3C 152
Darby Dri. Wal A —6N 145
Darby Dri. Welw —5L 71
Darcy Clo. Chesh —4J 145
Darkes La. Pot B —5M 141
Dark La. Chesh —3E 144
Dark La. Hpdn —8E 88
Dark La. Haul —4C 54
Dark La. Oving —5A 60
Dark La. S'don —2N 25
Dark La. Ware —4K 95
Darley Croft. Park —1C 138
Darley Rd. N9 —9D 156
Darley Rd. B Grn —8C 48
Darley Rd. Lut —8C 48
Darnhills. Rad —8G 139
Darnicle Hill. Chesh —7L 131
Darrington Rd. Borwd —3M 151
Darr's La. N'chu —9H 103
Dartford Av. N9 —8G 157
Dart, The. Hem H —6C 106
Darwin Clo. Hem H —5D 106
Darwin Clo. St Alb —7F 108
Darwin Gdns. Wat —5L 161
Darwin Rd. Stev —3A 52
Dashes, The. H'low —5A 118
Datchet Clo. Hem H —6D 106
Datchworth Ct. Enf —7C 156
Datchworth Turn. Hem H —2E 124
Davenham Av. N'wd —5H 161
Daventer Dri. Stan —7G 163
Davies St. Hert —9C 94
Davis Ct. St Alb —2F 126
Davis Cres. Pir —6E 20
Davison Clo. Chesh —1H 145
Davison Dri. Chesh —1H 145
Davis Row. Arl —8A 10
Davys Clo. Wheat —8M 89
Dawes La. Sarr —1H 147
Dawley. Wel G —6M 91 (in three parts)
Dawley Ct. Hem H —7C 106
Dawlish Clo. Stev —1B 72
Dawlish Rd. Lut —6B 46
Daws Hill. E4 —4N 157
Daws La. NW7 —5F 164
Daw's La. Buck —3J 27
Dawson Ter. N9 —9G 156
Dayemead. Wel G —3A 112
Days Clo. Hat —9F 110
Day's Clo. R'ton —8C 8
Days Mead. Hat —9F 110
Deacon Clo. St Alb —6E 126
Deacons Clo. Els —6A 152
Deacons Clo. Pinn —9K 161
Deacons Ct. Lut —9F 46
Deaconsfield Rd. Hem H —5N 123
Deacons Heights. Els —8A 152
Deacons Hill. Borwd —8A 152
Deacons Hill. Wat —8L 149
Deacon's Hill Rd. Els —6N 151
Deacons Way. Hit —1L 33
Deadfield La. Hert —4E 112
Deadhearn La. Chal G —1B 158
Deadman's Ash La. Sarr —9L 135
Dead Woman's La. Hit —2K 49
Deakin Clo. Wat —9G 149
Deamer Ho. Ger X —5B 158
Deanacre Clo. Chal P —6B 158
Dean Ct. Edgw —6B 164
Dean Ct. Wat —6M 137
Deancroft Rd. Chal P —6B 158
Dean Dri. Stan —9M 163
Deane Ct. N'wd —8G 161
Dean Field. Bov —9D 122
Dean La. Hem H —6J 85
Dean Moore Clo. St Alb —3E 126
Deansbrook Clo. Edgw —7C 164
Deansbrook Rd. Edgw —7B 164
Deans Clo. Ab L —5F 136
Deans Clo. Edgw —6C 164
Deans Clo. Tring —2M 101
Deanscroft. Kneb —3M 71
Deans Dri. NW7 —5D 164
Deans Dri. Edgw —5D 164
Deans Furlong. Tring —2M 101
Dean's Gdns. St Alb —7H 109
Deans La. Edgw —6C 164
Deans Meadow. Dagn —2N 83
Deans Way. Edgw —5C 164
Deansway. Hem H —5B 124
Dean, The. W'grv —5A 60
Dean Wlk. Edgw —6C 164
Dean Way. Ast C —2E 100
Deard's End La. Kneb —3M 71
Deards La. Welw —5H 71
Deards Wood. Kneb —3M 71
Dearne Clo. Stan —5H 163
Debenham Ct. Barn —7J 153
Debenham Rd. Chesh —9F 132
De Bohun Av. N14 —8G 154
Deborah Lodge. Edgw —8B 164
Debussy. NW9 —9F 164
Deepdene. Pot B —4K 141
Deepdene Ct. N21 —8N 155
Deep Denes. Lut —7J 47
Deeping Clo. Kneb —4M 71
Deer Clo. Hert —9D 94
Deerfield Clo. Ware —5H 95
Deerings, The. Hpdn —1B 108
Deerleap Gro. E4 —7M 157
Deer Pk. H'low —9K 117
Deer Pk. Wlk. Che —9J 121
Deerswood Av. Hat —2H 129
Dee, The. Hem H —6B 106
Deeves Hall La. Ridge —6E 140
Defiant. NW9 —9F 164 (off Further Acre)
De Havilland Clo. Hat —8F 110
De Havilland Ct. Shenl —5M 139
De Havilland Rd. Edgw —9B 164
De Havilland Way. Ab L —5H 137
Deimos Dri. Hem H —8C 106
Delahay Rise. Berk —8M 103
Delamare Rd. Chesh —3J 145
Delamere Gdns. NW7 —6D 164
Delamere Rd. Borwd —3B 152
Delfcroft. Ware —5G 94
Delfield Gdns. Cad —4A 66
Delhi Rd. Enf —9D 156
Delius Clo. Els —8K 151
Dell Clo. Hpdn —4C 88
Dellcot Clo. Lut —4K 47
Dellcott Clo. Wel G —8J 91
Dell Ct. N'wd —7F 160
Dellcroft Way. Hpdn —9B 88
Dell Cut Rd. Hem H —9C 106
Dellfield. St Alb —3G 127
Dellfield. Wad —8H 75
Dellfield Av. Berk —8M 103
Dellfield Clo. Berk —8L 103
Dellfield Clo. Rad —8G 138
Dellfield Clo. Wat —4J 149
Dellfield Ct. H'low —2E 118
Dellfield Ct. Lut —7M 47
Dellfield Rd. Hat —9G 110
Dell La. Bis S —1J 79
Dell La. L Hall —8J 79
Dellmeadow. Ab L —3G 136
Dell Meadow. Hem H —6A 124
Dellmont Rd. H Reg —4E 44
Dellors Clo. Barn —7K 153
Dell Rise. Park —8C 126
Dell Rd. Enf —2G 157
Dell Rd. H Reg —4E 44
Dell Rd. N'chu —7H 103
Dell Rd. Wat —1J 149
Dells Clo. E4 —9M 157
Dellside. Wat —1J 149
Dellsome La. Col H —5E 128 (in two parts)
Dellsprings. Bunt —2J 39
Dells, The. Bis S —1H 79 (off South St.)
Dells, The. Hem H —3D 124
Dellswood Clo. Hert —1C 114
Dell, The. Bald —5L 23
Dell, The. Cad —5A 66
Dell, The. Chal P —6B 158
Dell, The. Hert —3A 114
Dell, The. Lut —8A 48
Dell, The. Mark —2N 85
Dell, The. N'wd —2G 160
Dell, The. Pinn —9M 161
Dell, The. Rad —9H 139
Dell, The. R'ton —8C 8
Dell, The. St Alb —9H 109
Dell, The. Stev —4L 51
Dell, The. Welw —3N 91
Dellwood Clo. Rick —1L 159
Delmar Av. Hem H —3F 124
Delmerend La. Flam —5E 86
Delphine Clo. Lut —2D 66
Delroy Ct. N20 —9B 154
Delta Gain. Wat —2M 161
Demontfort Rise. Ware —4G 94
Denbigh Clo. Hem H —3A 124
Denbigh Rd. Lut —7D 46
Denby. Let —7H 23
Denby Grange. H'low —6G 118
Dencora Way. Lut —1L 45
Dendridge Clo. Enf —1F 156
Dene Gdns. Stan —5K 163
Dene La. Ast —7C 52
Dene Rd. N'wd —6E 160
Denes, The. Hem H —7B 124
Denewood. New Bar —7B 154
Denewood Clo. Wat —1H 149
Denham Clo. Hem H —6C 106
Denham Clo. Lut —1A 46 (in three parts)
Denham La. Chal P —6C 158
Denham Wlk. Chal P —6C 158
Denham Way. Borwd —3D 152
Denham Way. Rick & Den —6H 159
Denleigh Gdns. N21 —9M 155
Denmark Clo. Lut —9A 30
Denmark St. Wat —4K 149
Dennis Clo. Ast C —2F 100
Dennis Gdns. Stan —5K 163
Dennis La. Stan —3J 163
Dennison Pl. Lut —2G 67
Dennis Pde. N14 —9J 155
Denny Av. Wal A —7N 145
Denny Ct. Bis S —7K 59
Denny Ga. Chesh —9K 133
Denny Rd. N9 —9F 156
Denny's La. Berk —3K 121
Densley Clo. Wel G —7K 91
Denton Clo. Barn —7J 153
Denton Clo. Lut —5L 45
Denton Rd. Stev —5L 51
Dents Clo. Let —8J 23
Derby Av. Harr —8E 162
Derby Ho. Pinn —9M 161
Derby Lodge. N3 —9M 165
Derby Rd. Enf —7F 156
Derby Rd. Hod —9A 116
Derby Rd. Lut —7M 45
Derby Rd. Wat —5L 149 (in two parts)
Derby Way. Stev —1A 52
Derwent Av. NW7 —6D 164
Derwent Av. Barn —9E 154
Derwent Av. Lut —2D 46
Derwent Av. Pinn —6N 161
Derwent Cres. Stan —9K 163
Derwent Dri. Dunst —3F 64
Derwent Rd. Hpdn —3L 87
Derwent Rd. Hem H —3E 124
Derwent Rd. Lut —9J 47
Desborough Clo. Hert —6A 94
Desborough Dri. Tew —2B 92
Desborough Rd. Hit —2C 34
Desmond Ho. Barn —8D 154
Desmond Rd. Wat —9H 137
De Tany Ct. St Alb —3E 126
Deva Clo. St Alb —4B 126
Devereux Dri. Wat —2G 149
De Vere Wlk. Wat —4G 149
Devil's La. Hert —3N 131
Devoils La. Bis S —1H 79
Devon Ct. St Alb —3F 126
Devon Rd. Lut —1J 67
Devon Rd. Wat —3M 149
Devonshire Clo. Stev —9N 51
Devonshire Ct. Pinn —8A 162 (off Devonshire Rd.)
Devonshire Cres. NW7 —7K 165
Devonshire Gdns. N21 —9A 156
Devonshire Rd. N9 —9G 157
Devonshire Rd. NW7 —7K 165
Devonshire Rd. Hpdn —5C 88
Devonshire Rd. Pinn —8A 162
Dewars Clo. Welw —1J 91
Dewes Grn. Rd. Ber —1B 42
Dewgrass Gro. Wal X —8H 145
Dewhurst Rd. Chesh —2F 144
Dewpond Clo. Stev —1J 51
Dewsbury Rd. Lut —3D 46
Dexter Clo. Lut —9D 30
Dexter Rd. Barn —8K 153
Dexter Rd. Hare —9M 159
Dialmead. Ridge —6F 140
Diamond Rd. Wat —2J 149
Dianne Way. Barn —6D 154
Dickens Clo. Chesh —8E 132
Dickens Clo. St Alb —1E 126
Dickens Ct. Hem H —5D 106
Dicket Mead. Welw —2J 91
Dickinson Av. Crox G —8C 148
Dickinson Sq. Crox G —8C 148
Dickson. Chesh —9D 132
Dig Dag Hill. Chesh —9D 132
Digswell Clo. Borwd —2A 152
Digswell Ct. Wel G —7L 91
Digswell Hill. Welw —6G 91
Digswell Ho. Wel G —5K 91
Digswell Ho. M. Wel G —5K 91
Digswell La. Wel G —5M 91
Digswell Pk. Rd. Wel G —4K 91 (in two parts)
Digswell Pl. Wel G —6J 91
Digswell Rise. Wel G —7K 91
Digswell Rd. Wel G —7K 91
Dimmocks La. Sarr —9L 135
Dimsdale Cres. Bis S —3K 79
Dimsdale Dri. Enf —8E 156
Dimsdale St. Hert —9A 94
Dinant Link Rd. Hod —7L 115
Dingle Clo. Barn —8F 152
Dingles Ct. Pinn —8M 161
Dinmore. Bov —1C 134
Dinsdale Gdns. New Bar —7A 154
Dione Rd. Hem H —8B 106
Dishforth La. NW9 —7E 164
Dison Clo. Enf —3H 157
Ditchfield Rd. Hod —5L 115
Ditchling Clo. Lut —6L 47
Ditchmore La. Stev —3K 51
Ditton Grn. Lut —6N 47
Divot Pl. Hert —8F 94
Dixies Clo. A'wl —1C 12
Dixon Pl. Bunt —3J 39
Dixons Hill Clo. N Mym —7H 129
Dixons Hill Rd. N Mym —7H 129
Dobbin Clo. Harr —9H 163
Dobbins La. Wend —9A 100
Dobb's Weir Rd. Hod —9A 116
Docklands. Pir —7E 20
Doctor's Commons Rd. Berk —1M 121
Dodd's La. Pic E —7M 105
Dodgen La. Bis S —8G 43
Dodwood. Wel G —1A 112
Doggetts Courts. Barn —7D 154
Doggetts Way. St Alb —4D 126
Doggetts Wood La. Chal G —5A 146
Dog Kennel La. Chor —6J 147
Dog Kennel La. Hat —8G 111
Dog Kennel La. R'ton —7D 8
Dognell Grn. Wel G —8H 91
Dolesbury Dri. Welw —8L 71
Dolley Gro. Stans —3N 59
Dollis Av. N3 —8M 165
Dollis Brook Wlk. Barn —8L 153
Dolliscroft. NW7 —7L 165
Dollis M. N3 —8N 165
Dollis Pk. N3 —8M 165
Dollis Rd. NW7 & N3 —7L 165
Dollis Valley Way. Barn —8M 153
Dolphin Dri. H Reg —4H 45
Dolphin Sq. Tring —3M 101
Dolphin Way. Bis S —9J 59
Dolphin Yd. Hert —9B 94
Dolphin Yd. St Alb —3E 126 (off Holywell Hill)
Dolphin Yd. Ware —6H 95

178 A-Z Hertfordshire

Domitian Pl.—Elm Dri.

Domitian Pl. Enf —7D 156
Doncaster Clo. Stev —1B 52
Doncaster Grn. Wat —5L 161
Doncaster Rd. N9 —9F 156
Donkey La. Enf —4E 156
Donkey La. Tring —3K 101
Donnefield Av. Edgw —7M 163
Doo Lit. La. Tot —3M 63
Doolittle Meadows. Hem H —7A 124
Dorant Ho. St Alb —7E 108
Dorchester Av. Hod —6L 115
Dorchester Clo. Dunst —8E 44
Dorchester Ct. N14 —9G 155
Dorchester Ct. Wat —8N 149 (off Chalk Hill)
Dordans Rd. Lut —5A 46
Dorel Clo. Lut —7H 47
Dormans Clo. N'wd —7F 160
Dormer Clo. Barn —7K 153
Dormers. Bov —9H 123
Dormie Clo. St Alb —9D 108
Dorriens Croft. Berk —7K 103
Dorrington Clo. Lut —8E 46
Dorrofield Clo. Crox G —7E 148
Dorset Clo. Berk —9K 103
Dorset Ct. Lut —2H 67 (off Kingsland Rd.)
Dorset Dri. Edgw —6N 163
Dorset Ho. Bis S —1H 79 (off Portland Rd.)
Dorset M. N3 —8N 165
Douglas Av. Wat —1M 149
Douglas Clo. Stan —5H 163
Douglas Cres. H Reg —6D 44
Douglas Dri. Stev —1N 51
Douglas Gdns. Berk —9K 103
Douglas Rd. Hpdn —5A 88
Douglas Rd. Lut —7C 46
Douglas Way. Wel G —9B 92
Dove Clo. Bis S —5G 78
Dove Clo. Stans —2N 59
Dove Ct. Hat —1G 129
Dovedale. Lut —3G 46
Dovedale. Stev —5A 52
Dovedale. Ware —4G 94
Dovedale Clo. Hare —9M 159
Dovehouse Clo. Edl —4K 63
Dovehouse Croft. H'low —4C 118
Dovehouse Hill. Lut —7K 47
Dovehouse La. Kens —9F 64
Dovehouse La. Stev —8F 36
Dove La. Pot B —7A 142
Dove Pk. Chor —8E 146
Dove Pk. Pinn —7B 162
Dover Clo. Lut —6C 46
Dovercourt Gdns. Stan —5M 163
Doverfield. G Oak —2A 144
Dover Way. Crox G —6E 148
Dowding Pl. Stan —6H 163
Dower Ct. Hit —5N 33 (off London Rd.)
Dowling Ct. Hem H —5N 123
Downage. NW4 —9J 165
Downalong. Bush —1E 162
Downe Clo. R'ton —5C 8
Down Edge. Redb —1H 107
Downedge. St Alb —1C 126
Downer Dri. Sarr —9K 135
Downes Ct. N21 —9M 155
Downes Rd. St Alb —7J 109
Downfield Clo. Hert H —2G 114
Downfield Rd. Chesh —4J 145
Downfield Rd. Hert H —2G 114
Downfields. Wel G —2H 111
Down Grn. La. Wheat —7J 89
Downhall Ley. Bunt —3J 39
Downhurst Av. NW7 —5D 164
Downhurst Ct. NW4 —9J 165
Downings Wood. Rick —5G 159
Downland Clo. N20 —9B 154
Downlands. Bald —2N 23
Downlands. Lut —2M 45
Downlands. R'ton —7C 8
Downlands. Stev —2C 52
Downlands Ct. Lut —7K 45
Downlands Pk. Homes. Pep —8E 66
Downsfield. Hat —3H 129
Downside. Hem H —1A 124
Downs Rd. Dunst —9G 44
Downs Rd. Enf —6C 156
Downs Rd. Lut —1E 66
Downs, The. H'low —6A 118
Downs, The. Hat —2G 128
Downs View. Lut —5N 45
Downton Ct. Lut —9F 46
Dowry Wlk. Wat —1H 149
Drakes Clo. Chesh —1H 145
Drakes Dri. N'wd —8D 160
Drakes Dri. St Alb —5J 127
Drakes Dri. Stev —2A 52
Drake St. Enf —3B 156
Drakes Way. Hat —2H 129
Drapers' Cottage Homes. NW7 (in two parts) —4G 165
Drapers M. Lut —8E 46
Drapers Rd. Enf —4N 155
Drapers Way. Stev —2J 51
Draymans Clo. Bis S —3D 78
Drayton Av. Pot B —5L 141
Drayton Ford. Rick —2K 159
Drayton Gdns. N21 —9N 155
Drayton Hollow. Tring —6K 101
Drayton Rd. Borwd —6A 152
Drayton Rd. Lut —6J 45
Drew Av. NW7 —6L 165
Drey, The. Chal P —5B 158
Driffield Ct. NW9 —8E 164 (off Pageant Av.)
Drift Way. Bunt —9M 13
Driftway. Reed —8J 15
Driftway, The. Hem H —2B 124
Driftwood Av. St Alb —8B 126
Driver's End La. Cod —4F 70
Drive, The. N3 —7N 165
Drive, The. Chal P —7B 158
Drive, The. Chesh —9F 132
Drive, The. Edgw —5B 164
Drive, The. Enf —3B 156
Drive, The. G Oak —1N 143
Drive, The. H'low —5A 118
Drive, The. Hpdn —6B 88
Drive, The. Hert —7A 94
Drive, The. H Bar —5L 153
Drive, The. Hod —6L 115
Drive, The. L Buzz —7E 62
Drive, The. Naps —7H 127
Drive, The. New Bar —8B 154
Drive, The. N'wd —8G 161
Drive, The. Pot B —5M 141
Drive, The. Rad —7J 139
Drive, The. Rick —7L 147
Drive, The. Saw —5G 98
Drive, The. St Alb —4K 127
Drive, The. Wat —1G 148
Drive, The. Welw —7N 71
Drive, The. Wheat —9J 69
Driveway, The. Cuff —1K 143
Driveway, The. Hem H —3L 123
Dromey Gdns. Harr —7G 162
Drop La. Brick W —4C 138
Drover La. Bis S —2G 42
Drovers Way. Bis S —3E 78
Drovers Way. Dunst —8C 44
Drovers Way. Hat —6H 111
Drovers Way. St Alb —2E 126
Drummond Dri. Stan —7G 163
Drummond Ride. Tring —1M 101
Drury Clo. H Reg —4F 44
Drury La. H Reg —4F 44
Drury La. Hun —6G 97
Dryburgh Gdns. NW9 —9A 164
Drycroft. Wel G —4L 111
Dryden Cres. Stev —1A 52
Dryden Rd. Enf —8C 156
Dryden Rd. Harr —8G 163
Dryfield Rd. Edgw —6C 164
Drysdale Av. E4 —9M 157
Drysdale Clo. N'wd —7G 160
Dubbs Knoll Rd. G Mor —1A 6
Dubrae Clo. St Alb —4B 126
Duchess Clo. Bis S —1D 78
Duchess Ct. Dunst —8F 44
Duchy Rd. Barn —2C 154
Ducketts La. M Hud —7N 77
Ducketts Mead. Roy —5E 116
Ducketts Wharf. Bis S —2H 79
Ducketts Wood. Thun —9H 75
Duck La. B'tn —5J 53
Duck Lees La. Enf —6J 157
Duckling La. Saw —5G 99
Duckmore La. Tring —5K 101
Ducks' Grn. Ther —7D 14
Duck's Hill Rd. N'wd & Ruis —8D 160
Du Cros Dri. Stan —6L 163
Dudley Av. Harr —9K 163
Dudley Av. Wal X —5H 145
Dudley Hill Clo. Welw —8L 71
Dudley Rd. N3 —9N 165
Dudley St. Lut —9G 46
Dudswell Corner. Dud —6G 103
Dudswell La. Dud —6H 103
Dudswell Mill. Dud —6G 103
Dugdale Ct. Hit —1K 33
Dugdale Hill La. Pot B —6L 141
Dugdales. Crox G —6C 148
Dukes Av. N3 —8N 165
Duke's Av. Edgw —6N 163
Dukes Av. Kens —8B 64
Duke's La. Hit —2N 33
Dukes Ride. Bis S —9E 58
Dukes Ride. Lut —8F 46 (off Knights Field)
Duke St. Hod —7L 115
Duke St. Lut —9G 47
Duke St. Wat —5L 149
Dukes Way. Berk —8L 103
Dulwich Way. Crox G —7C 148
Dumbarton Av. Wal X —7H 145
Dumfries Clo. Wat —3H 161
Dumfries Ct. Lut —2F 66 (off Dumfries St.)
Dumfries St. Lut —2F 66
Dunblane Clo. Edgw —2B 164
Duncan Clo. Barn —6B 154
Duncan Clo. Wel G —1L 111
Duncan Ct. St Alb —4G 127
Duncan Way. Bush —4A 150
Duncombe Clo. Hert —7A 94
Duncombe Clo. Lut —3E 46
Duncombe Ct. Dunst —7H 45
Duncombe Dri. Dunst —7H 45
Duncombe Rd. Hert —8A 94
Duncombe Rd. N'chu —8J 103
Dundale Rd. Tring —1L 101
Dunford Ct. Pinn —7A 162
Dunham's La. Let —4H 23
Dunkirk M. Hert —2B 114
Dunlin. Let —2E 22
Dunlin Rd. Hem H —6A 106
Dunmow Ct. Lut —7F 46
Dunmow Rd. Bis S —1J 79
Dunmow Rd. L Hall —1N 79
Dunn Clo. Stev —6L 51
Dunn Mead. NW9 —7F 164
Dunnock Clo. Borwd —6A 152
Dunny La. Chfd —5H 135
Dunraven Dri. Enf —4M 155
Dunsby Rd. Lut —3C 46
Dunsley Pl. Tring —3N 101
Dunsmore Clo. Bush —8E 150
Dunsmore Rd. Lut —2D 66
Dunsmore Way. Bush —8E 150
Dunstable Clo. Lut —8C 46
Dunstable Ct. Lut —8B 46
Dunstable Pl. Lut —1F 66
Dunstable Rd. Dagn —2N 83
Dunstable Rd. Dunst & Cad (Downside) —3J 65
Dunstable Rd. Dunst —3L 63 (Eaton Bray)
Dunstable Rd. Dunst —1C 44 (Houghton Regis)
Dunstable Rd. Flam —6H 87
Dunstable Rd. H Reg —6E 44
Dunstable Rd. Kens —4C 64
Dunstable Rd. Lut & Cad —7L 45
Dunstable Rd. Redb —8J 87
Dunstable Rd. Tot —1N 63
Dunstable St. Mark —8M 65
Dunstall Rd. Bar C —9E 18
Dunstalls. H'low —9J 117
Dunster Clo. Barn —6K 153
Dunster Clo. Hare —8L 159
Dunster Rd. Hem H —5D 106
Dunsters Mead. Wel G —2N 111
Dunston Hill. Tring —2M 101
Dunton La. Big —1A 4
Durants Pk. Av. Enf —6H 157
Durants Rd. Enf —6G 157
Durban Rd. E. Wat —6J 149
Durban Rd. W. Wat —6J 149
Durbar Rd. Lut —8C 46
Durham Clo. Stan A —1M 115
Durham Clo. Saw —6E 98
Durham Ho. Borwd —4A 152 (off Canterbury Rd.)
Durham Rd. Borwd —5C 152
Durham Rd. Lut —9J 47
Durham Rd. Stev —9N 35
Durler Gdns. Lut —3F 66
Durrant Ct. Har W —9F 162
Durrants Dri. Crox G —5E 148
Durrants Hill Rd. Hem H —5N 123
Durrants La. Berk —1J 121
Durrants Path. Che —9E 120
Durrants Rd. Berk —9K 103
Dury Rd. Barn —3M 153
Duxford Clo. Lut —2D 46
Duxons Turn. Hem H —1D 124
Dwight Rd. Wat —9G 148
Dyers Rd. Eat B —1J 63
Dyes La. Hit —5E 50
Dyke La. Wheat —9L 89
Dylan Clo. Els —9L 151
Dylan Ct. H Reg —4F 44
Dymoke Grn. St Alb —7H 109
Dymoke M. Stev —1J 51
Dymokes Way. Hod —5L 115
Dyrham La. Barn —9G 141
Dyson Ct. Wat —7L 149
Dysons Clo. Wal X —6H 145

Eagle Clo. Enf —6G 157
Eagle Clo. Lut —5K 45
Eagle Ct. Bald —2L 23
Eagle Ct. Hert —8F 94
Eagle Dri. NW9 —9E 164
Eagle Way. Hat —2G 128
Ealing Clo. Borwd —3D 152
Earls Clo. Bis S —2F 78
Earls Ct. Dunst —8F 44
Earls Hill Gdns. R'ton —7C 8
Earls La. S Mim —5E 140
Earlsmead. Let —8F 22
Earls Meade. Lut —8F 46
Earl St. Wat —5L 149
Easedale Clo. Dunst —2F 64
Easington Rd. D End —1C 74
Easingwold Gdns. Lut —9B 46
E. Barnet Rd. Barn —6C 154
Eastbourne Av. Stev —3G 50
Eastbrook Av. N9 —9G 157
Eastbrook Way. Hem H —2A 124
E. Burrowfield. Wel G —2K 111
Eastbury Av. Enf —3D 156
Eastbury Av. N'wd —5H 161
Eastbury Ct. New Bar —7B 154 (off Lyonsdown Rd.)
Eastbury Ct. St Alb —1G 126
Eastbury Ct. Wat —9L 149
Eastbury Pl. N'wd —5H 161
Eastbury Rd. N'wd —6G 160
Eastbury Rd. Wat —9K 149
Eastcheap. Let —5F 22
East Clo. Barn —6F 154
East Clo. Hit —1B 34
East Clo. St Alb —7C 126
East Clo. Stev —4M 51
East Comn. Redb —2J 107
Eastcote Dri. Hpdn —9E 88
Eastcott Clo. Lut —8M 47
East Cres. Enf —7D 156
East Dri. Naps —9H 127
East Dri. N'wd —2G 161
East Dri. Oakl —1M 127
East Dri. Saw —6G 98
East Dri. Wat —9K 137
East End. H Reg —4F 44
E. End Farm. Pinn —9A 162
East End Rd. N3 & N2 —9N 165
E. End Way. Pinn —9N 161
Eastern Av. Dunst —9G 45
Eastern Av. Henl —1K 21
Eastern Av. Wal X —6J 145
Eastern Way. Let —3G 22
Eastfield Av. Wat —3M 149
Eastfield Clo. Lut —5L 47
Eastfield Ct. St Alb —8L 109
Eastfield Pde. Pot B —5C 142
Eastfield Rd. Enf —2H 157
Eastfield Rd. R'ton —7E 8
Eastfield Rd. Wal X —4K 145
E. Flint. Hem H —1J 123
East Ga. H'low —5N 117
Eastgate. Stev —5K 51
Eastglade. N'wd —5H 161
Eastglade. Pinn —9A 162
East Grn. Hem H —7B 124
Easthall Ho. Stev —9J 35 (off Coreys Mill La.)
Eastham Clo. Barn —7M 153
East Hill. Lut —3D 46
Easthill Rd. H Reg —4F 44
Eastholm. Let —3G 22
Eastholm Grn. Let —3G 22
East La. Abb L —1J 137
East La. Wheat —6L 89
Eastlea Av. Wat —1N 149
E. Lodge La. Enf —7J 143
Eastman Way. Hem I —8C 106
East Mead. Wel G —3A 112
E. Mimms. Hem H —1A 124
Eastmoor Ct. Hpdn —9D 88
Eastmoor Pk. Hpdn —8D 88
East Mt. Wheat —6L 89
Eastnor. Bov —1D 134
Easton Gdns. Borwd —6E 152
Eastor. Wel G —6N 91
East Pk. H'low —3E 118
East Pk. Saw —6G 98
E. Reach. Stev —7N 51
E. Ridgeway. Cuff —1K 143
E. Riding. Tew —2C 92
East Rd. Barn —9F 154
East Rd. Bis S —1K 79
East Rd. Edgw —8B 164
East Rd. Enf —2G 157
East Rd. H'low —2D 118
East St. Hem H —2N 123
East St. Lil —8M 31
East St. Ware —6H 95
East View. Barn —4M 153
East View. Ess —8E 112
East View. St I —8C 34
East Wlk. E Barn —9F 154
East Wlk. H'low —5N 117
Eastwick Cres. Rick —2J 159
Eastwick Hall La. H'low —9K 97
Eastwick Rd. H'low —2L 117
Eastwick Rd. Hun & Stan A —8G 96
Eastwick Row. Hem H —3C 124
E. Wing. N'chu —7H 103
Eastwood Ct. Hem H —1C 124
Easy Way. Lut A —1M 67
Eaton Bray Rd. Eat B —1J 63 (Honeywick)
Eaton Bray Rd. N'all —4G 62 (Northall)
Eaton Clo. Stan —4J 163
Eaton Ga. N'wd —6E 160
Eaton Grn. Rd. Lut —9L 47
Eaton Ho. Bis S —9K 59
Eaton Pk. Eat B —2K 63
Eaton Pl. Lut —8M 47
Eaton Rd. Enf —6C 156
Eaton Rd. Hem H —8D 106
Eaton Rd. St Alb —2J 127
Eaton Valley Rd. Lut —8K 47
Ebberns Rd. Hem H —5N 123
Ebenezer St. Lut —2F 66
Ebury App. Rick —1N 159
Ebury Clo. N'wd —5E 160
Ebury Rd. Rick —1N 159
Ebury Rd. Wat —5L 149
Eccleston Clo. Cockf —6E 154
Echo Hill. R'ton —8C 8
Eddiwick Av. H Reg —2G 44
Eddy St. Berk —9L 103
Edenbridge Rd. Enf —8C 156
Edenhall Clo. Hem H —3F 124
Edens Clo. Bis S —1K 79
Edens Mt. Saw —3H 99
Edgars Ct. Wel G —1L 111
Edgbaston Dri. Shenl —5M 139
Edgbaston Rd. Wat —3K 161
Edgecote Clo. Cad —5A 66
Edgecott Clo. Lut —9D 30
Edgehill Gdns. Lut —1M 45
Edgewood Dri. Lut —3L 47
Edgeworth Clo. Stev —8B 52
Edgeworth Rd. Cockf —6D 154
Edgwarebury Gdns. Edgw —5A 164
Edgwarebury La. Els & Edgw (in three parts) —9M 151
Edgware Ct. Edgw —6A 164
Edgware Rd. NW9 —9C 164
Edgware Way. Edgw —1L 163
Edinburgh Av. Rick —8K 147
Edinburgh Cres. Wal X —6J 145
Edinburgh Dri. Ab L —5J 137
Edinburgh Pl. H'low —2C 118
Edinburgh Way. H'low —3N 117
Edington Rd. Enf —4G 157
Edison Rd. Enf —4K 157
Edison Rd. Stev —3A 52
Edith Bell Ho. Ger X —6B 158
Edkins Clo. Lut —4G 46
Edlyn Clo. Berk —9K 103
Edmonds Dri. Stev —5C 52
Edmund Beaufort Dri. St Alb —9F 108
Edmunds Rd. Hert —8L 93
Edmund's Tower. H'low —6M 117
Edrick Rd. Edgw —6C 164
Edrick Wlk. Edgw —6C 164
Edridge Clo. Bush —7D 150
Edulf Rd. Borwd —3B 152
Edward Amey Clo. Wat —9L 137
Edward Clo. N9 —9D 156
Edward Clo. Abb L —5H 137
Edward Clo. St Alb —3G 127
Edward Ct. Chesh —3J 145
Edward Ct. Hem H —6N 123
Edward Gro. Barn —7C 154
Edward Rd. Barn —7C 154
Edwards Ho. Stev —3L 51
Edward St. Dunst —8D 44
Edward St. Lut —8H 47
Edwick Ct. Chesh —2H 145
Edwin Rd. Edgw —6D 164
Edwin Ware Ct. Pinn —9L 161
Edworth Rd. Lang —8A 4
Edwyn Clo. Barn —8J 153
Egdon Dri. Lut —3F 46
Egerton Rd. Berk —8L 103
Eglington Rd. E4 —9N 157
Eight Acres. Tring —2M 101 (in three parts)
Eighth Av. Lut —2N 45
Eisenberg Clo. Bald —2A 24
Elaine Gdns. Wood —7C 66
Elbourn Way. Bass —1N 7
Elbow La. Hert H —8F 114
Elbow La. Stev —9A 52
Eldefield. Let —4D 22
Elderbek Clo. Chesh —2E 144
Elderberry Clo. Lut —5K 47
Elderberry Dri. St I —6A 34
Elderberry Way. Wat —8K 137
Elder Ct. Bush —2F 162
Elderfield. H'low —2F 118
Elder Rd. Ware —4K 95
Elder Way. Stev —6K 51
Eldon Av. Borwd —4A 152
Eldon Rd. Hod —9A 116
Eldon Rd. Lut —7M 45
Eleanor Av. St Alb —9E 108
Eleanor Ct. Dunst —9E 44
Eleanor Cres. NW7 —5K 165
Eleanor Cross Rd. Wal X (in two parts) —7J 145
Eleanor Gdns. Barn —7K 153
Eleanor Rd. Chal P —8A 158
Eleanor Rd. Hert —8A 94
Eleanor Rd. Wal X —6J 145
Eleanors Ct. Dunst —9E 44 (off Albion St.)
Eleanors Cross. Dunst —9E 44
Eleanor Way. Wal X —7K 145
Elfrida Rd. Wat —7L 149
Elgar Clo. Els —9K 151
Elgar Path. Lut —9G 46
Elgin Av. Harr —9J 163
Elgin Dri. N'wd —7G 161
Elgin Ho. Hit —4A 34
Elgin Rd. Brox —6K 133
Elgin Rd. Chesh —3G 145
Elgood Av. N'wd —6J 161
Eliot Rd. R'ton —5D 8
Eliot Rd. Stev —3B 52
Elizabeth Av. Amer —3A 146
Elizabeth Av. Enf —5N 155
Elizabeth Clo. Barn —5K 153
Elizabeth Clo. Naze —5N 133
Elizabeth Clo. Wel G —9B 92
Elizabeth Ct. Lut —2F 66 (off Chapel St.)
Elizabeth Ct. St Alb —8L 109 (in two parts)
Elizabeth Ct. Wat —2H 149
Elizabeth Dri. Tring —9N 81
Elizabeth Gdns. Stan —6K 163
Elizabeth Ho. Wel G —9B 92
Elizabeth Ride. N9 —9F 156
Elizabeth Rd. Bis S —3G 78
Elizabeth St. Lut —2F 66
Elizabeth Way. H'low —7J 117
Ella Ct. Lut —8H 47
Ellenborough Clo. Bis S —3F 78
Ellenbrook Cres. Hat —9D 110
Ellenbrook La. Hat —9D 110
Ellen Clo. Hem H —1B 124
Ellen Ct. E4 —9N 157 (off Ridgeway, The)
Ellen Friend Ho. Bis S —2K 79
Ellenhall Clo. Lut —8E 46
Ellen M. Hem H —1B 124
Ellerdine Clo. Lut —5D 46
Ellerton Lodge. N3 —9N 165
Ellesborough Clo. Wat —5L 161
Ellesfield. Welw —2H 91
Ellesmere Av. NW7 —3D 164
Ellesmere Clo. Tot —2N 63
Ellesmere Gro. Barn —7M 153
Ellesmere Rd. Berk —1A 122
Ellice. Let —7H 23
Ellingham Clo. Hem H —9C 106
Ellingham Rd. Hem H —1B 124
Elliott Clo. Wel G —3K 111
Elliott Rd. Stan —6H 163
Ellis Av. Chal P —8C 158
Ellis Av. Stev —1L 51
Elliswick Rd. Hpdn —5C 88
Ellwood Ct. Wat —7K 137
Ellwood Gdns. Wat —7L 137
Ellwood Rise. Chal G —2A 158
Elm Av. Cad —4A 66
Elm Av. Wat —9N 149
Elm Bank. N14 —9K 155
Elmbank Av. Barn —6J 153
Elmbridge. H'low —3H 119
Elmbrook Clo. Bis S —4G 78
Elmbrook Dri. Bis S —5G 78
Elmcote. Pinn —9M 161
Elmcote Way. Crox G —8B 148
Elm Ct. Berk —1M 121
Elm Ct. Wat —5K 149
Elmcroft Av. N9 —8F 156
Elm Dri. Chesh —1J 145
Elm Dri. Hat —1G 129
Elm Dri. St Alb —2K 127

Elmer Clo.—Fir Pk.

Elmer Clo. Enf —5L 155
Elmer Gdns. Edgw —7B 164
Elmfield Clo. Pot B —6L 141
Elmfield Ct. Lut —8J 47
Elmfield Rd. Pot B —5L 141
Elm Gdns. Enf —2B 156
Elm Gdns. Wel G —9H 91
Elmgate Gdns. Edgw —5C 164
Elm Grn. Hem H —9H 105
Elm Gro. Berk —1N 121
Elm Gro. Bis S —1K 79
Elm Gro. Wat —1J 149
Elm Hatch. H'low —7B 118
Elm Hatch. Pinn —7A 162
(off Westfield Pk.)
Elmhurst Clo. Bis S —1G 79
Elmhurst Gdns. Shil —2A 20
Elmhurst Rd. Enf —1G 157
Elmoor Av. Welw —2H 91
Elmoor Clo. Welw —3H 91
Elmore Rd. Enf —2H 157
Elmore Rd. Lut —8J 47
Elm Pk. Bald —3M 23
Elm Pk. Stan —5J 163
Elm Pk. Clo. H Reg —3G 44
Elm Pk. Ct. Pinn —9L 161
Elm Pk. Rd. N3 —7M 165
Elm Pk. Rd. N21 —9A 156
Elm Pk. Rd. Pinn —9L 161
Elm Pas. Barn —6M 153
Elm Rd. Barn —6M 153
Elm Rd. Bis S —9G 59
Elmroyd Av. Pot B —6M 141
Elmroyd Clo. Pot B —6M 141
Elms Clo. L Wym —7E 34
Elmscott Gdns. N21 —8A 156
Elmscroft Gdns. Pot B —5M 141
Elmside. Kens —8H 65
Elmside Wlk. Hit —2M 33
Elms Rd. Chal P —7B 158
Elms Rd. Harr —7F 162
Elms Rd. Ware —5L 95
Elmstead Clo. N20 —2N 165
Elms, The. Cod —6F 70
Elms, The. Hert —9E 94
Elmswell Ct. Hert —8L 93
Elm Ter. Harr —8E 162
Elm Ter. Stan —5K 163
Elmtree Av. C'hoe —6N 47
Elm Tree Dri. Bass —1N 7
Elm Tree Wlk. Tring —1M 101
Elm Wlk. Rad —9G 139
Elm Wlk. R'ton —6F 8
Elm Wlk. Stev —6A 52
Elm Way. Rick —1L 159
Elmwood. Saw —6H 99
Elmwood. Wel G —1H 111
Elmwood Av. Bald —4M 23
Elmwood Av. Borwd —6B 152
Elmwood Ct. Bald —3M 23
Elmwood Cres. Lut —5G 46
Elsiedene Rd. N21 —9A 156
Elsinge Rd. Enf —9F 144
Elstree By-Pass. Els —9K 151
Elstree Distribution Pk. Borwd —5D 152
Elstree Hill N. Els —7L 151
Elstree Hill S. Els —9L 151
Elstree Ho. Borwd —4D 152
Elstree Pk. Borwd —8D 152
Elstree Rd. Bush & Borwd —9E 150
Elstree Rd. Hem H —5C 106
Elstree Tower. Borwd —4D 152
Elstree Way. Borwd —5B 152
Elton Av. Barn —7M 153
Elton Ct. Hert —8A 94
Elton Pk. Wat —4J 149
Elton Rd. Hert —8A 94
Elton Way. Wat —5D 150
Elveden Clo. Lut —3G 46
Elvington Gdns. Lut —9D 30
Elvington La. NW9 —8E 164
Elwood. H'low —7G 118
Ely Clo. Hat —8F 110
Ely Clo. Stev —8A 36
Ely Gdns. Borwd —7D 152
Ely Rd. St Alb —3J 127
Ely Way. Lut —5N 45
Ember Ct. NW9 —9F 164
Embleton Rd. Wat —3J 161
Embry Clo. Stan —4H 163
Embry Dri. Stan —6H 163
Embry Way. Stan —5H 163
Emerald Rd. Lut —7J 45
Emerton Ct. N'chu —7J 103
Emerton Garth. N'chu —7J 103
Emmanuel Lodge. Chesh —3G 144
Emmanuel Rd. N'wd —7H 161
Emma Rothschild Ct. Tring —1M 101
Emma's Cres. Stan A —2M 115
Emmer Grn. Lut —7A 48
Emperor Clo. Berk —7K 103
Emperors Ga. Stev —1C 52
Empire Cen. Wat —3L 149
Empress Rd. Lut —5A 46
Emsworth Clo. N9 —9G 156
Endeavour Rd. Chesh —9J 133
Enderby Rd. Lut —2E 46
Enderley Clo. Harr —9F 162
Enderley Rd. Harr —8F 162
Endersby Rd. Barn —7J 153
Endymion Ct. Hat —8J 111
Endymion Rd. Hat —8J 111
Enfield Clo. H Reg —3G 45
Enfield Rd. Enf —6J 155
Engel Pk. NW7 —6J 165
Englands Av. Dunst —6C 44
Englands La. Dunst —9F 44
Englefield. Lut —6J 47
Englefield Clo. Enf —4M 155
Englehurst. Hpdn —6E 88
Enid Clo. Brick W —4A 138
Enjakes Clo. Stev —1A 72
Ennerdale Av. Dunst —1E 64
Ennerdale Av. Stan —9K 163
Ennerdale Clo. St Alb —4J 127
Ennis Clo. Hpdn —9E 88
Ennismore Grn. Lut —8A 48
Enslow Clo. Cad —5A 66
Enstone Rd. Enf —5J 157
Enterprise Cen., The. Pot B —3L 141
Enterprise Cen., The. Stev —2H 51
Enterprise Way. Hem I —9E 106
Enterprise Way. Lut —1D 46
Epping Glade. E4 —8N 157
Epping Grn. Hem H —6C 106
Epping Rd. Roy —6E 116
Epping Way. E4 —8M 157
Epping Way. Lut —1M 45
Ereswell Rd. Lut —2C 46
Erin Clo. Lut —7C 46
Erin Ct. Lut —7C 46
Ermine Clo. Chesh —4F 144
Ermine Clo. R'ton —5D 8
Ermine Clo. St Alb —3B 126
Ermine Ct. Bunt —2J 39
Ermine Point Bus. Pk. Ware —4F 94
Ermine Side. Enf —7E 156
Ermine St. Thun —9H 75
Escarpment Av. Dunst —8A 64
Escot Way. Barn —7J 153
Eskdale. Lon C —9N 127
Eskdale. Lut —4M 45
Eskdale Ct. Hem H —8A 106
Essendon Gdns. Wel G —1M 111
Essendon Hill. Ess —8D 112
Essex Clo. Lut —2H 67
Essex Ct. Lut —2G 67
Essex Ho. Stev —3H 51
Essex La. K Lan —6F 136
Essex Mead. Hem H —5C 106
Essex Pk. N3 —6N 165
Essex Rd. Borwd —5A 152
Essex Rd. Enf —6B 156
Essex Rd. Hod —7M 115
(in two parts)
Essex Rd. Stev —1H 51
Essex Rd. Wat —4J 149
Essex St. St Alb —1F 126
Essoldo Way. Edgw —9N 163
Estcourt Rd. Wat —5L 149
Esther Clo. N21 —9M 155
Ethelred Clo. Wel G —1M 111
Etna Rd. St Alb —1E 126
Eton Av. Barn —8D 154
Europa Rd. Hem H —8B 106
European Bus. Cen. NW9 —9C 164
Euston Av. Wat —7H 149
Evans Av. Wat —8H 137
Evans Clo. Crox G —7C 148
Evans Clo. H Reg —5H 45
Evans Gro. St Alb —7K 109
Evedon Clo. Lut —3B 46
Evelyn Dri. Pinn —7M 161
Evelyn Rd. Cockf —6E 154
Evelyn Rd. Dunst —7J 45
Evelyn Sharp Ho. Hem H —2D 124
Evendale. Lut —4M 45
Everall Clo. Chor —7H 147
Everall Ct. Hod —7L 115
Everard Clo. St Alb —4E 126
Everest Clo. Arl —7B 10
Everest Way. Hem H —1C 124
Everett Clo. Bush —1F 162
Everett Ct. Rad —7H 139
Everglade Strand. NW9 —8F 164
Evergreen Clo. Wool G —6N 71
Evergreen Rd. Ware —4K 95
Evergreen Wlk. Hem H —4A 124
Evergreen Way. Lut —1C 46
Everlasting La. St Alb —1D 126
Eversfield Gdns. NW7 —6E 164
Eversleigh Rd. N3 —7M 165
Eversleigh Rd. Barn —7B 154
Eversley Clo. N21 —8L 155
Eversley Cres. N21 —8M 155
Eversley Lodge. Hod —8L 115
Eversley Mt. N21 —8L 155
Eversley Pk. Rd. N21 —8L 155
Everson M. Cod —7F 70
Everton Dri. Stan —9M 163
Evron Pl. Hert —9B 94
(off Wash, The)
Excell Pl. Lut —4M 45
Exchange Rd. Stev —4M 51
Exchange Rd. Wat —5K 149
Exchange Yd. Hit —3M 33
Executive Pk. Ind. Est. St Alb —2J 127
Exeter Clo. Stev —8A 36
Exeter Clo. Wat —4L 149
Exeter Ho. Borwd —4A 152
Exeter Rd. Enf —5H 157
Exhims M. N'chu —8J 103
Explorer Dri. Wat —8H 149
Exton Av. Lut —8J 47
Eyncourt Rd. Dunst —7F 44
Eynsford Ct. Hit —4N 33
Eysham Ct. New Bar —7A 154
Eywood Rd. St Alb —4D 126

Faggots Clo. Rad —8K 139
Faggotters La. Mat T —5N 119
Faints Clo. Chesh —2D 144
Fairacre. Hem H —6B 124
Fairacre Ct. N'wd —7G 160
Fairacres Clo. Pot B —6M 141
Fairburn Clo. Borwd —3A 152
Fairchild Ho. N3 —8N 165
Fair Clo. Bush —9C 150
Faircross Way. St Alb —9H 109
Fairfax Av. Lut —2N 45
Fairfax Rd. Hert —8D 94
Fairfield. N20 —9C 154
Fairfield. Bunt —4J 39
Fairfield Av. Edgw —6B 164
Fairfield Av. Wat —3L 161
Fairfield Clo. Dunst —8J 45
Fairfield Clo. Enf —6H 157
Fairfield Clo. Hpdn —6E 88
Fairfield Clo. Hat —6J 111
Fairfield Clo. N'wd —6D 160
Fairfield Clo. Rad —1F 150
Fairfield Ct. N'wd —9J 161
Fairfield Cres. Edgw —6B 164
Fairfield Dri. Brox —6K 133
Fairfield Rd. Dunst —8H 45
Fairfield Rd. Hod —6L 115
Fairfield Wlk. Chesh —1J 145
Fairfield Way. Barn —7N 153
Fairfield Way. Hit —2D 34
Fairfolds. Wat —9N 137
Fairford Av. Lut —4G 47
Fairgreen. Barn —5E 154
Fairgreen Ct. Barn —7F 154
Fairgreen E. Barn —5E 154
Fairgreen Rd. Cad —5B 66
Fairhaven. Chal P —8A 158
Fairhaven. Park —9E 126
Fairhaven Cres. Wat —3J 161
Fairhill. Hem H —6B 124
Fairholme Ct. H End —6A 162
Fairlands Way. Stev —4J 51
Fairlawn Clo. N14 —8H 155
Fairlawns. Pinn —9M 161
Fairlawns. Wat —2H 149
Fairley Way. Chesh —1F 144
Fairmead Av. Hpdn —7D 88
Fairmead Gdns. Edgw —3C 164
Fair Oak Ct. Lut —6H 47
(off Fair Oak Dri.)
Fair Oak Dri. Lut —6H 47
Fairoaks Gro. Enf —1H 157
Fairseat Clo. Bush —2F 162
Fairthorn Clo. Tring —3K 101
Fair View. Pot B —2A 142
Fairview Ct. NW4 —9K 165
Fairview Dri. Wat —9G 137
Fairview Rd. Enf —3M 155
Fairview Rd. Stev —1H 51
Fairview Trad. Est. Dunst —8F 44
Fairview Way. Edgw —4A 164
Fairway. Bis S —2L 79
Fairway. Hem H —6B 124
Fairway. Saw —5G 99
Fairway. Ware —7G 95
Fairway Av. Borwd —4B 152
Fairway Clo. Hpdn —1B 108
Fairway Clo. Park —9D 126
Fairway Ct. NW7 —3D 164
Fairway Ct. Hem H —6B 124
Fairway Ct. New Bar —8A 154
Fairway Ho. Borwd —5B 152
Fairways. Chesh —8H 133
Fairways. Stan —9M 163
Fairway, The. N14 —8H 155
Fairway, The. NW7 —3D 164
Fairway, The. Ab L —5F 136
Fairway, The. H'low —8C 118
Fairway, The. New Bar —8A 154
Fairway, The. N'wd —4G 160
Faithfield. Bush —7N 149
Fakenham Clo. NW7 —7G 164
Fakeswell La. L Ston —1F 20
Falcon Clo. Dunst —8D 44
Falcon Clo. Hat —2G 128
Falcon Clo. N'wd —7G 160
Falcon Clo. Saw —6E 98
Falcon Clo. Stev —7C 52
Falcon Ct. New Bar —6B 154
Falcon Ct. Ware —4G 94
Falcon Cres. Enf —7H 157
Falconer Rd. Bush —8A 150
Falconers Field. Hpdn —4M 87
Falconers Pk. Saw —6F 98
Falconers Rd. Lut —8K 47
Falconer St. Bis S —3E 78
Falcon Ridge. Berk —2N 121
Falcon Rd. Enf —7H 157
Falcon Way. NW9 —9E 164
Falcon Way. Wat —7N 137
Falcon Way. Wel G —7L 91
Faldo Rd. Bar C —7C 18
(in two parts)
Falkirk Gdns. Wat —5M 161
Falkland Av. N3 —7N 165
Falkland Rd. Barn —4L 153
Fallowfield. Lut —5D 46
Fallowfield. Stan —4H 163
Fallowfield. Stev —6B 52
Fallowfield. Wel G —6M 91
Fallowfield Clo. Hare —8M 159
Fallowfield Ct. Stan —3H 163
Fallowfield Wlk. Hem H —8K 105
Fallow Rise. Hert —9D 94
Fallows Grn. Hpdn —4C 88
Falman Clo. N9 —9E 156
Falmer Rd. Enf —6C 156
Falmouth Ho. Pinn —7A 162
Falstaff Gdns. St Alb —5C 126
Falstone Grn. Lut —7N 47
Fancett Rd. Hat —8H 111
Fanhams Grange. Ware —3L 95
Fanhams Hall Rd. Ware —4J 95
Fanhams Rd. Ware —5J 95
Fanshawe Ct. Hert —8A 94
Fanshawe Cres. Ware —5G 94
Fanshawe St. Hert —8N 93
Fanshaws La. Brick —9A 114
Fantail La. Tring —2L 101
Faraday Clo. Wat —8F 148
Faraday Rd. Stev —3A 52
Fareham Way. H Reg —4H 45
Far End. Hat —3H 129
Faringdon Rd. Lut —6M 45
Faringford Clo. Pot B —4C 142
Farland Rd. Hem H —2D 124
Farley Ct. Lut —3E 66
Farley Farm Rd. Lut —3D 66
Farley Hill. Lut —4D 66
Farley Lodge. Lut —3F 66
Farm Av. Hpdn —3M 87
Farmbrook. Lut —2F 46
Farm Clo. N14 —8G 154
Farm Clo. NW4 —9G 165
Farm Clo. Amer —3A 146
Farm Clo. Barn —7J 153
Farm Clo. Borwd —2L 151
Farm Clo. Chesh —3G 145
Farm Clo. Cuff —9K 131
Farm Clo. Hert —9M 93
Farm Clo. H Reg —4F 44
Farm Clo. Let —2G 22
Farm Clo. Stev —5L 51
Farm Clo. Wel G —9J 91
Farm End. N'wd —8D 160
Farmers Clo. Wat —6K 137
Farmfield. Wat —2G 149
Farm Grn. Lut —3E 66
Farm Hill Rd. Wal A —6N 145
Farm Ho. Ct. NW7 —7G 164
Farmhouse La. Hem H —9C 106
Farmlands. Enf —3M 155
Farm La. N14 —8F 154
Farm La. Loud —5M 147
Farm La. Old G —9L 55
Farmleigh. N14 —9H 155
Farm Pl. Berk —9K 103
Farm Rd. Chor —6D 146
Farm Rd. Edgw —6B 164
Farm Rd. Lut —8J 67
Farm Rd. N'wd —5D 160
Farm Rd. St Alb —1J 127
Farmstead Rd. Harr —8E 162
Farm, The. Wheat —7L 89
Farm Way. Bush —6C 150
Farm Way. N'wd —4G 161
Farnham Clo. N20 —9B 154
Farnham Clo. Bov —1D 134
Farnham Clo. Saw —6E 98
Farorna Wlk. Enf —3M 155
Farquhar St. Hert —8A 94
Farraline Rd. Wat —6K 149
Farrant Way. Borwd —3M 151
Farrer Top. Mark —2A 86
Farriday Clo. St Alb —7F 108
Farriers. Gt Amw —9L 95
Farriers Clo. Bald —2L 23
Farriers Clo. Cod —7F 70
Farriers Ct. Leav —5K 137
Farriers End. Brox —8K 133
Farriers Way. Borwd —7D 152
Farringford Clo. St Alb —8B 126
Farrington Pl. N'wd —4H 161
Farrow Clo. Lut —9E 30
Farr Rd. Enf —3B 156
Farr's La. E Hyde —9A 68
Farthing Dri. Let —8J 23
Farthings. Chal G —5A 146
Farthings, The. Hem H —2L 123
Faulkner Ct. St Alb —9F 108
(off Boundary Rd.)
Faverolle Grn. Chesh —1G 145
Faversham Av. Enf —8B 156
Faversham Clo. Tring —2M 101
Fawcett Rd. Stev —1A 52
Fawkon Wlk. Hod —8L 115
Fawn Ct. Hat —7J 111
Fayerfield. Pot B —4C 142
Fay Grn. Ab L —6F 136
Feacey Down. Hem H —9K 105
Fearney Mead. Rick —1M 159
Fearnley Rd. Wel G —1J 111
Fearnley St. Wat —6K 149
Fears Grn. R'ton —8B 14
Featherbed La. Bedm —8K 125
Featherbed La. Hem H —7K 123
Feathers Dell. Hat —9F 110
Featherstone Gdns. Borwd —6D 152
Featherstone Rd. NW7 —6H 165
Featherston Rd. Stev —6B 52
Federal Way. Wat —3L 149
Felbridge Av. Stan —8H 163
Felbrigg Clo. Lut —7A 48
Felden Clo. Pinn —7N 161
Felden Clo. Wat —7M 137
Felden Dri. Fel —6K 123
Felden La. Fel —5J 123
Feline Ct. Barn —8D 154
Felix Av. Lut —7J 47
Fellowes La. Col H —5D 128
Fellowes Way. Stev —7M 51
Fell Path. Borwd —7D 152
(off Clydesdale Clo.)
Fells Clo. Hit —2N 33
Fell Wlk. Edgw —8C 164
Felmersham Ct. Lut —1D 66
Felmersham Rd. Lut —1C 66
Felmongers. H'low —4D 118
Felstead Clo. Lut —6G 47
Felstead Rd. Wal X —5J 145
Felstead Way. Lut —6H 47
Felton Clo. Borwd —2M 151
Felton Clo. Brox —7K 133
Felton Clo. Lut —8M 47
Fen End. Stot —4F 10
Fenhurst Gdns. Edgw —6A 164
Fennycroft Rd. Hem H —8J 105
Fensome Dri. H Reg —4H 45
Fensom's All. Hem H —1N 123
Fensom's Clo. Hem H —1N 123
Fentiman Wlk. Hert —9B 94
(off Fore St.)
Fenton Grange. H'low —6E 118
Fenwick Clo. Lut —4D 46
Fenwick Path. Borwd —2N 151
Fenwick Rd. H Reg —4H 45
Fermor Cres. Lut —8L 47
Fern Clo. Brox —5K 133
Fern Ct. Berk —1M 121
Ferndale. M Hud —6J 77
Ferndale Rd. Enf —1J 157
Ferndale Rd. Lut —1D 66
Fern Dells. Hat —1F 128
Ferndene. Brick W —4A 138
Ferndown. N'wd —9J 161
Ferndown Clo. Pinn —7N 161
Ferndown Rd. Wat —4L 161
Fern Dri. Hem H —3A 124
Fernecroft. St Alb —5E 126
Ferney Rd. E Barn —9F 154
Fern Gro. Wel G —5K 91
Fernheath. Lut —9C 30
Fernhill. H'low —9A 118
Fernhills. K Lan —7F 136
Fernhurst Gdns. Edgw —6A 164
Fernleigh Ct. Harr —9C 162
Fernleys. St Alb —8K 109
Ferns Clo. Enf —9J 145
Fernside Av. NW7 —3D 164
Fernside Ct. NW4 —9K 165
Fernsleigh Clo. Chal P —6B 158
Fernville La. Hem H —2N 123
Fern Way. Wat —8K 137
Ferny Hill. Barn —2F 154
Ferrars Clo. Lut —8L 45
Ferrers La. Hpdn —1G 109
Ferrier Rd. Stev —3B 52
Ferryhills Clo. Wat —3L 161
Feryings Clo. H'low —2F 118
Fesants Croft. H'low —3D 118
Fetherstone Clo. Pot B —5C 142
Fiddle Bri. La. Hat —8F 110
Fidler Pl. Bush —8C 150
Field Clo. Che —9J 121
Field Clo. Hpdn —8E 88
Field Clo. Sandr —7H 109
Field Cres. R'ton —6F 8
(in two parts)
Field End. Barn —6H 153
Field End Clo. Lut —5L 47
Field End Clo. Wat —9N 149
Field End Clo. Wig —5B 102
Fielders Clo. Enf —6C 156
Fieldfare. Let —2E 22
Fieldfare. Stev —6C 52
Field Fare Grn. Lut —4K 45
Fieldgate Ho. Stev —4M 51
Fieldgate Rd. Lut —6N 45
Field Ho. Ct. Hpdn —5B 88
Fieldings Rd. Chesh —2K 145
Field La. Let —7F 22
Field Mead. NW9 & NW7 —7E 164
Field Rd. Hem H —3C 124
Field Rd. Wat —8N 149
Fields Ct. Pot B —6C 142
Fields End. Tring —9M 81
Fields End La. Hem H —9G 105
Fieldside Rd. Pull —2A 18
Field View Rise. Brick W —2N 137
Field View Rd. Pot B —6N 141
Fieldway. Berk —3B 122
Field Way. Bov —9D 122
Field Way. Chal P —7A 158
Field Way. Hod —4N 115
Fieldway. Stan A —2M 115
Field Way. Rick —1L 159
Fieldway. Wig —5B 102
Fifth Av. H'low —2M 117
Fifth Av. Let —5J 23
Fifth Av. Wat —8M 137
Fig Tree Cotts. Tring —5B 102
Figtree Hill. Hem H —1N 123
Filey Clo. Stev —2G 51
Fillebrook Av. Enf —4C 156
Filliano Ct. Lut —8F 46
(off Cromwell Hill)
Filmer Rd. Lut —5A 46
Finch Clo. Barn —7N 153
Finch Clo. Hat —2G 129
Finch Clo. Lut —5K 45
Finchdale. Hem H —2K 123
Finches, The. Hert —9F 94
Finches, The. Hit —3A 34
Finch Grn. Chor —6J 147
Finch La. Bush —5A 150
Finchley Ct. N3 —6N 165
Finchley Way. N3 —7N 165
Finchmoor. H'low —9N 117
Finch Rd. Berk —9L 103
Findon Rd. N9 —9F 156
Finley Rd. Hpdn —4E 88
Finsbury Ct. Wal X —7J 145
Finsbury Rd. Lut —4N 45
Finucane Rise. Bush —2D 162
Finway. Lut —9B 46
Finway Ct. Wat —7H 149
Finway Rd. Hem I —7D 106
Firbank Clo. Enf —6A 156
Firbank Clo. Lut —1M 45
Firbank Dri. Wat —9N 149
Firbank Ind. Est. Lut —9C 46
Firbank Rd. St Alb —7G 108
Fir Clo. Stev —8M 51
Firecrest. Let —2E 22
Fire Sta. All. H Bar —5L 153
Firlands. Bis S —2G 79
Firlands Ho. Bis S —2G 78
Fir Pk. H'low —9L 117

Gt. Sturgess Rd.—Hammers La.

Gt. Sturgess Rd. Hem H —2J 123
Great Whites Rd. Hem H —4B 124
Greenacre Clo. Barn —2M 153
Greenacres. N3 —9M 165
Greenacres. Bush —2E 162
Greenacres. Hem H —4F 124
Greenacres. L Buzz —3A 82
Green Acres. Lil —8M 31
Green Acres. Stev —8B 52
Green Acres. Wel G —3M 111
Greenacres Caravan Site. Kens —8J 65
Greenacres Dri. Stan —7J 163
Greenall Clo. Chesh —3J 145
Green Av. NW7 —4D 164
Greenbank. Chesh —1F 144
Greenbank Rd. Wat —9F 136
Greenbanks. Mel —1J 9
Greenbrook Av. Barn —3B 154
Greenbury Clo. Bar —3C 16
Greenbury Clo. Chor —6F 146
Green Bushes. Lut —3N 45
Green Clo. Brk P —8L 129
Green Clo. Chesh —5J 145
Green Clo. Lut —4M 45
Green Clo. Stev —7N 51
Greencoates. Hert —1C 114
Green Ct. Lut —4M 45
Greencourt Av. Edgw —8B 164
Greencroft. Edgw —5C 164
Green Croft. Hat —6G 111
Greencroft Gdns. Enf —5C 156
Greendale. Edgw —4E 164
Grn. Dell Way. Hem H —3E 124
Green Dragon La. N21 —8M 155
Green Drift. R'ton —7B 8
Green Edge. Wat —8J 137
Greene Field Rd. Berk —1N 121
Green End. Welw —3H 91
Grn. End Gdns. Hem H —3K 123
Grn. End La. Hem H —2J 123
Grn. End Rd. Hem H —2K 123 (in two parts)
Grn. End St. Ast C —1C 100
Greenes Ct. Berk —9N 103
Greene Wlk. Berk —2A 122
Greenfield. R'ton —6B 8
Greenfield. Wel G —6K 91
Greenfield Av. Ickl —7L 21
Greenfield Av. Wat —2M 161
Greenfield Clo. Dunst —8B 44
Greenfield End. Chal P —6C 158
Greenfield La. Ickl —7M 21
Greenfield Rd. Pull —1A 18
Greenfield Rd. Stev —2L 51
Greenfields. Hat —6K 111
Greenfields. Shil —2N 19
Greenfields. Stans —2N 59
Greenfield St. Wal A —7N 145
Greenfield Way. Harr —9C 162
Greengage Rise. Mel —1J 9
Greengate. Lut —1M 45
Greenheys Clo. N'wd —8G 160
Greenhill Av. Lut —6F 46
Green Hill Clo. Brau —2D 56
Greenhill Ct. Hem H —3L 123
Greenhill Cres. Wat —8G 148
Greenhill Pde. New Bar —7A 154
Greenhill Pk. Bis S —3F 78
Greenhill Pk. New Bar —7A 154
Greenhills. H'low —6A 118
Greenhills. Ware —4G 95
Greenhills Clo. Rick —7L 147
Green Ho. Ger X —4B 158
Greenland Rd. Barn —8J 153
Green La. A'wl —8N 5 (Ashwell)
Green La. A'wl —4D 4 (Edworth)
Green La. Bov —3A 134
Green La. Brau —2C 56
Green La. Brox —5M 133
Green La. Cod —7C 70
Green La. Crox G —7B 148
Green La. Dunst —8A 44
Green La. Dun —4D 4
Green La. Eat B —1H 63
Green La. Edgw —4N 163
Green La. Flam —8A 86
Green La. Hpdn —8E 88
Green La. Hat —4F 110
Green La. Hem H —3E 124
Green La. Hit —1B 34
Green La. I'hoe —2C 82
Green La. Kens —8H 65
Green La. Lon C —6H 127
Green La. Lut —5K 47
Green La. Mark —3B 86
Green La. N'wd —7F 160
Green La. St Alb —8D 108
Green La. Stan —4J 163
Green La. Thr B —7J 119
Green La. Wat —9L 149
Green La. Wel G —2B 112
Green La. Clo. Hpdn —7F 88
Green La. Cotts. Stan —4J 163
Greenlane Ind. Est. Let —4J 23
Green Lanes. N13 & N21 —9N 155
Green Lanes. Lem —2F 110
Green Meadow. Pot B —3N 141
Green Moor Link. N21 —9N 155
Greenmoor Rd. Enf —4G 157
Greenoak Clo. Cockf —4E 154
Green Oaks. Lut —6H 47
Greenriggs. Lut —7A 48
Green Rd. N14 —8G 154
Green Rd. Bis S —9F 42
Greenside. Borwd —2A 152
Greenside Dri. Hit —2L 33
Greensleeves Clo. St Alb —3K 127
Greenstead. Saw —6G 99
Green St. Chor —3F 146
Green St. Enf —4G 157
Green St. Hat —2N 129
Green St. R'ton —5D 8
Green St. Shenl & Borwd —8A 140
Green St. Stev —2J 51
Greensward. Bush —8C 150
Green, The. E4 —9N 157
Green, The. N21 —9M 155
Green, The. Ald —1G 103
Green, The. Bis S —4H 79
Green, The. Cad —4A 66
Green, The. Ched —9M 61
Green, The. Chesh —1G 144
Green, The. Chris —1N 17
Green, The. Cod —7E 70
Green, The. Crox —6C 148
Green, The. Edl —5K 63
Green, The. Hare —8M 159
Green, The. H Reg —5F 44
Green, The. Kim —7L 69
Green, The. Let H —3F 150
Green, The. Lut —4M 45
Green, The. Mat T —3N 119
Green, The. Newn —5M 11
Green, The. Old K —3H 71
Green, The. P Grn —5D 68
Green, The. Pit —3B 82
Green, The. Pott E —8E 104
Green, The. R'ton —7D 8
Green, The. Sarr —9K 135 (in two parts)
Green, The. Stpl M —4D 6
Green, The. Stot —5F 10
Green, The. Wal A —7N 145
Green, The. Ware —4H 95
Green, The. Welw —2H 91
Green, The. Wel G —2N 111
Green, The. Widd —2M 43
Green, The. Wils G —7J 81
Green Vale. Wel G —1N 111
Green Verges. Stan —7L 163
Green View Clo. Bov —2D 134
Green Wlk. R'ton —9D 8
Green Wlk., The. E4 —9N 157
Greenway. N20 —2N 165
Greenway. Berk —1K 121
Greenway. Bis S —2L 79
Greenway. Che —9F 120
Greenway. H'low —6H 117
Greenway. Hpdn —7E 88
Greenway. Hem H —2D 124
Greenway. Let —9G 22
Greenway. Pinn —9K 161
Greenway. Walk —1G 53
Greenway Clo. N20 —2N 165
Greenway Clo. NW9 —9D 164
Greenway Gdns. NW9 —9D 164
Greenway Gdns. Harr —9F 162
Greenway Pde. Che —9F 120
Greenways. Ab L —5G 136
Greenways. Bunt —2H 39
Greenways. Eat B —1H 63
Greenways. G Oak —2N 143
Greenways. Hert —9N 93
Greenways. Lut —4K 47
Greenways. Stev —3L 51
Greenway, The. NW9 —9D 164
Greenway, The. Enf —8H 145
Greenway, The. Pot B —6N 141
Greenway, The. Rick —9K 147
Greenway, The. Tring —1L 101
Green Way, The. W'stone —8F 162
Greenwich Ct. Chesh —7J 145
Greenwich Ct. St Alb —3H 127
Greenwood Av. Chesh —4F 144
Greenwood Av. Enf —4J 157
Greenwood Clo. Bush —9F 150
Greenwood Clo. Chesh —4F 144
Greenwood Dri. Wat —7K 137
Greenyard. Wal A —6N 145
Greer Rd. Harr —8D 162
Gregories Clo. Lut —8F 46
Gregory Av. Pot B —6J 141
Gregson Clo. Borwd —3C 152
Grenadier Clo. St Alb —3K 127
Grenadine Clo. Chesh —9D 132
Grenadine Way. Tring —1M 101
Grendon Lodge. Edgw —2C 164
Grenfell Clo. Borwd —3C 152
Grenfell Ct. NW7 —6H 165
Grenville Av. Brox —3K 133
Grenville Av. Wend —8A 100
Grenville Clo. N3 —8L 165
Grenville Clo. Wal X —5H 145
Grenville Pl. NW7 —5D 164
Grenville Way. Stev —8N 51
Gresford Clo. St Alb —2L 127
Gresham Clo. Enf —5A 156
Gresham Clo. Lut —9M 47
Gresham Ct. Berk —2M 121
Gresham Rd. Edgw —6N 163
Gresley Clo. Wel G —8L 91
Gresley Ct. Enf —8G 144
Gresley Ct. Pot B —2A 142
Gresley Way. Stev —9B 36
Gresset Clo. Ware —3N 115
Greville Clo. N Mym —6J 129
Greville Lodge. Edgw —4B 164 (off Broadhurst Av.)
Greycaine Rd. Wat —1M 149
Greycaine Trading Est. Wat —1M 149
Greydells Rd. Stev —2L 51
Greyfell Clo. Stan —5K 163
Greyfriars. Ware —4F 94
Greyfriars La. Hpdn —8B 88
Greygoose Pk. H'low —9K 117
Greyhound La. S Mim —6G 141
Grey Ho., The. Wat —4J 149
Greys Hollow. R Grn —2M 43
Greystoke Av. Pinn —9B 162
Greystoke Clo. Berk —2L 121
Greystoke Gdns. Enf —6J 155
Griffiths Way. St Alb —4D 126
Grimsdyke Cres. Barn —5J 153
Grimsdyke Lodge. St Alb —2H 127
Grimsdyke Rd. Pinn —7N 161
Grimsdyke Rd. Wig —5B 102
Grimstone Rd. L Wym —6E 34
Grimston Rd. St Alb —3G 126
Grimthorpe Clo. St Alb —8E 108
Grindcobbe Clo. St Alb —5E 126
Grinstead La. L Hall —1L 99
Groom Ct. St Alb —1H 127
Groom Rd. Turn —8K 133
Groomsby Dri. I'hoe —2C 82
Grosvenor Av. K Lan —1E 136
Grosvenor Clo. Bis S —4F 78
Grosvenor Ct. N14 —9H 155
Grosvenor Ct. NW7 —5D 164 (off Hale La.)
Grosvenor Ct. Barn —9H 155
Grosvenor Ct. Crox G —7F 148
Grosvenor Ct. Stev —2G 51
Grosvenor Gdns. N14 —7J 155
Grosvenor Ho. Bis S —9K 59
Grosvenor Rd. N3 —7M 165
Grosvenor Rd. N9 —9F 156
Grosvenor Rd. Bald —2M 23
Grosvenor Rd. Borwd —5A 152
Grosvenor Rd. Brox —2K 133
Grosvenor Rd. Lut —4D 46
Grosvenor Rd. N'wd —5H 161
Grosvenor Rd. St Alb —3F 126
Grosvenor Rd. Wat —5L 149
Grosvenor Rd. W. Bald —2M 23
Grosvenor Ter. Hem H —3K 123
Grotto, The. Ware —7H 95
Ground La. Hat —7H 111
Grove Av. N3 —7N 165
Grove Av. Hpdn —8E 88
Grove Bank. Wat —1M 161
Grovebury Clo. Dunst —2G 64
Grovebury Ct. N14 —9J 155
Grovebury Gdns. Park —9D 126
Grove Caravan Site. Wood —5D 66
Grove Clo. N14 —9H 155
Grove Ct. Arl —5A 10
Grove Ct. Wal A —6M 145
Grove Cres. Crox G —6C 148
Grovedale Clo. Chesh —3D 144
Grove End. Chal P —8A 158
Grove End. Lut —3D 66
Grove Farm Pk. N'wd —5F 160
Grove Gdns. Enf —2H 157
Grove Gdns. Tring —1N 101
Grove Grn. N'wd —5F 160
Grove Hall Rd. Bush —6N 149
Grove Hill. Chal P —7A 158
Grove Hill. Stans —2N 59
Grove Ho. Bush —8A 150
Grove Ho. Chesh —3F 144
Grovelands. Hem H —9E 106
Grovelands. Park —9C 126
Grovelands Av. Hit —9B 22
Grovelands Bus. Cen. Hem I —9E 106
Grovelands Ct. N14 —9J 155
Groveland Way. Stot —7G 10
Grove La. Chal P —8A 158
Grove La. Che —9L 121
Grove Lea. Hat —3G 128
Grove Mead. Hat —9F 110
Grove Meadow. Wel G —9B 92
Grove Mill La. Rick & Wat —1D 148
Grove Pk. Tring —1A 102
Grove Pk. Rd. Wood —5D 66
Grove Path. Chesh —4E 144
Grove Pl. Bis S —1H 79
Grove Pl. N Mym —6J 129
Grover Clo. Hem H —1N 123
Grove Rd. Borwd —3A 152
Grove Rd. Cockf —5D 154
Grove Rd. Dunst —1G 64
Grove Rd. Edgw —6A 164
Grove Rd. Hpdn —8D 88
Grove Rd. Hem H —4K 123
Grove Rd. Hit —2N 33
Grove Rd. H Reg —2F 44
Grove Rd. Lut —1F 66
Grove Rd. N'wd —5F 160
Grove Rd. Rick —2K 159
Grove Rd. S End —6D 66
Grove Rd. St Alb —3E 126
Grove Rd. Stev —2J 51
Grove Rd. Tring —9N 81
Grove Rd. Ware —5K 95
Grove Rd. W. Enf —1G 157
Grover Rd. Wat —9M 149
Groves Rd. Hal —7D 100
Grove, The. N3 —7N 165
Grove, The. N14 —7H 155
Grove, The. Brk P —8N 129
Grove, The. Crox G —6C 148 (off Dugdales)
Grove, The. Edgw —4B 164
Grove, The. Enf —4M 155
Grove, The. Lat —9A 134
Grove, The. L Had —1A 78
Grove, The. Lut —3D 66
Grove, The. Pot B —5B 142
Grove, The. Rad —7H 139
Grove, The. Stan —2H 163
Grove, The. Tring —1A 102
Grove Wlk. Hert —7A 94
Grove Way. Chor —7E 146
Grovewood Clo. Chor —7E 146
Grubbs La. Hat —4N 129 (in two parts)
Gruneisen Rd. N3 —7N 165
Guardian Ind. Est. Lut —9E 46
Guernsey Clo. Lut —6J 45
Guernsey Ho. Enf —2H 157 (off Eastfield Rd.)
Guessens Ct. Wel G —9J 91
Guessens Gro. Wel G —9J 91
Guessens Wlk. Wel G —8J 91
Guildford Rd. St Alb —3J 127
Guildford St. Lut —9G 46
Guildown Av. N12 —4N 165
Guilfords. H'low —1F 118
Guilfoyle. NW9 —9F 164
Guinevere Gdns. Wal X —4J 145
Guinness Ho. Wel G —8B 92
Gulland Clo. Bush —7D 150
Gullbrook. Hem H —2K 123
Gullet Wood Rd. Wat —8J 137
Gulphs, The. Hert —1B 114
Gun La. Kneb —3M 71
Gun Meadow Av. Kneb —4N 71
Gunnels Wood Ind. Est. Stev —6K 51
Gunnels Wood Rd. Stev —2H 51
Gun Rd. Kneb —4N 71
Gun Rd. Gdns. Kneb —4M 71
Gunter Gro. Edgw —8D 164
Gurney Ct. Eat B —2K 63
Gurney Ct. Rd. St Alb —8G 109
Gurney's La. Hol —4J 21
Gweneth Cotts. Edgw —6A 164
Gwent Clo. Wat —7M 137
Gwynfa Clo. Welw —9K 71
Gwynne Clo. Tring —1M 101
Gwynn's Wlk. Hert —9C 94
Gyfford Wlk. Chesh —4F 144
Gyles Pk. Stan —8K 163
Gypsy Clo. Gt Amw —2K 115
Gypsy La. Gt Amw —2K 115
Gypsy La. K Lan —8F 136
Gypsy Moth Av. Hat —6E 110

Hackforth Clo. Barn —7H 153
Hacklington Ct. New Bar —7A 154
Hackney Clo. Borwd —7D 152
Haddestoke Ga. Chesh —8K 133
Haddington Clo. Hal C —9C 100
Haddon Clo. Borwd —4A 152
Haddon Clo. Enf —8E 156
Haddon Clo. Hem H —3C 124
Haddon Clo. Stev —1B 72
Haddon Ct. Hpdn —6C 88
Haddon Rd. Chor —7F 146
Haddon Rd. Lut —9H 47
Hadham Ct. Bis S —9G 58
Hadham Pk. Cotts. Ware —9B 58
Hadham Rd. Bis S —8C 58
Hadham Rd. Stdn —8C 56
Hadleigh. Let —7H 23
Hadleigh Ct. Brox —4K 133
Hadleigh Ct. Hpdn —9F 88
Hadleigh Rd. N9 —9F 156
Hadley Clo. N21 —8M 155
Hadley Clo. Els —8N 151
Hadley Comn. Barn —4N 153
Hadley Ct. Lut —8F 46 (off Malzeard Rd.)
Hadley Ct. New Bar —5A 154
Hadley Grange. H'low —7E 118
Hadley Grn. Rd. Barn —4M 153
Hadley Grn. W. Barn —4M 153
Hadley Gro. Barn —4L 153
Hadley Highstone. Barn —3M 153
Hadley Mnr. Trading Est. Barn —5M 153
Hadley Ridge. Barn —5M 153
Hadley Rd. Barn —4A 154 (Barnet)
Hadley Rd. Barn & Enf (Hadley Wood) —2E 154
Hadley Way. N21 —8M 155
Hadley Wood Rd. Barn —4B 154
Hadlow Down Clo. Lut —4C 46
Hadrian Av. Dunst —7H 45
Hadrian Clo. St Alb —4A 126
Hadrians Ride. Enf —7D 156
Hadrians Wlk. Stev —1B 52
Hadrians Way. Let —4K 23
Hadwell Clo. Stev —6N 51
Hagdell Rd. Lut —3E 66
Hagden La. Wat —6H 149
Haggerston Rd. Borwd —2M 151
Haglis Dri. Wend —8A 100
Hagsdell La. Hert —1B 114
Hagsdell Rd. Hert —1B 114
Haig Clo. St Alb —3J 127
Haig Ho. St Alb —3J 127
Haig Rd. Stan —5K 163
Hailey Av. Hod —4L 115
Haileybury Av. Enf —8D 156
Hailey La. Hail —5H 115
Hailmores. Brox —1L 133
Haines Way. Wat —7J 137
Halcyon. Enf —7C 156 (off Private Rd.)
Haldens Houses. Wel G —6M 91
Hale Clo. Edgw —5C 164
Hale Ct. Edgw —5C 164
Hale Ct. Hert —1B 114 (off Hale Rd.)
Hale Dri. NW7 —6C 164
Hale Gro. Gdns. NW7 —5E 164
Hale La. NW7 —5D 164
Hale La. Edgw —5B 164
Hale Rd. Hert —1B 114
Hale Rd. Wend —9B 100
Hales Meadow. Hpdn —5B 88
Hales Pk. Hem H —1E 124
Hales Pk. Clo. Hem H —1E 124
Haleswood Rd. Hem H —1D 124
Half Acre. Stan —6K 163
Half Acre Hill. Chal P —8C 158
Half Acre La. Gt Hor —1D 40
Half Acres. Bis S —9H 59
Halfhide La. Chesh & Turn —9H 133
Halfhides. Wal A —6N 145
Half Moon La. Dunst —1G 64
Half Moon La. Mark —1B 86
Half Moon La. Pep —8E 66
Half Moon Meadow. Hem H —6E 106
Half Moon M. St Alb —2E 126
Halfway Av. Lut —8N 45
Halifax. NW9 —9E 164
Halifax Ho. L Chal —3A 146
Halifax Rd. Enf —4A 156
Halifax Rd. Herons —9F 146
Halifax Way. Wel G —9D 92
Hallam Clo. Wat —4L 149
Hallam Gdns. Pinn —7N 161
Halland Way. N'wd —6F 160
Hall Clo. Rick —1K 159
Hall Dri. Hare —8M 159
Halleys Ridge. Hert —1M 113
Halley's Way. H Reg —5G 44
Hall Farm Clo. Stan —4J 163
Hall Gdns. Col H —5D 128
Hall Gro. Wel G —2A 112
Hall Heath Clo. St Alb —9J 109
Hallingbury Clo. L Hall —7K 79
Hallingbury Rd. Bis S —2J 79
Hallingbury Rd. Saw —3J 99
Halling Hill. H'low —4A 118 (in two parts)
Hall La. NW4 —8G 165
Hall La. Gt Chi —2H 17
Hall La. Gt Hor —1D 40
Hall La. Kim —8K 69
Hall La. Wool G —6N 71
Hall Mead. Let —5C 22
Hall M. Wool G —6M 71
Hallowell Rd. N'wd —7G 161
Hallowes Cres. Wat —3J 161
Hall Pk. Berk —2B 122
Hall Pk. Ga. Berk —3B 122
Hall Pk. Hill. Berk —3B 122
Hall Pl. Clo. St Alb —1F 126
Hall Pl. Gdns. St Alb —1F 126
Hall Rd. Hem I —9D 106
Halls Clo. Welw —3J 91
Hallsgreen La. W'ton —5C 36
Hallside. Dun —1E 4
Hallside Rd. Enf —2D 156
Hallwicks Rd. Lut —6K 47
Hallworth Dri. Stot —6E 10
Halsbury Clo. Stan —4J 163
Halsbury Ct. Stan —4J 163
Halsey Dri. Hit —3B 34
Halsey Pk. Lon C —9N 127
Halsey Pl. Wat —2K 149
Halsey Rd. Wat —5K 149
Halstead Gdns. N21 —9B 156
Halstead Hill. G Oak —2C 144
Halstead Rd. N21 —9B 156
Halstead Rd. Enf —6C 156
Halter Clo. Borwd —7D 152
Halton La. Wend —7A 100
Halton Wood Rd. Hal C —9D 100
Haltside. Hat —1E 128
Halwick Clo. Hem H —4L 123
Halyard Clo. Lut —3D 46
Hamberlins La. N'chu —8F 102
Hamble Ct. Wat —6J 149
Hambling Pl. Dunst —9C 44
Hamblings Clo. Shenl —6L 139
Hambridge Way. Pir —7E 20
Hambro Clo. E Hyde —9A 68
Hamburgh Ct. Chesh —1H 145
Hamels Dri. Hert —8F 94
Hamer Clo. Bov —1D 134
Hamer Ct. Lut —1F 46
Hamilton Av. N9 —9E 156
Hamilton Av. Hod —6L 115
Hamilton Clo. Brick W —4B 138
Hamilton Clo. Cockf —6D 154
Hamilton Clo. S Mim —6G 140
Hamilton Clo. Stan —2F 162
Hamilton Ct. Hat —3H 129
Hamilton Mead. Bov —9D 122
Hamilton Rd. N9 —9E 156
Hamilton Rd. Berk —1M 121
Hamilton Rd. Cockf —6D 154
Hamilton Rd. K Lan —6E 136
Hamilton Rd. St Alb —1H 127
Hamilton Rd. Wat —3K 161
Hamilton St. Wat —7L 149
Hamilton Way. N3 —6N 165
Hamlet Ct. Enf —7C 156
Hamlet Hill. Roy —9D 116
Hamlet, The. Pott E —7D 104
Hamlyn Clo. Edgw —3M 163
Hammarskjold Rd. H'low —5M 117
Hammerdell. Let —4D 22
Hammer La. Hem H —1B 124
Hammers Ga. St Alb —8B 126
Hammers La. NW7 —5G 164

Hammersmith Clo.—Hemel Hempstead Rd.

Hammersmith Clo. H Reg —4F 44
Hammersmith Gdns. H Reg —4F 44
Hammond Clo. Barn —7L 153
Hammond Clo. Chesh —8C 132
Hammond Clo. Stev —3K 51
Hammond Ct. S End —7E 66
Hammond Rd. Enf —4F 156
Hammond's La. Sandr —3L 109
Hammondswick. Hpdn —2A 108
Hamonde Clo. Edgw —2B 164
Hamonte. Let —7J 23
Hampden. Kim —7K 69
Hampden Clo. Let —3H 23
Hampden Cres. Chesh —4F 144
Hampden Hill. Ware —6K 95
Hampden Hill Clo. Ware —5K 95
Hampden Pl. Frog —2F 138
Hampden Rd. Chal P —8A 158
Hampden Rd. Harr —8D 162
Hampden Rd. Hit —1C 34
Hampden Rd. Let —3H 23
Hampden Rd. Wend —9B 100
Hampden Way. Wat —9G 136
Hampermill La. Wat —2H 161
Hampshire Ho. Ger X —5B 158
Hampshire Way. Lut —9A 30
Hampton Clo. Stev —1B 72
Hampton Gdns. Saw —8D 98
Hampton Rd. Lut —8D 46
Hamstel Rd. H'low —5L 117
Hanaper Dri. Bar —3C 16
Hanbury Clo. Chesh —2J 145
Hanbury Clo. Ware —6J 95
Hanbury Cotts. Ess —8D 112
Hanbury Dri. N21 —7L 155
Hanbury Dri. Thun —2G 94
Hanbury La. Ess —8D 112
Hanbury M. Thun —2G 94
Hancock Ct. Borwd —3C 152
Hancock Dri. Lut —3G 46
Hancroft Rd. Hem H —4B 124
Handa Clo. Hem H —5D 124
Handcross Rd. Lut —6M 47
Handel Clo. Edgw —6N 163
Handel Pde. Edgw —7A 164 (off Whitchurch La.)
Handel Way. Edgw —7A 164
Hand La. Saw —6E 98
Handpost Hill. N'thaw —1G 143
Handside Clo. Wel G —9J 91
Handside Grn. Wel G —8J 91
Handside La. Wel G —1H 111
Handsworth Clo. Wat —3J 161
Hangar Ruding. Wat —3A 162
Hanger Clo. Hem H —3L 123
Hangmans La. Welw —8M 71
Hankins La. NW7 —2E 164
Hanover Clo. Stev —8M 51
Hanover Ct. Hod —7L 115
Hanover Ct. Lut —4N 45
Hanover Ct. Wal A —6N 145 (off Quakers La.)
Hanover Gdns. Ab L —3H 137
Hanover Grn. Hem H —4K 123
Hanover Ho. Wel G —2M 111
Hanover Pl. Bar C —7E 18
Hanover Wlk. Hat —3F 128
Hansart Way. Enf —3M 155
Hanscombe End Rd. Shil —3M 19
Hanselin Clo. Stan —5G 163
Hansells Mead. Roy —6E 116
Hansen Dri. N21 —7L 155
Hanshaw Dri. Edgw —8D 164
Hanswick Clo. Lut —7K 47
Hanworth Clo. Lut —2F 46
Hanyards End. Cuff —1K 143
Hanyards La. Cuff —1J 143
Happy Valley Ind. Est. K Lan —2D 136
Harbert Gdns. Park —2C 138
Harberts Rd. H'low —6L 117
Harborne Clo. Wat —5L 161
Harbury Dell. Lut —2D 46
Harcourt Av. Edgw —3C 164
Harcourt Rd. Bush —7D 150
Harcourt Rd. Tring —2A 102
Harcourt St. Lut —3G 66
Harding Clo. Lut —2A 46
Harding Clo. Redb —1K 107
Harding Clo. Wat —6L 137
Harding Pde. Hpdn —6C 88 (off Station Rd.)
Hardings. Wel G —8B 92
Hardingstone Ct. Wal X —7K 145
Hardwick Clo. Stan —5K 163
Hardwick Clo. Stev —1B 72
Hardwick Grn. Lut —2C 46
Hardwick Pl. Lon C —9L 127
Hardy Clo. Barn —8L 153
Hardy Clo. Hit —3C 34
Hardy Dri. R'ton —5D 8
Hardy Rd. Hem H —1B 124
Hardy Way. Enf —3M 155
Harebell. Wel G —3L 111
Harebell Clo. Hert —9F 94
Harebreaks, The. Wat —1J 149
Hare Cres. Wat —5J 137
Harefield. H'low —5C 118
Harefield. Stev —6B 52
Harefield Clo. Enf —3M 155
Harefield Grn. NW7 —6J 165
Harefield Pl. St Alb —8L 109
Harefield Rd. Lut —9B 46
Harefield Rd. Rick —3N 159
Harefield Rd. Ind. Est. Rick —4A 160
Hare La. Hat —2H 129
Harepark Clo. Hem H —1J 123
Hare St. H'low —6L 117
Hare St. Rd. Bunt —3K 39
Hare St. Springs. H'low —6M 117
Harewood. Rick —6L 147 (in two parts)
Harewood Rd. Chal G —5A 146
Harewood Rd. Wat —3K 161
Harford Clo. E4 —9M 157
Harford Dri. Wat —2G 149
Harforde Ct. Hert —9E 94
Harford Rd. E4 —9M 157
Hargrave Clo. Stans —1N 59
Hargreaves Av. Chesh —4F 144
Hargreaves Clo. Chesh —4F 144
Hargreaves Rd. R'ton —8D 8
Harkett Clo. Harr —9G 162
Harkett Ct. W'stone —9G 162
Harkness. Chesh —2F 144
Harkness Ct. Hit —1B 34 (off Franklin Gdns.)
Harkness Ind. Est. Borwd —6A 152
Harkness Way. Hit —1C 34
Harkness Way. St Alb —8L 109
Harlech Rd. Ab L —4J 137
Harlequin Rd. H'low —6D 118
Harlequin, The. Wat —6L 149
Harlesden Rd. St Alb —2H 127
Harlestone Clo. Lut —9C 30
Harley Ct. St Alb —7L 109
Harley Ho. Borwd —4B 152
Harling Rd. Eat B —4L 63
Harlings, The. Hert H —4G 115
Harlington Rd. S'hoe —8A 18
Harlow Bus. Pk. H'low —6H 117
Harlow Comn. H'low —9E 118
Harlow Ct. Hem H —7C 106
Harlow Rd. Mat T —3L 119
Harlow Rd. Saw —8E 98
Harlow Rd. Srng —8K 99
Harlow Seedbed Cen. H'low —7K 117 (off Lovet Rd.)
Harlyn Dri. Pinn —9K 161
Harman Rd. Enf —7D 156
Harmer Dell. Welw —3M 91
Harmer Grn. La. Welw —4M 91
Harmony Clo. Hat —7G 110
Harmsworth Way. N20 —1M 165
Harold Clo. H'low —7J 117
Harold Cres. Wal A —5N 145
Harold Rd. Bar C —8E 18
Harolds Rd. H'low —7J 117
Harpenden La. Redb —9K 87
Harpenden Rise. Hpdn —4N 87
Harpenden Rd. C'bry —2C 108
Harpenden Rd. Wheat —7H 89
Harper Ct. Stev —4M 51
Harper La. Rad —5G 139
Harpsfield B'way. Hat —8F 110
Harps Hill. Mark —2A 86
Harptree Way. St Alb —9H 109
Harrier Rd. NW9 —9E 164
Harriet Walker Way. Rick —9J 147
Harriet Way. Bush —9E 150
Harrington Ct. Hert H —3G 115
Harrington Heights. H Reg —4D 44
Harris Clo. Enf —3N 155
Harris Ct. Bar C —7E 18
Harris La. Lut —5J 47
Harris La. Offl —8E 32
Harris La. Offl —8E 32
Harris La. Shenl —7A 140
Harrison Clo. Hit —3N 33
Harrison Clo. N'wd —6E 160
Harrison Gro. Hat —3G 129
Harrisons. Bir —7M 59
Harrison Wlk. Chesh —3H 145
Harris Rd. Wat —8J 137
Harris's La. Ware —5G 94
Harrogate Rd. Wat —3L 161
Harrow Av. Enf —8D 156
Harrow Ct. Stev —4L 51
Harrowden Ct. Lut —9K 47
Harrowdene. Stev —5B 52
Harrowden Rd. Lut —9K 47
Harrow Dri. N9 —9D 156
Harrowes Meade. Edgw —3A 164
Harrow View. Harr —9D 162
Harrow Way. Wat —3N 161
Harrow Weald Pk. Harr —6E 162
Harrow Yd. Tring —3M 101
Harry Scott Ct. Lut —3M 45
Hartfield Av. Els —6A 152
Hartfield Clo. Els —7A 152
Hartfield Ct. Ware —5H 95
Hartford Av. Harr —9J 163
Hartforde Rd. Borwd —4A 152
Harthall La. K Lan —1D 136
Hartham La. Hert —9A 94
Hart Hill Dri. Lut —9H 47
Hart Hill La. Lut —9H 47
Hart Hill Path. Lut —9H 47
Hartland Clo. Edgw —2A 164
Hartland Dri. Edgw —2A 164
Hartland Rd. Chesh —3H 145
Hart La. Lut —8J 47
Hartley Av. NW7 —5F 164
Hartley Clo. NW7 —5F 164
Hartley Rd. Lut —9H 47
Hart Lodge. H Bar —5L 153
Hartmoor M. Enf —1H 157
Hartop Ct. Lut —9M 47
Hart Rd. H'low —1E 118
Hart Rd. St Alb —3E 126
Hartsbourne Av. Bush —2D 162
Hartsbourne Clo. Bush —2E 162
Hartsbourne Pk. Bush —2F 162
Hartsbourne Rd. Bush —2E 162
Hartsbourne Way. Hem H —3E 124
Harts Clo. Bush —4B 150
Hartsfield Rd. Lut —7J 47
Hartspring Ind. Pk. Wat —4B 150
Hartspring La. Wat —4B 150
Hartsway. Enf —6G 156
Hart Wlk. Lut —8J 47
Hartwell Gdns. Hpdn —6N 87
Hartwood. Lut —9H 47 (off Hart Hill Dri.)
Hartwood Grn. Bush —2E 162
Harvest Clo. Lut —6K 45
Harvest Ct. St Alb —7L 109
Harvest Ct. Welw —9L 71
Harvest End. Wat —9M 137
Harvesters. St Alb —7K 109 (off Harvest Ct.)
Harvest Mead. Hat —7H 111
Harvest Rd. Bush —6C 150
Harvey Cen. H'low —6M 117
Harvey Cen. App. H'low —6N 117
Harveyfields. Wal A —7N 145
Harvey Rd. Crox G —8C 148
Harvey Rd. Dunst —1A 64
Harvey Rd. Lon C —8K 127
Harvey Rd. Stev —3A 52
Harveys Cotts. Ware —9B 58
Harvey's Hill. Lut —4H 47
Harvingwell Pl. Hem H —9D 106
Harwood Clo. Tew —5D 92
Harwood Clo. Wel G —5L 91
Harwood Hill. Wel G —6L 91
Harwoods Rd. Wat —6J 149
Harwoods Yd. N21 —9M 155
Hasedines Rd. Hem H —1K 123
Haseldine Meadows. Hat —1F 128
Haseldine Rd. Lon C —8L 127
Haselfoot. Let —5E 22
Haselwood Dri. Enf —6N 155
Hasketon Dri. Lut —3L 45
Haslemere. Bis S —4J 79
Haslemere Bus. Cen. Enf —7F 156
Haslemere Est., The. Hod —9A 116
Haslemere Ind. Est. Wel G —8M 91
Haslemere Pinnacles Est., The. H'low —7K 117
Haslewood Av. Hod —8L 115
Haslingden Clo. Hpdn —4M 87
Hasluck Gdns. New Bar —8B 154
Hastings Clo. Barn —6B 154
Hastings Clo. Stev —1G 50
Hastings Rd. Bar C —8E 18
Hastings St. Lut —2F 66
Hastings Way. Bush —6N 149
Hastings Way. Crox G —6E 148
Hastingwood Rd. H'wd —9H 119
Hastoe Hill. Tring —7L 101
Hastoe La. Tring —4M 101
Hastoe Row. Tring —7M 101
Hatch Grn. L Hall —8K 79
Hatching Grn. Clo. Hpdn —9B 88
Hatch La. Bald & W'ton —6M 23
Hatch, The. Enf —3H 157
Hatfield Av. Hat —5D 110
Hatfield Bus. Pk. Hat —6E 110
Hatfield Cres. Hem H —7B 106
Hatfield Rd. Ess —5D 112
Hatfield Rd. Pot B —3B 142
Hatfield Rd. St Alb & Smal —2F 126
Hatfield Rd. Wat —3K 149
Hathaway Clo. Lut —7L 45
Hathaway Clo. Stan —5H 163
Hathaway Ct. St Alb —2M 127
Hatherleigh Gdns. Pot B —5C 142
Hatters La. Wat —8F 148
Hatters Way. Lut —8L 45
Hatton Rd. Chesh —2H 145
Havelock Rise. Lut —8G 47
Havelock Rd. Harr —9F 162
Havelock Rd. K Lan —1B 136
Havelock Rd. Lut —8G 46
Haven Clo. Hat —8F 110
Havenhurst Rise. Enf —4M 155
Haven Lodge. Enf —7C 156 (off Village Rd.)
Havensfield. Chfd —4L 135
Haven, The. N14 —8G 155
Haven, The. St Alb —7D 86
Havercroft Clo. St Alb —4D 126
Haverdale. Lut —5M 45
Haverford Way. Edgw —8N 163
Havers La. Bis S —3H 79
Havers Pde. Bis S —3H 79 (off Thorley Hill)
Hawbush Clo. Welw —3H 91
Hawbush Rise. Welw —2G 91
Hawes Clo. N'wd —7H 161
Hawes La. E4 —2N 157
Haweswater Dri. Wat —6L 137
Hawfield Gdns. Park —8E 126
Hawkdene. E4 —8M 157
Hawkenbury. H'low —8L 117
Hawker. NW9 —8F 164
Hawkesworth Clo. N'wd —7G 160
Hawkfield. Let —3E 22
Hawkfields. Lut —3G 47
Hawkins Clo. NW7 —5D 164
Hawkins Clo. Borwd —4C 152
Hawkins Hall La. D'wth —6D 72
Hawkshead La. N Mym —1J 141
Hawkshead Rd. Pot B —1M 141
Hawkshill. St Alb —3H 127
Hawkshill Dri. Fel —5J 123
Hawksmead Clo. Enf —9H 145
Hawksmoor. Shenl —6A 140
Hawksmouth. E4 —9N 157
Hawkwell Dri. Tring —2A 102
Hawkwood Cres. E4 —8M 157
Hawridge La. Bell —5C 120
Hawridge Vale. Hawr —4D 120
Hawsley Rd. Hpdn —2B 108
Hawthorn Av. Lut —5K 47
Hawthorn Clo. Ab L —5J 137
Hawthorn Clo. Dunst —1F 64
Hawthorn Clo. Hpdn —8E 88
Hawthorn Clo. Hert —8M 93
Hawthorn Clo. Hit —4L 33
Hawthorn Clo. Wat —2H 149
Hawthorn Ct. Pinn —9L 161 (off Rickmansworth Rd.)
Hawthorn Cres. Cad —5A 66
Hawthorne Av. Chesh —4F 144
Hawthorne Clo. Chesh —4F 144
Hawthorne Clo. R'ton —6F 8
Hawthorne Ct. N'wd —9J 161
Hawthorne Rd. Rad —7H 139
Hawthornes. Hat —2F 128
Hawthorn Gro. Barn —8F 152
Hawthorn Gro. Enf —2B 156
Hawthorn Hill. Let —4E 22
Hawthorn La. Hem H —1J 123
Hawthorn M. NW7 —8L 165
Hawthorn Rise. Thor —5H 79
Hawthorn Rd. Hod —6M 115
Hawthorns. Wel G —7K 91
Hawthorns, The. Berk —9L 103
Hawthorns, The. Chal G —4A 146
Hawthorns, The. Hem H —6J 123
Hawthorns, The. Rick —5G 158
Hawthorns, The. Stev —5M 51
Hawthorns, The. Ware —4G 94
Hawthorn Way. L Ston —1F 20
Hawthorn Way. R'ton —6F 8
Hawthorn Way. St Alb —6B 126
Hawtrees. Rad —8G 138
Haybourn Mead. Hem H —3L 123
Hay Clo. Borwd —4C 152
Haycroft. Bis S —1L 79
Haycroft. Lut —3G 46
Haycroft Rd. Stev —2K 51
Haydens Rd. H'low —6M 117
Haydock Rd. R'ton —7F 8
Haydon Clo. Enf —8C 156
Haydon Rd. Wat —8N 149
Hayes. K Lan —2C 136
Hayes Clo. Lut —4K 47
Hayes Wlk. Pot B —6A 142
Hayfield. Stev —2C 52
Hayfield Clo. Bush —6C 150
Haygarth. Kneb —4N 71
Hayhurst Rd. Lut —7L 45
Hay La. Hpdn —6B 88
Hayley Comn. Stev —6B 52
Hayley Ct. H Reg —3F 44
Hayling Dri. Lut —6M 47
Hayling Rd. Wat —3J 161
Hayllar Ct. Hod —8L 115
Haymarket Rd. Lut —5H 45
Haymeads. Wel G —6L 91
Haymeads La. Bis S —1L 79
Haymoor. Let —2E 22
Haynes Clo. Wel G —1N 111
Haynes Mead. Berk —8L 103
Haysman Clo. Let —4H 23
Hay St. Stpl M —3C 6
Hayton Clo. Lut —8D 30
Hayward Rd. Hod —6N 115
Haywood Clo. Pinn —9M 161
Haywood La. Ther —6E 14
Haywood Pk. Chor —7J 147
Haywoods Dri. Hem H —5J 123
Haywoods La. R'ton —6E 8
Hayworth Clo. Enf —4J 157
Hazelbury Av. Ab L —5E 136
Hazelbury Cres. Lut —9E 46
Hazel Clo. Wal X —8C 132
Hazel Clo. Welw —4L 91
Hazel Ct. Hit —3A 34
Hazel Croft. Pinn —6C 162
Hazeldell. Wat S —5J 73
Hazeldell Link. Hem H —3H 123
Hazeldell Rd. Hem H —3H 123
Hazeldene. Wal X —5J 145
Hazeldene Dri. Pinn —9L 161
Hazelend Rd. Bis S —4K 59
Hazel Gdns. Edgw —4B 164
Hazel Gdns. Saw —6H 99
Hazelgreen Clo. N21 —9N 155
Hazel Gro. Hat —3F 128
Hazel Gro. Stot —7E 10
Hazel Gro. Wat —8K 137
Hazel Gro. Welw —8A 92
Hazel Gro. Ho. Hat —2F 128
Hazel Mead. Barn —7H 153
Hazelmere Rd. St Alb —8K 109
Hazelmere Rd. Stev —9N 51
Hazel Rd. Berk —2A 122
Hazel Rd. Park —1C 138
Hazels, The. Tew —5D 92
Hazel Tree Rd. Wat —1K 149
Hazelwood Clo. Hit —2N 33
Hazelwood Clo. Lut —5K 47
Hazelwood Dri. Pinn —9K 161
Hazelwood Dri. St Alb —9K 109
Hazelwood La. Ab L —5E 136
Hazelwood Rd. Crox G —8E 148
Hazelwood Rd. Enf —8D 156
Hazely. Tring —2A 102
Heacham Clo. Lut —5L 45
Headingley Clo. Chesh —8D 132
Headingley Clo. Shenl —5M 139
Headingley Clo. Stev —1L 51
Headstone La. Harr —9C 162
Healey Rd. Wat —8H 149
Hearn Bldgs. Wat —6L 149
Hearn Pl. St Alb —2E 126
Heath Av. R'ton —7C 8
Heath Av. St Alb —9E 108
Heathbourne Rd. Bush & Stan —1F 162
Heath Brow. Hem H —4M 123
Heathbrow rd. Welw —8L 71
Heath Clo. Hpdn —8D 88
Heath Clo. Hem H —3M 123
Heath Clo. Lut —2D 66
Heath Clo. Pot B —3A 142
Heathcote Av. Hat —7G 111
Heathdene Mnr. Wat —3H 149
Heath Dri. Pot B —3N 141
Heath Dri. Ware —4H 95
Heather Clo. Ab L —5J 137
Heather Clo. Bis S —2F 78
Heather Dri. Enf —4N 155
Heather La. Wat —9J 137
Heather Mead. Eat B —3J 63
Heather Rise. Bush —4A 150
Heather Rd. Wel G —2J 111
Heather Wlk. Edgw —5B 164
Heather Way. Hem H —1N 123
Heather Way. Pot B —5M 141
Heather Way. Stan —6G 163
Heath Farm Ct. Wat —1F 148
Heath Farm La. St Alb —9F 108
Heathfield. R'ton —7B 8
Heathfield Clo. Cad —4B 66
Heathfield Clo. Pot B —3A 142
Heathfield Ct. St Alb —1F 126 (off Avenue Rd.)
Heathfield Path. Lut —4B 66
Heathfield Rd. Bush —6C 149
Heathfield Rd. Hit —1N 33
Heathfield Rd. Lut —5E 46
Heathgate. Hert H —4F 114
Heath Hill. Cod —7D 70
Heathlands. Welw —7M 71
Heathlands Dri. St Alb —9F 108
Heath La. Cod —7E 70
Heath La. Hem H —4M 123
Heath La. Hert H —4G 114
Heath Lodge. Bush —1F 162
Heathmere. Let —2F 22
Heath Rd. B Grn —8E 48
Heath Rd. Pot B —3N 141
Heath Rd. St Alb —1F 126
Heath Rd. Wat —9M 149
Heath Rd. Welw —7L 71
Heath Row. Bis S —8K 59
Heaths Clo. Enf —4C 156
Heathside. Col H —5B 128
Heathside. St Alb —9F 108
Heathside Clo. N'wd —5F 160
Heathside Rd. N'wd —4F 160
Heath, The. B Grn —8E 48
Heath, The. Rad —6H 139
Heathview. Hpdn —6C 88 (off Milton Rd.)
Heaton Ct. Chesh —2H 145
Heaton Dell. Lut —8N 47
Heay Fields. Wel G —8B 92
Hebden Clo. Lut —5L 45
Hector. NW9 —8F 164 (off Five Acre)
Heddon Ct. Av. Barn —7E 154
Heddon Ct. Pde. Barn —7F 154
Heddon Rd. Cockf —7E 154
Hedgebrooms. Wel G —8B 92
Hedge Hill. Enf —3N 155
Hedgerow. Chal P —6B 158
Hedge Row. Hem H —9K 105
Hedgerows. Saw —5H 99
Hedgerows, The. Stev —1C 52
Hedgerow Wlk. Chesh —3H 145
Hedges Clo. Hat —8H 111
Hedgeside. Pott E —7D 104
Hedgeside Rd. N'wd —5E 160
Hedley Rise. Lut —7N 47
Hedley Rd. St Alb —2J 127
Hedworth Av. Wal X —6H 145
Heene Rd. Enf —3B 156
Heighams. H'low —9J 117
Heights, The. Hem H —8B 106
Heights, The. Lut —4A 46 (off Marsh Rd.)
Helena Clo. Barn —2C 154
Helena Pl. Hem H —9N 105
Helens Ga. Chesh —8K 133
Helions Rd. H'low —6L 117
Hellards Rd. Stev —2K 51
Hellebore Ct. Stev —1A 52
Helmsley Clo. Lut —4M 45
Helston Clo. Pinn —7A 162
Helston Gro. Hem H —6N 105
Helston Pl. Ab L —5H 137
Hemel Hempstead Ind. Est. Hem H —7D 106
Hemel Hempstead Rd. Dagn —4A 84
Hemel Hempstead Rd. Hem H —5F 106

184 A-Z Hertfordshire

Lower Rd.—Martham Ct.

Lower Rd. *Chal P* —8B **158**
Lower Rd. *Chor* —6F **146**
Lower Rd. *Gt Amw* —8K **95**
Lower Rd. *L Hall* —8K **79**
Lwr. Sales. *Hem H* —3J **123**
Lwr. Sean. *Stev* —6N **51**
Lwr. Shott. *Chesh* —8D **132**
Lwr. Strand. *NW9* —9F **164**
Lower St. *Stans* —3N **59**
Lwr. Tail. *Wat* —3N **161**
Lower Tub. *Bush* —9E **150**
Lwr. Yott. *Hem H* —3B **124**
Lowestoft Rd. *Wat* —3K **149**
Loweswater Clo. *Wat* —6L **137**
Lowfield La. *Hod* —8L **115**
Lowgate La. *Ware* —4E **74**
(in two parts)
Low Hall Clo. *E4* —9M **157**
Low Hill Rd. *Roy* —8C **116**
Lowland. *Hat* —6J **111**
Lowry Dri. *H Reg* —4G **45**
Lowson Gro. *Wat* —9N **149**
Lowswood Clo. *N'wd* —9E **160**
Lowther Clo. *Els* —7N **151**
Lowther Dri. *Enf* —6K **155**
Lowther Rd. *Dunst* —2F **64**
Loxley Rd. *Berk* —8J **103**
Loxwood Clo. *Hem H* —5J **123**
Lucan Rd. *Barn* —5L **153**
Lucas Gdns. *Lut* —1D **46**
Lucas La. *Hit* —2L **33**
Lucas St. *A'wl* —9N **5**
Lucerne Way. *Lut* —5E **46**
Lucinda Ct. *Enf* —6C **156**
Lucks Hill. *Hem H* —2H **123**
Ludford Clo. *NW9* —9E **164**
Ludgate. *Tring* —2L **101**
Ludlow Av. *Lut* —4G **66**
Ludlow Mead. *Wat* —3K **161**
Ludlow Way. *Crox G* —6E **148**
Ludun Clo. *Dunst* —9H **45**
Ludwick Clo. *Wel G* —2M **111**
Ludwick Grn. *Wel G* —1M **111**
Ludwick Way. *Wel G* —9M **91**
Lukes La. *Gub* —4J **81**
Lukes Lea. *Mars* —6K **81**
Luley La. *NW7* —5D **164**
Lullington Clo. *Lut* —6L **47**
Lullington Garth. *N12* —5M **165**
Lullington Garth. *Borwd* —7B **152**
Lulworth Av. *Chesh* —2N **143**
Lumbards. *Wel G* —6N **91**
Lumden Rd. *R'ton* —6D **8**
Lundin Wlk. *Wat* —4M **161**
Luther Clo. *Edgw* —2C **164**
Luther King Rd. *H'low* —6N **117**
Luton Dri., The. *Lut* —4K **67**
Luton La. *Redb* —8J **87**
Luton Rd. *Cad* —4A **66**
Luton Rd. *C'hoe* —6N **47**
Luton Rd. *Dunst* —8G **44**
Luton Rd. *Hpdn* —3L **87**
Luton Rd. *Kim* —6H **69**
Luton Rd. *Lut & Bar C* —4C **30**
Luton Rd. *Mark* —1A **86**
Luton Rd. *Offl* —8B **32**
Luton Rd. *Tod & Chal* —1J **45**
Luton White Hill. *Lut & Offl* —1B **48**
Luxembourg Clo. *Lut* —1N **45**
Luynes Rise. *Bunt* —4H **39**
Lybury La. *Redb* —7F **86**
Lycastle Clo. *St Alb* —3G **127**
Lych Ga. *Wat* —6M **137**
Lycrome La. *Che* —9H **121**
Lycrome Rd. *Che* —9H **121**
Lydia Ct. *N Mym* —6J **129**
Lydia M. *N Mym* —6J **129**
Lye Grn. Rd. *Che* —9K **121**
Lye Hill. *B Grn* —1E **68**
Lye Hill. *Lut* —1E **68**
Lye La. *Brick W* —3B **138**
Lye La. *Stev* —2B **54**
Lygean Av. *Ware* —6J **95**
Lygetun Dri. *Lut* —3A **46**
Lygrave. *Stev* —9B **52**
Lyles La. *Wel G* —7L **91**
Lyle's Row. *Hit* —4N **33**
Lymans Rd. *Arl* —6A **10**
Lyme Av. *N'chu* —7H **103**
Lymington Ct. *Wat* —7J **137**
Lymington Rd. *Stev* —1H **51**
Lynbury Ct. *Wat* —5J **149**
Lynch Hill. *Kens* —8J **65**
Lynch, The. *Hod* —8M **115**
Lynch, The. *Kens* —7K **65**
Lyndale. *Stev* —5L **51**
Lyndhurst Av. *NW7* —6E **164**
Lyndhurst Av. *Pinn* —8K **161**
Lyndhurst Clo. *Hpdn* —5D **88**
Lyndhurst Dri. *Hpdn* —5D **88**
Lyndhurst Gdns. *N3* —8L **165**
Lyndhurst Gdns. *Enf* —6C **156**
Lyndhurst Gdns. *Pinn* —8K **161**
Lyndhurst Rd. *Lut* —1E **66**
Lyndon Av. *Pinn* —6N **161**
Lyndon Mead. *Sandr* —4K **109**
Lyneham Rd. *Lut* —8L **47**
Lyne Way. *Hem H* —9J **105**
Lynford Clo. *Barn* —7E **152**
Lynford Clo. *Edgw* —8C **164**
Lynford Gdns. *Edgw* —3B **164**
Lynford Ter. *N9* —9D **156**
Lynmouth Av. *Enf* —8D **156**
Lynn Clo. *Harr* —9E **162**
Lynn St. *Enf* —3B **156**
Lynsey Clo. *Redb* —9J **87**
Lynton Av. *Arl* —7A **10**
Lynton Av. *St Alb* —3K **127**
Lynton Ct. *Bis S* —4G **79**
Lynton Crest. *Pot B* —5N **141**
Lynton Gdns. *Enf* —9C **156**
Lynton Mead. *N20* —3N **165**
Lynton Pde. *Chesh* —3J **145**
Lynton Rd. *Che* —9F **120**
Lynwood Av. *Lut* —6H **47**
Lynwood Dri. *N'wd* —8H **161**
Lynwood Gro. *N21* —9M **155**
Lynwood Heights. *Rick* —7L **147**
Lynwood Lodge. *Dunst* —8D **44**
Lyon Meade. *Stan* —8K **163**
Lyonsdown Av. *New Bar* —8B **154**
Lyonsdown Rd. *Barn* —8B **154**
Lyon Way. *St Alb* —2A **128**
Lyrical Way. *Hem H* —9L **105**
Lysander Clo. *Bov* —9C **122**
Lysander Way. *Ab L* —5J **137**
Lysander Way. *Wel G* —8C **92**
Lys Hill Gdns. *Hert* —7N **93**
Lytchet Way. *Enf* —3G **156**
Lytham Av. *Wat* —5M **161**
Lytton Av. *Enf* —2J **157**
Lytton Av. *Let* —6F **22**
Lytton Fields. *Kneb* —3M **71**
Lytton Gdns. *Wel G* —9K **91**
Lytton Rd. *Barn* —6B **154**
Lytton Rd. *Pinn* —7N **161**
Lyttons Way. *Hod* —5L **115**
Lytton Way. *Stev* —2J **51**

Mabbutt Clo. *Brick W* —3N **137**
Mabey's Wlk. *H Wych* —6D **98**
McAdam Clo. *Hod* —6L **115**
McAdam Dri. *Enf* —4N **155**
Macaret Clo. *N20* —9A **154**
Macaulay Rd. *Lut* —7K **45**
McDonald Ct. *Hat* —2G **128**
(in two parts)
Macdonnell Gdns. *Wat* —8H **137**
Macer's Ct. *Brox* —6K **133**
Macer's La. *Brox* —6K **133**
McEwen Ride. *Hal* —6B **100**
Macfadyen Webb Ho. *Let* —4G **22**
McGredy. *Chesh* —2F **144**
McKellar Clo. *Bush* —2D **162**
McKenzie Rd. *Brox* —2L **133**
Mackenzie Sq. *Stev* —6A **52**
Mackerel Hall. *R'ton* —7B **8**
Macleod Rd. *N21* —7K **155**
Maddles. *Let* —7K **23**
Maddox Rd. *H'low* —5A **118**
Maddox Rd. *Hem H* —2D **124**
Made Feld. *Stev* —4M **51**
Madgeways Clo. *Gt Amw* —1K **115**
Madgeways La. *Gt Amw* —1K **115**
Madresfield Ct. *Shenl* —5L **139**
Mafeking Rd. *Enf* —5D **156**
Magellan Clo. *Stev* —4C **52**
Magna Clo. *Hpdn* —9E **88**
Magnaville Rd. *Bis S* —4G **79**
Magnaville Rd. *Bush* —9F **150**
Magnolia Av. *Ab L* —5J **137**
Magnolia Clo. *Hert* —6F **94**
Magnolia Clo. *Park* —8E **126**
Magpie Clo. *NW9* —9E **164**
Magpie Clo. *Enf* —3E **156**
Magpie Cres. *Stev* —5C **52**
Magpie Hall Rd. *Bush* —2F **162**
Magpie Pl. *Wat* —5L **137**
Magpies, The. *Lut* —3G **46**
Magpie Wlk. *Hat* —2G **129**
Mahon Clo. *Enf* —3D **156**
Maida Av. *E4* —9M **157**
Maida Way. *E4* —9M **157**
Maidenbower Av. *Dunst* —8C **44**
Maidenhall Rd. *Lut* —7C **46**
Maidenhead St. *Hert* —9B **94**
Maidenhead Yd. Hert —*9B* ***94***
(off Wash, The)
Maiden St. *W'ton* —1A **36**
Mailers La. *Man* —8H **43**
Main Av. *Enf* —7D **156**
Main Av. *N'wd* —3E **160**
Main House, The. *Saw* —4K **99**
Main Pde. *Chor* —6F **146**
Main Rd. *Berk* —2N **83**
Main Rd. *B'fld* —3H **93**
Main Rd. N. *Dagn* —9L **63**
Main Rd. S. *Dagn* —2N **83**
Maitland Rd. *Hal C* —7C **100**
Maitland Rd. *Stans* —3N **59**
Malcolm Ct. *Stan* —5K **163**
Malden Rd. *Borwd* —5A **152**
Malden Rd. *Wat* —4K **149**
Maldon Ct. *Hpdn* —5C **88**
Malham Clo. *Lut* —7B **46**
Malins Clo. *Barn* —7H **153**
Mallard Clo. *New Bar* —8C **154**
Mallard Gdns. *Lut* —4C **46**
Mallard Rd. *R'ton* —7C **8**
Mallard Rd. *Stev* —7C **52**
Mallards Rise. *H'low* —6F **118**
Mallard Way. *N'wd* —7E **160**
Mallard Way. *Wat* —1N **149**
Mallories, The. *H'low* —4B **118**
Mallory Gdns. *E Barn* —9F **154**
Mallow Mead. *NW7* —7L **165**
Mallows Grn. Rd. *Man* —8D **42**
Mallow, The. *Lut* —6B **46**
Mallow Wlk. *G Oak* —1B **144**
Mallow Wlk. *R'ton* —8E **8**
Mall, The. *Dunst* —8F **44**
Mall, The. *Park* —9D **126**
Malm Clo. *Rick* —2N **159**
Malmes Croft. *Hem H* —4E **124**
Malmsdale. *Wel G* —5K **91**
Maltby Dri. *Enf* —2F **156**
Malthouse Ct. St Alb —*3E* ***126***
(off Sopwell La.)
Malthouse Grn. *Lut* —8A **48**
Malthouse La. *Stot* —5G **10**
Malt Ho. Pl. *Rad* —9H **139**
Malthouse, The. Hert —*9B* ***94***
(off Priory St.)
Malting La. *Ald* —1H **103**
Malting La. *Brau* —2B **56**
Malting La. *Lit* —3H **7**
Malting La. *M Hud* —6J **77**
Malting Mead. *Hat* —8J **111**
Maltings Clo. *Bald* —2N **23**
Maltings Clo. *R'ton* —6C **8**
Maltings Ct. *Ware* —7H **95**
Maltings Dri. *Wheat* —7K **89**
Maltings La. *Gt Chi* —2H **17**
Maltings, The. *Dunst* —8D **44**
Maltings, The. *Hem H* —1N **123**
Maltings, The. *K Lan* —7E **136**
Maltings, The. *Let* —2J **23**
Maltings, The. *St Alb* —2E **126**
Maltings, The. *Stev* —1G **52**
Malt La. *Rad* —8H **139**
Malus Clo. *Hem H* —1C **124**
Malvern Clo. *Bush* —8D **150**
Malvern Clo. *St Alb* —7J **109**
Malvern Clo. *Stev* —1A **72**
Malvern Ho. *Wat* —8F **148**
Malvern Rd. *Enf* —1J **157**
Malvern Rd. *Lut* —1D **66**
Malvern Way. *Crox G* —7D **148**
Malvern Way. *Hem H* —9B **106**
Malzeard Ct. Lut —*8F* ***46***
(off Malzeard Rd.)
Malzeard Rd. *Lut* —8F **46**
Manan Clo. *Hem H* —4E **124**
Manchester Clo. *Stev* —8M **35**
Manchester Pl. *Dunst* —8E **44**
Manchester St. *Lut* —1G **66**
Mancroft Rd. *Cad & Al G* —5N **65**
Mandela Pl. *Wat* —4M **149**
Mandelyns. *N'chu* —7J **103**
Mandeville. *Stev* —9B **52**
Mandeville Clo. *Brox* —2K **133**
Mandeville Clo. *H'low* —8E **118**
Mandeville Clo. *Hert* —3A **114**
Mandeville Clo. *Wat* —2H **149**
Mandeville Dri. *St Alb* —5E **126**
Mandeville Rise. *Wel G* —7K **91**
Mandeville Rd. *Enf* —9J **145**
Mandeville Rd. *Hert* —3A **114**
Mandeville Rd. *Pot B* —5B **142**
Manesty Ct. N14 —*9J* ***155***
(off Ivy Rd.)
Mangrove Dri. *Hert* —2C **114**
Mangrove La. *Hert* —2C **114**
Mangrove Rd. *C'hoe* —5N **47**
Mangrove Rd. *Hert* —1C **114**
Mangrove Rd. *Lut* —6K **47**
Manland Av. *Hpdn* —5D **88**
Manland Way. *Hpdn* —5D **88**
Manley Rd. *Hem H* —1A **124**
Manly Dixon Dri. *Enf* —1J **157**
Mannicotts. *Wel G* —9H **91**
Manning Ct. *H Reg* —4F **44**
Manning Ct. *Wat* —8M **149**
Manns Rd. *Edgw* —6A **164**
Manor Av. *Hem H* —5N **123**
Manor Clo. *NW7* —5D **164**
Manor Clo. *Barn* —6L **153**
Manor Clo. *Berk* —1N **121**
Manor Clo. *Hat* —6F **110**
Manor Clo. *Hert* —7B **94**
Manor Clo. *H Reg* —5E **44**
Manor Clo. *Ickl* —8M **21**
Manor Clo. *Let* —8F **22**
Manor Cotts. *N'wd* —8H **161**
Manor Ct. *Cad* —4B **66**
Manor Ct. *Chesh* —4H **145**
Manor Ct. *Enf* —9F **144**
Manor Ct. *Pot B* —5M **141**
Manor Cres. *Hit* —4B **34**
Manor Cres. *Wend* —9B **100**
Manor Dri. *NW7* —5D **164**
Manor Dri. *St Alb* —9B **126**
Manor Farm Clo. *Bar C* —8E **18**
Manor Farm Clo. *Lut* —6M **45**
Manor Farm Rd. *Enf* —8F **144**
Manor Hall Av. *NW4* —9K **165**
Manor Hall Dri. *NW4* —9K **165**
Manor Hatch Clo. *H'low* —7D **118**
Manor Ho. Dri. *N'wd* —7D **160**
Manor Ho. Dri. *Stev* —2C **52**
Manor Ho. Est. *Stan* —5J **163**
Manor Ho. Gdns. *Ab L* —4F **136**
Manor Links. *Bis S* —1L **79**
Manor Pde. *Hat* —6F **110**
Manor Pk. *H Reg* —5E **44**
Manor Pk. Cres. *Edgw* —6A **164**
Manor Pk. Dri. *Harr* —9C **162**
Manor Pk. Gdns. *Edgw* —5A **164**
Manor Pound Rd. *Ched* —9M **61**
Manor Rd. *Barn* —6L **153**
Manor Rd. *Bar C* —8E **18**
Manor Rd. *Bis S* —1J **79**
Manor Rd. *Cad* —4A **66**
Manor Rd. *Ched* —9L **61**
Manor Rd. *Enf* —4A **156**
Manor Rd. *H'low* —1E **118**
Manor Rd. *Hat* —6F **110**
Manor Rd. *Hod* —7L **115**
Manor Rd. *Lon C* —8K **127**
Manor Rd. *Lut* —2H **67**
Manor Rd. *Pot B* —4M **141**
Manor Rd. *St Alb* —1F **126**
Manor Rd. *Stans* —4N **59**
Manor Rd. *Tring* —1M **101**
Manor Rd. *Wal A* —6N **145**
Manor Rd. *Wat* —3K **149**
Manor Rd. *Wend* —9B **100**
Manor Rd. *Wheat* —5G **88**
Manorside. *Barn* —6L **153**
Manor St. *Berk* —1A **122**
Manor View. *N3* —9N **165**
Manor View. *Stev* —8A **52**
Manorville Rd. *Hem H* —6M **123**
Manor Way. *Borwd* —5C **152**
Manor Way. *Chesh* —3J **145**
Manor Way. *Crox G* —6C **148**
Manorway. *Enf* —9C **156**
Manor Way. *Let* —8F **22**
Manor Way. *Pot B* —3N **141**
Mansard Clo. *Tring* —3M **101**
Manscroft Rd. *Hem H* —8L **105**
Mansdale Rd. *Redb* —2H **107**
Manse Ct. *Mark* —3A **86**
Mansells La. *Cod* —5F **70**
Mansfield. *H Wych* —6C **98**
Mansfield Av. *Barn* —8E **154**
Mansfield Clo. *N9* —8E **156**
Mansfield Ct. *Hert* —7A **94**
Mansfield Gdns. *Hert* —7A **94**
Mansfield Hill. *E4* —9M **157**
Mansfield Rd. *Bald* —4L **23**
Mansfield Rd. *Lut* —8D **46**
Manshead Ct. *Dunst* —2H **65**
Mansion Dri. *Tring* —3N **101**
Mansion Hill. *Hal* —6D **100**
Manston Clo. *Chesh* —3G **145**
Manston Dri. *Bis S* —8K **59**
Manston Rd. *H'low* —6A **118**
Manton Dri. *Lut* —5F **46**
Manton Rd. *Hit* —4B **34**
Manx Clo. *Lut* —7C **46**
Maple Av. *Bis S* —9F **58**
Maple Av. *St Alb* —7D **108**
Maple Clo. *Bis S* —9F **58**
Maple Clo. *Bush* —4N **149**
Maple Clo. *Hat* —1G **129**
Maple Cotts. *Hpdn* —1C **108**
Maple Ct. *Borwd* —6A **152**
Maple Ct. *Stan A* —2A **116**
Maple Ct. *Wat* —9M **137**
Maplefield. *Park* —2C **138**
Maple Gdns. *Edgw* —7E **164**
Maple Grn. *Hem H* —9H **105**
Maple Gro. *Bis S* —9F **58**
Maple Gro. *Wat* —3J **149**
Maple Gro. *Wel G* —6M **91**
Maple Leaf Clo. *Ab L* —5J **137**
Maplelodge Clo. *Rick* —4H **159**
Maple Rd. *Hpdn* —6A **88**
Maple Rd. E. *Lut* —9D **46**
Maple Rd. W. *Lut* —9D **46**
Maples. *Hpdn* —4B **88**
Maples Ct. *Hit* —3M **33**
Maple Spring. *Bis S* —9F **58**
Maples, The. *Borwd* —3A **152**
Maples, The. *Hit* —5N **33**
Maplethorpe Ct. Ware —*6G* ***95***
(off Priory St.)
Mapleton Cres. *Enf* —2G **156**
Mapleton Rd. *Enf* —4F **156**
Maple Way. *H Reg* —3H **45**
Maple Way. *Kens* —8H **65**
Maple Way. *Mel* —1J **9**
Maple Way. *R'ton* —5E **8**
Maplewood. *Ware* —4G **95**
Maplin Clo. *N21* —8L **155**
Maran Av. *Welw* —3J **91**
Marbury Pl. *Lut* —4B **46**
March. NW9 —*8F* ***164***
(off Concourse, The)
Marchmont Grn. *Hem H* —9N **105**
Marcus Clo. *Stev* —1B **52**
Mardale Av. *Dunst* —2F **64**
Mardley Av. *Welw* —8M **71**
Mardleybury Ct. *Wool G* —7N **71**
Mardleybury Rd. *Wool G* —7A **72**
Mardley Dell. *Welw* —7M **71**
Mardley Heights. *Welw* —8N **71**
Mardley Hill. *Welw* —8M **71**
Mardley Wood. *Welw* —7M **71**
Mardon. *Pinn* —7A **162**
Mardyke Rd. *H'low* —4C **118**
Marford Rd. *Wheat & Welw* —7L **89**
Margaret Av. *E4* —8M **157**
Margaret Av. *St Alb* —9E **108**
Margaret Clo. *Ab L* —5H **137**
Margaret Clo. *Pot B* —6B **142**
Margaret Clo. *Wal A* —6N **145**
Margaret Ct. *Barn* —6C **154**
Margaret Rd. *Barn* —6C **154**
Margeholes. *Wat* —2N **161**
Margery La. *Tew* —5C **92**
Margery Wood. *Wel G* —6N **91**
Marian Gdns. *Leav* —6K **137**
Maricas Av. *Harr* —8E **162**
Marigold Pl. *H'low* —2D **118**
Marina Dri. *Dunst* —1B **64**
Marina Gdns. *Chesh* —3G **145**
Mariner Way. *Hem H* —3C **124**
Marion Clo. *Bush* —3A **150**
Marion Rd. *NW7* —5G **164**
Marion Wlk. *Hem H* —6B **106**
Markab Rd. *N'wd* —5H **161**
Mark Av. *E4* —8M **157**
Mark Dri. *Chal P* —4A **158**
Markeston Grn. *Wat* —4M **161**
Market Hall. *Lut* —1G **67**
Market Hill. *Bunt* —3J **39**
Market Hill. *R'ton* —7D **8**
Market Ho. H'low —*5N* ***117***
(off Post Office Rd.)
Market La. *Edgw* —8C **164**
Market Oak La. *Hem H* —6C **124**
Market Pl. *Chal P* —8A **158**
Market Pl. *Eat B* —2H **63**
Market Pl. *Enf* —5B **156**
Market Pl. *Hat* —8H **111**
Market Pl. *Hert* —9B **94**
Market Pl. *Hit* —3M **33**
Market Pl. *St Alb* —2E **126**
Market Pl. *Stev* —4K **51**
Market Sq. *Bis S* —1H **79**
Market Sq. *Lut* —2D **66**
Market Sq. *Stev* —4K **51**
Market Sq. *Wal A* —6N **145**
Market St. *Bis S* —1H **79**
Market St. *H'low* —2E **118**
Market St. *Hert* —9B **94**
Market St. *Wat* —6K **149**
Markfield Clo. *Lut* —3E **46**
Markfield Gdns. *E4* —9M **157**
Mark Hall Moors. *H'low* —3D **118**
Markham Cres. *Dunst* —7H **45**
Markham Rd. *Lut* —1E **46**
Mark Rd. *Hem I* —9C **106**
Marksworth Clo. *Wat* —9G **149**
Markyate Rd. *S End* —8C **66**
Marlands. *Saw* —3G **99**
Marlborough Av. *Edgw* —3B **164**
Marlborough Bldgs. *St Alb* —2E **126**
Marlborough Clo. *Bis S* —3H **79**
Marlborough Clo. *Welw* —8M **71**
Marlborough Clo. *W'ton* —2A **36**
Marlborough Ct. *Enf* —7C **156**
Marlborough Ct. *N'wd* —7H **161**
Marlborough Ga. *St Alb* —2F **126**
Marlborough Path. *Lut* —8F **46**
Marlborough Rise. *Hem H* —8A **106**
Marlborough Rd. *Lut* —8E **46**
Marlborough Rd. *St Alb* —2F **126**
Marlborough Rd. *Stev* —4B **52**
Marlborough Rd. *Wat* —6K **149**
Marle Gdns. *Wal A* —5N **145**
Marley Ct. *Brox* —5K **133**
Marley Rd. *Wel G* —2N **111**
Marlin Clo. *Berk* —9K **103**
Marlin Copse. *Berk* —2L **121**
Marlin Ct. *Lut* —5H **45**
Marlin Hill. *Tring* —5M **101**
Marlin Ho. *Wat* —8F **148**
Marlin Rd. *Lut* —5H **45**
Marlins Clo. *Rick* —4H **147**
Marlins Meadow. *Wat* —8F **148**
Marlin Sq. *Ab L* —4H **137**
Marlins Turn. *Hem H* —8L **105**
Marlow Ct. *N14* —9H **155**
Marlowe Clo. *Stev* —1B **52**
Marlowes. *Hem H* —1N **123**
Marmet Av. *Let* —5E **22**
Marnham Rise. *Hem H* —9K **105**
Marquis Clo. *Bis S* —1D **78**
Marquis Clo. *Hpdn* —5E **88**
Marquis Hill. *Shil* —2B **20**
Marquis La. *Hpdn* —5E **88**
Marrilyne Av. *Enf* —2K **157**
Marriots, The. *H'low* —1E **118**
Marriot Ter. *Chor* —6J **147**
Marriott Rd. *Barn* —5K **153**
Marriott Rd. *Lut* —3D **46**
Marriotts Way. *Hem H* —4N **123**
Marryat Rd. *Enf* —8F **144**
Marschefield. *Stot* —6E **10**
Marsden Clo. *Wel G* —2H **111**
Marsden Grn. *Wel G* —1H **111**
Marsden Rd. *Wel G* —1H **111**
Marshall Av. *St Alb* —8F **108**
Marshall Est. *NW7* —4G **165**
Marshall Rd. *Lut* —7L **47**
Marshalls Av. *Shil* —2A **20**
Marshalls Heath La. *Wheat* —5H **89**
Marshall's La. *H Cro* —4E **74**
Marshalls Way. *Wheat* —5G **89**
Marshal's Dri. *St Alb* —8H **109**
Marshalswick La. *St Alb* —8H **109**
Marshbarns. *Bis S* —1E **78**
Marsh Clo. *NW7* —3F **164**
Marsh Clo. *Wal X* —6J **145**
Marshcroft Dri. *Chesh* —3J **145**
Marshcroft La. *Tring* —1A **102**
Marshe Clo. *Pot B* —5C **142**
Marshgate. *Stev* —4K **51**
Marshgate Dri. *Hert* —8C **94**
Marsh La. *NW7* —3E **164**
Marsh La. *H'low* —1H **119**
Marsh La. *Stan A* —3A **116**
Marsh La. *Stan* —5K **163**
Marsh La. *Ware* —7J **95**
Marshmoor Cres. *N Mym* —4K **129**
Marshmoor La. *N Mym* —4J **129**
Marsh Rd. *Lut* —4A **46**
Marsom Gro. *Lut* —1D **46**
Marston Clo. *Che* —9E **120**
Marston Clo. *Hem H* —3C **124**
Marston Ct. *Long M* —3G **81**
Marston Gdns. *Lut* —5F **46**
Marston Rd. *Hod* —7M **115**
Marston Rd. *Tring* —4K **81**
Marsworth Av. *Pinn* —8M **161**
Marsworth Clo. *Wat* —9G **149**
Marsworth Rd. *Pit* —4A **82**
Marten Ga. *St Alb* —7H **109**
Martham Ct. *Hpdn* —4D **88**

Marthorne Cres.—Mitre Ct.

Marthorne Cres. Harr —9E 162
Martian Av. Hem H —8B 106
Martinbridge Trading Est. Enf —7E 156
Martin Clo. Hat —2G 129
Martin Dale Ind. Est. Enf —5F 156
Martindale Rd. Hem H —1J 123
Martindales, The. Lut —1H 67 (off Crescent Rd.)
Martineau Ho. Ger X —5B 158
MartinField. Wel G —8M 91
Martinfield Bus. Cen. Wel G —8M 91
Martingale Rd. R'ton —7E 8
Martins Clo. Rad —9F 138
Martins Ct. St Alb —5K 127
Martins Dri. Chesh —1J 145
Martins Dri. Hert —9F 94
Martin's Ho. Stev —9N 35
Martins Mt. New Bar —6N 153
Martins Wlk. Borwd —6A 152
Martins Way. Stev —1J 51
Martin Way. Let —6D 22
Martlesham. Wel G —9D 92
Martynside. NW9 —8F 164
Martynside. NW9 —8F 164 (off Concourse, The)
Martyr Clo. St Alb —6E 126
Marwood Clo. K Lan —2B 136
Mary Brash Ct. Lut —6L 47
Mary Cross Clo. Wig —5B 102
Maryland. Hat —1F 128
Mary McArthur Pl. Stans —1N 59
Marymead Ct. Stev —9N 51
Marymead Dri. Stev —9N 51
Marymead Ind. Est. Stev —9A 52
Mary Pk. Gdns. Bis S —5H 79
Maryport Rd. Lut —7C 46
Mary Proud Ct. Welw —9L 71
Mary Rose Way. N20 —9C 154
Masefield. Hit —3C 34
Masefield Av. Borwd —7B 152
Masefield Av. Stan —5G 163
Masefield Ct. Hpdn —3C 88
Masefield Ct. New Bar —6B 154
Masefield Cres. N14 —8H 155
Masefield Rd. Hpdn —4C 88
Mason Clo. Borwd —4D 152
Mason's Ct. Bis S —1G 79
Masons Rd. Enf —9F 144
Masons Rd. Hem H —1D 124
Masons Yd. Berk —1A 122
Masters Clo. Lut —3D 66
Matching La. Bis S —9F 58
Matching Rd. H'low —2K 119
Matching Rd. Mat T —3N 119
Mathams Dri. Bis S —3F 78
Matlock Clo. Barn —7K 153
Matlock Cres. Lut —8M 45
Matlock Cres. Wat —3L 161
Matrons Flat. Wel G —9J 91
Matthew Ga. Hit —5A 34
Matthew St. Dunst —9E 44
Mattocke Rd. Hit —1K 33
Maude Cres. Wat —2K 149
Maud Jane's Clo. I'hoe —2C 82
Maulden Clo. Lut —8L 47
Maundsey Clo. Dunst —3F 64
Maurice Brown Clo. NW7 —5K 165
Maxfield Clo. N20 —9B 154
Maxim Rd. N21 —8M 155
Maxted Clo. Hem I —9E 106
Maxted Corner. Hem I —8D 106
Maxted Rd. Hem I —8D 106
Maxwell Clo. Rick —2K 159
Maxwell Rise. Wat —9N 149
Maxwell Rd. Borwd —5B 152
Maxwell Rd. N'wd —7F 160
Maxwell Rd. St Alb —3J 127
Maxwell Rd. Stev —4H 51
Maxwell's Path. Hit —2L 33
Maxwelton Av. NW7 —5D 164
Maxwelton Clo. NW7 —5D 164
Maybury Av. Chesh —1F 144
Maychurch Clo. Stan —7L 163
May Clo. Eat B —2J 63
May Clo. St Alb —9E 108
Maycock Gro. N'wd —6H 161
Maycroft. Let —2G 22
Maycroft. Pinn —9K 161
Maycroft Rd. Chesh —8C 132
Maydencroft La. Gos —6L 33
Maydwell Lodge. Borwd —4N 151
Mayes Clo. Bis S —9M 59
Mayfair. Crox —7F 148
Mayfair Clo. St Alb —6K 109
Mayfair Ter. N14 —9J 155
Mayfield. Wel G —5J 91
Mayfield Clo. H'low —2H 119
Mayfield Clo. Hpdn —4N 87
Mayfield Cres. N9 —8F 156
Mayfield Cres. L Ston —1F 20
Mayfield Pk. Bis S —5F 78
Mayfield Rd. Dunst —2G 65
Mayfield Rd. Enf —4H 157
Mayfield Rd. Lut —5K 47
Mayflower Av. Hem H —2N 123
Mayflower Clo. Cod —7F 70
Mayflower Clo. Hert —2K 113
Mayflower Gdns. Bis S —2D 78
Mayflower Rd. Park —9C 126
Mayhill Rd. Barn —8L 153
Maylands Av. Hem I —8D 106
Maylands Ct. Hem H —1D 124
Maylands Rd. Wat —4L 161
Maylin Clo. Hit —2C 34
Maylins Dri. Saw —5F 98
Maynard Dri. St Alb —5E 126
Maynard Pl. Cuff —2L 143
Maynard Rd. Hem H —3N 123
Mayne Av. Lut —4M 45
Mayne Av. St Alb —4A 126
Mayo Clo. Chesh —1G 144
Mayo Gdns. Hem H —3L 123
Mayshades Clo. Wool G —6N 71
Mays La. Barn —9H 153
May St. Gt Chi —3H 17
May St. Lut —3G 67
Maythorne Clo. Wat —6G 148
Maytree Clo. Edgw —3C 164
Maytree Cres. Wat —8H 137
Maytree La. Stan —7H 163
Maytrees. Hit —4A 34
Maytrees. Rad —1H 151
Maze Grn. Rd. Bis S —1F 78
Mazoe Clo. Bis S —3H 79
Mazoe Rd. Bis S —3H 79
Mead Clo. Harr —8E 162
Mead Clo. Stev —3M 51
Mead Ct. Stans —2M 59
Mead Ct. Wal A —7M 145
Meadfield. Edgw —2B 164
Meadfield Grn. Edgw —2B 164
Meadgate Rd. Brox —2N 133
Mead Ho. Hat —6H 111
Mead La. Hert —8C 94
Meadow Bank. N21 —8L 155
Meadow Bank. Hit —2B 34
Meadowbank. K Lan —3C 136
Meadowbank. Wat —9L 149
Meadowbanks. Barn —7G 152
Meadowbrook. Tring —1N 101
Meadow Clo. Barn —8M 153
Meadow Clo. Berk —3L 121
Meadow Clo. Brick —2B 138
Meadow Clo. Che —9E 120
Meadow Clo. D'wth —7C 72
Meadow Clo. Enf —2J 157
Meadow Clo. Lon C —9L 127
Meadow Clo. N Mym —6K 129
Meadow Clo. St Alb —8K 109
Meadow Clo. Tring —2M 101
Meadowcroft. Bush —8C 150 (off High St. Bushey,)
Meadow Croft. Cad —4B 66
Meadowcroft. Chal P —9A 158
Meadow Croft. Hat —9F 110
Meadowcroft. N'chu —7H 103
Meadowcroft. St Alb —5K 127
Meadowcroft. Stans —2N 59
Meadow Dell. Hat —9F 110
Meadow Dri. NW4 —9J 165
Meadow Gdns. Edgw —6B 164
Meadow Grn. Wel G —9J 91
Meadowlands. Bis S —7J 59
Meadow La. H Reg —4E 44
Meadow La. Pit —4C 82
Meadow Mead. Rad —6G 139
Meadow Rd. Berk —8L 103
Meadow Rd. Borwd —4B 152
Meadow Rd. Bush —7C 150
Meadow Rd. Hem H —7C 124
Meadow Rd. Lut —5D 46
Meadow Rd. Wat —7J 137
Meadows, The. Bis S —3G 78
Meadows, The. Hem H —1H 123
Meadows, The. Saw —5J 99
Meadowsweet Clo. Bis S —3E 78
Meadow, The. Hail —4J 115
Meadow, The. Wel G —9B 92
Meadow View. Bunt —4H 39
Meadow Wlk. Hpdn —7D 88
Meadow Wlk. Stdn —7B 56
Meadow Way. Bedm —9H 125
Meadow Way. Cad —4A 66
Meadow Way. Cod —7E 70
Meadow Way. Hem H —5J 123
Meadow Way. Hit —4L 33
Meadow Way. K Lan —3C 136
Meadow Way. Let —6F 22
Meadow Way. Offl —7D 32
Meadow Way. Pot B —7N 141
Meadow Way. Rick —9M 147
Meadow Way. Saw —6J 99
Meadow Way. Stev —4M 51
Meadow Way. Stot —6F 10
Meadow Way, The. Harr —8F 162
Mead Pk. Ind. Est. H'low —2B 118
Mead Pl. Rick —1L 159
Mead Rd. Edgw —6A 164
Mead Rd. Shenl —6A 140
Meads Clo. H Reg —4E 44
Meads La. Wheat —6L 89
Meads Rd. Enf —3J 157
Meads, The. Brick W —3B 138
Meads, The. Eat B —2J 63
Meads, The. Edgw —6D 164
Meads, The. Let —5E 22
Meads, The. Lut —6C 46
Meads, The. N'chu —8K 103
Meads, The. Stans —3N 59
Meads, The. Tring —2N 101 (off Mortimer Hill.)
Mead, The. Chesh —2G 145
Mead, The. Hit —9M 21
Mead, The. Wat —3N 161
Mead View. Stoc P —4A 42
Meadview Rd. Ware —7H 95
Meadway. Barn —6N 153
Meadway. Berk —9B 104
Mead Way. Bush —4N 149
Meadway. Col H —5D 128
Meadway. Dunst —1C 64
Meadway. Enf —9G 145
Meadway. Hpdn —8F 88
Meadway. Hod —1L 133
Meadway. Kneb —4M 71
Meadway. Stev —3G 50 (in two parts)
Meadway. Wel G —2M 111
Meadway Clo. Barn —5N 153
Meadway Clo. Pinn —6C 162
Meadway Ct. Dunst —1C 64
Meadway Ct. Stev —3H 51
Meadway, The. Cuff —2L 143
Meautys. St Alb —4B 126
Medalls Link. Stev —6N 51
Medalls Path. Stev —6N 51
Medcalf Rd. Enf —1K 157
Medina Rd. Lut —8C 46
Medley Clo. Eat B —3K 63
Medlows. Hpdn —5N 87
Medway Clo. Wat —7L 137
Medway Rd. Hem H —6B 106
Medwick M. Hem H —6D 106
Mees Clo. Lut —9B 30
Meeting All. Wat —6L 149
Meeting Ho. La. Bald —2L 23
Meeting La. Lit —3H 7
Megg La. Chfd —2L 135
Melbourn Clo. Stot —6F 10
Melbourne Av. Pinn —9C 162
Melbourne Clo. St Alb —7G 108
Melbourne Ct. Wel G —1H 111
Melbourne Rd. Bush —8C 150
Melbourne Way. Enf —8D 156
Melbourn Rd. R'ton —7D 8
Melford Clo. Lut —8M 47
Melings, The. Hem H —6D 106
Melling Dri. Enf —3E 156
Melne Rd. Stev —9A 52
Melrose Av. Borwd —7B 152
Melrose Av. Pot B —5N 141
Melrose Ct. Chesh —1H 145
Melrose Gdns. Edgw —9B 164
Melrose Pl. Wat —2H 149
Melson Sq. Lut —1G 66 (off Arndale Cen.)
Melson St. Lut —1G 67
Melsted Rd. Hem H —2L 123
Melton Ct. Dunst —1C 64
Melton Wlk. H Reg —3H 45
Melville Ct. N'wd —6F 160
Melville Ho. New Bar —7C 154
Melvyn Clo. G Oak —1N 143
Memorial Ct. Lut —5B 46
Memorial Rd. Lut —5B 46
Mendip Clo. St Alb —7K 109
Mendip Rd. Bush —8D 150
Mendip Way. Hem H —8A 106
Mendip Way. Lut —1M 45
Mendlesham. Wel G —9D 92
Mentley La. Ware —5H 55
Mentley La. E. Puck —5A 56
Mentley La. W. Gt Mun —5M 55
Mentmore Cres. Dunst —3F 64
Mentmore Rd. Ched —8L 61
Mentmore Rd. St Alb —4E 126
Mentmore View. Tring —1L 101
Mepham Cres. Harr —7D 162
Mepham Gdns. Harr —7D 162
Meppershall Rd. Shil —1A 20
Mercer Pl. Pinn —9L 161
Mercers. H'low —9K 117
Mercers. Hem H —9A 106
Mercers Av. Bis S —4D 78
Mercers Row. St Alb —4D 126
Merchant Dri. Hert —8D 94
Merchants Wlk. Bald —2A 24
Mercury. NW9 —8F 164 (off Concourse, The)
Mercury Wlk. Hem H —8B 106
Mereden Ct. St Alb —5D 126 (off Tavistock Av.)
Meredith Clo. Pinn —7M 161
Meredith Rd. Stev —1N 51
Merefield. Saw —6G 98
Meridan Way. N18, N9 & Enf —9H 157
Meriden Way. Wat —9N 137
Meridian Way. Stan A —1M 115
Merle Av. Hare —9L 159
Merlin. NW9 —8F 164 (off Concourse, The)
Merlin Cen., The. St Alb —2N 127
Merlin Cres. Edgw —8N 163
Merling Croft. N'chu —7J 103
Mermaid Clo. Hit —3B 34
Merridene. N21 —8N 155
Merrion Av. Stan —5L 163
Merritt Wlk. N Mym —5H 129
Merrivale. N14 —8J 155
Merrow Dri. Hem H —1H 123
Merrows Clo. N'wd —6E 160
Merryfield Gdns. Stan —5K 163
Merryfields. St Alb —2M 127
Merryhill Clo. E4 —9M 157
Merry Hill Mt. Bush —1C 162
Merry Hill Rd. Bush —8A 150
Merryhills Ct. N14 —7H 155
Merryhills Dri. Enf —6J 155
Mersey Pl. Hem H —6B 106
Mersey Pl. Lut —1F 66
Merton Lodge. New Bar —7B 154
Merton Rd. Enf —2B 156
Merton Rd. Wat —6K 149
Meryfield Clo. Borwd —4N 151
Metheringham Way. NW9 —8E 164
Methuen Clo. Edgw —7A 164
Methuen Rd. Edgw —7A 164
Metro Cen. St Alb —7G 109
Metro Cen., The. Wat —9F 148
Metropolitan Sta. App. Wat —5H 149
Meux Clo. Chesh —4E 144
Mews, The. Hpdn —6C 88
Mews, The. Let —2J 23
Mews, The. L Hall —5J 79
Mews, The. Saw —4G 99
Mews, The. Stans —2N 59
Meyer Grn. Enf —2E 156
Meyrick Av. Lut —2E 66
Meyrick Ct. Lut —2E 66
Mezen Clo. N'wd —5F 160
Michaels Rd. Bis S —7J 59
Michen Rd. H'low —4B 118
Michleham Down. N12 —4M 165
Micholls Av. Ger X —4B 158
Micklefield Rd. Hem H —2E 124
Micklefield Way. Borwd —2M 151
Micklem Dri. Hem H —1J 123
Midcot Way. Berk —8K 103
Mid Cross La. Chal P —5C 158
Middle Dene. NW7 —3D 164
Middle Drift. R'ton —7C 8
Middlefield. Hat —8G 110
Middlefield. Wel G —4L 111
Middlefield Av. Hod —6L 115
Middlefield Clo. St Alb —8K 109
Middlefield Rd. Hod —6L 115
Middlefields. Let —2F 22
Middlefields Ct. Let —2F 22 (off Middlefields)
Middle Furlong. Bush —6C 150
Middlehill. Hem H —2H 123
Middleknights Hill. Hem H —8K 105
Middle La. Bov —2D 134
Middle Ope. Wat —1K 149
Middle Rd. Berk —1M 121
Middle Rd. E Barn —8D 154
Middle Rd. Wal A —5M 145
Middle Row. Bis S —2H 79
Middle Row. Stev —2J 51
Middlesborough Clo. Stev —8M 35
Middlesex Ho. Stev —3H 51
Middle St. Lit —3H 7
Middleton Rd. Lut —5M 47
Middleton Rd. Rick —1K 159
Middle Way. Wat —1J 149
Middle Way, The. Harr —9G 162
Midhurst. Let —3F 22
Midhurst Gdns. Lut —5E 46
Midland Rd. Hem H —2N 123
Midland Rd. Lut —9G 46
Midway. St Alb —5C 126
Milbourne Ct. Wat —4J 149
Milburn Clo. Lut —9D 30
Milby Ct. Borwd —3N 151
Mildmay Rd. Stev —1A 52
Mildred Av. Borwd —6A 152
Mildred Av. Wat —6H 149
Mile Clo. Wal A —6N 145
Mile Ho. Clo. St Alb —5H 127
Mile Ho. La. St Alb —6G 126
Miles Clo. H'low —7L 117
Milespit Hill. NW7 —5H 165
Milestone Clo. Stev —5C 52
Mile Stone Ct. Rad —7H 139
Milestone Rd. Hit —1L 33
Milestone Rd. Kneb —3N 71
Miletree Cres. Dunst —2G 64
Milford Clo. Marsh —7L 109
Milford Gdns. Edgw —7A 164
Milford Hill. Hpdn —3E 88
Milksey La. Hit —5J 35
Millacres. Ware —6H 95
Millais Gdns. Edgw —9A 164
Millais Rd. Enf —7D 156
Milland Ct. Borwd —3D 152
Millard Way. Hit —9C 22
Millbank. Hem H —6N 123
Mill Bri. Barn —8M 153
Mill Bridge. Hert —9A 94
Millbridge M. Hert —9A 94
Millbrook. Ware —5H 95
Millbrook Rd. Bush —3A 150
Mill Clo. Hem H —7C 124
Mill Clo. Hit —2C 34
Mill Clo. Lem —1G 110
Mill Clo. Pic E —7L 105
Mill Clo. Stot —6G 10
Mill Clo. Ware —6H 95
Mill Clo. W'grv —5A 60
Mill Corner. Barn —3M 153
Millcrest Rd. G Oak —1N 143
Millcroft. Bis S —8J 59
Mill End Clo. Eat B —4K 63
Miller Clo. Pinn —9L 161
Millers Clo. NW7 —4G 165
Millers Clo. Bis S —3E 78
Millers Ct. Hert —1B 114
Millersdale. H'low —9L 117
Millers Grn. Clo. Enf —5N 155
Millers La. Stan A —2N 115
Millers Lay. Dunst —7J 45
Millers Rise. St Alb —3F 126
Millers View. M Hud —7H 77
Millers Yd. Hert —9B 94
Mill Farm Clo. Pinn —9L 161
Millfield. Berk —9A 104
Mill Field. H'low —2E 118
Millfield. Wad —8J 75
Millfield. Wel G —8B 92
Millfield Ho. Wat —8E 148
Millfield La. Cad —5M 65
Millfield La. L Had —9N 57
Millfield La. St I —6N 33
Millfield Rd. Edgw —9C 164
Millfield Rd. Lut —6C 46
Millfields. Saw —4G 99
Millfields. Stans —3N 59
Millfield Wlk. Hem H —5C 124
Millfield Way. Cad —5N 65
Mill Gdns. Tring —2M 101
Mill Grn. La. Wel G —4K 111
Mill Grn. Rd. Wel G —1L 111
Mill Hatch. H'low —2C 118
Mill Hill. Bis S —2F 58
Mill Hill. R'ton —9E 8
Mill Hill. Stans —3N 59
Mill Hill Ind. Est. NW7 —6F 164
Millhouse La. Bedm —9J 125
Millhurst M. H'low —2G 118
Milliners Way. Lut —8E 46
Milling Rd. Edgw —7D 164
Mill La. E4 —5M 157
Mill La. Alb —3M 57
Mill La. Arl —8A 10
Mill La. Bar C —8D 18
Mill La. Bass —1L 7
Mill La. Brox —3K 133
Mill La. Chesh —1J 145
Mill La. Crox —8E 148
Mill La. Flam —6C 86
Mill La. Gos & St I —7N 33
Mill La. H'low —2G 119
Mill La. H'tn —9K 19
Mill La. K Lan —2C 136
Mill La. Mee —6K 29
Mill La. Saw —4H 99
Mill La. Stot —3F 10 (Astwick)
Mill La. Stot —6G 10 (Stotfield)
Mill La. Ther —4D 14
Mill La. Wat S —5K 73
Mill La. W'ton —1B 36
Mill La. W'grv —6B 60
Mill La. Clo. Brox —3K 133
Millmarsh La. Enf —4J 157
Mill Mead. Wend —9A 100
Mill Pl. Welw —2J 91
Mill Race. Stan A —2A 116
Mill Ridge. Edgw —5N 163
Mill River Trading Est. Enf —6J 157
Mill Rd. Hert —8B 94
Mill Rd. H Reg —5D 44
Mill Rd. R'ton —6D 8
Mill Rd. Slap —2A 62
Mill Rd. St I —7N 33
Millside. Bis S —3J 79
Mill Side. Stans —3M 59
Millstream Clo. Hert —9N 93
Mill St. A'wl —9M 5
Mill St. Berk —1N 121
Mill St. Bis S —3J 79
Mill St. H'low —8G 119
Mill St. Hem H —5N 123
Mill St. Lut —9F 46
Millthorne Clo. Crox —7B 148
Mill View Rd. Tring —2L 101
Millwards. Hat —3H 129
Millway. NW7 —4E 164
Millway. B Grn —7E 48
Mill Way. Bush —4N 149
Mill Way. Hit —8J 21
Mill Way. Rick —1J 159
Milman Clo. Pinn —9M 161
Milne Clo. Let —8H 23
Milne Feild. Pinn —7B 162
Milner Clo. Wat —7K 137
Milner Ct. Bush —8C 150
Milner Ct. Lut —9G 47
Milne Way. Hare —8L 159
Milton Av. Barn —7M 153
Milton Clo. R'ton —4C 8
Milton Ct. Hpdn —6C 88
Milton Ct. Hem H —5D 106
Milton Ct. Wal A —7N 145
Milton Dene. Hem H —6D 106
Milton Dri. Borwd —7B 152
Milton Ho. Ger X —4B 158
Milton Rd. NW7 —5G 164
Milton Rd. Ast C —1E 100
Milton Rd. Hpdn —6C 88
Milton Rd. Lut —2E 66
Milton Rd. Ware —5H 95
Milton St. Wal A —7N 145
Milton St. Wat —2K 149
Milton View. Hit —3C 34
Milton Wlk. H Reg —5G 45
Milton Way. H Reg —5G 45
Milverton Grn. Lut —2C 46
Milwards. H'low —9L 117
Mimas Rd. Hem H —8B 106
Mimms Hall Rd. Pot B —4K 141
Mimms La. Shenl & Pot B —6A 140
Mimram Clo. W'wll —1M 69
Mimram Pl. Welw —2J 91
Mimram Rd. Hert —1N 113
Mimram Rd. Welw —2J 91
Mimram Wlk. Welw —2J 91
Minehead Way. Stev —2G 50
Minerva Dri. Wat —9G 137
Minims, The. Hat —8G 110
Minister Ho. Hat —2G 128
Minorca Way. Lut —6K 45
Minsden Rd. Stev —7C 52
Minster Clo. Hat —2G 128
Minster Rd. R'ton —5C 8
Minstrel Clo. Hem H —1L 123
Misbourne Av. Chal P —5B 158
Misbourne Clo. Chal P —5B 158
Misbourne Vale. Chal P —5A 158
Missden Dri. Hem H —4E 124
Missenden Ho. Wat —9G 149 (off Chenies Way)
Miss Joans Ride. Kens —9B 64
Mistletoe Hill. Lut —9L 47
Mistley Rd. H'low —4C 118
Miswell La. Tring —2K 101
Mitchell. NW9 —8F 164 (off Concourse, The)
Mitchell Clo. Ab L —5J 137
Mitchell Clo. Bov —9C 122
Mitchell Clo. St Alb —6E 126
Mitchell Clo. Wel G —9B 92
Mitre Ct. Hert —9B 94

Mitre Gdns.—Newtondale

Mitre Gdns. Bis S —4J 79
Mixes Hill Rd. Lut —6H 47
Mixies, The. Stot —6E 10
Moakes, The. Lut —1A 46
Moat Clo. Bush —7C 150
Moat Clo. Wend —8A 100
Moat Cres. N3 —9N 165
Moatfield Rd. Bush —7C 150
Moat La. Lut —5D 46
Moat La. W'grv —6A 60
Moatside. Ans —4E 28
Moat Side. Enf —6H 157
Moat, The. Puck —6A 56
Moat View Ct. Bush —7C 150
Moatwood Grn. Wel G —1L 111
Mobbsbury Way. Stev —1A 52
Mobley Grn. Lut —6K 47
Moffats Clo. Brk P —8N 129
Moffats La. Brk P —9L 129
Moineau. NW9 —8F 164 (off Concourse, The)
Moira Clo. Lut —3N 45
Molescroft Ridge Av. Hpdn —3M 87
Molesworth. Hod —4L 115
Molewood Rd. Hert —7N 93
Mollison Av. Enf —8J 145
Mollison Way. Edgw —9N 163
Molteno Rd. Wat —2J 149
Momples Rd. H'low —6C 118
Monarchs Way. Wal X —6J 145
Monastery Clo. St Alb —2D 126
Monastery Gdns. Enf —4B 156
Moneyhill Ct. Rick —1L 159
Moneyhill Pde. Rick —1L 159
Money Hill Rd. Rick —1M 159
Money Hole La. Welw —8D 92
Monica Clo. Wat —4L 149
Monica Ct. Enf —7C 156
Monkfrith Av. N14 —8G 154
Monkfrith Clo. N14 —9G 154
Monkfrith Way. N14 —9F 154
Monklands. Let —5D 22
Monks Av. Barn —8B 154
Monksbury. H'low —9C 118
Monks Clo. Brox —2L 133
Monks Clo. Dunst —8H 45
Monks Clo. Enf —4A 156
Monks Clo. Let —5C 22
Monks Clo. Redb —1K 107
Monks Clo. St Alb —4F 126
Monks Horton Way. St Alb —9H 109
Monksmead. Borwd —6C 152
Monks Rise. Wel G —5K 91
Monks Rd. Enf —4A 156
Monks Row. Ware —5H 95
Monks View. Stev —7M 51
Monks Wlk. Bunt —3H 39
Monks Wlk. Wel G —5J 91
Monkswick Rd. H'low —4B 118
Monkswood. Wel G —6J 91
Monkswood Av. Wal A —6N 145
Monkswood Dri. Bis S —2F 78
Monkswood Gdns. Borwd —7D 152
Monkswood Retail Pk. Stev —6L 51
Monkswood Way. Stev —5L 51
Monmouth Rd. Wat —5K 149
Monroe Cres. Enf —3F 156
Monro Gdns. Harr —7F 162
Mons Clo. Hpdn —9E 88
Monson Rd. Brox —2K 133
Montacute Rd. Bush —9F 150
Montague Av. Lut —3M 45
Montague Rd. Berk —1M 121
Montayne Rd. Chesh —5H 145
Monterey Pl. Shopping Cen. NW7 —5E 164
Montesole Ct. Pinn —9L 161
Montfitchet Wlk. Stev —1C 52
Montgomerie Clo. Berk —8L 103
Montgomery Av. Hem H —1C 124
Montgomery Dri. Chesh —1J 145
Montgomery Rd. Edgw —6N 163
Monton Clo. Lut —3B 46
Montrose Av. Edgw —9C 164
Montrose Av. Lut —6D 46
Montrose Ct. NW9 —9C 164
Montrose Rd. Harr —9F 162
Montrose Wlk. Stan —6J 163
Monument La. Chal P —6B 158
Moon La. Barn —5M 153
Moorcroft. Edgw —8B 164
Moor End. Eat B —4K 63
Moorend. Wel G —3N 111
Moor End Clo. Eat B —4K 63
Moor End La. Eat B —3K 63
Moor End Rd. Hem H —3M 123
Moore Rd. Berk —8K 103
Moorfield Rd. Enf —3G 156
Moor Hall La. Thor —5D 78
Moor Hall Rd. H'low —2H 119
Moorhouse. NW9 —8F 164
Moorhouse Rd. Harr —9L 163
Moorhurst Av. G Oak —2M 143
Moorland Gdns. Lut —9F 46
Moorland Rd. Hpdn —3C 88
Moorland Rd. Hem H —4K 123
Moorlands. Frog —1F 138
Moorlands. Wel G —3N 111
Moorlands Av. NW7 —6H 165
Moorlands Reach. Saw —6H 99
Moor La. Rick —1B 160
Moor La. Sarr —9H 135
Moor La. Crossing. Wat —9E 148
Moormead Clo. Hit —4L 33
Moormead Hill. Hit —4L 33
Moor Mill La. Col S —2F 138 (in two parts)
Moor Pk. Wend —7A 100
Moor Pk. Ind. Cen. Wat —9E 148
Moor Pk. Rd. N'wd —5F 160
Moor Path. Lut —9F 46
Moorside. Hem H —5L 123
Moorside. Wel G —3N 111
Moors Ley. Walk —9F 36
Moors, The. Wel G —8N 91
Moor St. Lut —9E 46
Moors Wlk. Wel G —9B 92
Moortown Rd. Wat —4L 161
Moor View. Wat —9J 149
Moorymead Clo. Wat S —5J 73
Moray Clo. Edgw —2B 164
Morcom Rd. Dunst —2H 65
Morecambe Gdns. Stan —4L 163
Morecombe Clo. Stev —2H 51
Morefields. Tring —9M 81
Moreton Av. Hpdn —5A 88
Moreton Clo. NW7 —6J 165
Moreton Clo. Chesh —9F 132
Moreton End Clo. Hpdn —5A 88
Moreton End La. Hpdn —5A 88
Moreton Pl. Hpdn —4A 88
Moreton Rd. N. Lut —7J 47
Moreton Rd. S. Lut —7J 47
Morgan Clo. N'wd —6H 161
Morgan Clo. Stev —9K 35
Morgan's Clo. Hert —2B 114
Morgan's Rd. Hert —2B 114
Morgan's Wlk. Hert —3B 114
Morice Rd. Hod —6K 115
Morland Clo. Dunst —2D 64
Morland Way. Chesh —1J 145
Morley Cres. Edgw —2C 164
Morley Cres. E. Stan —9K 163
Morley Cres. W. Stan —9K 163
Morley Gro. H'low —4M 117
Morley Hill. Enf —2B 156
Morley La. Ware —3C 76
Mormead. Wal A —6N 145
Mornington. Welw —3N 91
Mornington Rd. E4 —9N 157
Mornington Rd. Rad —7H 139
Morpeth Av. Borwd —2N 151
Morpeth Clo. Hem H —3A 124
Morrell Clo. Lut —2C 46
Morrell Clo. New Bar —5B 154
Morris Clo. Chal P —8C 158
Morris Clo. Lut —1A 46 (in two parts)
Morriston Clo. Wat —5L 161
Morris Way. Lon C —8L 127
Morse Clo. Hare —9M 159
Morson Rd. Enf —8J 157
Mortain Dri. Berk —8K 103
Mortimer Clo. Bush —8C 150
Mortimer Clo. Lut —1B 66
Mortimer Dri. Enf —7C 156
Mortimer Ga. Chesh —9K 133
Mortimer Hill. Tring —2N 101
Mortimer Rise. Tring —2N 101
Mortimer Rd. R'ton —6E 8
Morton Clo. Pit —3A 82
Morton St. R'ton —6D 8
Morven Clo. Pot B —4B 142
Mossbank Av. Lut —9L 47
Mossborough Ct. N12 —6N 165
Moss Clo. Pinn —9A 162
Moss Clo. Rick —2N 159
Mossdale Ct. Leag —4M 45 (off Teesdale)
Mossendew Clo. Hare —8N 159
Moss Grn. Wel G —2L 111
Moss Hall Gro. N12 —6N 165
Moss La. Pinn —8N 161
Moss Rd. Wat —7K 137
Moss Side. Brick W —3A 138
Moss Way. Hit —1K 33
Moss Way. Stev —1B 52
Mostyn Rd. Bush —7D 150
Mostyn Rd. Edgw —7E 164
Mostyn Rd. Lut —5A 46
Mottingham Rd. N9 —8H 157
Motts Clo. Wat S —4J 73
Mott St. E4 & Lou —2N 157
Moulton Rise. Lut —9H 47
Mountbatten Clo. St Alb —5J 127
Mountbatten Ho. N'wd —6G 161
Mountbel Rd. Stan —8H 163
Mount Clo. Ast C —2E 100
Mount Clo. Cockf —6F 154
Mount Clo. Hem H —2J 123
Mount Dri. Park —7E 126
Mount Dri. Stans —4N 59
Mounteagle. R'ton —8D 8
Mt. Echo Dri. E4 —9M 157
Mountfield Path. Lut —7G 47
Mountfield Rd. N3 —9M 165
Mountfield Rd. Hem H —2A 124
Mountfield Rd. Lut —7G 47
Mountfitchet Rd. Stans —4N 59
Mt. Garrison. Hit —3N 33
Mt. Grace Rd. Lut —3L 47
Mt. Grace Rd. Pot B —4N 141
Mount Gro. Edgw —3C 164
Mountjoy. Hit —1C 34
Mt. Nugent. Che —9E 120
Mount Pde. Barn —6D 154
Mt. Pleasant. Barn —6D 154
Mt. Pleasant. Ger X —5B 158
Mt. Pleasant. Hare —8K 159
Mt. Pleasant. Hert H —2G 114
Mt. Pleasant. Hit —4L 33
Mt. Pleasant. St Alb —1C 126
Mt. Pleasant Clo. Hat —6J 111
Mt. Pleasant Cotts. N14 (off Wells, The) —9J 155
Mt. Pleasant La. Brick W —3N 137
Mt. Pleasant La. Hat —5J 111
Mt. Pleasant Rd. Lut —4A 46
Mount Rd. Barn —7D 154
Mount Rd. Hert —1M 113
Mount Rd. Wheat —6L 89
Mountside. Stan —8G 163
Mountsorrel. Hert —9D 94
Mount, The. Bar —3C 16
Mount, The. Chesh —8B 132
Mount, The. Lit —3H 7
Mount, The. Lut —9F 46
Mount, The. Pot B —3A 142
Mount, The. Rick —8M 147
Mount View. NW7 —3D 164
Mount View. Enf —2L 155
Mountview. Lon C —9M 127
Mount View. N'wd —6H 161
Mount View. Rick —1L 159
Mountview Av. Dunst —2H 65
Mt. View Rd. E4 —9N 157
Mountview Rd. Chesh —8C 132
Mountway. Pot B —3N 141
Mountway. Wel G —3M 111
Mountway Clo. Wel G —3M 111
Mowbray Cres. Stot —5F 10
Mowbray Gdns. Hit —5A 34
Mowbray Pde. Edgw —4A 164
Mowbray Rd. Edgw —4A 164
Mowbray Rd. H'low —4B 118
Mowbray Rd. New Bar —6B 154
Moxes Wood. Lut —2A 46
Moxon St. Barn —5M 153
Moyne Ho. Wel G —9B 92
Moynihan Dri. N21 —7K 155
Mozart Ct. Stev —4J 51
Muddy La. Let —8F 22
Mud La. Hpdn —1E 108
Muirfield. Lut —3G 47
Muirfield Clo. Wat —5L 161
Muirfield Grn. Wat —4K 161
Muirfield Rd. Wat —4K 161
Muirhead Way. Kneb —3M 71
Mulberry Clo. Barn —6C 154
Mulberry Clo. Brox —6K 133
Mulberry Clo. Lut —1D 66
Mulberry Clo. Park —1C 138
Mulberry Clo. Stot —7F 10
Mulberry Clo. Tring —1M 101
Mulberry Ct. Bis S —3J 79
Mulberry Ct. Hem H —1N 123
Mulberry Grn. H'low —2F 118
Mulberry Ter. H'low —2D 118
Mulberry Way. Hit —9L 21
Mullion Clo. Harr —8C 162
Mullion Clo. Lut —4K 47
Mullion Wlk. Wat —4M 161
Mullway. Let —5C 22
Mundells. Chesh —9E 132
Mundells. Wel G —7M 91
Munden Dri. Wat —1N 149
Munden Gro. Wat —2L 149
Munden Rd. D End —1C 74
Mundesley Clo. Stev —9H 35
Mundesley Clo. Wat —3L 161
Mungo Pk. Clo. Bush —2D 162
Munro Rd. Bush —7C 150
Muntings, The. Stev —6N 51
Munts Meadow. W'ton —1B 36
Murchison Rd. Hod —5M 115
Muriel Av. Wat —7L 149
Murray Cres. Pinn —8M 161
Murray Rd. Berk —9N 103
Murray Rd. N'wd —8G 160
Murrell La. Stot —7G 10
Murton Ct. St Alb —1F 126
Museum Ct. Tring —3M 101
Musgrave Clo. Barn —3B 154
Musgrave Clo. Chesh —9D 132
Muskalls Clo. Chesh —9E 132
Muskham Rd. H'low —3C 118
Musk Hill. Hem H —3H 123
Musleigh Mnr. Ware —6K 95
Musley Hill. Ware —5J 95
Musley La. Ware —5J 95 (in two parts)
Mussons Path. Lut —9G 46
Muswell Clo. Lut —3D 46
Mutchetts Clo. Wat —6N 137
Mutford Croft. Lut —8M 47
Mutton La. Pot B —4J 141
Myddelton Av. Enf —2C 156
Myddelton Clo. Enf —3D 156
Myddelton Gdns. N21 —9A 156
Myddleton Path. Chesh —4F 144
Myddleton Rd. Ware —7H 95
Myers Clo. Shenl —5M 139
Myles Clo. Chesh —2A 144
Mylne Clo. Chesh —9G 133
Mylne Ct. Hod —5L 115
Mymms Dri. Brk P —8N 129
Mymms Ho. N Mym —5J 129
Myrtle Clo. E Barn —9E 154
Myrtle Grn. Hem H —1H 123
Myrtle Gro. Enf —2B 156
Myrtleside Clo. N'wd —7F 160

Nags Head Rd. Enf —6G 157
Nails La. Bis S —1H 79
Nairn Clo. Hpdn —9E 88
Nairn Grn. Wat —3J 161
Nan Aires. W'grv —5A 60
Nan Clark's La. NW7 —2E 164
Nancy Downs. Wat —9L 149
Nancy's La. Saf W —3M 29
Napier. NW9 —8F 164
Napier Clo. Lon C —7L 127
Napier Ct. Chesh —1F 144
Napier Rd. Enf —7H 157
Napier Rd. Lut —1F 66
Napier Rd. Wat —6N 149
Nappsbury Rd. Lut —4N 45
Napsbury Av. Lon C —8K 127
Napsbury La. St Alb —5H 127
Nap, The. K Lan —2C 136
Nardini. NW9 —8F 164 (off Concourse, The)
Naresby Fold. Stan —6K 163
Narrowbox La. Stev —2B 52
Nascot Pl. Wat —4K 149
Nascot Rd. Wat —4K 149
Nascot St. Wat —4K 149
Nascot Wood Rd. Wat —1H 149
Naseby Rd. Lut —1D 66
Nash Clo. Els —6N 151
Nash Clo. H Reg —4G 45
Nash Clo. N Mym —5K 129
Nash Clo. Stev —3A 52
Nash Grn. Hem H —7B 124
Nash Rd. R'ton —8D 8
Nathan Ct. N9 —9G 156 (off Causeyware Rd.)
Nathaniel Wlk. Tring —1M 101
Nathans Clo. Welw —1J 91
National Westminster Ho. Borwd —5B 152
Nation Way. E4 —9N 157
Nayland Clo. Lut —8N 47
Naylor Gro. Enf —7H 157
Nazeing New Rd. Brox —3L 133
Nazeing Rd. Naze —4N 133
Neagle Clo. Borwd —3C 152
Neal Clo. N'wd —8J 161
Neal Ct. Hert —9A 94
Neal St. Wat —7L 149
Near Acre. NW9 —8F 164
Neatby Ct. Chesh —1H 145
Necton Rd. Wheat —7M 89
Needham Rd. Lut —3L 45
Neighbours Cotts. Tring —5B 102
Neild Way. Rick —9J 147
Nell Gwynn Clo. Shenl —5M 139
Nelson Av. St Alb —5J 127
Nelson Rd. Bis S —3J 79
Nelson Rd. Dagn —2N 83
Nelson Rd. Enf —8H 157
Nelson Rd. Stan —6K 163
Nelson St. Hert —8N 93
Neptune Clo. H Reg —3H 45 (off Parkside Dri.)
Neptune Ct. Borwd —5A 152
Neptune Dri. Hem H —9A 106
Neptune Sq. H Reg —3H 45
Nesbitts All. Barn —5M 153
Neston Rd. Wat —1L 149
Nestor Av. N21 —8N 155
Netherby Clo. Tring —9A 82
Netherby Gdns. Enf —6K 155
Nether Clo. N3 —7N 165
Nethercott Clo. Lut —8L 47
Nethercourt Av. N3 —6N 165
Netherfield La. Stan A —3A 116
Netherhall Rd. Roy —8C 116
Netherlands Rd. New Bar —8C 154
Netherstones. Stot —5F 10
Nether St. N3 & N12 —8N 165
Nether St. Wid —2H 97
Netherway. St Alb —5B 126
Netley Dell. Let —8H 23
Netteswell Dri. H'low —5N 117
Netteswell Orchard. H'low —5N 117
Netteswell Rd. H'low —4A 118
Netteswell Tower. H'low —5N 117
Nettle Clo. Lut —5H 45
Nettlecroft. Hem H —3L 123
Nettlecroft. Wel G —8A 92
Nettleden Rd. L Gad & Wat E —9A 84
Nevell's Grn. Let —4F 22
Nevells Rd. Let —5F 22
Neville Clo. Pot B —4M 141
Neville Rd. Lut —4C 46
Neville Rd. Pas. Lut —4C 46
Nevill Gro. Wat —3K 149
Newark Clo. R'ton —5C 8
Newark Grn. Borwd —5D 152
Newark Rd. Lut —7C 46
Newark Rd. Path. Lut —7C 46
New Barn La. L Hall —7K 79
New Barns La. M Hud —4G 77
New Bedford Rd. Lut —3E 46
Newberries Av. Rad —8J 139
Newbiggin Path. Wat —4L 161
Newbold Rd. Lut —2D 46
Newbolt Rd. Stan —5G 163
Newbury Av. Enf —2K 157
Newbury Clo. Bis S —9G 59
Newbury Clo. Lut —7A 46
Newbury Clo. Stev —9K 35
Newbury Rd. H Reg —3H 45
Newby Clo. Enf —4C 156
Newcastle Clo. Stev —7M 35
New Clo. Kneb —2M 71
New Clo. Lit —3J 7
Newcombe Pk. NW7 —5E 164
Newcombe Rd. Lut —1E 66
Newcome Path. Shenl —7A 140
Newcome Rd. Shenl —7A 140
New Cotts. Hit —4G 49
New Cotts. Mark —1A 86
New Cotts. Wal X —7G 145
New Ct. Wool G —6N 71
Newcourt Bus. Pk. H'low —9M 117
Newdigate Grn. Hare —8N 159
Newdigate Rd. Hare —8M 159
Newdigate Rd. E. Hare —8N 159
Newell La. Stev —3H 37
Newell Rise. Hem H —5A 124
Newell Rd. Hem H —5A 124
Newells Hedge. Pit —2B 82
Newells Way. Let —6K 23
New England Clo. St I —6N 33
New England St. St Alb —2D 126
New Farm La. N'wd —8G 161
Newfield La. Hem H —2A 124
Newfields. Wel G —1H 111
Newford Clo. Hem H —1D 124
New Ford Rd. Wal X —7K 145
Newgale Gdns. Edgw —8N 163
Newgate. Stev —5N 51
Newgate Clo. St Alb —8L 109
Newgate St. Hert —6J 131
Newgatestreet Rd. G Oak —1A 144
Newgate St. Village. Hert —6K 131
New Greens Av. St Alb —6E 108
Newground Rd. Ald —4E 102
Newhall Clo. Bov —9D 122
Newhaven. Stev —2A 52
Newhouse Cres. Wat —5K 137
New Ho. Pk. St Alb —5H 127
Newhouse Rd. Bov —8D 122
New Inn Rd. Hinx —9E 4
New Kent Rd. St Alb —2E 126
Newland Clo. Pinn —6N 161
Newland Clo. St Alb —5H 127
Newland Dri. Enf —3F 156
Newlands. Hat —7J 111
Newlands. Let —8G 22
Newlands Av. Rad —7G 138
Newlands Clo. Edgw —3M 163
Newlands Clo. E. Hit —6N 33
Newlands Clo. W. Hit —6N 33
Newlands La. Hit —6N 33
Newlands Pl. Barn —7K 153
Newlands Rd. Hem H —1H 123
Newlands Rd. Lut —4D 66
Newlands Wlk. Wat —6M 137
Newlands Way. Pot B —3A 142
Newlyn Clo. Brick W —3N 137
Newlyn Clo. Stev —3G 50
Newlyn Ho. Pinn —7A 162
Newlyn Rd. Barn —6M 153
Newman Av. R'ton —7F 8
Newmans Ct. Wat S —5J 73
Newmans Dri. Hpdn —5A 88
Newman's Way. Barn —3B 154
Newmarket Rd. R'ton —7E 8
New Mill Ter. Tring —9N 81
Newnham Clo. Lut —8M 47
Newnham Pde. Chesh —3H 145
Newnham Rd. Bald —5M 11
New Pde. Chor —6F 146
New Pk. Dri. Hem H —1D 124
New Pk. Rd. Hare —8M 159
New Park Rd. New S —6H 131
New Path. Bis S —2H 79
New Pl. Welw —3H 91
Newport Clo. Enf —1J 157
Newport Lodge. Enf —7C 156 (off Village Rd.)
Newport Mead. Wat —4M 161
Newports. Saw —6E 98
Newquay Gdns. Wat —2K 161
New River Av. Stan A —2M 115
New River Clo. Hod —7M 115
New River Ct. Chesh —4F 144
New River Trading Est. Chesh —8H 133
New Rd. NW7 —9F 152 (Highwood Hill)
New Rd. NW7 —7L 165 (Mill Hill)
New Rd. Ast C —1D 100
New Rd. Berk —9A 104
New Rd. Brox —1L 133
New Rd. Chal G —5B 146
New Rd. Chfd —3J 135
New Rd. Crox G —7C 148
New Rd. Els —8L 151
New Rd. H'low —2F 118
New Rd. Hert —7B 94
New Rd. Let H —3F 150
New Rd. L Had —1K 77
New Rd. Mel —1K 9
New Rd. N'chu —8J 103
New Rd. Rad —9F 138
New Rd. R'ton —1H 17
New Rd. Sarr —3J 147
New Rd. Shenl —7A 140
New Rd. S Mim —6G 140
New Rd. Ware —6H 95
New Rd. Wat —6L 149
New Rd. Welw —4M 91
New Rd. Wel G —3G 111
New Rd. Wils —7J 81
New Rd. Wool G —6N 71
Newstead. Hat —3F 128
New St. Berk —1A 122
New St. Ched —9L 61
New St. Lut —2F 66
New St. Saw —4G 98
New St. S End —7E 66
New St. Wat —6L 149
Newton Clo. Hpdn —9E 88
Newton Clo. Hod —4M 115
Newton Cres. Borwd —6C 152
Newtondale. Lut —4M 45

Newton Dri.—Old Pk. Ridings

ewton Dri. Saw —6F 98
ewton Ho. Borwd —5D 152
ewton Rd. Harr —9F 162
ewton Rd. Stev —3A 52
ewtons Way. Hit —4N 33
ewton Wlk. Edgw —8B 164
ew Town. Cod —7F 70
ewtown Rd. Bis S —2H 79
ew Town Rd. Lut —2G 67
ew Town St. Lut —2G 67
ew Villas. Tring —1D 102
ew Wlk. Shil —2A 20
ew Way La. Thr B —7K 119
ew Wood. Wel G —8B 92
ew Woodfield Grn. Dunst —2H 65
agara Clo. Chesh —2H 145
cholas Clo. St Alb —8E 108
cholas Clo. Wat —1K 149
cholas Pl. Stev —9K 35
cholas Rd. Els —8N 151
cholas Way. Dunst —9E 44
cholas Way. Hem H —9B 106
cholas Way. N'wd —9E 160
chol Clo. N14 —9J 155
cholls Clo. Bar C —8E 18
cholls Clo. Redb —1H 107
cholls Field. H'low —7C 118
chols Clo. Lut —7L 47
cholson Dri. Bush —1D 162
cola Clo. Harr —9E 162
col Clo. Chal P —8A 158
coll Way. Borwd —7D 152
col Rd. Chal P —8A 158
colson. NW9 —8E 164
dderdale. Hem H —8B 106
gel Ct. N3 —7N 165
ghthawk. NW9 —8F 164
ghtingale Clo. Lut —3L 47
ghtingale Clo. Rad —9G 139
ghtingale Ct. Chal G —4A 146
ghtingale Ct. Hert —9A 94
ghtingale Ct. Lut —9E 46
(off Waldeck Rd.)
ghtingale La. St Alb —5K 127
ghtingale Lodge. Berk —1M 121
ghtingale Pl. Rick —9N 147
ghtingale Rd. N9 —8G 157
ghtingale Rd. Bush —7B 150
ghtingale Rd. Hit —2N 33
ghtingale Rd. Rick —9M 147
ghtingale Rd. Wend —9A 100
ghtingales La. Chal G —5A 146
ghtingale Ter. Arl —9A 10
ghtingale Wlk. Hem H —5E 106
ghtingale Wlk. Stev —4B 52
ghtingale Way. Bald —5L 23
mbus Way. Hit —3C 34
mmo Dri. Bush —9E 150
mrod. NW9 —8E 164
nesprings Way. Hit —4B 34
infield Ct. Lut —6L 47
(off Telscombe Way)
nian Rd. Hem H —6A 106
nning's La. Welw —6L 71
nnings Rd. Chal P —7C 158
nnings Way. Chal P —7C 158
nth Av. Lut —2N 45
ton Clo. Barn —8K 153
ven Clo. Borwd —3C 152
obles, The. Bis S —2F 78
odes Dri. Stev —8N 51
oel. NW9 —8E 164
oke La. St Alb —8N 125
oke Shot. Hpdn —3D 88
oke Side. St Alb —9B 126
okeside. Stev —9A 52
okes, The. Hem H —9K 105
oke, The. Stev —9A 52
olton Pl. Edgw —8N 163
ook, The. Ware —2M 115
orbury Av. Wat —3L 149
orbury Gro. NW7 —3E 164
orcott Clo. Dunst —1G 64
orcott Ct. Berk —5H 103
orfolk Av. Wat —2L 149
orfolk Clo. Barn —6F 154
orfolk Gdns. Borwd —6D 152
orfolk Rd. Barn —5N 153
orfolk Rd. Bunt —2J 39
orfolk Rd. Dunst —2J 65
orfolk Rd. Enf —8F 156
orfolk Rd. Lut —1J 67
orfolk Rd. Rick —1A 160
orfolk Way. Bis S —4G 79
orman Av. Bis S —2F 78
orman Clo. Wal A —6N 145
orman Ct. Pot B —3B 142
orman Ct. Stans —2N 59
orman Cres. Pinn —8L 161
ormandy Av. Barn —7M 153
Normandy Ct. Hem H —1N 123
Normandy Dri. Berk —8M 103
Normandy Rd. St Alb —9E 108
Norman Rd. Bar C —7E 18
Norman Rd. Lut —7D 46
Norman Rd. Welw —4H 91
Normans Clo. Let —2F 22
Normans Field Clo. Bush —9C 150
Norman's La. R'ton —8D 8
Normans La. Welw —6L 71
Norman's Way. Stans —2N 59
Norman Way. Dunst —9B 44
Normill Ter. Ast C —9A 80
Norris. NW9 —8F 164
(off Concourse, The)
Norris Clo. Bis S —1L 79
Norris Gro. Brox —2J 133
Norris La. Hod —7L 115
Norris Rise. Hod —7K 115
Norris Rd. Hod —8L 115
Norry's Clo. Cockf —6E 154
Norry's Rd. Cockf —6E 154
North Acre. NW9 —8E 164
Northall Clo. Eat B —2H 63
Northall Rd. Eat B —3H 63
Northampton Rd. Enf —6J 157
North App. N'wd —2E 160
North App. Wat —8H 137
North Av. Let —3H 23
North Av. Shenl —5M 139
Northaw Clo. Hem H —6D 106
Northaw Rd. E. Cuff —4J 143
Northaw Rd. W. N'thaw —3E 142
North Barn. Brox —3M 133
N. Barnes Av. St Alb —5H 127
Northbridge Rd. Berk —8K 103
Northbrook Dri. N'wd —8G 160
N. Brook End. Stpl M —2C 6
Northbrook Rd. Barn —8L 153
Northbrooks. H'low —7M 117
Northchurch Comn. Berk —7K 103
N. Circular Rd. N3 —9N 165
Northcliffe. Eat B —2J 63
Northcliffe. Eat B —2J 63
Northcliffe Dri. N20 —1M 165
North Clo. Barn —7J 153
North Clo. R'ton —5C 8
North Clo. St Alb —7C 126
North Common. Redb —1J 107
North Comn. Rd. Redb —2J 107
Northcote. Pinn —9L 161
North Cotts. Naps —7H 127
Northcotts. Hat —8J 111
North Ct. Mark —2A 86
North Ct. Mill E —1K 159
North Cres. N3 —9M 165
North Dene. NW7 —3D 164
N. Down Rd. Chal P —6B 158
Northdown Rd. Hat —3G 128
N. Drift Way. Lut —2D 66
North Dri. H Cro —6J 75
North Dri. Oakl —9M 109
North End. Bass —1L 7
Northend. Hem H —4D 124
Northern Av. Henl —1J 21
Northfield. Brau —2C 56
Northfield. Hat —6H 111
Northfield. Puck —7B 56
Northfield Gdns. Wat —1L 149
Northfield Rd. Barn —5D 154
Northfield Rd. Borwd —3B 152
Northfield Rd. Enf —7F 156
Northfield Rd. Hpdn —3D 88
Northfield Rd. Saw —3G 99
Northfield Rd. Tring —9B 82
Northfield Rd. Wal X —5J 145
Northfields. Dunst —6D 44
Northfields. Let —2F 22
N. Forge Pl. Redb —1K 107
North Ga. H'low —5M 117
Northgate. N'wd —7E 160
Northgate. Stev —4K 51
Northgate Bus.Pk. Enf —5F 156
Northgate End. Bis S —9H 59
Northgate Path. Borwd —2N 151
Northgate Pl. Bis S —9H 59
(off Northgate End)
North Grn. NW9 —7E 164
North Gro. H'low —2C 118
North Hill. Chor —4H 147
Northiam. N12 —4N 165
(in two parts)
Northlands. Pot B —4C 142
N. Lodge. New Bar —7B 154
N. Luton Ind. Est. Lut —2L 45
Northolm. Edgw —4D 164
Northolme Gdns. Edgw —8A 164
Northolt Av. Bis S —8K 59
N. Orbital Rd. Rick & Den —6H 159
N. Orbital Rd. St Alb & Lon C —9B 126
N. Orbital Rd. Wat & St Alb —6H 137
North Orbital Trad. Est. St Alb —6H 127
North Pde. Edgw —9A 164
North Pl. H'low —1D 118
North Pl. Hit —1L 33
North Pl. Wal A —6M 145
North Ride. Welw —1J 91
Northridge Way. Hem H —3J 123
N. Riding. Brick W —3B 138
North Rd. N9 —9F 156
North Rd. Berk —1M 121
North Rd. Chor —7G 146
North Rd. Edgw —8B 164
North Rd. G'ley & Stev —7J 35
North Rd. Hert —6M 93
North Rd. Hod —7L 115
North Rd. Wal X —6J 145
North Rd. Av. Hert —8M 93
North Rd. Gdns. Hert —9N 93
Northside. Sandr —5J 109
N. Station Way. Dunst —8C 44
North St. Bis S —9H 59
North St. Lut —9G 46
(in three parts)
North Ter. Bis S —9H 59
Northumberland Av. Enf —3F 156
Northumberland Rd. New Bar —8B 154
N. View Cotts. Ware —3G 97
Northview Rd. H Reg —7D 44
Northview Rd. Lut —7H 47
North Way. NW9 —9B 164
Northway. Rick —9N 147
Northway. Wel G —5M 91
Northway Cir. NW7 —4D 164
Northway Cres. NW7 —4D 164
Northwell Dri. Lut —9A 30
N. Western Av. Wat —8F 136
Northwick Rd. Wat —4L 161
Northwold Dri. Pinn —9L 161
Northwood. Wel G —9C 92
Northwood Clo. Chesh —9D 132
Northwood Hills Cir. N'wd —8J 161
Northwood Rd. Hare —8M 159
Northwood Way. Hare —8N 159
Northwood Way. N'wd —7H 161
Nortoft Rd. Chal P —6C 158
Norton Almshouses. Chesh
(off Turner's Hill) —3H 145
Norton Bury La. Let —1J 23
Norton Clo. Borwd —3A 152
Norton Clo. Enf —4F 156
Norton Cres. Bald —3L 23
Norton Green Rd. Stev —5J 51
Norton Mill La. Let —9K 11
Norton Rd. Let —3G 22
Norton Rd. Lut —5B 46
Norton Rd. Stev —5K 51
Norton Rd. Stot —7G 10
Nortonstreet La. W'ton —2A 70
Norton Way N. Let —4G 22
Norton Way S. Let —5G 22
Norvic Rd. Mars —6M 81
Norwich Clo. Stev —9A 36
Norwich Ho. Borwd —4A 152
Norwich Rd. HA6 —9J 161
Norwich Wlk. Edgw —7C 164
Norwich Way. Crox G —5D 148
Norwood Clo. Hert —8L 93
Notley La. R'ton —2C 26
Nottingham Clo. Wat —6J 137
Nottingham Rd. Herons —9F 146
Novello Way. Borwd —3D 152
Nugents Ct. Pinn —8N 161
Nugents Pk. Pinn —8N 161
Nunfield. Chfd —4L 135
Nunnery Clo. St Alb —4F 126
Nunnery La. Lut —4D 46
Nunnery Stables. St Alb —4E 126
Nunns Rd. Enf —4A 156
Nunsbury Dri. Chesh —7J 133
Nun's Clo. Hit —3M 33
Nuns La. St Alb —6F 126
Nup End Clo. W'grv —5A 60
Nup End Ind. Est. Old K —4H 71
Nup End La. W'grv —5A 60
Nupton Dri. Barn —8J 153
Nurseries Rd. Wheat —8M 89
Nurseries, The. Eat B —2J 63
Nursery Clo. Bis S —2H 79
Nursery Clo. Dunst —9D 44
Nursery Clo. Enf —3H 157
Nursery Clo. Stev —9N 51
Nursery Fields. Saw —5F 98
Nursery Gdns. Enf —3H 157
Nursery Gdns. Tring —2N 101
Nursery Gdns. Ware —6J 95
Nursery Gdns. Wel G —6L 91
Nursery Hill. Wel G —6L 91
Nursery Pde. Lut —4A 46
Nursery Rd. N14 —9H 155
Nursery Rd. Bis S —2H 79
Nursery Rd. Hod —5M 115
Nursery Rd. Lut —4B 46
Nursery Rd. Naze —4N 133
Nursery Rd. Pinn —9L 161
Nursery Row. Barn —5L 153
Nursery Ter. Pott E —7E 104
Nursery Wlk. NW4 —9H 165
Nutcroft. D'wth —6C 72
Nutfield. Wel G —6N 91
Nut Gro. Wel G —6K 91
Nutleigh Gro. Hit —1L 33
Nut Slip. Bunt —4J 39
Nuttfield Clo. Crox G —8E 148
Nutt Gro. Edgw —2L 163
Nye Way. Bov —1D 134
Nymans Clo. Lut —6M 47

Oak Av. Brick W —3B 138
Oak Av. Enf —2L 155
Oakbank. Rad —9J 139
Oak Clo. N14 —9G 154
Oak Clo. Dunst —9G 44
Oak Clo. Hem H —6B 124
Oak Ct. N'wd —6F 160
Oakcroft Clo. Pinn —9K 161
Oakdale. N14 —9G 155
Oakdale. Wel G —6K 91
Oakdale Av. N'wd —9J 161
Oakdale Clo. Wat —4L 161
Oakdale Rd. Wat —3L 161
Oakdene. Chesh —3J 145
Oakdene Av. N'wd —9J 161
Oakdene Clo. Pinn —7A 162
Oakdene Pk. N3 —7M 165
Oakdene Rd. Hem H —6B 124
Oakdene Rd. Wat —9K 137
Oakdene Way. St Alb —2K 127
Oak Dri. Berk —2A 122
Oak Dri. Saw —7E 98
Oak End. Bunt —3H 39
Oak End. H'low —8B 118
Oaken Gro. Wel G —3L 111
Oak Farm. Borwd —7C 152
Oakfield. Rick —9J 147
Oakfield Av. Hit —5B 34
Oakfield Clo. Pot B —4M 141
Oakfield Ct. Borwd —5B 152
Oakfield Rd. N3 —8N 165
Oakfield Rd. Hpdn —1A 108
Oakfields. Stev —8A 52
Oakfields Av. Kneb —2N 71
Oakfields Clo. Stev —8B 52
Oakfields Rd. Kneb —2N 71
Oak Gdns. Edgw —9C 164
Oak Glade. N'wd —8D 160
Oak Grn. Ab L —5G 137
Oak Grn. Way. Ab L —5G 137
Oak Gro. Hat —9F 110
Oak Gro. Hert —2C 114
Oak Hall. Bis S —9G 58
Oakham Clo. Barn —5E 154
Oakhampton Rd. NW7 —7K 165
Oakhill. Let —7K 23
Oakhill Av. Pinn —9N 161
Oakhill Dri. Welw —1G 91
Oakhill Rd. Rick —4G 159
Oakhurst Av. Barn —9D 154
Oakhurst Av. Hpdn —9A 88
Oakhurst Rd. Enf —9H 145
Oakington. Wel G —9C 92
Oakington Av. Amer —3A 146
Oaklands. Berk —1L 121
Oaklands Av. N9 —8F 156
Oaklands Av. Brk P —9L 129
Oaklands Av. Wat —1K 161
Oaklands Clo. Bis S —7K 59
Oaklands Ct. Wat —3J 149
Oaklands Dri. Bis S —7K 59
Oaklands Dri. H'low —7E 118
Oaklands Ga. N'wd —6G 160
Oaklands Gro. Brox —6J 133
Oaklands La. Barn —6H 153
Oaklands La. Smal —9N 109
Oaklands Pk. Bis S —7K 59
Oaklands Rise. Welw —9M 71
Oaklands Rd. N20 —9M 153
Oaklands Rd. Chesh —8C 132
Oak La. Braz E —3A 120
Oak La. Cuff —1L 143
Oak La. G'ley —6H 35
Oaklea. Welw —9L 71
Oaklea Clo. Welw —8L 71
Oaklea Wood. Welw —9L 71
Oakleigh Av. N20 —9D 154
Oakleigh Av. Edgw —9B 164
Oakleigh Ct. Barn —8D 154
Oakleigh Ct. Bis S —9F 58
Oakleigh Ct. Edgw —9C 164
Oakleigh Dri. Crox G —8E 148
Oakleigh Gdns. Edgw —5N 163
Oakleigh Pk. N. N20 —9C 154
Oakleigh Pk. S. N20 —9D 154
Oakleigh Rd. Pinn —6A 162
Oakley Clo. Lut —5N 45
Oakley Rd. Hpdn —8E 88
Oakley Rd. Leag —5N 45
Oak Lodge Clo. Stan —5K 163
Oaklodge Way. NW7 —6F 164
Oakmead Ct. Stan —4K 163
Oak Meade. Pinn —6B 162
Oakmead Gdns. Edgw —4D 164
Oakmede. Barn —6K 153
Oakmere Av. Pot B —6B 142
Oakmere Clo. Pot B —4C 142
Oakmere La. Pot B —5B 142
Oak Path. Bush —8C 150
(off Mortimer Clo.)
Oak Piece Welw —9K 71
Oak Piece Ct. Welw —9L 71
Oakridge. Brick W —2A 138
Oakridge Av. Rad —7G 138
Oakridge La. A'ham & Rad —7E 138
Oak Rd. Lut —9D 46
Oak Rd. Wool G —7A 72
Oakroyd Av. Pot B —6M 141
Oakroyd Clo. Pot B —6M 141
Oaks Clo. Hit —5N 33
Oaks Clo. Rad —8G 139
Oaks Cross. Stev —8A 52
Oaks Retail Pk., The. H'low —3B 118
Oaks, The. Berk —1L 121
Oaks, The. Borwd —3A 152
Oaks, The. Enf —5N 155
(off Byculla Rd.)
Oaks, The. Lut —5N 45
Oaks, The. S End —7E 66
Oaks, The. Wat —1L 161
Oak St. Bis S —2H 79
Oak St. Hem H —6B 124
Oak Tree Clo. Ab L —5F 136
Oaktree Clo. Bis S —1H 79
Oaktree Clo. G Oak —1N 143
Oak Tree Clo. Hat —8G 110
Oak Tree Clo. Hert —3G 115
Oak Tree Clo. Stan —7K 163
Oaktree Ct. Els —8L 151
Oak Tree Ct. Welw —8L 71
Oak Tree Dri. N20 —1N 165
Oaktree Garth. Wel G —1L 111
Oak View. Bov —1E 134
Oakview Clo. Chesh —1F 144
Oak Wlk. Saw —7F 98
Oak Way. N14 —9G 154
Oak Way. Hpdn —1B 108
Oakway. Stud —9E 64
Oakwell Clo. Dunst —1C 64
Oakwell Clo. Stev —1C 72
Oak Wood. Berk —2K 121
Oakwood Av. N14 —9J 155
Oakwood Av. Borwd —6B 152
Oakwood Av. Dunst —2G 65
Oakwood Clo. N14 —8H 155
Oakwood Clo. Stev —7B 52
Oakwood Cres. N21 —8K 155
Oakwood Dri. Edgw —6C 164
Oakwood Dri. Lut —1M 45
Oakwood Dri. St Alb —1K 127
Oakwood Est. H'low —2D 118
Oakwood Lodge. N14 —8H 155
(off Avenue Rd.)
Oakwood Pk. Rd. N14 —9J 155
Oakwood Rd. Brick W —2A 138
Oakwood Rd. Pinn —9K 161
Oakwood View. N14 —8J 155
Oatfield Clo. Lut —5J 45
Oatlands Rd. Enf —3G 157
Oberon Clo. Borwd —3C 152
Occupation La. Roy —6E 116
Occupation Rd. Wat —7K 149
Octavia Ct. Wat —4M 149
Oddesey Rd. Borwd —3B 152
Oddy Hill. Wig —3A 102
Odhams Trading Est. Wat —1L 149
Offa Rd. St Alb —2D 126
Offas Way. Wheat —7L 89
Offham Slope. N12 —5M 165
Offley Hill. Offl —7D 32
Offley Rd. Hit —4L 33
Ogard Rd. Hod —6N 115
Ohio Cotts. Pinn —9L 161
Okeford Clo. Tring —2L 101
Okeford Dri. Tring —3L 101
Okeley La. Tring —3K 101
Old Airfield Ind. Est. Long M —1J 81
Old Barn La. Crox G —7B 148
Old Bedford Rd. Lut —3F 46
Old Bell Clo. Stans —3M 59
Old Bell Ct. Hem H —1N 123
Oldberry Rd. Edgw —6D 164
Old Brew Ho., The. Wheat —7K 89
Oldbury Rd. Enf —4E 156
Old Chantry. Stev —8G 34
Old Charlton Rd. Hit —4M 33
Old Chu. La. Stan —5J 163
Old Church La. Thun —9H 75
(in two parts)
Old Coach Rd., The. Col G —3E 112
Old College Ct. Ware —6G 95
Old Cotts. St Alb —2M 139
Old Ct. Grn. Pott E —8F 104
Old Crabtree La. Hem H —3A 124
Old Cross. Hert —9A 94
Old Dean. Bov —1D 134
Old Dri., The. Wel G —1H 111
Olden Mead. Let —8H 23
Old Farm. L Buzz —3B 82
Old Farm Av. N14 —9H 155
Old Field Clo. Chal G —3B 146
Oldfield Clo. Chesh —1J 145
Oldfield Clo. Stan —5H 163
Oldfield Ct. St Alb —3F 126
Oldfield Dri. Chesh —1J 145
Oldfield Rise. W'wll —1M 69
Oldfield Rd. Hem H —3H 123
Oldfield Rd. Lon C —7L 127
Old Fishery La. Hem H —5J 123
Old Fold Clo. Barn —3M 153
Old Fold La. Barn —3M 153
Old Fold View. Barn —5J 153
Old Forge Clo. Stan —4H 163
Old Forge Clo. Wat —6J 137
Old Forge Clo. Wel G —5M 91
Old Forge Rd. Enf —2D 156
Old French Horn La. Hat —8H 111
Old Gannon Clo. N'wd —4E 160
Old Garden Ct. St Alb —2D 126
Old Hale Way. Hit —1M 33
Old Hall Clo. Pinn —8N 161
Oldhall Ct. W'ton —1M 69
Old Hall Dri. Pinn —8N 161
Oldhall Rise. H'low —6G 118
Oldhall St. Hert —9B 94
Old Harpenden Rd. St Alb —7F 108
Old Herns La. Wel G —7B 92
Old Hertford Rd. Hat —7J 111
Old Highway. Hod —5M 115
Oldhill. Dunst —2F 64
Old Ho. Ct. Hem H —2B 124
Oldhouse Croft. H'low —4A 118
Oldhouse La. K Lan —8A 136
Old House La. Roy —9G 117
Old Ho. Rd. Hem H —2B 124
Oldings Corner. Hat —5H 111
Old Knebworth La. Old K —2J 71
Old La. Kneb —3N 71
Old Leys. Hat —4G 129
Old Lodge Way. Stan —5H 163
Old London Rd. H'low —7D 118
Old London Rd. Hert —9C 94
Old London Rd. St Alb —3F 126
Old Maltings, The. Bis S
(off Hockerill St.) —1J 79
Old Maple. Hem H —5B 106
Old Mead. Chal P —6B 158
Old Mill Gdns. Berk —1A 122
Old Mill La. L Hall —1K 99
Old Mill Rd. K Lan —6E 136
Old Nazeing Rd. Brox —3L 133
Old North Rd. R'ton —1B 8
Old Oak. St Alb —5F 126
Old Oak Clo. Arl —4A 10
Old Oak Gdns. N'chu —7J 103
Old Orchard. H'low —8N 117
Old Orchard. Lut —3F 66
Old Orchard. Park —8D 126
Old Orchard Clo. Barn —2C 154
Old Orchard M. Berk —2N 121
Old Pk. Av. Enf —7A 156
Old Parkbury La. Col S —3G 138
Old Pk. Gro. Enf —6A 156
Oldpark Ride. Wal X —5N 143
Old Pk. Ridings. N21 —8N 155

A-Z Hertfordshire 193

Old Pk. Rd.—Partingdale La.

Old Pk. Rd. *Enf* —5N **155**
Old Pk. Rd. *Hit* —3M **33**
Old Pk. Rd. S. *Enf* —6N **155**
Old Pk. View. *Enf* —5M **155**
Old Rectory Clo. *Hpdn* —5B **88**
Old Rectory Dri. *Hat* —9H **111**
Old Rectory Gdns. *Edgw* —6A **164**
Old Rectory Gdns. *Wheat* —6L **89**
Old Redding. *Harr* —5C **162**
Old Rd. *Bar C* —9E **18**
Old Rd. *Enf* —3G **156**
Old Rd. *H'low* —9E **98**
Old's App. *Wat* —1E **160**
Old Sax La. *Chart* —9B **120**
Old School Clo. *Cod* —7F **70**
Old School Clo. *Hal* —5B **100**
Old School Ct. *Eat B* —2J **63**
Old School Grn. *B'tn* —5J **53**
Old School Orchard. *Wat S* —5K **73**
Old School Wlk. *Arl* —8A **10**
Old School Wlk. *S End* —7E **66**
Old's Clo. *Wat* —9E **148**
Old Shire La. *Chor* —8D **146**
Old Sopwell Gdns. *St Alb* —4F **126**
Old South Clo. *H End* —8M **161**
Old Uxbridge Rd. *Rick* —5H **159**
Old Vicarage Gdns. *Mark* —2N **85**
Old Walled Garden, The. *Stev* —9J **35**
Old Watford Rd. *Brick W* —3N **137**
Old Watling St. *Flam* —3B **86**
Oldwood. *Welw* —9K **71**
Oliver Clo. *Hem H* —6A **124**
Oliver Clo. *Park* —9E **126**
Oliver Ct. *Chap E* —3C **94**
Oliver Rise. *Hem H* —6A **124**
Oliver Rd. *Hem H* —6B **124**
Oliver's Clo. *Pott E* —7F **104**
Oliver's La. *Stot* —6F **10**
Olive Taylor Ct. *Hem H* —7B **106**
*Olivia Ct. Enf —3A **156***
(off Chase Side)
Olivia Gdns. *Hare* —8M **159**
Olleberrie La. *Sarr* —4G **134**
Olma Rd. *Dunst* —7D **44**
Olwen M. *Pinn* —9M **161**
Olympic Clo. *Lut* —9A **30**
(in three parts)
Omega Ct. *Ware* —6H **95**
Omega Maltings. *Ware* —6J **95**
Onslow Clo. *Hat* —9H **111**
Onslow Gdns. *N21* —7M **155**
Onslow Pde. *N14* —9G **154**
Onslow Rd. *Lut* —4N **45**
On the Hill. *Wat* —2N **161**
Opening, The. *Cod* —8F **70**
Openshaw Way. *Let* —5F **22**
Oram Pl. *Hem H* —5N **123**
Orange Hill Rd. *Edgw* —7C **164**
Orbital Cres. *Wat* —8H **137**
Orchard Av. *N3* —9N **165**
Orchard Av. *N14* —8H **155**
Orchard Av. *Berk* —1L **121**
Orchard Av. *Hpdn* —6A **88**
Orchard Av. *Wat* —5K **137**
Orchard Clo. *Bar C* —1E **30**
Orchard Clo. *Bush* —1E **162**
Orchard Clo. *Chor* —6G **146**
Orchard Clo. *Cuff* —1K **143**
Orchard Clo. *Edgw* —6M **163**
Orchard Clo. *Els* —6N **151**
Orchard Clo. *Hem H* —9B **106**
Orchard Clo. *H Reg* —6E **44**
Orchard Clo. *Let* —3F **22**
Orchard Clo. *L Berk* —1H **131**
Orchard Clo. *Stan A* —2N **115**
Orchard Clo. *Rad* —1F **150**
Orchard Clo. *Srng* —7L **99**
Orchard Clo. *St Alb* —3G **127**
Orchard Clo. *St I* —7N **33**
Orchard Clo. *Ware* —5H **95**
Orchard Clo. *Wat* —4H **149**
Orchard Clo. *Wend* —8A **100**
Orchard Clo. *W'grv* —6A **60**
Orchard Ct. *N14* —8H **155**
Orchard Ct. *Bov* —9D **122**
Orchard Ct. *Edgw* —5N **163**
Orchard Ct. *New Bar* —5A **154**
Orchard Cres. *Edgw* —5C **164**
Orchard Cres. *Enf* —3D **156**
Orchard Cres. *Stev* —2J **51**
Orchard Croft. *H'low* —4C **118**
Orchard Dri. *Ast C* —1D **100**
Orchard Dri. *Chor* —5F **146**
Orchard Dri. *Edgw* —5N **163**
Orchard Dri. *Park* —9C **126**
Orchard Dri. *Roy* —7E **116**
Orchard Dri. *Wat* —3H **149**
Orchard End. *Edl* —4J **63**
Orchard Gdns. *Wal A* —7N **145**
Orchard Gro. *Chal P* —8A **158**
Orchard Gro. *Edgw* —8A **164**
Orchard Ho. La. *St Alb* —3E **126**
Orchard La. *H'low* —2G **119**
Orchard Lea. *Saw* —6E **98**
Orchardleigh Av. *Enf* —4G **156**
Orchard Mead. *Hat* —9F **110**
Orchardmede. *N21* —8B **156**
Orchard Pde. *Pot B* —4K **141**
Orchard Rd. *Bald* —2L **23**
Orchard Rd. *Barn* —6M **153**
Orchard Rd. *Bis S* —8K **59**
Orchard Rd. *Chal G* —2A **158**
Orchard Rd. *Enf* —7G **157**
Orchard Rd. *Hit* —1B **34**
Orchard Rd. *Pull* —3A **18**
Orchard Rd. *R'ton* —6B **8**
Orchard Rd. *Stev* —2J **51**
Orchard Rd. *Tew* —2B **92**
Orchard Rd. *Welw* —2J **91**
Orchard Sq. *Brox* —6K **133**
Orchards, The. *Eat B* —1H **63**
Orchards, The. *Saw* —4G **98**
Orchards, The. *Tring* —3L **101**
Orchard St. *Hem H* —6N **123**
Orchard St. *St Alb* —3D **126**
Orchard Ter. *Enf* —8E **156**
Orchard, The. *N14* —7G **155**
Orchard, The. *N21* —8B **156**
Orchard, The. *Ast C* —1D **100**
Orchard, The. *Bald* —3M **23**
Orchard, The. *Brox* —2L **133**
Orchard, The. *Cod* —7F **70**
Orchard, The. *Hal* —6B **100**
Orchard, The. *Hert* —6A **94**
Orchard, The. *K Lan* —2C **136**
Orchard, The. *Ton* —9D **52**
Orchard, The. *Wel G* —7K **91**
Orchard Way. *Bov* —1D **134**
Orchard Way. *B Grn* —8F **48**
Orchard Way. *Eat B* —3K **63**
Orchard Way. *Enf* —5C **156**
Orchard Way. *G Oak* —9N **131**
Orchard Way. *Kneb* —3L **71**
Orchard Way. *Let* —3F **22**
Orchard Way. *L Ston* —1J **21**
Orchard Way. *Lut* —5M **45**
Orchard Way. *Pit* —2C **82**
Orchard Way. *Pot B* —1A **142**
Orchard Way. *Rick* —9K **147**
Orchard Way. *R'ton* —5C **8**
Orchid Clo. *Dunst* —8B **44**
Orchid Grange. *N14* —9H **155**
Orchid Rd. *N14* —9H **155**
Orde. *NW9* —8F **164**
Ordelmere. *Let* —2F **22**
Ordnance Rd. *Enf* —1H **157**
Oregon Way. *Lut* —1C **46**
Orford Ct. *Stan* —6K **163**
Organ Hall Rd. *Borwd* —3M **151**
Oriole Way. *Bis S* —3E **78**
Orion Way. *N'wd* —4H **161**
Orlando Clo. *Hit* —4A **34**
Ormesby Dri. *Pot B* —5K **141**
Ormonde Rd. *N'wd* —4F **160**
Ormsby Clo. *Lut* —3G **66**
Ormskirk Rd. *Wat* —4M **161**
Oronsay. *Hem H* —4D **124**
Orphanage Rd. *Wat* —4L **149**
Orpington Clo. *Lut* —6K **45**
Orpington Mans. *N21* —9M **155**
Orton Clo. *St Alb* —7J **109**
Orwell Ct. *Wat* —4M **149**
Orwell View. *Bald* —2A **24**
Osborne Ct. *Lut* —3H **67**
Osborne Gdns. *Pot B* —3A **142**
Osborne Rd. *Brox* —1L **133**
Osborne Rd. *Chesh* —9J **133**
Osborne Rd. *Dunst* —1E **64**
Osborne Rd. *Enf* —4J **157**
Osborne Rd. *Lut* —2H **67**
Osborne Rd. *Pot B* —3A **142**
Osborne Rd. *Wat* —2L **149**
Osborne Way. *Wig* —5B **102**
Osborn Gdns. *NW7* —7K **165**
Osborn Rd. *Bar C* —8E **18**
Osborn Way. *Wel G* —8K **91**
Osbourne Av. *K Lan* —1B **136**
Osbourne Clo. *Cockf* —5E **154**
Osidge La. *N14* —9G **154**
Osmington Pl. *Tring* —2L **101**
Osprey Clo. *Wat* —7N **137**
Osprey Gdns. *Stev* —7C **52**
Osprey Ho. *Ware* —4G **95**
Osprey M. *Enf* —7G **156**
Osprey Wlk. *Lut* —4K **45**
Osterley Clo. *Stev* —1B **72**
Oster St. *St Alb* —1D **126**
Ostler Clo. *Bis S* —4E **78**
Oswald Rd. *St Alb* —3F **126**
Otley Way. *Wat* —3L **161**
Otter Gdns. *Hat* —1H **129**
Otterspool La. *Wat* —2N **149**
Otterspool Way. *Wat* —3B **150**
Ottoman Ter. *Wat* —5L **149**
Otways Clo. *Pot B* —5A **142**
Oudle La. *M Hud* —5J **77**
Oughton Clo. *Hit* —2L **33**
Oughtonhead La. *Hit* —2H **33**
Oughton Head Way. *Hit* —2L **33**
Oulton Cres. *Pot B* —4K **141**
Oulton Rise. *Hpdn* —4D **88**
Oulton Way. *Wat* —4A **162**
Oundle Av. *Bush* —8D **150**
Oundle Ct. *Stev* —9B **52**
Oundle Path. *Stev* —9B **52**
Oundle, The. *Stev* —8B **52**
Ousden Clo. *Chesh* —3J **145**
Ousden Dri. *Chesh* —3J **145**
Ouseley Way. *Kens* —8B **64**
Outfield Rd. *Chal P* —7A **158**
Outlook Dri. *Chal G* —3A **158**
Oval Ct. *Edgw* —7C **164**
Oval, The. *Brox* —6J **133**
Oval, The. *Henl* —1K **21**
Oval, The. *Stev* —9N **35**
Overbrook Wlk. *Edgw* —7A **164**
(in two parts)
Overchess Ridge. *Chor* —5J **147**
Overfield Rd. *Lut* —8L **47**
Overlord Clo. *Brox* —2J **133**
Overstone Rd. *Hpdn* —6D **88**
Overstone Rd. *Lut* —8N **45**
Overstrand. *Ast C* —1D **100**
Overstream. *Loud* —6L **147**
Overton Rd. *N14* —7K **155**
Overtrees. *Hpdn* —4A **88**
Oving Clo. *Lut* —7M **47**
Owens Way. *Crox G* —7C **148**
Owles La. *Bunt* —4K **39**
Oxcroft. *Bis S* —5H **79**
Oxendon Dri. *Hod* —9L **115**
Oxen Ind. Est. *Lut* —8H **47**
Oxen Rd. *Lut* —8H **47**
Oxfield Clo. *Berk* —2L **121**
Oxford Av. *St Alb* —3K **127**
Oxford Clo. *Chesh* —2H **145**
Oxford Gdns. *N21* —9A **156**
*Oxford Ho. Borwd —4A **152***
(off Stratfield Rd.)
Oxford Rd. *B Grn* —8F **48**
Oxford Rd. *Enf* —7F **156**
Oxford Rd. *Lut* —2G **67**
Oxford St. *Wat* —7K **149**
Oxhey Av. *Wat* —9M **149**
Oxhey Dri. *N'wd & Wat* —5K **161**
Oxhey La. *Wat & Harr* —1N **161**
Oxhey Ridge Clo. *N'wd* —4K **161**
Oxhey Rd. *Wat* —9L **149**
Ox La. *Hpdn* —4C **88**
Oxlease Dri. *Hat* —1H **129**
Oxleys Rd. *Stev* —6A **52**
Oxleys, The. *H'low* —2F **118**
Oysterfields. *St Alb* —1C **126**

Pacatian Way. *Stev* —1B **52**
Packhorse Clo. *St Alb* —8K **109**
Packhorse La. *Borwd* —1E **152**
Packhorse La. *Ridge* —3D **140**
Packhorse Pl. *Kens* —8M **65**
Paddick Clo. *Hod* —7K **115**
Paddock Clo. *Hun* —6G **96**
Paddock Clo. *Let* —6G **22**
Paddock Clo. *Lut* —5J **45**
Paddock Houses. *Wel G* —9A **92**
*Paddock Lodge. Enf —8C **144***
(off Village Rd.)
Paddock Rd. *Bunt* —2J **39**
Paddocks Clo. *Stev* —5A **52**
Paddocks, The. *Chor* —6J **147**
Paddocks, The. *Cockf* —5E **154**
Paddocks, The. *Cod* —7F **70**
Paddocks, The. *Hert H* —3F **114**
Paddocks, The. *St Alb* —1J **89**
Paddocks, The. *Stev* —5A **52**
Paddocks, The. *Wel G* —8A **92**
Paddocks, The. *Wend* —9A **100**
Paddock, The. *Bis S* —5F **78**
Paddock, The. *Brox* —2L **133**
Paddock, The. *Chal P* —6B **158**
Paddock, The. *Hat* —7G **110**
Paddock, The. *Hit* —5A **34**
Paddock Way. *Hem H* —2H **123**
Paddock Wood. *Hpdn* —8F **88**
Padstow Rd. *Enf* —3N **155**
Pageant Av. *NW9* —8E **164**
Pageant Rd. *St Alb* —3E **126**
Page Clo. *Bald* —5M **23**
Page Hill. *Ware* —5G **94**
Page Meadow. *NW7* —7H **165**
Page Rd. *Hert* —9E **94**
Pages Clo. *Bis S* —3F **78**
Pages Croft. *Berk* —8L **103**
Page St. *NW7* —8G **165**
Paget Cotts. *Ware* —1D **74**
*Paget Ho. Ger X —4B **158***
(off Micholls Av.)
Pagitts Gro. *Barn* —3A **154**
Paines Clo. *Pinn* —9N **161**
Paines La. *Pinn* —8N **161**
Paines Orchard. *Ched* —8M **61**
Painters La. *Enf* —8J **145**
Palace Clo. *K Lan* —3B **136**
Palace Gdns. *Enf* —6B **156**
Palace Gdns. *R'ton* —7C **8**
Palace Gdns. Shopping Cen. *Enf* —6B **156**
Palace M. *Enf* —5B **156**
Palfrey Clo. *St Alb* —9E **108**
Pallas Rd. *Hem H* —9B **106**
Palma Clo. *Dunst* —6C **44**
Palmer Av. *Bush* —7C **150**
Palmer Clo. *Hert* —7A **94**
Palmer Ct. *Chap E* —3C **94**
Palmer Gdns. *Barn* —7K **153**
Palmer Rd. *Hert* —7B **94**
Palmers La. *Chris* —1M **17**
Palmers La. *Enf* —3F **156**
Palmers Rd. *Borwd* —3B **152**
Palmerston Clo. *Wel G* —9J **91**
Palmerston Ct. *Stev* —2A **52**
Palmers Way. *Chesh* —2J **145**
Pamela Av. *Hem H* —5B **124**
Pamela Ct. *N12* —6N **165**
Pamela Gdns. *Bis S* —5H **79**
Pams La. *Kim* —7L **69**
Pancake La. *Hem H* —3F **124**
Pangbourne Dri. *Stan* —5L **163**
Pank Av. *Barn* —7B **154**
Pankhurst Cres. *Stev* —4B **52**
Pankhurst Pl. *Wat* —5M **149**
Panshanger Dri. *Wel G* —9A **92**
Panshanger La. *Pan A & Col G* —9E **92**
Pantiles, The. *Bush* —1E **162**
Panxworth Rd. *Hem H* —4N **123**
Paper Mill La. *Stdn* —8B **56**
Parade, The. *Dunst* —8D **44**
*Parade, The. Let —2F **22***
(off Southfields)
Parade, The. *Wat* —5K **149**
(High St. Watford)
Parade, The. *Wat* —3N **161**
(Prestwick Rd.)
Paradise. *Par I* —3N **123**
Paradise Clo. *Chesh* —9F **132**
Paradise Hill. *Brox* —7E **132**
Paradise Ho. *Chesh* —7E **132**
Paradise Rd. *Wal A* —7N **145**
Paringdon Rd. *H'low* —9L **117**
Parishes Mead. *Stev* —5C **52**
Park Av. *Bis S* —5H **79**
Park Av. *Bush* —4M **149**
Park Av. *Chor* —7K **147**
Park Av. *Enf* —7B **156**
Park Av. *H'low* —9E **118**
Park Av. *H Reg* —4F **44**
Park Av. *Lut* —2M **45**
Park Av. *Pot B* —7B **142**
Park Av. *Rad* —6J **139**
Park Av. *St Alb* —1H **127**
Park Av. *Tot* —1M **63**
Park Av. *Wat* —6J **149**
Park Av. Maisonettes, The. *Bush* —4A **150**
Park Av. N. *Hpdn* —6N **87**
Park Av. S. *Hpdn* —6N **87**
Park Av. Trad. Est. *Lut* —2M **45**
Park Bungalows. *L Hall* —9N **79**
Park Clo. *Bald* —4L **23**
Park Clo. *Brk P* —8N **129**
Park Clo. *Bush* —5M **149**
Park Clo. *Harr* —8F **162**
Park Clo. *Hat* —8J **111**
Park Clo. *Mark* —2N **85**
Park Clo. *Rick* —4D **160**
Park Clo. *Stev* —8A **52**
Park Cotts. *L Hall* —3N **99**
Park Ct. *H'low* —4N **117**
Park Cres. *Bald* —4L **23**
Park Cres. *Els* —5N **151**
Park Cres. *Enf* —6B **156**
Park Cres. *Harr* —8F **162**
Park Croft. *Edgw* —8C **164**
Park Dri. *N21* —8A **156**
Park Dri. *Bald* —4L **23**
Park Dri. *Har W* —6E **162**
Park Dri. *Pot B* —4A **142**
Park Dri. *Puck* —6A **56**
Parker Av. *Hert* —7B **94**
Parker Clo. *Let* —7E **22**
Parkers. *Ber* —2D **42**
Parker's Field. *Stev* —5B **52**
Parker St. *Wat* —3K **149**
Park Farm Ind. Est. *Bunt* —1H **39**
Park Farm La. *Nuth* —1F **28**
Parkfield. *Chor* —6J **147**
Parkfield. *Let* —7K **23**
Parkfield Av. *Harr* —9D **162**
Parkfield Clo. *Edgw* —6B **164**
Parkfield Cres. *Harr* —9D **162**
Parkfield Cres. *Kim* —7L **69**
Parkfield Gdns. *Harr* —9C **162**
Parkfield Ho. *N Har* —8C **162**
Parkfield Rd. *Mark* —2N **85**
Park Fields. *Roy* —6D **116**
Parkfields. *Wel G* —9K **91**
Park Gdns. *Bald* —4L **23**
Park Ga. *N21* —9L **155**
Park Ga. *Hit* —4N **33**
Parkgate Av. *Barn* —3B **154**
Parkgate Cres. *Barn* —3B **154**
Parkgate Rd. *Wat* —1L **149**
Park Gro. *Chal G* —5A **146**
Park Gro. *Edgw* —5N **163**
Pk. Hill. *H'low* —3D **118**
Park Hill. *Hpdn* —5A **88**
Parkhill Rd. *E4* —9N **157**
Pk. Hill Rd. *Hem H* —2L **123**
Park Ho. *N21* —9L **155**
Park Ho. *Berk* —9M **103**
Park Ho. *Wel G* —8K **91**
Parkhouse La. *R'ton* —1N **17**
Parkhurst Rd. *Hert* —8N **93**
Parkinson Clo. *Wheat* —7L **89**
Parkland Clo. *Hod* —5M **115**
Parkland Dri. *Lut* —3F **66**
Parklands. *R'ton* —7E **8**
Parklands. *Wal A* —6N **145**
Parklands Clo. *Barn* —2C **154**
Parklands Dri. *St Alb* —3B **126**
Park La. *Bis S* —4H **79**
Park La. *Brox* —1J **133**
Park La. *Chesh* —8D **132**
Park La. *Col H* —5B **128**
Park La. *Eat B* —2H **63**
Park La. *Hare* —8K **159**
Park La. *H'low* —4N **117**
Park La. *Hem H* —3N **123**
Park La. *Kim* —7K **69**
Park La. *Old K* —3H **71**
Park La. *Puck* —6A **56**
Park La. *R'ton* —7J **17**
Park La. *Stan* —3H **163**
Park La. *Wal X* —6G **145**
Park La. *Welw* —2E **92**
Park La. Paradise. *Brox & Chesh* —6E **132**
Parklea Clo. *NW9* —8E **164**
Park Mead. *H'low* —5L **117**
*Parkmead. Lut —2H **67***
(off Park St.)
Parkmead Gdns. *NW7* —6F **164**
Park Meadow. *Hat* —8J **111**
Park Mt. *Hpdn* —4A **88**
Park Nook Gdns. *Enf* —1B **156**
Park Pl. *Hare* —8M **159**
Park Pl. *Park* —9E **126**
Park Pl. *Stev* —4K **51**
Park Rise. *Hpdn* —4N **87**
Park Rise. *Harr* —8F **162**
Pk. Rise. *N'chu* —8J **103**
Park Rise Clo. *Hpdn* —4N **87**
Park Rd. *N14* —9J **155**
Park Rd. *Bush* —8B **150**
Park Rd. *Dunst* —1G **64**
Park Rd. *Enf* —9J **145**
Park Rd. *Hem H* —4M **123**
Park Rd. *Hert* —9C **94**
Park Rd. *H Bar* —6M **153**
Park Rd. *Hod* —8L **115**
Park Rd. *New Bar* —6C **154**
Park Rd. *N'thaw* —3F **142**
Park Rd. *Rad* —8H **139**
Park Rd. *Rick* —9N **147**
Park Rd. *Stans* —3N **59**
Park Rd. *Tring* —4L **101**
Park Rd. *Wal X* —6H **145**
Park Rd. *Ware* —6E **94**
Park Rd. *Wat* —3J **149**
Park Rd. N. *H Reg* —4F **44**
Parkside. *N3* —8N **165**
Parkside. *NW7* —6G **164**
Parkside. *Mat T* —3N **119**
Parkside. *Pot B* —5B **142**
Parkside. *Wal X* —7J **145**
Parkside. *Wat* —8L **149**
Parkside. *Welw* —2J **91**
Parkside. *Wyd* —9H **27**
Parkside Clo. *H Reg* —4G **4**
Parkside Dri. *Edgw* —3A **16**
Parkside Dri. *H Reg* —4F **44**
Parkside Dri. *Wat* —4G **149**
Parkside Gdns. *E Barn* —9E **1**
Parkside Rd. *N'wd* —5H **161**
Park Sq. *Lut* —1G **67**
Park St. *Bald* —3L **23**
Park St. *Berk* —9M **103**
Park St. *Dunst* —8D **44**
Park St. *Hat* —8J **111**
Park St. *Hit* —4M **33**
Park St. *Lut* —1G **67**
Park St. *St Alb* —8E **126**
Park St. *Tring* —3M **101**
Park St. La. *Park* —3C **138**
Park St. W. *Lut* —2G **67**
Park Ter. *Bass* —1M **7**
Park Ter. *Enf* —2J **157**
Park Ter. *M Hud* —5J **77**
Park, The. *Redb* —2K **107**
Park, The. *St Alb* —9H **109**
Park Viaduct. *Lut* —2G **67**
Park View. *N21* —9L **155**
Park View. *Hat* —7J **111**
Park View. *Hod* —8L **115**
Park View. *Pinn* —8A **162**
Park View. *Stev* —8A **52**
Park View Clo. *Lut* —3N **45**
Park View Clo. *St Alb* —3H **1**
Park View Cotts. *Bis S* —5J
Park View Ct. *Berk* —1M **12**
Parkview Ct. *Har W* —7F **16**
Pk. View Dri. *Mark* —1N **85**
Parkview Ho. *N9* —9F **156**
Parkview Ho. *Wat* —8M **149**
Park View Rd. *Berk* —1M **12**
Park View Rd. *Pinn* —7K **16**
Park Wlk. *Barn* —5C **154**
Park Way. *Edgw* —8B **164**
Park Way. *Enf* —4M **155**
Parkway. *H'low* —6H **117**
Park Way. *Hit* —4M **33**
Parkway. *H Reg* —3H **45**
Park Way. *Rick* —1M **159**
Parkway. *Saw* —6G **99**
Parkway. *Stev* —8N **51**
Parkway. *Wel G* —1J **111**
(in two parts)
Parkway Clo. *Wel G* —9J **91**
Parkway Ct. *St Alb* —5J **127**
Parkway Gdns. *Wel G* —1J **1**
Parkwood Clo. *Brox* —1K **13**
Parkwood Dri. *Hem H* —2J **12**
*Parliament Sq. Hert —1B **11***
(off Queen's Rd.)
Parnall Rd. *H'low* —9N **117**
Parndon Mill La. *H'low* —3L **1**
Parnell Clo. *Ab L* —3H **137**
Parnell Clo. *Edgw* —4B **164**
Parnel Rd. *Ware* —5K **95**
Parpins. *K Lan* —1A **136**
Parr Cres. *Hem H* —6D **106**
Parrish Clo. *Hem H* —4E **124**
Parrot Clo. *Dunst* —8H **45**
Parrots Clo. *Crox G* —6C **14**
Parrots Field. *Hod* —7M **115**
Parrott's La. *Buck C* —2A **12**
Parr Rd. *Stan* —8M **163**
*Parry Cotts. Ger X —4B **158***
(off Chesham La.)
Parsonage Clo. *Ab L* —3G **13**
Parsonage Clo. *Tring* —2M **1**
Parsonage Ct. *Tring* —3M **10**
Parsonage Farm. *W'grv* —5A
Parsonage Farm Trad. Est. *Stans* —6N
Parsonage Gdns. *Enf* —4A **1**
Parsonage La. *Alb* —3J **57**
Parsonage La. *Ber* —1D **42**
Parsonage La. *Bis S* —9K **59**
Parsonage La. *Enf* —4A **156**
Parsonage La. *N Mym* —5H **1**
Parsonage La. *Saw* —1F **98**
Parsonage La. *Stans* —6N **5**
Parsonage Leys. *H'low* —6B **1**
Parsonage Pl. *Tring* —3M **10**
Parsonage Rd. *N Mym* —5H
Parsonage Rd. *Rick* —9N
Parson's Clo. *Flam* —6D **86**
Parson's Cres. *Edgw* —3A **1**
Parsons Grn. Ind. Est. *Stev* —8B
Parson's Gro. *Edgw* —3A **16**
Parson St. *NW4* —9J **165**
Parthia Clo. *R'ton* —7E **8**
Partingdale La. *NW7* —5K **1**

194 A-Z Hertfordshire

Parton Clo.—Poulteney Rd.

ton Clo. Wend —9A 100
tridge Clo. Barn —8J 153
tridge Clo. Bush —1D 162
tridge Clo. Che —9J 121
tridge Clo. Lut —4K 45
tridge Ct. H'low —8A 118
tridge Hill. A'wl —1B 12
tridge Rd. H'low —8N 117
tridge Rd. St Alb —7E 108
va Clo. Hpdn —9E 88
vills Rd. Wal A —5N 145
ys Rd. Lut —3D 46
cal Way. Let —3H 23
comb Rd. Dunst —9C 44
efield. Wal A —6N 145
field. Wal A —5N 145
sfield Cotts. Ware —7K 75
singham Av. Hit —4A 34
smore Edwards Ho. Ger X —5B 158
teur Clo. NW9 —9E 164
ton Rd. Hem H —9N 105
ture Clo. Bush —9D 150
ture La. B Grn —9F 48
ture Rd. Let —8E 22
tures, The. N20 —1M 165
tures, The. Edl —5K 63
tures, The. Hat —1H 129
tures, The. Hem H —1H 123
tures, The. St Alb —6B 126
tures, The. Stev —1C 52
tures, The. Ware —4G 94
tures, The. Wat —9L 149
tures, The. Wel G —2N 111
tures Way. Lut —4J 45
hway, The. Rad —9H 139
hway, The. Wat —1M 161
Larner Ho. St Alb —3E 126
ff Belmont Hill)
more Clo. Bis S —9E 58
more Fields. Ugley —4N 43
more Link Rd. Hem H —2E 124
icia Gdns. Bis S —3G 79
erdale Clo. Dunst —1E 64
erson Rd. Che —9F 120
lin Dri. N21 —9M 155
ls Grn. Wal X —6J 145
ls La. Hod —8L 115
ilion M. N3 —9N 165
ilion Way. Amer —3A 146
ilion Way. Edgw —7B 164
fold. Stan —6L 163
ton Rd. Berk —1A 122
ton Rd. St Alb —3F 126
cock Rd. H'low —8K 117
ne End. S'don —2N 25
nes Clo. Let —2G 23
nesfield Rd. Bush —9G 150
nes La. Wal A —7N 133
ne's Pk. Hit —3M 33
ce Clo. N14 —7G 155
ce Clo. Chesh —2F 144
ce Gro. Welw —9N 71
ce Prospect. Wat —5J 149
ch Ct. Lut —2H 67
cock Av. Wel G —9B 92
cocks. H'low —8J 117
cocks Clo. Berk —8K 103
kes La. Chesh —9D 132
kes Pl. St Alb —2G 127
ff Granville Rd.)
kes Way. Chesh —9D 132
La. N'chu —9G 103
rces Wlk. St Alb —3E 126
ff Albert St.)
reswood Gdns. Stan —8L 163
rman Dri. D End —1C 74
rsall Clo. Let —6H 23
rson Av. Hert —3A 114
rson Clo. Hert —2A 114
tree Clo. Hem H —1K 123
Tree Clo. L Ston —1J 21
tree Clo. Wel G —9L 91
tree Ct. Wat —9M 137
tree Ct. Wel G —1L 111
Tree Dell. Let —8H 23
tree La. Wel G —1L 111
Tree Mead. H'low —9C 118
tree Rd. Enf —5C 156
tree Rd. Hem H —1K 123
tree Rd. Lut —5L 47
Tree Wlk. Chesh —8B 132
tree Way. Stev —6N 51
scroft Rd. Hem H —5C 124
secroft. Cot —3A 38
smead. Bunt —4J 39
olemoor. Edl —5J 63
Ct. Bar C —7D 18
ars La. Ther —5C 14
ey Hill. Hem H & Stud —8D 84

Peel Cres. Hert —6N 93
Peel La. NW9 —9G 164
Peel Pl. Lut —1F 66
Peel St. H Reg —4E 44
Peel St. Lut —1F 66
Peerglow Cen. Ware —7J 95
Peerglow Est. Enf —7G 156
Pegasus Ct. Ab L —5H 137
Peggs La. Buck —1E 100
Pegmire La. A'ham —3D 150
Pegrams Rd. H'low —9M 117
Pegsdon Clo. Lut —2D 46
Pegsdon Way. Hit —1M 31
Pegs La. Hert —1B 114
Pegs La. Wid —2G 97
Peitley Cotts. Mark —6C 86
Peldon Rd. H'low —8K 117
(in two parts)
Pelham Ct. Hem H —2E 124
Pelham Ct. Wel G —1B 112
Pelham Rd. Brau —2C 56
Pelhams, The. Wat —8M 137
Pelican Way. Let —2F 22
Pemberton Clo. St Alb —5E 126
Pembridge Chase. Bov —1C 134
Pembridge Clo. Bov —1C 134
Pembridge La. Brox —3B 132
Pembridge Rd. Bov —1D 134
Pembroke Av. Enf —2F 156
Pembroke Av. Harr —9H 163
Pembroke Av. Lut —6A 46
Pembroke Clo. Brox —5J 133
Pembroke Dri. G Oak —2N 143
Pembroke Lodge. Stan —6K 163
Pembroke Pl. Edgw —7A 164
Pembroke Rd. Bald —3M 23
Pembroke Rd. N'wd —3E 160
Pemsel Ct. Hem H —4A 124
Penda Clo. Lut —3B 46
Pendall Clo. Barn —6D 154
Pendennis Ct. Hpdn —8E 88
Pendley Beeches. Tring —3B 102
Penfold Rd. N9 —9H 157
Pengelly Clo. Chesh —3F 144
Penham Clo. Park —9B 126
Penhill. Lut —3A 46
Penlow Rd. H'low —9N 117
Penman's Grn. K Lan —6J 135
Penn Clo. Chor —8G 146
Penn Ct. NW9 —9D 164
Penne Clo. Rad —7H 139
Penn Gaskell La. Chal P —5C 158
Penn Ho. Ger X —5B 158
Pennine Av. Lut —1M 45
Pennine Way. Hem H —8B 106
Pennington Dri. N21 —7L 155
Pennington La. Stans —1M 59
Pennington Rd. Chal P —7A 158
Penningtons. Bis S —3E 78
Penn Pl. Rick —9N 147
Penn Rd. Chal P —8A 158
Penn Rd. Park —9D 126
Penn Rd. Rick —1J 159
Penn Rd. Stev —4L 51
Penn Rd. Wat —3K 149
Penn Way. Chor —8G 146
Penn Way. Let —8H 23
Penny Croft. Hpdn —2B 108
Pennyfathers La. Welw —3N 91
Pennymead. H'low —5C 118
Penrith Av. Dunst —1E 64
Penrose Av. Wat —2N 161
Penrose Ct. Hem H —7A 106
Penscroft Gdns. Borwd —6D 152
Penshurst. H'low —3D 118
Penshurst Clo. Chal P —9A 158
Penshurst Clo. Hpdn —3M 87
Penshurst Gdns. Edgw —5B 164
Penshurst Rd. Pot B —4C 142
Pensilver Clo. Barn —6D 154
Penstemon Clo. N3 —6N 165
Penta Ct. Borwd —6A 152
Pentagon Pk. Hem I —9E 106
Pentavia Retail Pk. NW7 —7F 164
Pentland. Hem H —8B 106
Pentland Av. Edgw —2B 164
Pentland Rd. Bush —8D 150
Pentley Clo. Wel G —6K 91
Pentley Pk. Wel G —6K 91
Penton Dri. Chesh —2H 145
Pentrich Av. Enf —2E 156
Penylan Pl. Edgw —7A 164
Penzance Clo. Hare —9N 159
Peplins Clo. Brk P —8L 129
Peplins Way. Brk P —7L 129

Pepper All. Bald —3M 23
Pepper Clo. Bass —1N 7
Peppercorn Wlk. Hit —3B 34
Pepper Ct. Bald —3L 23
Pepper Hill. Gt Amw —1K 115
Peppett's Grn. Che —5B 120
Peppiates, The. Dunst —4G 62
Pepsal End. Stev —9A 52
Pepsal End Rd. Pep —1E 86
Pepys Cres. Barn —7J 153
Pepys Way. Bald —3L 23
Percheron Dri. Lut —6K 45
Percheron Rd. Borwd —8D 152
Perch Meadow. Hal —6A 100
Percival Ct. Chesh —3J 145
Percival Rd. Enf —6D 156
Percival Way. Lut A —1L 67
Percy Gdns. Enf —7H 157
Percy Rd. N21 —9A 156
Percy Rd. Wat —6K 149
Peregrine Clo. Bis S —2F 78
Peregrine Clo. Wat —7N 137
Peregrine Ho. Ware —4G 94
Peregrine Rd. Lut —5K 45
Perham Way. Lon C —8L 127
Perivale Gdns. Wat —7K 137
Periwinkle Clo. B'wy —7N 15
Periwinkle La. Dunst —1F 64
Periwinkle La. Hit —1N 33
Permain Clo. Shenl —6L 139
Perowne Way. Puck —6B 56
Perram Clo. Brox —8J 133
Perriors Clo. Chesh —9E 132
Perry Dri. R'ton —6E 8
Perry Grn. Hem H —6C 106
Perry Mead. Bush —8D 150
Perry Mead. Enf —4N 155
Perrymead. Lut —7A 48
Perry Rd. H'low —9M 117
Perrysfield Rd. Chesh —8J 133
Perry Spring. H'low —8E 118
Perry St. Wend —9A 100
Perrywood. Wel G —8K 91
Perrywood La. Wat S —9F 72
Pescot Hill. Hem H —9L 105
Petard Clo. Lut —7K 45
Peterborough Ho. Borwd
(off Stratfield Rd.) —4A 152
Peterhill Clo. Chal P —5B 158
Peterlee Ct. Hem H —7B 106
Peters Av. Lon C —8K 127
Peters Clo. Stan —6L 163
Petersfield. St Alb —7F 108
Petersfield Gdns. Lut —9A 30
Peter's Pl. N'chu —8J 103
Peters Way. Kneb —2M 71
Peters Wood Hill. Ware —7H 95
Petropolis Ho. Dunst —9E 44
Petunia Ct. Lut —8E 46
Petworth Clo. Stev —1B 72
Pevensey Av. Enf —4C 156
Pevensey Clo. Lut —5M 47
Pheasant Clo. Berk —2N 121
Pheasant Clo. Tring —9N 81
Pheasant Hill. Chal G —2A 158
Pheasants Way. Rick —9L 147
Pheasant Wlk. Chal P —4A 158
Phillimore Ct. Rad —9F 138
Phillimore Pl. Rad —9F 138
Phillipers. Wat —9M 137
Phillips Av. R'ton —5C 8
Phillips Ct. Edgw —6A 164
Phipps Hatch La. Enf —2A 156
Phipp Wlk. Hit —4A 34
Phoebe Rd. Hem H —8B 106
Phoenix Way. N'wd —4H 161
Phygtle, The. Chal P —6B 158
Phyllis Courtnage Ho. Hem H —9N 105
Piccotts End. Hem H —7M 105
Piccotts End La. Hem H —8M 105
Piccotts End Rd. Hem H —7L 105
Pickets Clo. Bush —1E 162
Pickett Croft. Stan —8L 163
Picketts. Wel G —6L 91
Pickford Hill. Hpdn —4D 88
Pickford Rd. Mark —6M 85
Picknage Rd. Bar —2D 16
Pie Corner. Flam —6D 86
Pie Garden. Flam —6E 86
Pierian Spring. Hem H —9L 105
Pietley Hill. Mark —5C 86
Pigeonwick. Hpdn —4B 88
Piggottshill La. Hpdn —8D 88
Piggotts La. Lut —5N 45
Piggotts Way. Bis S —2G 78
Piggy La. Chor —8E 146
Pightle Clo. R'ton —6D 8
Pig La. Bis S —4J 79
Pike Rd. NW7 —4D 164

Pilgrim Clo. Park —9D 126
Pilgrims Clo. Wat —6M 137
Pilgrims Clo. W'mll —7K 39
Pilgrims Rise. Barn —7D 154
Pilgrims Row. W'mll —7K 39
Pilgrims Way. Stev —9N 35
Pilkingtons. H'low —7F 118
Piltdown Rd. Wat —4M 161
Pinceybrook Rd. H'low —9M 117
Pinchfield. Rick —5G 159
Pinchpools Rd. Man —7J 43
Pindar Rd. Hod —7N 115
Pine Clo. N14 —9H 155
Pine Clo. Berk —1M 121
Pine Clo. Chesh —1H 145
Pine Clo. Stan —4J 163
Pine Ct. N21 —8L 155
Pine Crest. Welw —8L 71
Pinecroft. Hem H —6B 124
Pinecroft Ct. Hem H —6B 124
Pinecroft Cres. Barn —6L 153
Pine Gro. N20 —1M 165
Pine Gro. Bis S —2K 79
Pine Gro. Brick W —3A 138
Pine Gro. Brk P —7A 130
Pine Gro. Bush —4A 150
Pinehurst Clo. Ab L —5G 137
Pinelands. Bis S —8H 59
Pine Ridge. St Alb —5H 127
Pineridge Ct. Barn —6K 153
Pine Rd. Edl —8K 63
Pines Av. Enf —9G 144
Pines Clo. N'wd —6G 161
Pines Hill. Stans —4M 59
Pines, The. N14 —7H 155
Pines, The. Borwd —4N 151
Pines, The. Hem H —6J 123
Pine Tree Clo. Hem H —1N 123
Pinetree Gdns. Hem H —4A 124
Pinetree Ho. Wat —9N 137
Pine Wlk. N'chu —7H 103
Pinewood. Wel G —2L 111
Pinewood Av. Pinn —6C 162
Pinewood Clo. Borwd —3D 152
Pinewood Clo. H'low —7E 118
Pinewood Clo. Lut —1M 45
Pinewood Clo. Pinn —6C 162
Pinewood Clo. St Alb —2K 127
Pinewood Clo. Wat —3J 149
Pinewood Ct. Enf —6N 155
Pinewood Dri. Pot B —4M 141
Pinewood Gdns. Hem H —2L 123
Pinewood Lodge. Bush —1E 162
Pinewoods. Stev —8M 51
Pinfold Rd. Bush —4A 150
Pinford Dell. Lut —8M 47
Pinnacle Pl. Stan —4J 163
Pinnacles Ind. Est. H'low —6J 117
Pinnate Pl. Wel G —4L 111
Pinner Grn. Pinn —9L 161
Pinner Hill. Pinn —7K 161
Pinner Hill Farm. Pinn —8K 161
Pinner Hill Rd. Pinn —7K 161
Pinner Pk. Pinn —9B 162
Pinner Pk. Av. Harr —9C 162
Pinner Pk. Gdns. Harr —9D 162
Pinner Rd. N'wd & Pinn —8H 161
Pinner Rd. Wat —8M 149
Pinnocks Clo. Bald —4M 23
Pinnocks La. Bald —4M 23
Pinto Clo. Borwd —8D 152
Pioneer Way. Wat —8H 149
Pipers Av. Hpdn —8E 88
Pipers Clo. Redb —9J 87
Pipers Croft. Dunst —1C 64
Pipers Grn. La. Edgw —3M 163
(in two parts)
Piper's Hill. Gt Gad —4F 104
Pipers La. Al G —8A 66
Pipers La. Hpdn —8F 88
Pippens. Wel G —6L 91
Pirton Clo. Hit —3L 33
Pirton Clo. St Alb —6K 109
Pirton Ct. Hem H —1B 124
Pirton Rd. Hit —3H 33
Pirton Rd. Hol —5H 21
Pirton Rd. Lut —4M 45
Pishiobury Dri. Saw —7E 98
Pishiobury M. Saw —8F 98
Pitfield Way. Enf —3G 157
Pitsfield. Wel G —6K 91
Pitstone Clo. St Alb —6K 109
Pitt Ct. Stev —8A 52
Pittman's Field. H'low —5B 118
Pix Farm La. Hem H —3E 122
Pixies Hill Cres. Hem H —4J 123
Pixies Hill Rd. Hem H —3J 123

Pixmore Av. Let —5H 23
Pixmore Ind. Est. Let —5G 23
Pixmore Way. Let —6F 22
Pix Rd. Let —5G 23
Pix Rd. Stot —7E 10
Plaistow Way. Gt Chi —2H 17
Plaiters Clo. Tring —2M 101
Plaiters Way. Bid —4D 44
Plaitford Clo. Rick —2A 160
Plantaganet Pl. Wal A —6M 145
Plantagenet Rd. Barn —6B 154
Plantation Rd. Lut —2N 45
Plantation Wlk. Hem H —8K 105
Plash Dri. Stev —4L 51
Plashes Clo. Stdn —7A 56
Plashets. L Hall —6L 99
Platt Halls. NW9 —9F 164
Platts Rd. Enf —3G 157
Platz Ho. H Reg —4G 44
Plaw Hatch Clo. Bis S —9K 59
Playfield Rd. Edgw —9C 164
Playford Sq. Lut —4N 45
Playhouse Sq. H'low —6M 117
Plaza Bus. Cen. Enf —4K 157
Pleasance, The. Hpdn —3M 87
Pleasant Pl. Rick —7H 159
Pleasant Rise. Hat —6J 111
Pleasant Rd. Bis S —9G 59
Pleasaunce, The. Ast C —1D 100
Plewes Clo. Kens —8H 65
Plough Clo. Lut —5H 45
Plough Cotts. Hem H —7J 85
Plough Ct. Lut —5H 45
(off Plough Clo.)
Plough Hill. Cuff —1K 143
Plough La. Hare —6M 159
Plough La. K Wal —4H 49
Plough La. Pott E —7E 104
Plough La. Sarr —6J 135
Ploughmans End. Wel G —1B 112
Plover Clo. Berk —2N 121
Plummers La. Lut & Hpdn —6D 68
Plumpton Clo. Lut —6M 47
Plumpton Rd. Hod —6N 115
Plum Tree Rd. L Ston —1J 21
Pluto Rise. Hem H —9A 106
Plymouth Clo. Lut —8K 47
Pocketsdell La. Bov —1A 134
Pocklington Clo. NW9 —9E 164
Poets Chase. Hem H —9L 105
Poets Grn. Lut —7K 45
Polayn Garth Wel G —8J 91
Polegate. Lut —7M 47
Polehanger La. Hem H —9H 105
Pole Hill Rd. E4 —9N 157
Pole La. H Lav —8N 119
Poles Hill. Sarr —6H 135
Poles La. Thun —2F 94
Police Row. Ther —5D 14
Police Sta. La. Bush —9C 150
Polish Av. Hal —6D 100
Pollard Gdns. Stev —1M 51
Pollard Hatch. H'low —9L 117
Pollards. Rick —5G 158
Pollards Clo. G Oak —2A 144
Pollards Way. Pir —7D 20
Pollardswood Grange. Chal G —6A 146
Pollicott Clo. St Alb —6K 109
Pollywick Rd. Wig —5B 102
Polzeath Clo. Lut —9L 47
Pomeroy Cres. Wat —9K 137
Pomeroy Gro. Lut —4G 46
Pomfret Av. Lut —9H 47
Pond Clo. Hare —9M 159
Pond Clo. Lut —4L 45
Pond Clo. Stev —2J 51
Pond Clo. Tring —2M 101
Pond Ct. Cod —7F 70
Pond Croft. Hat —9F 110
Pond Croft. Wel G —1L 111
Pondcroft Rd. Kneb —3N 71
Ponders End. Ind. Est. Enf —7J 157
Pond Field. Wel G —7N 91
Pondfield Cres. St Alb —8J 109
Pond La. Bald —3L 23
Pond Rd. Hem H —7C 124
Pondside. G'ley —6J 35
Pondsmeade. Redb —1K 107
Pondwick Rd. Hpdn —5N 87
Pondwicks Clo. St Alb —3D 126
Pondwicks Rd. Lut —1H 67
Pooleys La. N Mym —5H 129
Popes Dri. N3 —8N 165
Popes La. Wat —1K 149
Pope's Rd. Ab L —4G 136
Popes Row. Ware —4H 95

Popis Gdns. Ware —5J 95
Poplar Av. Hat —9D 110
Poplar Av. Lut —1E 46
Poplar Cvn. Site. Tot —1L 63
Poplar Clo. Che —9G 120
Poplar Clo. H Cro —6K 75
Poplar Clo. Hit —4B 34
Poplar Clo. Pinn —8M 161
Poplar Clo. R'ton —6E 8
Poplar Dri. R'ton —6E 8
Poplar Farm Clo. Bass —1L 7
Poplar Rd. Kens —8H 65
Poplars. Wel G —8A 92
Poplars Clo. Hat —9D 110
Poplars Clo. Lut —6K 47
Poplars Clo. Wat —5K 137
Poplars, The. N14 —7G 155
Poplars, The. Arl —4A 10
Poplars, The. Borwd —3A 152
Poplars, The. Chesh —8C 132
Poplars, The. Gt Hal —4N 79
Poplars, The. Hem H —3L 123
Poplars, The. Ickl —5N 21
Poplars, The. St Alb —6J 127
Poplars, The. Wend —9B 100
Poplar View. Ware —3C 94
Popple Way. Stev —3L 51
Poppy Clo. Hem H —1H 123
Poppyfields Dri. Wel G —9B 92
Poppy Mead. Stev —5M 51
Poppy Wlk. Wal X —1B 144
Porlock Dri. Lut —8L 47
Porlock Rd. Enf —9D 156
Portal Rd. Hal C —8C 100
Portcullis Lodge Rd. Enf —5B 156
Porters Clo. Bunt —2J 39
Porters Hill. Hpdn —3D 88
Porters Pk. Dri. Shenl —6L 139
Porters Wood. St Alb —7G 108
Port Hill. Hert —9A 94
Portland Clo. Town I —6E 44
Portland Cres. Stan —9L 163
Portland Dri. Chesh —4E 144
Portland Dri. Enf —2C 156
Portland Heights. N'wd —4H 161
Portland Ind. Est. Arl —1N 21
Portland Pl. Bis S —1H 79
Portland Pl. Hert H —2G 114
Portland Rd. Bis S —1H 79
Portland Rd. Lut —8C 46
Portland St. St Alb —2D 126
Port La. L Hall —6K 79
Portman Clo. Hit —9L 21
Portman Clo. St Alb —6K 109
Portman Gdns. NW9 —9D 164
Portman Ho. St Alb —8E 108
Portmill La. Hit —3N 33
Portsdown. Edgw —5A 164
Port Vale. Hert —8N 93
Porz Av. H Reg —6F 44
Postern Grn. Enf —4M 155
Post Field. Wel G —6N 91
Post Office Rd. H'low —5N 117
Post Office Wlk. H'low —5N 117
(off Post Office Rd.)
Post Office Wlk. Hert —9B 94
(off Fore St.)
Postwood Grn. Hert H —3G 114
Post Wood Rd. Ware —8J 95
Potash La. Tring —3E 80
Potten End Hill. Wat E —6H 105
Potteries, The. Barn —7N 153
Potterscrouch La. St Alb —6M 125
Potters End. Pinn —6K 161
Potters Field. Enf —6C 156
(off Lincoln Rd.)
Potters Field. H'low —8F 118
Potters Field. St Alb —7F 108
Pottersheath Rd. Welw —6K 71
Potters Heights Clo. Pinn —7K 161
Potters La. Barn —6N 153
Potters La. Borwd —3C 152
Potters La. Stev —5H 51
Potters M. Els —8L 151
Potter's Rd. Barn —6A 154
Potter St. Bis S —1H 79
Potter St. H'low —7E 118
Potter St. N'wd —8J 161
Potter St. Pinn —8K 161
Potter St. Hill. Pinn —6K 161
Pottery Clo. Lut —2B 46
Pouchen End La. Hem H —9G 104
Poulteney Rd. Stans —1N 59

Rowan Wlk. Barn —7A 154
Rowan Wlk. Hat —3G 129
Rowan Wlk. Saw —5G 99
Rowan Way. Hpdn —7D 88
Rowben Clo. N20 —1N 165
Rowcroft. Hem H —3H 123
Rowel Field. Lut —8L 47
Rowington Clo. Lut —7N 47
Rowland Pl. N'wd —6G 161
Rowland Rd. Stev —5M 51
Rowlands Av. Pinn —5B 162
Rowlands Clo. NW7 —7G 164
Rowlands Clo. Chesh —3H 145
Rowland Way. Let —5F 22
Rowlatt Dri. St Alb —4B 126
Rowley Clo. Wat —8N 149
Rowley Ct. Enf —7C 156 (off Wellington Rd.)
Rowley Gdns. Chesh —1H 145
Rowley Grn. Rd. Barn —7F 152
Rowley La. Barn —6E 152
Rowley La. Borwd —3D 152
Rowley's Rd. Hert —8D 94
Rowley Wlk. Hem H —6E 106
Row Meadow Cotts. Hem H —7K 85
Rowney Gdns. Saw —7E 98
Rowney La. Ware —4F 74
Rowney Wood. Saw —6E 98
Rowsley Av. NW4 —9J 165
Royal Av. Wal X —6J 145
Royal Ct. Enf —8C 156
Royal Ct. Hem H —5A 124
Royal Ct. Tring —1E 102
Royale Wlk. Dunst —1F 64
Royal Oak Cotts. Hem H —9M 105 (off High St. Hemel Hempstead,)
Royal Oak Gdns. Bis S —2G 79
Royal Oak La. Pir —7E 20
Royal Rd. St Alb —2J 127
Royce Clo. Brox —3K 133
Royce Clo. Dunst —1C 64
Roydonbury Ind. Est. H'low —6H 117
Roydon Clo. Lut —5K 45
Roydon Ct. Hem H —5C 106
Roydon Lodge Chalet Est. Roy —5F 116
Roydon Rd. H'low —5H 117
Roydon Rd. Stan A —2A 116
Royle Clo. Chal P —7C 158
Roy Rd. N'wd —7H 161
Royse Gro. R'ton —9D 8
Royston Clo. Hert —9N 93
Royston Gro. Pinn —6A 162
Royston Pk. Rd. Pinn —6A 162
Royston Rd. Bald —2M 23
Royston Rd. B'wy —7N 15
Royston Rd. Bar —1C 16
Royston Rd. Lit —4J 7
Royston Rd. St Alb —3J 127
Ruberoid Rd. Enf —5K 157
Rucklers La. K Lan —1K 135
Ruckles Clo. Stev —4L 51
Rudd Clo. Stev —6A 52
Ruddy Way. NW7 —6F 164
Rudham Gro. Let —8J 23
Rudolph Rd. Bush —8B 150
Rudyard Clo. Lut —6N 45
Rudyard Gro. NW7 —6C 164
Rue de St Lawrence. Wal A —7N 145
Rueley Dell Rd. Lil —8M 31
Rufforth Ct. NW9 —8E 164 (off Pageant Av.)
Rugby Av. N9 —9D 156
Rugby Way. Crox G —7D 148
Ruins, The. Redb —1K 107
Rumballs Clo. Hem H —5C 124
Rumballs Rd. Hem H —5C 124
Rumbold Rd. Hod —6N 115
Rumsley. Wal X —9E 132
Runcie Clo. St Alb —7H 109
Runcorn Cres. Hem H —7B 106
Rundells. H'low —9C 118
Rundells. Let —7K 23
Runfold Av. Lut —4C 46
Runham Clo. Lut —5L 45
Runham Rd. Hem H —4A 124
Runley Rd. Lut —9A 46
Runnalow. Let —4D 22
Runsley. Wel G —6N 91
Runswick Ct. Stev —2G 51
Rupert Ho. Wel G —8B 92
Ruscombe Dri. Park —8D 126
Rushall Grn. Lut —7M 47
Rushby Mead. Let —5G 22
Rushby Pl. Let —6G 23
Rushby Wlk. Let —5G 22
Rush Clo. Stan A —2N 115
Rushdene Av. Barn —9D 154
Rushden Gdns. NW7 —6J 165
Rushden Rd. S'don —5M 25
Rushendon Furlong. Pit —2C 82
Rushen Dri. Hert H —3G 114
Rushes Ct. Bis S —3J 79
Rushes Mead. H'low —8A 118
Rushey Hill. Enf —6L 155
Rushfield. Pot B —5K 141
Rushfield. Saw —5G 99
Rushfield Rd. Ware —4K 95
Rushleigh Av. Chesh —4H 145
Rushleigh Grn. Bis S —5F 78
Rushmead Clo. Edgw —2B 164
Rushmere La. Orch —9L 121
Rushmoor Clo. Rick —2N 159
Rushmoor Ct. Wat —8E 148
Rushmore Clo. Cad —3A 66
Rushton Av. Wat —8J 137
Rushton Ct. Chesh —2H 145
Rushton Gro. H'low —6F 118
Ruskin Clo. Chesh —8C 132
Ruskin Clo. Hit —3C 34
Ruskin Ct. N21 —9L 155
Rusper Clo. Stan —4K 163
Rusper Grn. Lut —6M 47
Russell Av. L Chal —3A 146
Russell Av. St Alb —2E 126
Russell Clo. Amer —3A 146
Russell Clo. Kens —8H 65
Russell Clo. N'wd —5E 160
Russell Clo. Stpl M —3C 6
Russell Clo. Stev —7A 52
Russell Ct. N14 —8J 155
Russell Ct. Brick W —3B 138
Russell Ct. New Bar —6B 154
Russell Cres. Wat —8H 137
Russellcroft Rd. Wel G —8J 91
Russell End. Stpl M —3C 6
Russell Gro. NW7 —5E 164
Russell La. Wat —9F 136
Russell Mead. Har W —8G 163
Russell Pl. Hem H —5L 123
Russell Rise. Lut —2F 66
Russell Rd. Enf —2D 156
Russell Rd. N'wd —5E 160
Russell's Ride. Chesh —4J 145
Russell's Slip. Hit —4L 33
Russell St. Hert —9A 94
Russell St. Lut —2F 66
Russet Clo. Chesh —8C 132
Russet Dri. Shenl —5M 139
Russet Dri. St Alb —3K 127
Russett Ho. Wel G —9C 92
Russettings. Pinn —7A 162 (off Westfield Pk.)
Russetts, The. Chal P —9A 158
Russett Wood. Wel G —1C 112
Rustle Ct. H'low —6E 118
Ruston Gdns. N14 —8G 154
Rutherford Clo. Borwd —4C 152
Rutherford Clo. Stev —3G 51
Rutherford Way. Bush —1E 162
Ruthin Clo. Lut —3F 66
Ruthven Av. Wal X —6H 145
Rutland Ct. Enf —7F 156
Rutland Ct. Lut —1J 67
Rutland Cres. Lut —1J 67
Rutland Gdns. Hem H —1B 124
Rutland Path. Lut —1J 67
Rutland Pl. Bush —1E 162
Rutts, The. Bush —1E 162
Ryall Clo. Brick W —2N 137
Ryan Way. Wat —3L 149
Rydal Clo. NW4 —9K 165
Rydal Ct. Edgw —5N 163
Rydal Ct. Leav —5K 137
Rydal Mt. Pot B —6L 141
Rydal Way. Enf —8G 157
Rydal Way. Lut —4B 46
Ryder Av. Ickl —8L 21
Ryder Clo. Bov —1D 134
Ryder Clo. Bush —8C 150
Ryder Clo. Hert —8F 94
Ryders Av. Col H —2E 128
Ryder Way. Ickl —8L 21
Ryde, The. Hat —6J 111
Rydinghurst Ho. Ger X —5B 158
Rye Clo. Hpdn —3C 88
Ryecroft. H'low —6L 117
Ryecroft. Hat —2F 128
Ryecroft. Stev —2L 51
Ryecroft Clo. Hem H —3E 124
Ryecroft Ct. St Alb —2N 127
Ryecroft Cres. Barn —7H 153
Ryecroft Way. Lut —6J 47
Ryefield. Lut —9C 30
Ryefield Clo. Hod —4N 115
Ryefield Ct. N'wd —9J 161 (off Joel St.)
Ryefield Cres. N'wd —9J 161
Rye Gdns. Bald —2A 24
Rye Hill. Hpdn —3C 88
Rye Hill. Lut —8F 46 (off Cromwell Hill)
Ryelands. Wel G —3M 111
Rye Mead Cotts. Hod —6N 115
Rye Rd. Hod —6M 115
Rye St. Bis S —9H 59
Rye, The. N14 —9J 155
Rye, The. L Buzz & LU6 —1F 62
Rye Way. Edgw —6N 163
Rylands Heath. Lut —7A 48
Rymill Clo. Bov —1D 134
Ryton Clo. Lut —1D 66

Saberton Clo. Redb —2H 107
Sacombe Grn. Lut —9D 30
Sacombe Grn. Rd. Sac —4C 74
Sacombe Pound. Sac —5C 74
Sacombe Rd. Hem H —9J 105
Sacombe Rd. W'frd —4N 93
Sacombs Ash La. Saw —9A 78
Saddlers Clo. Bis S —3E 78
Saddlers Clo. Borwd —7D 152
Saddlers Clo. Pinn —6B 162
Saddlers Path. Borwd —7D 152 (off Farriers Way)
Saddlers Pl. R'ton —6C 8
Saddlers Wlk. K Lan —2C 136
Saddlescombe Way. N12 —5N 165
Sadleir Rd. St Alb —4F 126
Sadlers Mead. H'low —7C 118
Sadlers Way. Hert —9M 93
Sadlier Rd. Stdn —7A 56
Saffron Clo. Arl —5A 10
Saffron Clo. Hod —7K 115
Saffron Clo. Lut —3F 46
Saffron Hill. Let —5E 22
Saffron La. Hem H —1K 123
Saffron Meadow. Stdn —7B 56
Saffron Rise. Eat B —2J 63
Saffron St. R'ton —8F 8
Saimet. NW9 —7F 164 (off Satchell Mead)
Sainfoin End. Hem H —9C 106
St Agnells Ct. Hem H —7C 106
St Agnells La. Hem H —6B 106
St Agnes Ga. Wend —9A 100
St Albans Dri. Stev —9L 35
St Albans Hill. Hem H —5A 124
St Albans Link. Stev —9L 35
St Albans Rd. Barn —8H 141
St Albans Rd. Cod —1E 90
St Albans Rd. Hpdn —7C 88
St Albans Rd. Hat —8H 111
St Albans Rd. Hem I —4N 123
St Albans Rd. Redb —2L 107
St Albans Rd. S Mim —4F 140
St Albans Rd. St Alb —8G 109
St Albans Rd. Wat —4K 149
St Albans Rd. W. Hat —9C 110 (in three parts)
St Alders Ct. Lut —6D 46
St Alphage Wlk. Edgw —9C 164
St Alphege Rd. N9 —9G 156
St Andrew M. Hert —9A 94
St Andrew's Av. Hpdn —6A 88
St Andrews Clo. S End —7D 66
St Andrew's Clo. Stan —9K 163
St Andrews Ct. Wat —3K 149
St Andrews Dri. Stan —8K 163
St Andrews Dri. Stev —8M 35
St Andrews Ho. H'low —4B 118 (off Stow, The)
St Andrews La. H Reg —4F 44 (in two parts)
St Andrews Meadow. H'low —7B 118
St Andrew's Pl. Hit —3N 33
St Andrew's Rd. N9 —9G 157
St Andrew's Rd. Enf —5B 156
St Andrew's Rd. Hem H —6N 123
St Andrews Rd. Wat —3M 161
St Andrew St. Hert —9A 94
St Andrews Wlk. Cad —7E 66
St Anna Rd. Barn —7K 153
St Anne's Clo. Chesh —1E 144
St Anne's Clo. Wat —4L 161
St Anne's Clo. Wend —9A 100
St Anne's Pk. Brox —2L 133
St Anne's Rd. Hit —2N 33
St Anne's Rd. Lon C —9L 127
St Ann's Ct. NW4 —9H 165
St Ann's La. Lut —1G 67
St Anthonys Av. Hem H —4D 124
St Audrey Grn. Wel G —1M 111
St Audreys Clo. Hat —3H 129
St Augusta Ct. St Alb —9E 108
St Augustine Av. Lut —6D 46
St Augustines Clo. Brox —2K 133
St Augustines Dri. Brox —2K 133
St Austell Clo. Edgw —9N 163
St Barnabas Ct. Har W —8D 162
St Barnabas Ct. Hem H —2C 124
St Bernard's Clo. Lut —6E 46
St Bernard's Rd. St Alb —1F 126
St Brelades Pl. St Alb —7L 109 (off Harvest Ct.)
St Bride's Av. Edgw —8N 163
St Catherines Av. Lut —5D 46
St Catherines Ct. Bis S —1H 79
St Catherine's Rd. Brox —1L 133
St Christopher's Clo. Dunst —8J 45
St Christophers Ct. Chor —6G 146
St Clarendon Ct. Hpdn —4C 88
St Cross Ct. Hod —1L 133
St Cuthberts Gdns. Pinn —7A 162
St Cuthbert's Rd. Hod —5N 115
St David's Clo. Hem H —3F 124
St Davids Clo. Stev —7M 35
St David's Dri. Brox —1K 133
St David's Dri. Edgw —8N 163
St David's Way. H Reg —3G 44 (off Kent Rd.)
St Dominics Sq. Lut —5J 45 (off Tomlinson Av.)
St Dunstan's Rd. Hun —7G 96
St Edmunds. Berk —2N 121
St Edmund's Dri. Stan —8H 163
St Edmund's Rd. N9 —9E 156
St Edmunds Wlk. St Alb —3L 127
St Edmund's Way. H'low —2E 118
St Egberts Way. E4 —9N 157
St Elmo Ct. Hit —5N 33
St Ethelbert Av. Lut —5D 46
St Etheldreda's Dri. Hat —9J 111
St Evroul Ct. Ware —5H 95 (off Crib St.)
St Faith's Clo. Enf —3A 156
St Faiths Clo. Hit —1B 34
St Francis Clo. Pot B —7B 142
St Francis Clo. Wat —1K 161
St George's Dri. Wat —3N 161
St George's Rd. Enf —2D 156
St George's Rd. Hem H —6M 123
St George's Rd. Wat —2K 149
St George's Sq. Lut —1G 66
St George's Way. Stev —4K 51
St Giles Av. S Mim —5H 141
St Giles Clo. Tot —2M 63
St Giles Ct. Enf —8G 144
St Giles Ho. New Bar —6B 154
St Giles Rd. Cod —7F 70
St Helens Clo. Wheat —7L 89
St Heliers Rd. St Alb —6J 109
St Ives Clo. Lut —6D 46
St Ives Clo. Welw —4M 91
St James Cen. H'low —2C 118
St James Clo. Barn —6C 154
St James Clo. H Reg —5H 45
St James Ct. St Alb —3H 127
St James Rd. G Oak —1A 144
St James Rd. Hpdn —4C 88
St James Rd. Lut —6D 46
St James Rd. Wat —7K 149
St James's Clo. Pull —3A 18
St James's Ct. Hpdn —3C 88
St James Way. Bis S —3D 78
St John Clo. Lut —3D 66
St Johns. Puck —6B 56
St John's Av. H'low —2E 118
St Johns Clo. N14 —8H 155
St Johns Clo. Hem H —4L 123
St John's Clo. Pot B —6B 142
St Johns Clo. Welw —1J 91
St John's Ct. Hpdn —8D 88
St John's Ct. Hert —9B 94
St John's Ct. Lut —3E 66
St Johns Ct. N'wd —8G 160
St John's Ct. St Alb —9J 109
St John's Cres. Stans —2N 59
St John's La. Stans —2N 59
St John's Path. Hit —4N 33
St John's Rd. Arl —8A 10
St John's Rd. Hpdn —8D 88
St John's Rd. Hem H —4K 123
St John's Rd. Hit —5N 33
St John's Rd. Stans —2N 59
St John's Rd. Wat —4K 149
St John's St. Hert —9B 94
St John's Ter. Enf —1B 156
St Johns Walk. H'low —2E 118
St John's Well Ct. Berk —9M 103
St John's Well La. Berk —9M 103
St Joseph's Clo. Lut —5C 46
St Joseph's Rd. N9 —9F 156
St Joseph's Wlk. Hpdn —7B 88
St Julian's Rd. St Alb —4E 126
St Katharines Clo. Ickl —8L 21
St Katherine's Way. Berk —7K 103
St Kilda Rd. Lut —5J 45
St Laurence Dri. Brox —5J 133
St Lawrence Clo. Ab L —3G 137
St Lawrence Clo. Bov —9D 122
St Lawrence Clo. Edgw —7N 163
St Lawrences Av. Lut —5E 46
St Lawrence Way. Brick W —3A 138
St Leonard's Clo. Bush —6N 149
St Leonards Ct. Sandr —5K 109
St Leonards Cres. Sandr —5K 109
St Leonard's Rd. Hert —7B 94
St Leonard's Way. Edl —7J 63
St Luke's Av. Enf —2B 156
St Lukes Clo. Lut —7A 46
St Magnus Ct. Hem H —4E 124
St Margaret's. Gt Gad —2E 104
St Margarets. Stev —7M 51
St Margarets Av. Lut —5D 46
St Margaretsbury Ho. Ware —2M 115
St Margaret's Clo. Berk —2A 122
St Margarets Clo. Streat —4B 30
St Margarets Ct. Edgw —5B 164
St Margaret's Rd. Edgw —5B 164
St Margaret's Rd. Stan A —4L 115
St Margarets Way. Hem H —2E 124
St Marks Clo. Col H —4B 128
St Mark's Clo. Hit —1L 33
St Mark's Clo. New Bar —5A 154
St Marks Rd. Enf —8D 156
St Martin's Av. Lut —7H 47
St Martin's Clo. Enf —3F 156
St Martins Clo. Hpdn —3D 88
St Martins Clo. Wat —4L 161
St Martin's Rd. Kneb —3N 71
St Mary's Av. N3 —9L 165
St Mary's Av. N'chu —8H 103
St Mary's Av. N'wd —5G 160
St Mary's Av. Stot —6F 10
St Mary's Chu. Path. Lut (off St Mary's Rd.) —1H 67
St Mary's Clo. Ast —7D 52
St Marys Clo. Hem H —1M 123
St Mary's Clo. Let —9F 22
St Marys Clo. Pir —7E 20
St Mary's Clo. Redb —2J 107
St Mary's Clo. Wat —6K 149 (off George St.)
St Mary's Ct. Dunst —9E 44
St Mary's Ct. Hem H —1N 123
St Mary's Ct. Pot B —5A 142
St Marys Ct. Welw —3J 91
St Mary's Courtyard. Ware (off Church St.) —6H 95
St Mary's Dri. Stans —3N 59
St Mary's Ga. Dunst —9E 44
St Mary's Glebe. Edl —4J 63
St Mary's La. Hert —2L 113
St Mary's Rise. B Grn —8E 48
St Mary's Rd. N9 —9F 156
St Mary's Rd. Barn —9E 154
St Mary's Rd. Chesh —2G 144
St Mary's Rd. Hem H —1N 123
St Mary's Rd. Lut —1H 67
St Mary's Rd. Stdn —7A 56
St Mary's Rd. Wat —6K 149
St Marys Rd. Welw —2J 91
St Mary's St. Dunst —9E 44
St Mary's View. Wat —6L 149 (off King St.)
St Marys Wlk. St Alb —7J 109
St Mary's Way. Bald —5L 23
St Mary's Way. Chal P —9A 158
St Matthew's Clo. Lut —9G 47
St Matthews Clo. Wat —8M
St Michaels. St Alb —2C
St Michael's Av. N9 —9G
St Michael's Av. Enf —9G
St Michaels Av. Hem H —4D
St Michaels Av. H Reg —5
St Michael's Clo. N3 —9M
St Michaels Clo. Hal —6B
St Michaels Clo. H'low —5A
St Michaels Clo. Hpdn —8
St Michaels Ct. Stev —1A
St Michael's Cres. Lut —6
St Michaels Dri. Wat —6K
St Michaels Ho. Wel G —1M
St Michael's Mt. Hit —2A
St Michael's Pde. Wat —2K
St Michael's Rd. Brox —2K
St Michaels Rd. Hit —2B 3
St Michael's St. St Alb —2C
St Michaels View. Hat —7H
St Michaels Way. Pot B —3A
St Mildreds Av. Lut —6E 4
St Mirren Ct. New Bar —7B
St Monicas Av. Lut —6D 4
St Neots Clo. Borwd —2A
St Nicholas Av. Hpdn —6B
St Nicholas Clo. Els —8L 1
St Nicholas Ct. Hpdn —4A
St Nicholas Field. Ber —2D
St Nicholas Houses. R'way —8F
St Nicholas Mt. Hem H —2J
St Ninians Ct. Lut —9F 46
St Olam's Clo. Lut —3D 46
St Olives. Stot —6E 10
St Pauls Ct. Chfd —6N 135
St Pauls Ct. Stev —8M 51
St Pauls Pl. St Alb —2H 12
St Paul's Rd. Hem H —1N
St Paul's Rd. Lut —3G 67
St Paul's Way. N3 —7N 16
St Pauls Way. Wal A —6N
St Pauls Way. Wat —4L 14
St Peter's Av. Arl —5A 10
St Peter's Clo. Barn —7H 1
St Peters Clo. Bush —1E 1
St Peters Clo. Chal P —8B
St Peters Clo. Hat —8G 11
St Peters Clo. Rick —1L 15
St Peter's Clo. St Alb —1E
St Peter's Ct. Chal P —8B
St Peter's Hill. Tring —2M
St Peter's Rd. N9 —9F 156
St Peter's Rd. Dunst —9F
St Peters Rd. Lut —1D 66
St Peter's Rd. St Alb —2F
St Peter's St. St Alb —2E
St Peters Way. Chor —6D
St Raphaels Ct. St Alb —1F (off Avenue Rd.)
St Ronan's Clo. Barn —2C
St Saviour's Cres. Lut —2F
St Stephen's Av. St Alb —4C
St Stephen's Clo. St Alb —5C
St Stephen's Ct. Enf —8C 1
St Stephen's Hill. St Alb —4D
St Stephen's Rd. Barn —7K
St Stephens Rd. Enf —1H
St Thomas Ct. Pinn —8N 1
St Thomas Dri. Pinn —8N
St Thomas Pl. Wheat —7L
St Thomas Rd. N14 —9J 1
St Thomas's Rd. Lut —5H
St Vincent Dri. St Alb —4H
St Vincents Way. Pot B —7B
St Wilfrid's Clo. Barn —7D
St Wilfrid's Rd. Barn —7D
St Winifreds Av. Lut —6E 4
St Yon Ct. St Alb —2M 127
Sakins Croft. H'low —9B 11
Salamander Quay. Hare —7K
Salcombe Gdns. NW7 —6J
Sale Dri. Clot C —2M 23
Salisbury Av. N3 —9M 165
Salisbury Av. Hpdn —5A 88
Salisbury Av. St Alb —1J 1
Salisbury Clo. Bis S —3H 7
Salisbury Clo. Pot B —5B 1
Salisbury Cres. Chesh —5H

Silver St.—Station Rd.

Silver St. A'wl —9M 5
Silver St. Enf —5B 156
Silver St. G Oak —3N 143
Silver St. G Mor —1A 6
Silver St. Lit —3H 7
Silver St. Lut —1G 66
Silver St. Stans —3M 59
Silver St. Wal A —7N 145
Silverthorn Dri. Hem H —6D 124
Silver Trees. Brick W —3A 138
Silverwood Clo. N'wd —8E 160
Simmonds Rise. Hem H —4N 123
Simon Ct. Bush —8B 150
Simon Dean. Bov —9D 122
Simon Peter Ct. Enf —4N 155
Simpkins Dri. Bar C —7E 18
Simpson Clo. N21 —7L 155
Simpson Dri. Bald —3M 23
Simpsons Ct. Bald —3M 23
Sinclare Clo. Enf —3D 156
Sinderby Clo. Borwd —3N 151
Sinfield Clo. Stev —4N 51
Singleton Scarp. N12 —5N 165
Singlets La. Flam —5D 86
Sirdane Ho. St Alb —6J 109
Sir Henry Floyd Ct. Stan —2J 163
Sir Herbert Janes Village. Lut —5N 45
Sirius Rd. N'wd —5J 161
Sish Clo. Stev —3K 51
(in two parts)
Sish La. Stev —3K 51
Siskin Clo. Borwd —6A 152
Siskin Clo. Bush —6N 149
Siskin Ho. Wat —8F 148
Sisson Clo. Stev —7B 52
Sittingbourne Av. Enf —8B 156
Sitwell Gro. Stan —5G 162
Six Acres. Hem H —5C 124
Six Hills Way. Stev —5J 51
Sixth Av. Let —5J 23
Sixth Av. Wat —8M 137
Skegness Rd. Stev —1G 51
Skegsbury La. Kim —7G 68
Skelton Clo. Lut —9D 30
Sketty Rd. Enf —5D 156
Skidmore Way. Rick —1A 160
Skillen Lodge. Pinn —8L 161
Skimpans Clo. N Mym —6K 129
Skimpot Rd. Dunst —8K 45
Skipton Clo. Stev —9M 51
Skua Clo. Lut —4K 45
Skylark Corner. Stev —6C 52
Skys Wood Rd. St Alb —7J 109
Slacksbury Hatch. H'low —6L 117
Slade Ct. New Bar —5A 154
Slade Ct. Rad —8H 139
Slade Oak La. Ger X & Den —9E 158
Slades Clo. Enf —5M 155
Slades Gdns. Enf —4M 155
Slades Hill. Enf —5M 155
Slades Rise. Enf —5M 155
Slapton La. N'all —3C 62
Slatter. NW9 —7F 164
Sleaford Grn. Wat —3M 161
Sleapcross Gdns. Smal —3B 128
Sleaps Hyde. Stev —8B 52
Sleapshyde La. Smal —3B 128
Sleddale. Hem H —8A 106
Sleets End. Hem H —9L 105
Slickett's La. Edl —5K 63
Slimmons Dri. St Alb —7H 109
Slipe La. Brox —6K 133
(in two parts)
Slipe, The. Ched —9M 61
Slip La. Old K —3H 71
Slippershill. Hem H —1N 123
Sloan Ct. Stev —3M 51
Sloansway. Wel G —6N 91
Slough Rd. A Grn —1B 98
Slype, The. Hpdn —1G 89
Small Acre. Hem H —2J 123
Smallcroft. Wel G —8A 92
Smallford La. Smal —3B 128
Smallwood Clo. Wheat —8M 89
Smarts Grn. Chesh —8D 132
Smithfield. Hem H —9N 105
Smiths Cotts. L Hall —6N 43
Smith's End La. Bar —3C 16
Smiths La. Chesh —8B 132
Smiths La. Mall. Lut —1G 66
(off Arndale Cen.)
Smith Sq. Lut —1G 66
(off Arndale Cen.)
Smith St. Wat —6L 149
Smithy, The. L Had —7L 57
Smug Oak Grn. Bus. Cen. Brick W —3C 138
Smug Oak La. Brick W —3C 138
Snailswell La. Ickl —6M 21
Snakes La. Barn —5G 155
Snaresbrook Dri. Stan —4L 163
Snatchup. Redb —1J 107
Snells Mead. Bunt —3J 39
Snipe, The. W'ton —1A 36
Snowdrop Clo. Bis S —2E 78
Snowford Clo. Lut —2C 46
Snowhill Cotts. Ash G —6K 121
Snowley Pde. Bis S —8K 59
(off Manston Dri.)
Soham Rd. Enf —1K 157
Solar Ct. Wat —7H 149
Solesbridge Clo. Chor —5J 147
Solesbridge Ct. Chor —5J 147
Solesbridge La. Rick —5J 147
Sollershott E. Let —7F 22
Sollershott Hall. Let —7F 22
Sollershott W. Let —7E 22
Solna Rd. N21 —9B 156
Solomon's Hill. Rick —9N 147
Solway. Hem H —9B 106
Solway Rd. N. Lut —5C 46
Solway Rd. S. Lut —6C 46
Somaford Gro. Barn —8C 154
Somerby Clo. Brox —3L 133
Somercoates Clo. Barn —5D 154
Someries Arch. Lut —3L 67
Someries Rd. Hpdn —3D 88
Someries Rd. Hem H —9J 105
Somersby Clo. Lut —3G 66
Somerset Av. Lut —7J 47
Somerset Rd. Enf —2L 157
Somerset Rd. New Bar —7A 154
Somersham. Wel G —9C 92
Somers Rd. N Mym —6J 129
Somers Sq. N Mym —5J 129
Somers Way. Bush —9D 150
Sonia Clo. Wat —9L 149
Sonia Ct. Edgw —7N 163
Sonnets, The. Hem H —1L 123
Soothouse Spring. St Alb —7G 108
Sopwell La. St Alb —3E 126
Sopwith. NW9 —7F 164
Sorrel Clo. Lut —1C 46
Sorrel Clo. R'ton —8F 8
Sorrel Garth. Hit —4A 34
Sotheron Rd. Wat —5L 149
Souberie Av. Let —6F 22
Souldern St. Wat —7K 149
South Acre. NW9 —9F 164
Southacre Way. Pinn —8L 161
Southall Clo. Ware —5H 95
Southampton Gdns. Lut —9A 30
South App. N'wd —3F 160
South Av. E4 —9M 157
S. Bank Rd. Berk —8K 103
Southbourne Av. NW9 —9C 164
Southbourne Ct. NW9 —9C 164
Southbrook. Saw —6G 99
Southbrook Dri. Chesh —1H 145
Southbury Av. Enf —6E 156
Southbury Rd. Enf —5C 156
Southcliffe Dri. Chal P —5B 158
South Clo. Bald —4M 23
South Clo. Barn —5M 153
South Clo. R'ton —6B 8
South Clo. St Alb —7C 126
S. Cottage Dri. Chor —7J 147
S. Cottage Gdns. Chor —7J 147
South Dene. NW7 —3D 164
S. Dene. Hem H —7K 85
Southdown Ct. Hat —3G 129
Southdown Ho. Hpdn —7D 88
Southdown Ind. Est. Hpdn —8D 88
Southdown Rd. Hpdn —7C 88
Southdown Rd. Hat —3G 128
S. Drift Way. Lut —2D 66
South Dri. Cuff —3K 143
South Dri. St Alb —2L 127
South End. Bass —1M 7
Southend Clo. Stev —2K 51
S. End La. N'all —4E 62
Southerby Av. Enf —6E 156
Southern Av. Henl —1J 21
Southern Lodge. H'low —9M 117
Southern Rise. E Hyde —8A 68
Southern Ter. Hod —5M 115
Southern Way. H'low —9K 117
Southern Way. Let —2E 22
Southern Way. Stud —3F 84
Southernwood Clo. Hem H —1C 124
Southfield. Barn —8K 153
Southfield. Brau —2C 56
Southfield. Wel G —2K 111
Southfield Av. Wat —2L 149
Southfield Rd. Enf —8F 156
Southfield Rd. Hod —7L 115
Southfield Rd. Wal X —5J 145
Southfields. NW4 —9H 165
Southfields. Let —2F 22
Southfields. Stdn —7B 56
Southfields Rd. Dunst —2G 64
South Ga. H'low —6N 117
Southgate. Stev —5K 51
Southgate Cir. N14 —9J 155
Southgate Ho. Chesh —3J 145
Southgate Ind. Est. N14 —9H 155
Southgate Rd. Pot B —6B 142
South Grn. NW9 —8E 164
S. Hemel Hempstead Rd. Berk —4A 84
South Hill Clo. Hit —4A 34
S. Hill Rd. Hem H —2M 123
South Ley. Wel G —3L 111
South Ley Ct. Wel G —3L 111
S. Lodge Cres. Enf —6J 155
(in two parts)
S. Lodge Dri. N14 —6J 155
South Mead. NW9 —8F 164
Southmead Cres. Chesh —3J 145
Southmill Rd. Bis S —2J 79
Southmill Trad. Cen. Bis S —2J 79
Southover. N12 —3N 165
South Pde. Edgw —9A 164
South Pde. Wal A —6N 145
South Pk. Av. Chor —7J 147
S. Park Gdns. Berk —9M 103
South Pl. Enf —7G 157
South Pl. H'low —3C 118
South Pl. Hit —2L 33
S. Riding. Brick W —3A 138
South Rd. N9 —9E 156
South Rd. Bald —4M 23
South Rd. Bis S —2J 79
South Rd. Chor —7F 146
South Rd. Edgw —8B 164
South Rd. H'low —3C 118
South Rd. Lut —2G 66
South Rd. Puck —7A 56
Southsea Av. Wat —6J 149
Southsea Rd. Stev —1H 51
South St. Bis S —1H 79
South St. Enf —7G 157
South St. Hert —9B 94
South St. Lit —3H 7
South St. Stan A —2N 115
South St. Commercial Cen. Bis S —2H 79
South View. Let —6F 22
Southview Clo. Chesh —8C 132
Southview Rd. Hpdn —4D 88
S. View Rd. Pinn —6K 161
S. View Vs. Berk —2B 122
Southwark Clo. Stev —9A 36
Southwark Ho. Borwd —4A 152
(off Stratfield Rd.)
Southway. N20 —2N 165
South Way. Ab L —6F 136
South Way. Hat —4F 128
South Way. Wal A —1M 157
S. Weald Dri. Wal A —6N 145
Southwold Rd. Wat —1L 149
Southwood Rd. Dunst —2H 65
Sovereign Bus. Cen. Enf —5K 157
Sovereign Ct. H'low —9L 117
Sovereign Ct. Wat —6J 149
Sovereign Pk. Hem I —9D 106
Sowerby Av. Lut —6L 47
Spandow Ct. Lut —2F 66
(off Elizabeth St.)
Sparhawke. Let —2G 22
Sparrow Clo. Lut —5K 45
Sparrow Dri. Stev —5C 52
Sparrows Herne. Bush —9C 150
Sparrows Way. Bush —9D 150
Sparrowswick Ride. St Alb —6D 108
Spayne Clo. Lut —1D 46
Spear Clo. Lut —3A 46
Speedwell Clo. Hem H —3H 123
Speedwell Clo. Lut —1C 46
Speedwell Ho. N12 —7A 154
Speke Clo. Stev —4C 52
Spellbrooke. Hit —2L 33
Spellbrook La. E. Spel —8H 79
Spellbrook La. W. Saw —9F 78
Spencer Av. Chesh —8C 132
Spencer Clo. N3 —9N 165
Spencer Clo. Stans —3N 59
Spencer Ga. St Alb —9F 108
Spencer M. St Alb —1F 126
Spencer Pl. Sandr —4K 109
Spencer Rd. Harr —9F 162
Spencer Rd. Lut —8E 46
Spencers Croft. H'low —8D 118
Spencer St. Hert —8C 94
Spencer St. St Alb —2E 126
Spencer Wlk. Rick —7M 147
Spencer Way. Hem H —8K 105
Spenser Clo. R'ton —4D 8
Spenser Rd. Hpdn —6D 88
Sperberry Hill. St I —8B 34
Speyside. N14 —8H 155
Sphere Ind. Est., The. St Alb —3H 127
Spicer Ct. Enf —5C 156
Spicersfield. Chesh —9E 132
Spicers La. H'low —2E 118
Spicer St. St Alb —2D 126
Spilsby Clo. NW9 —8E 164
Spindle Berry Clo. Welw —9N 71
Spinney Ct. Hert —9E 94
Spinney Ct. Saw —4G 98
Spinney Cres. Dunst —9C 44
Spinney Rd. Lut —2N 45
Spinneys Dri. St Alb —4C 126
Spinney, The. N21 —9M 155
Spinney, The. Bald —4L 23
Spinney, The. Barn —4A 154
Spinney, The. Berk —2K 121
Spinney, The. Brox —1K 133
Spinney, The. Chesh —3F 144
Spinney, The. Hpdn —4N 87
Spinney, The. Hert —9D 94
Spinney, The. Pot B —4C 142
Spinney, The. Stan —4M 163
Spinney, The. Stans —4N 59
Spinney, The. Stev —2C 52
Spinney, The. Wat —3J 149
Spinney, The. Wel G —1L 111
Spinning Wheel Mead. H'low —9C 118
Spire Grn. Cen. H'low —7H 117
Spires Shopping Cen., The. Barn —5L 153
Spittlesea Rd. Lut —1L 67
Spoondell. Dunst —1C 64
Spooners Dri. Park —9D 126
Spores Rd. Cuff —2L 143
Spratts La. Kens —6H 65
Spring Bank. N21 —8L 155
Spring Clo. Barn —7K 153
Spring Clo. Borwd —3A 152
Spring Clo. Hare —8N 159
Spring Clo. Lat —9A 134
Spring Cotts. Brox —6J 133
Spring Ct. Rd. Enf —2M 155
Spring Crofts. Bush —7B 150
Spring Dri. Stev —9N 51
Springfield. Bush —1E 162
Springfield. Dun —1E 4
Springfield Clo. N12 —5N 165
Springfield Clo. Crox G —7D 148
Springfield Clo. Pot B —4D 142
Springfield Clo. Stan —3H 163
Springfield Ct. Bis S —9G 58
Springfield Cres. Hpdn —3B 88
Springfield Ho. Wel G —2J 111
Spring Field Rd. Berk —7K 103
Springfield Rd. Chesh —5J 145
Springfield Rd. Eat B —3A 64
Springfield Rd. Hem H —1B 124
Springfield Rd. Lut —3E 46
Springfield Rd. Smal —2B 128
Springfield Rd. St Alb —3H 127
Springfield Rd. Wat —6K 137
Springfields. Brox —1K 133
Springfields. New Bar —7A 154
(off Somerset Rd.)
Springfields. Wel G —2H 111
Spring Gdns. Wat —8L 137
Spring Glen. Hat —1F 128
Springhall Ct. Saw —5G 98
Springhall La. Saw —6G 99
Springhall Rd. Saw —5G 98
Springhead. A'wl —9M 5
Spring Hills. H'low —5K 117
Spring Lake. Stan —4J 163
Spring La. Bass —1N 7
Spring La. Cot —5A 38
Spring La. Hem H —9J 105
Springle La. Hail —3K 115
Spring Pl. N3 —9N 165
Spring Pl. Lut —2F 66
Spring Rd. Hpdn —3J 87
Spring Rd. Let —5E 22
Springshott. Let —6E 22
Springs, The. Hert —8D 94
Spring View Rd. Ware —7G 94
Spring Villa Rd. Edgw —7A 164
Spring Wlk. Brox —4G 133
Spring Way. Hem H —9D 106
Springwell Av. Rick —2K 159
Springwell La. Rick & Hare —3K 159
Springwood. Chesh —8E 132
Springwood Clo. Hare —8N 159
Springwood Cres. Edgw —2B 164
Springwood Wlk. St Alb —8L 109
Spruce Way. Park —9C 126
Spur Clo. Ab L —6F 136
Spurcroft. Lut —9E 30
Spur Rd. Edgw —4M 163
Spurrs Clo. Hit —3B 34
Spur, The. Chesh —1H 145
Spur, The. Stev —5L 51
Square, The. Brau —2C 56
Square, The. Brox —5J 133
Square, The. Chipp —6H 27
Square, The. Dunst —9E 44
Square, The. Hem H —2N 123
Square, The. M Hud —5J 77
Square, The. Redb —9H 87
Square, The. Saw —5G 99
Square, The. Ugley —7N 43
Square, The. Wat —1K 149
Squires Clo. Bis S —9E 58
Squires Ct. Hod —9L 115
Squires La. N3 —9N 165
Squires Ride. Hem H —5B 106
Squirrel Chase. Hem H —1H 123
Squirrels Clo. Bis S —9H 59
Squirrels, The. Bush —8E 150
Squirrels, The. Hert —9E 94
Squirrels, The. Wel G —1B 112
Stablebridge Rd. Ast C —2E 100
Stable Cotts. Ware —7A 58
Stable Ct. St Alb —9F 108
Stable End Cotts. Tring —5C 102
Stable Rd. Hal —7C 100
Stables, The. Saw —4K 99
Stacey Ct. Bis S —2H 79
(off Apton Rd.)
Stackfield. H'low —3C 118
Stacklands. Wel G —2H 111
Staddles. L Hall —8K 79
Stafford Clo. N14 —7H 155
Stafford Clo. Chesh —2F 144
Stafford Ct. Brox —2L 133
Stafford Dri. Brox —2L 133
Stafford Ho. Bis S —3H 79
(off Havers La.)
Stafford Ho. Brox —2L 133
Stafford Rd. Harr —7D 162
Stafford Rd. H Bar —5L 153
Staffords. H'low —2G 118
Stag Clo. Edgw —9B 164
Stagg Hill. Barn —1D 154
Stag Grn. Av. Hat —7J 111
Stag La. Berk —9M 103
Stag La. Chor —8F 146
Stag La. Edgw & NW9 —9B 164
Stainer Rd. Borwd —3L 151
Staines Sq. Dunst —1F 64
Stains Clo. Chesh —1J 145
Stainton Rd. Enf —3G 157
Stake Piece Rd. R'ton —8C 8
Stakers Ct. Hpdn —6C 88
Stamford Av. R'ton —6D 8
Stamford Clo. Harr —7F 162
Stamford Clo. Pot B —5C 142
Stamford Ct. R'ton —6D 8
Stamford Rd. Wat —4K 149
Stamford Yd. R'ton —7C 8
Stanborough Av. Borwd —1A 152
Stanborough Clo. Borwd —2A 152
Stanborough Clo. Wel G —1J 111
Stanborough Grn. Wel G —2J 111
Stanborough La. Wel G —3H 111
Stanborough Pk. Wat —8K 137
Stanborough Rd. Wel G —3H 111
Stanbury Av. Wat —1G 148
Standard Rd. Enf —1J 157
Standfield. Ab L —4G 136
Standhill Clo. Hit —4N 33
Standhill Rd. Hit —4N 33
Standon Hill. Puck —7N 55
Standon Rd. L Had —6H 57
Standring Rise. Hem H —5L 123
Stane Clo. Bis S —8H 59
Stane Field. Let —8H 23
Stanelow Cres. Stdn —7A
Stane St. Bald —2N 23
Stanford Rd. Lut —7J 47
Stangate Cres. Borwd —7D
Stangate Gdns. Stan —4J
Stangate Lodge. N21 —9L
Stanhope Av. N3 —9M 165
Stanhope Av. Harr —8E 16
Stanhope Clo. Wend —7A
Stanhope Gdns. NW7 —5F
Stanhope Rd. Barn —8J 15
Stanhope Rd. St Alb —2G
Stanhope Rd. Wal X —6J
Stanier Rise. Berk —7K 10
Stanley Av. St Alb —7B 12
Stanley Clo. Pull —3A 18
Stanley Dri. Hat —2H 129
Stanley Gdns. Borwd —3M
Stanley Gdns. Tring —3L 1
Stanley Livingstone Ct. Lut
(off Stanley St.) —2F
Stanley Maude Ho. Ger X
(off Micholls Av.) —4B
Stanley Rd. Enf —5C 156
Stanley Rd. Hert —9C 94
Stanley Rd. N'wd —8J 161
Stanley Rd. Stev —1A 52
Stanley Rd. Streat —5C 30
Stanley Rd. Wat —6L 149
Stanley St. Lut —2F 66
Stanley Wlk. Lut —2F 66
(off Stanley St.)
Stanmore Cres. Lut —5B 4
Stanmore Hill. Stan —3H 1
Stanmore Lodge. Stan —4J
Stanmore Pk. Stan —5J 16
Stanmore Rd. Stev —2J 51
Stanmore Rd. Wat —3K 14
Stanmount Rd. St Alb —7B
Stannington Path. Borwd —3A
Stanstead Dri. Hod —6M 1
Stanstead Rd. Hert —8E 94
Stanstead Rd. Hod —7M 1
Stanstead Rd. Stan A —9G
Stansted Hill. M Hud —7K
Stansted Rd. Bir —6L 59
Stansted Rd. Bis S —1J 79
Stanton Clo. St Alb —7L 10
Stanton Rd. Lut —8M 45
Stantons. H'low —5L 117
Stanway Gdns. Edgw —5C
Staplefield Clo. Pinn —7N 1
Stapleford. Wel G —9C 92
Stapleford Rd. Lut —5K 47
Stapleton Rd. Borwd —2A
Staple Tye. H'low —9M 117
Staple Tye Shopping Cen. H' —9N
Stapley Rd. St Alb —1E 126
Stapylton Rd. Barn —5L 15
Star Holme Ct. Ware —6J 9
Starling La. Cuff —1L 143
Starling Pl. Wat —5L 137
Star St. Ware —6J 95
Startpoint. Lut —1E 66
Statham Clo. Lut —9D 30
Stathers Gro. St Alb —3J 1
Station App. N12 —4N 165
Station App. Chor —6G 146
Station App. H'low —1E 118
Station App. Hpdn —6C 88
Station App. Hem H —5K 1
Station App. Hit —2A 34
Station App. Kneb —3M 71
Station App. L Chal —3A 14
Station App. New Bar —6B
Station App. N'wd —7G 161
Station App. Rad —8H 139
Station App. Wal X —7J 14
Station App. Wat —3M 161
Station App. Wend —9A 10
Station Clo. N3 —8N 165
Station Clo. N12 —4N 165
Station Clo. Brk P —8L 129
Station Clo. Pot B —4M 14
Station Cotts. Brox —3L 13
Station Footpath. K Lan
(in two parts) —3D
Station Mews. Pot B —4N 1
Station Pde. N14 —9J 155
Station Pde. Barn —6F 154
Station Pde. Edgw —7M 16
Station Pde. Harr —9H 163
Station Pde. N'wd —7G 161
Station Pl. Let —5F 22
Station Rd. E4 —9N 157
Station Rd. N3 —8N 165
Station Rd. N21 —9N 155
Station Rd. NW7 —6E 164
Station Rd. Arl —8A 10
Station Rd. Berk —9A 104
Station Rd. Bis S —1H 79

on Rd. Borwd —6A 152
on Rd. Brau —5A 56
on Rd. Brick W —4B 138
on Rd. Brox —2K 133
on Rd. Bunt —3J 39
on Rd. Ched —8L 61
on Rd. Cuff —2L 143
on Rd. Dunst —9G 44
on Rd. Edgw —6A 164
on Rd. H'low —2E 118
on Rd. Hpdn —6C 88
on Rd. Hem H —4L 123
on Rd. I'hoe —2C 82
on Rd. K Lan —2D 136
on Rd. Kneb —3M 71
on Rd. Leag —4A 46
on Rd. Let —5F 22
on Rd. Let G —3G 112
on Rd. Stan A —2N 115
on Rd. Long M —3F 80
on Rd. L Ston —1F 20
on Rd. Lut —9G 46
on Rd. M Hud —7H 77
on Rd. New Bar —7A 154
on Rd. N Mym —6J 129
on Rd. Odsey —2M 23
on Rd. Puck —6A 56
on Rd. Rad —8H 139
on Rd. Rick —9N 147
on Rd. Saw —4G 99
on Rd. Small —1B 128
on Rd. Stans —3N 59
on Rd. Stpl M —5C 6
on Rd. Tring & Ald —2N 101
on Rd. Wal A —7L 145
on Rd. Ware —6H 95
on Rd. Wat —4K 149
on Rd. Wat S —5J 73
on Rd. Welw —4L 91
on Rd. Wheat —6L 89
ion Way. Let —5E 22
eley Rd. Dunst —2E 64
eley Rd. Lut —8M 45
plands. Bush —9C 150
ple View. Bis S —9G 59
hens Clo. Lut —6J 47
henson Clo. R'ton —6B 8
henson Way. Wat & Bush —6M 149
hens Way. Redb —1H 107
nells. Mars —6M 81
ling Av. Edgw —4N 163
ling Av. Wal X —7H 145
ling Ct. Stev —5K 51
ling Rd. Enf —3B 156
enage Cres. Borwd —3M 151
enage Rise. Hem H —7B 106
enage Rd. Hit & L Wym —5N 33
enage Rd. Stev & Kneb —9M 51
enage Rd. St I —7B 34
enage Rd. Walk —1D 52
ens Grn. Bush —1D 162
enson Clo. Barn —9C 154
ward Clo. Chesh —3J 145
wart Clark Ct. Dunst —8D 44
wart Clo. Ab L —5J 137
wart Dri. Hit —3B 34
wart Rd. Hpdn —5C 88
warts, The. Bis S —1G 79
warts Way. Man —8H 43
nings Way. N12 —5N 165
e Croft. H'low —8C 118
on Path. Borwd —2A 152
ling Clo. Hit —3C 34
ling Clo. Stev —1C 72
ling Corner. Borwd & Barn —8D 152
ling Ho. Borwd —6C 152
ling Rd. Harr —9G 162
ling Way. Ab L —5J 137
ling Way. Borwd —8D 152
ling Way. Wel G —9D 92
barts Clo. Kneb —2M 71
ck Bank. R'ton —3N 15
ckbreach Clo. Hat —8G 110
ckbreach Rd. Hat —8G 110
ckens Dell. Kneb —4M 71
ckens Grn. Kneb —4M 71
ckers Farm Rd. Rick —3N 159
ckfield Av. Hod —6L 115
ckholm Way. Lut —1A 46
cking La. B'frd —9M 113
cking La. Nuth —1F 28
cking La. Offl —6D 32
ckings La. L Berk —7J 113
ckingstone Rd. Lut —6F 46
ckingswater La. Enf —5K 157
Stockport Rd. Herons —9F 146
Stocks Meadow. Hem H —1C 124
Stocks Rd. Ald —6G 82
Stockton Gdns. NW7 —3E 164
Stockwell Clo. Chesh —9E 132
Stockwell La. Chesh —1E 144
Stockwood Ct. Lut —2F 66
(off Stockwood Cres.)
Stockwood Cres. Lut —2F 66
Stonecroft. Kneb —3M 71
Stonecroft Clo. Barn —6H 153
Stone Cross. H'low —5N 117
Stonecross. St Alb —1F 126
Stonecross La. Hare S —3A 40
Stone Cross Rd. Hat —7H 111
Stonegrove. Edgw —4M 163
Stone Gro. Ct. Edgw —5N 163
Stonegrove Gdns. Edgw —5N 163
Stone Hall Cotts. L Hall —3N 99
Stone Hall Rd. N21 —9L 155
Stonehill Ct. E4 —9M 157
Stonehills. Wel G —8K 91
Stonehills Ho. Wel G —8K 91
Stonehorse Rd. Enf —7G 157
Stonelea Rd. Hem H —4B 124
Stoneleigh. Saw —4F 98
Stoneleigh Av. Enf —2F 156
Stoneleigh Clo. Lut —2D 46
Stoneleigh Clo. Wal X —6H 145
Stoneleigh Dri. Hod —5M 115
Stoneley. Let —2F 22
Stonemead. Wel G —4K 91
Stones All. Wat —6K 149
Stonesdale. Lut —5M 45
Stoneways Clo. Lut —3N 45
Stoney Clo. N'chu —8K 103
Stoney Comn. Stans —4N 59
Stoney Comn. Rd. Stans —4M 59
Stoney Croft. Ald —1G 103
Stoneycroft. Hem H —2K 123
Stoneycroft. Wel G —8N 91
Stoneyfield Dri. Stans —3N 59
Stoneyfields Gdns. Edgw —4C 164
Stoneyfields La. Edgw —5C 164
Stoneygate Rd. Lut —7N 45
Stoney Hills. Ware —1A 94
Stoney La. Bov —9E 122
Stoney La. Chfd —3H 135
Stoney La. Hem H —5D 122
Stoney La. Lut & K Wal —8B 48
Stoney Pl. Stans —4N 59
Stonnells Clo. Let —3F 22
Stony Croft. Stev —3L 51
Stonycroft Clo. Enf —4J 157
Stony La. Lat —2B 146
Stony Wood. H'low —7A 118
Stookslade. W'grv —5A 60
Stopsley Way. Lut —6J 47
Storehouse La. Hit —4N 33
Storey St. Hem H —6N 123
Storksmead Rd. Edgw —7E 164
Stormont Rd. Hit —1N 33
Stornoway. Hem H —4D 124
Stortford Hall Ind. Pk. Bis S —1K 79
Stortford Hall Pk. Bis S —9K 59
Stortford Rd. Hat H —2M 99
Stortford Rd. Hod —7M 115
Stortford Rd. L Had —7M 57
Stortford Rd. Stdn —7C 56
Stort Lodge. Bis S —9F 58
Stort Rd. Bis S —2H 79
Stort Tower. H'low —4B 118
Stort Valley Ind. Pk. Bis S —7K 59
Stotfold Rd. Arl —4A 10
Stotfold Rd. Bald —4H 11
Stotfold Rd. Let —4C 22
Stow, The. H'low —4B 118
Stoxmead. Harr —8E 162
Strafford Clo. Pot B —5N 141
Strafford Ct. Old K —3N 71
Strafford Ga. Pot B —5N 141
Strafford Rd. Barn —5L 153
Straits, The. Wal A —5M 145
Stranburgh Pl. Hem H —4D 124
Strangers Way. Lut —5M 45
Strangeways. Wat —9G 136
Stratfield Dri. Brox —1J 133
Stratfield Pk. Clo. N21 —9N 155
Stratfield Rd. Borwd —5A 152
Stratford Ct. Wat —3K 149
Stratford Rd. Lut —8D 46
Stratford Rd. Wat —4J 149
Stratford Way. Brick W —2A 138
Stratford Way. Hem H —5L 123
Stratford Way. Wat —4H 149
Strathmore Av. Hit —1M 33
Strathmore Av. Lut —3G 67
Strathmore Gdns. N3 —8N 165
Strathmore Gdns. Edgw —9B 164
Strathmore Rd. W'wll —2M 69
Strathmore Wlk. Lut —2H 67
Stratton Av. Enf —1B 156
Stratton Clo. Edgw —6N 163
Stratton Ct. Pinn —7A 162
(off Devonshire Rd.)
Stratton Gdns. Lut —5F 46
Stratton Pl. Tring —2M 101
Strawberry Field. Hat —3G 129
Strawberry Field. Lut —2A 46
Strawberry Fields. Ware —5F 94
Strawfields. Wel G —8A 92
Strawmead. Hat —7H 111
Strawplaiters Clo. Wool G —6N 71
Straw Plait W. Arl —8A 10
Strayfield Rd. Enf —9M 143
Stream La. Edgw —5B 164
Streamside Ct. Tring —9N 81
(off Morefields.)
Streatfield Rd. Harr —9L 163
Streatley Rd. S'dn —6A 30
Street, The. Ber —3D 42
Street, The. Brau —2C 56
Street, The. Chfd —4K 135
Street, The. Fur P —5J 41
Street, The. Haul —6D 54
Street, The. L Hall —7K 99
Street, The. Man —7H 43
Street, The. Wall —3H 25
Stretton Way. Borwd —2M 151
Stringers La. Ast —8D 52
Stripling Way. Wat —8J 149
Stroma Clo. Hem H —4E 124
Stronsay. Hem H —4E 124
Stuart Ct. Els —8L 151
Stuart Dri. R'ton —5D 8
Stuart Pl. Lut —1F 66
Stuart Rd. Bar C —7E 18
Stuart Rd. E Barn —9D 154
Stuart Rd. Harr —9G 163
Stuart Rd. Welw —4H 91
Stuarts Clo. Hem H —4N 123
Stuart St. Dunst —8D 44
Stuart St. Lut —1F 66
Stuart St. Pas. Lut —1F 66
Stuart Way. Chesh —4F 144
Stubbs Clo. H Reg —4G 45
Stud Grn. Wat —5J 137
Studham La. Dagn —2N 83
Studham La. Kens —8D 64
Studios, The. Bush —8B 150
Studio Way. Borwd —4C 152
Studlands Rise. R'ton —7E 8
Studley Rd. Lut —8F 46
Sturgeon's Way. Hit —9B 22
Sturlas Way. Wal X —6H 145
Sturrock Way. Hit —4C 34
Stylecroft Rd. Chal G —2A 158
Stylemans La. L Hall —3K 79
Styles Clo. Lut —7L 47
Such Clo. Let —4H 23
Sudbury Rd. Lut —3L 45
Suez Rd. Enf —6J 157
Suffolk Clo. Borwd —7D 152
Suffolk Clo. Lon C —7K 127
Suffolk Clo. Lut —6K 45
Suffolk Rd. Dunst —2J 65
Suffolk Rd. Enf —7F 156
Suffolk Rd. Pot B —5L 141
Suffolk Rd. R'ton —7E 8
Sugar La. Hem H —4E 122
Sugden Ct. Dunst —9D 44
Sulgrave Cres. Tring —1A 102
Sullivan Cres. Hare —9N 159
Sullivan Way. Els —8K 151
Summer Ct. Hem H —9N 105
Summer dale. Wel G —5K 91
Summerfield. Hat —3G 129
Summerfield Clo. Lon C —8K 127
Summerfield Rd. Lut —9B 46
Summerfield Rd. Wat —8J 137
Summer Gro. Els —8L 151
Summer Hill. Els —7A 152
Summerhill Gro. Enf —8C 156
Summerhouse La. A'ham —4D 150
Summerhouse La. Hare —7K 159
Summerhouse Way. Ab L —3H 137
Summerleys. Edl —4J 63
Summer Pl. Wat —8H 149
Summersland Rd. St Alb —7K 109
Summers Rd. Lut —8L 47
Summer St. S End —6E 66
Summers Way. Lon C —9M 127
Summerswood La. Borwd —7E 140
Summer Wlk. Mark —2A 86
Summit Cen. Pot B —3M 141
Summit Clo. Edgw —7A 164
Summit Rd. Pot B —3L 141
Sumpter Yd. St Alb —3E 126
Sunbower Av. Dunst —6B 44
Sunbury Av. NW7 —5D 164
Sunbury Ct. Barn —6L 153
Sunbury Gdns. NW7 —5D 164
Suncote Av. Dunst —6B 44
Suncote Clo. Dunst —7B 44
Sunderland Av. St Alb —1H 127
Sundew Rd. Hem H —4H 123
Sundon Pk. Pde. Lut —2M 45
Sundon Rd. Chal & Streat —1J 45
Sundon Rd. H Reg & Chal —4F 44
Sundon Rd. Streat —4B 30
Sundown Av. Dunst —1G 64
Sun Hill. R'ton —8C 8
Sun La. Hpdn —5B 88
Sunmead Rd. Hem H —9N 105
Sunningdale. Bis S —2G 78
Sunningdale. Lut —6H 47
Sunningdale Clo. Stan —6H 163
Sunningdale Ct. Lut —6H 47
Sunningdale M. Wel G —5L 91
Sunningfields Cres. NW4 —9H 165
Sunningfields Rd. NW4 —9H 165
Sunny Bank. Ched —9L 61
Sunnybank Rd. Pot B —6N 141
Sunny Brook Clo. Ast C —9C 80
Sunnydale Gdns. NW7 —6D 164
Sunnydell. St Alb —8C 126
Sunnyfield. NW7 —4F 164
Sunnyfield. Hat —6K 111
Sunny Gdns. Pde. NW4 —9H 165
Sunny Gdns. Rd. NW4 —9H 165
Sunny Hill. NW4 —9H 165
Sunny Hill. Bunt —3K 39
(in two parts)
Sunnyhill Rd. Hem H —2L 123
Sunnyhill Rd. W Hyd —6G 159
Sunnymede Av. Che —9J 121
Sunny Rd., The. Enf —3H 157
Sunnyside. Stans —3N 59
Sunnyside Dri. E4 —9N 157
Sunnyside Rd. Hit —5A 34
Sunridge Av. Lut —7G 47
Sunrise Cres. Hem H —5A 124
Sunrise View. NW7 —6F 164
Sunset Av. E4 —9M 157
Sunset Dri. Lut —6H 47
Sunset View. Barn —4L 153
Sun Sq. Hem H —1N 123
(off Chapel St.)
Sun St. Bald —3L 23
Sun St. Hit —4M 33
Sun St. Saw —6H 99
Sun St. Wal A —6N 145
Surrey Ct. N3 —9L 165
Surrey Pl. Tring —3M 101
Surrey St. Lut —2G 67
Sursham Ct. Mark —2A 86
Susan Edwards Ho. Ger X
(off Micholls Av.) —4B 158
Sussex Clo. Hod —7L 115
Sussex Clo. Lut —5J 45
Sussex Pl. Lut —7M 47
Sussex Ring. N12 —5N 165
Sussex Rd. Wat —1J 149
Sussex Way. Barn —7G 154
Sutcliffe Clo. Bush —6D 150
Sutcliffe Clo. Stev —1N 51
Sutherland Av. Cuff —1J 143
Sutherland Clo. Barn —6L 153
Sutherland Ct. Wel G —8M 91
Sutherland Pl. Lut —3F 66
Sutherland Rd. N9 —9F 156
Sutherland Rd. Enf —8H 157
Sutherland Way. Cuff —1J 143
Sutton Acres. L Hall —9M 79
Sutton Clo. Brox —1J 133
Sutton Clo. Tring —9N 81
Sutton Cres. Barn —7K 153
Sutton Gdns. Lut —3N 45
Sutton Path. Borwd —5A 152
Sutton Rd. Dun —1E 4
Sutton Rd. St Alb —3J 127
Sutton Rd. Wat —5L 149
Swallow Clo. Bush —1C 162
Swallow Clo. Lut —5K 45
Swallow Clo. Rick —9M 147
Swallow Ct. Enf —2G 157
Swallow Ct. Hert —9A 94
Swallow Ct. Wel G —9M 91
Swallowdale La. Hem I —8C 106
Swallow End. Wel G —9M 91
Swallowfields. Wel G —9M 91
(in two parts)
Swallow Gdns. Hat —2G 129
Swallow La. St Alb —5J 127
Swallow Oaks. Abb L —4H 137
Swallows. H'low —2E 118
Swallows, The. Wel G —5M 91
Swan Clo. Che —9F 120
Swan Clo. I Ast —7E 62
Swan Clo. Rick —9N 147
Swan Ct. Bis S —2H 79
(off South St.)
Swan Ct. Dunst —9E 44
Swan Dri. NW9 —9E 164
Swanfield Rd. Wal X —6J 145
Swangley's La. Kneb —3N 71
Swanhill. Wel G —6N 91
Swanland Rd. N Mym —7H 129
Swanland Rd. S Mim & Hat —6H 141
Swan La. G Mor —1A 6
Swan La. Hare S —3A 40
Swanley Bar La. Pot B —1A 142
Swanley Cres. Pot B —2A 142
Swan Mead. Hem H —6A 124
Swan Mead. Lut —5K 45
Swan M. Wend —9A 100
Swannells Wood. Stud —3F 84
Swann Rd. Hal —6B 100
Swan & Pike Rd. Enf —2L 157
Swan Rd. War X —7J 145
Swans Clo. St Alb —3M 127
Swans Ct. Wal X —7J 145
Swansea Rd. Enf —6G 156
Swansons. Edl —5K 63
Swanstand. Let —7K 23
Swanston Grange. Lut —7L 45
Swanston Path. Wat —3L 161
Swan St. A'wl —9M 5
Swan Way. Enf —4H 157
Swarders Yd. Bis S —1H 79
(off North St.)
Swasedale Rd. Lut —3B 46
Swasedale Wlk. Lut —3B 46
Sweet Briar. Bis S —2D 78
Sweet Briar. Wel G —1N 111
Sweetbriar Clo. Hem H —8K 105
Sweyns Mead. Stev —2B 52
Sweyns, The. H'low —8E 118
Swift Clo. Let —3E 22
Swift Clo. Stan A —3N 115
Swift Clo. R'ton —4D 8
Swiftfields. Wel G —8N 91
Swifts Grn. Clo. Lut —4K 47
Swifts Grn. Rd. Lut —4K 47
Swinburne Av. Hit —1K 33
Swinburne Clo. R'ton —4D 8
Swingate. Stev —4K 51
Swing Ga. La. Berk —3A 122
Swinnell Clo. Bass —1A 8
Swiss Av. Wat —6G 149
Swiss Clo. Wat —5G 149
Sword Clo. Brox —2H 133
Sworder Clo. Lut —9B 30
Sycamore App. Crox G —7E 148
Sycamore Av. Hat —1G 128
Sycamore Clo. Barn —8C 154
Sycamore Clo. Bush —4N 149
Sycamore Clo. Chesh —9D 132
Sycamore Clo. Lut —1M 45
Sycamore Clo. St I —6A 34
Sycamore Clo. Wat —8K 137
Sycamore Dri. Park —9E 126
Sycamore Dri. Tring —2N 101
Sycamore Field. H'low —9K 117
Sycamore Rise. Berk —2A 122
Sycamore Rd. Crox G —7E 148
Sycamore Rd. H Reg —3F 44
Sycamores, The. Bald —3L 23
Sycamores, The. Bis S —2K 79
Sycamores, The. Hem H —5J 123
Sycamores, The. Rad —7J 139
Sycamores, The. St Alb —3E 126
Sydenham Av. N21 —7L 155
Sydney Rd. Enf —6B 156
(in two parts)
Sydney Rd. Wat —7G 149
Sylam Clo. Lut —2A 46
Sylvan Av. N3 —9N 165
Sylvan Av. NW7 —6E 164
Sylvan Clo. Hem H —3C 124
Sylvan Ct. N12 —3N 165
Sylvandale. Wel G —1B 112
Sylvesters. H'low —8J 117
Sylvia Av. Pinn —6N 161
Symonds Grn. La. Stev —3G 50
Symonds Grn. Rd. Stev
(in two parts) —2G 51
Symonds Rd. Hit —2L 33
Syon Ct. St Alb —3H 127

Tabbs Clo. Let —4H 23
Tabor Ct. Let —4D 22
Tacitus Clo. Stev —1B 52
Takeley Clo. Wal A —6N 145
Talbot Av. Wat —9N 149
Talbot Ct. Hem H —4N 123
Talbot Rd. Ast C —1D 100
Talbot Rd. Harr —9G 163
Talbot Rd. Hat —6G 111
Talbot Rd. Lut —8H 47
Talbot Rd. Rick —1A 160
Talbot St. Hert —9C 94
Talbot St. Hit —2L 33
Talbot Way. Let —2H 23
Talisman St. Hit —3C 34
Tallack Clo. Harr —7F 162
Tallents Cres. Hpdn —4E 88
Tallis Way. Borwd —3L 151
Tall Trees. R'ton —7E 8
Tall Trees. St I —6A 34
Talman Gro. Stan —6L 163
Tamar Grn. Hem H —6B 106
Tamarisk Av. St Alb —7E 108
Tameton Clo. Lut —7A 48
Tamworth Rd. Hert —8D 94
Tancred Rd. Lut —5J 47
Tanfield Clo. Chesh —9E 132
Tanfield Grn. Lut —8N 47
Tanglewood. Welw —9N 71
Tanglewood Clo. Stan —2F 162
Tangmere Way. NW9 —9E 164
Tanners Clo. St Alb —1D 126
Tanners Cres. Hert —2A 114
Tanners Hill. Ab L —4H 137
Tanners Way. Hun —6F 96
Tanners Wood Clo. Ab L —5G 137
Tanners Wood Ct. Abb L —5G 137
Tanners Wood La. Ab L —5G 136
Tannery Clo. R'ton —7C 8
Tannery Drift. R'ton —7C 8
Tannery, The. Bunt —3J 39
Tannsfield Dri. Hem H —9B 106
Tannsmore Clo. Hem H —9B 106
Tansycroft. Wel G —8A 92
Tanworth Clo. N'wd —6E 160
Tanworth Gdns. Pinn —9K 161
Tanyard La. Welw & Cod —8B 70
Tanyard, The. Bass —1M 7
Tany's Dell. H'low —3C 118
Tapster St. Barn —5M 153
Taransay. Hem H —4D 124
Tarn Bank. Enf —7K 155
Tarnside Clo. Dunst —2E 64
Tarrant. Stev —9H 35
Tarrant Dri. Hpdn —8E 88
Taskers Row. Edl —4K 63
Tassell Hall. Redb —9H 87
Tate Gdns. Bush —9F 150
Tate Ho. Ger X —5C 158
Tate Rd. Chal P —5C 158
Tatlers La. Ast E —4C 52
Tatmorehills La. Hit —1K 49
Tattershall Dri. Hem H —5D 106
Tattle Hill. Hert —5K 93
Tattlers Hill. W'grv —5A 60
Tauber Clo. Els —6N 151
Taunton Av. Lut —8K 47
Taunton Dri. Enf —5M 155
Taunton Way. Stan —9M 163
Taverners. Hem H —9A 106
Taverners Way. Hod —8L 115
Tavistock Av. St Alb —5D 126
Tavistock Clo. Pot B —4C 142
Tavistock Clo. St Alb —6E 126
Tavistock Cres. Lut —3G 66
Tavistock Pl. N14 —8G 155
Tavistock Rd. Edgw —8A 164
Tavistock Rd. Wat —3M 149
Tavistock St. Dunst —7D 44
Tavistock St. Lut —2G 66
Tawneys Rd. H'low —8A 118
Taylor Clo. St Alb —6H 109

Taylormead—Tuffnells Way

Taylormead. *NW7* —5G **164**
Taylor M. *Ware* —6J **95**
Taylors Av. *Hod* —9L **115**
Taylor's Hill. *Hit* —4N **33**
Taylors La. *Barn* —3M **153**
Taylor's Rd. *Stot* —4F **10**
Taylor St. *Lut* —9H **47**
Taylor Ter. *Chesh* —9J **133**
Taylor Trad. Est. *Hert* —8F **94**
Tayside Dri. *Edgw* —3B **164**
Taywood Clo. *Stev* —7A **52**
Teal Dri. *N'wd* —7F **160**
Teal Ho. *Wat* —9N **137**
Teasdale Clo. *R'ton* —4D **8**
Teasel Clo. *R'ton* —8E **8**
Tebworth Rd. *L Buzz* —1A **44**
Tedder Rd. *Hal C* —9C **100**
Tedder Rd. *Hem H* —1C **124**
Teesdale. *Hem H* —8A **106**
Teesdale. *Lut* —4M **45**
Tee Side. *Hert* —8F **94**
Teignmouth Clo. *Edgw* —9N **163**
Telford Av. *Stev* —3A **52**
Telford Clo. *Wat* —8M **137**
Telford Ct. *St Alb* —3F **126**
Telford Rd. *Lon C* —9K **127**
Telford Way. *Lut* —9F **46**
Telmere Ind. Est. Lut —2G **67** *(off Albert Rd.)*
Telscombe Way. *Lut* —6L **47**
Temperance St. *St Alb* —2D **126**
Tempest Av. *Pot B* —5C **142**
Templar Av. *Bald* —5M **23**
Templars Cres. *N3* —9N **165**
Templars Dri. *Harr* —6E **162**
Temple Av. *N20* —9C **154**
Temple Clo. *N3* —9M **165**
Temple Clo. *Chesh* —4E **144**
Temple Clo. *Hit* —7J **33**
Temple Clo. *Lut* —4G **46**
Temple Clo. *Wat* —4H **149**
Temple Ct. *Bald* —5M **23**
Temple Ct. *Hert* —6B **94**
Temple Ct. *Pot B* —4L **141**
Temple Fields. *Hert* —6B **94**
Temple Gdns. *Rick* —4D **160**
Temple Gro. *Enf* —5N **155**
Temple La. *Ton* —9C **74**
Temple Mead. *Hem H* —9N **105**
Temple Mead. *Roy* —6E **116**
Temple Mead Clo. *Stan* —6J **163**
Templepan La. *Chan X* —1A **148**
Temple View. *St Alb* —9D **108**
Templewood. *Wel G* —6K **91**
Tempsford. *Wel G* —9C **92**
Tempsford Av. *Borwd* —6D **152**
Tempsford Clo. *Enf* —5A **156**
Temsford Clo. *Harr* —9D **162**
Tenby Av. *Harr* —9J **163**
Tenby Dri. *Lut* —6B **46**
Tenby Rd. *Edgw* —8N **163**
Tenby Rd. *Enf* —6G **156**
Tendring Rd. *H'low* —8A **118**
Tendring Rd. *H'low* —8M **117**
Tene, The. *Bald* —3M **23**
Tennand Clo. *Chesh* —8D **132**
Tennis Cotts. *Berk* —9N **103**
Tennison Av. *Borwd* —7B **152**
Tenniswood Rd. *Enf* —3C **156**
Tennyson Av. *Hit* —4C **34**
Tennyson Av. *H Reg* —5G **45**
Tennyson Clo. *Enf* —8H **157**
Tennyson Clo. *R'ton* —4E **8**
Tennyson Rd. *NW7* —5G **164**
Tennyson Rd. *Hpdn* —4B **88**
Tennyson Rd. *Lut* —4G **66**
Tennyson Rd. *St Alb* —8B **126**
Tenterden Clo. *NW4* —9K **165**
Tenterden Dri. *NW4* —9K **165**
Tenterfield Ho. *Welw* —3J **91**
Tenth Av. *Lut* —2M **45**
Tenzing Gro. *Lut* —2E **66**
Tenzing Rd. *Hem H* —2C **124**
Teresa Gdns. *Wal X* —7G **145**
Terminal Ho. *Stan* —5L **163**
Terminus St. *H'low* —5N **117**
Terrace Gdns. *Wat* —4K **149**
Terrace, The. *N3* —9M **165**
Terrace, The. *Ess* —8D **112**
Terrace, The. Redb —1J **107** *(off Vaughan Mead)*
Terrace, The. Tring —3M **101** *(off Akeman St.)*
Tethys Rd. *Hem H* —8B **106**
Tewin Clo. *St Alb* —7K **109**
Tewin Clo. *Tew* —2B **92**
Tewin Ct. *Wel G* —8M **91**
Tewin Hill. *Tew* —4D **92**
Tewin Rd. *Hem H* —2E **124**
Tewin Rd. *Wel G* —8M **91**
Tewin Water. *Welw* —5M **91**
Tewkesbury Gdns. *NW9* —9B **164**
Teynham Av. *Enf* —8B **156**
Thackeray Clo. *R'ton* —4D **8**
Thames Av. *Hem H* —6B **106**
Thames Ct. *Lut* —6D **46**
Thamesdale. *Lon C* —9N **127**
Thames Ind. Est. *Dunst* —9E **44**
Thatcham Ct. *N20* —9B **154**
Thatcham Gdns. *N20* —9B **154**
Thatch Clo. *Lut* —5J **45**
Thatchers Croft. *Hem H* —7A **106**
Thatchers End. *Hit* —2D **34**
Thatchers, The. *Bis S* —3E **78**
Thaxted Clo. *Lut* —7A **48**
Thaynesfield. *Pot B* —4C **142**
Thelby Clo. *Lut* —3B **46**
Thele Av. *Stan A* —2A **116**
Thellusson Way. *Rick* —1J **159**
Thelusson Ct. *Rad* —8H **139**
Theobald Cres. *Harr* —8D **162**
Theobalds Clo. *Cuff* —3L **143**
Theobalds La. *Wal X* —5G **145**
Theobalds La. *Wal X* —5E **144** (in three parts)
Theobalds Pk. Rd. *Enf* —8N **143**
Theobalds Rd. *Cuff* —3K **143**
Theobald St. *Rad & Borwd* —9J **139**
Therfield Rd. *St Alb* —7E **108**
Therfield Wlk. *H Reg* —3H **45**
Thetford Gdns. *Lut* —3G **46**
Thieves La. *Hert* —8L **93**
Thieves' La. *Ware* —8G **94**
Third Av. *Enf* —7D **156**
Third Av. *H'low* —7J **117**
Third Av. *Let* —4J **23**
Third Av. *Lut* —2M **45**
Third Av. *Wat* —8M **137**
Thirleby Rd. *Edgw* —8D **164**
Thirlestane. *St Alb* —1G **126**
Thirlestone Rd. *Lut* —8N **45**
Thirlmere Dri. *St Alb* —4J **127**
Thirlmere Gdns. *N'wd* —5D **160**
Thirsk Rd. *Borwd* —1A **152**
Thirston Path. *Borwd* —4A **152**
Thistle Clo. *Hem H* —3H **123**
Thistlecroft. *Hem H* —3L **123**
Thistlecroft Gdns. *Stan* —8L **163**
Thistle Gro. *Wel G* —3B **112**
Thistle Rd. *Lut* —1H **67**
Thistles, The. *Hem H* —1L **123**
Thistley Cres. *R Grn* —1N **43**
Thistley La. *Gos* —8N **33**
Thomas Ct. *N'chu* —8J **103**
Thomas Heskin Ct. *Bis S* —1J **79**
Thomas Rochford Way. *Wal X* —9J **133**
Thomas Sparrow Ho. *Wheat* —7K **89**
Thompsons Clo. *Chesh* —2D **144**
Thompsons Clo. *Hpdn* —6B **88**
Thompson's Row. *Berk* —1A **122**
Thompson Way. *Rick* —1K **159**
Thomson Rd. *Harr* —9F **162**
Thorley Cen., The. *Bis S* —4F **78**
Thorley High. *Thor* —6H **79**
Thorley Hill. *Bis S* —3H **79**
Thorley La. *Bis S* —5H **79** (Bishop's Stortford)
Thorley La. *Bis S* —4E **78** (Thorley)
Thorley La. *Bis S* —3D **78** (Thorley Houses)
Thorley Pk. Rd. *Bis S* —4H **79**
Thorley Pl. Cotts. *Bis S* —4F **78**
Thornage Clo. *Lut* —2F **46**
Thorn Av. *Bush* —1D **162**
Thorn Bank. *Edgw* —6A **164**
Thornbera Clo. *Bis S* —4H **79**
Thornbera Gdns. *Bis S* —4G **79**
Thornbera Rd. *Bis S* —4H **79**
Thornbury. *Dunst* —7J **45**
Thornbury. *Hpdn* —6E **88**
Thornbury Clo. *Hod* —4M **115**
Thornbury Clo. *Stev* —9N **51**
Thornbury Ct. *H Reg* —2F **44**
Thornbury Gdns. *Borwd* —6C **152**
Thorncroft. *Hem H* —4D **124**
Thorndyke Ct. *Pinn* —6A **162**
Thorne Clo. *Hem H* —4L **123**
Thornfield Av. *NW7* —8L **165**
Thornfield Ct. *NW7* —8L **165**
Thornfield Rd. *Bis S* —9G **59**
Thorn Gro. *Bis S* —2K **79**
Thornhill Clo. *H Reg* —2G **44**
Thornhill Rd. *Lut* —8B **46**
Thornhill Rd. *N'wd* —4E **160**
Thorn Ho. *Borwd* —4C **152**
Thorn Rd. *H Reg* —4A **44**
Thornton Cres. *Wend* —9A **100**
Thorntondale. *Lut* —4M **45**
Thornton Gro. *Pinn* —6B **162**
Thornton Rd. *Barn* —5L **153**
Thornton Rd. *Pot B* —3B **142**
Thornton St. *Hert* —9B **94**
Thornton St. *St Alb* —1D **126**
Thorntree Dri. *Tring* —2L **101**
Thorn View Rd. *H Reg* —4E **44**
Thorpe Ct. *Enf* —5N **155**
Thorpe Cres. *Wat* —9L **149**
Thorpefield Clo. *St Alb* —8L **109**
Thorpe Rd. *St Alb* —3E **126**
Thrales Clo. *Lut* —2A **46** (in three parts)
Three Cherry Trees La. *Hem I* —7D **106**
Three Clo. La. *Berk* —1N **121**
Three Corners. *Hem H* —4C **124**
Three Horseshoes Rd. *H'low* —8L **117**
Three Houses La. *Cod* —5C **70**
Three Star Caravan Pk. *L Ston* —1H **21**
Three Stiles. *B'tn* —5K **53**
Thremhall Av. *L Hall* —9N **59**
Thresher Clo. *Lut* —5J **45**
Thricknells Clo. *Lut* —2A **46**
Thrift Farm La. *Borwd* —4C **152**
Thrimley La. *Farnh* —3D **58**
Thristers Clo. *Let* —8H **23**
Throcking La. *Bunt* —9F **26**
Throstle Pl. *Wat* —5L **137**
Thrums. *Wat* —1K **149**
Thrush Av. *Hat* —2G **128**
Thrush Grn. *Rick* —9M **147**
Thrush La. *Cuff* —1K **143**
Thumbswood. *Wel G* —3N **111**
Thumpers. *Hem H* —9A **106**
Thundercourt. *Ware* —5H **95**
Thunder Hall. Ware —5H **95** *(off Wadesmill Rd.)*
Thundridge Clo. *Wel G* —1A **112**
Thurgood Rd. *Hod* —6L **115**
Thurlow Clo. *Lut* —5J **45**
Thurlow Clo. *Stev* —8K **35**
Thurnall Av. *R'ton* —8D **8**
Thurnall Clo. *Bald* —3M **23**
Tibbet Clo. *Dunst* —2G **64**
Tibbles Clo. *Wat* —8N **137**
Tibbs Hill Rd. *Ab L* —3H **137**
Tiberius Rd. *Lut* —3B **46**
Tickenhall Dri. *H'low* —7F **118**
Tilbury Mead. *H'low* —8C **118**
Tilecroft. *Wel G* —5K **91**
Tilegate Rd. *H'low* —8B **118**
Tilegate Rd. *Ong* —9L **119**
Tilehouse Clo. *Borwd* —5N **151**
Tilehouse La. *W Hyd* —9H **159**
Tilehouse St. *Hit* —4M **33**
Tilekiln Clo. *Chesh* —2D **144**
Tile Kiln Clo. *Hem H* —3D **124**
Tile Kiln Cres. *Hem H* —3D **124**
Tile Kiln La. *Hem H* —3C **124**
Tilgate. *Lut* —6M **47**
Tillers Link. *Stev* —7N **51**
Tillingham Way. *N12* —4N **165**
Tillotson Rd. *Harr* —7C **162**
Tillwicks Rd. *H'low* —7B **118**
Tilsworth Wlk. *St Alb* —6K **109**
Timbercroft. *Wel G* —6M **91**
Timberdene. *NW4* —9K **165**
Timberlands Cvn. Pk. *Lut* —8E **66**
Timber Orchard. *W'frd* —5M **93**
Timber Ridge. *Loud* —6N **147**
Timbers Ct. *Hpdn* —5A **88**
Times Clo. *Hit* —9L **21**
Timplings Row. *Hem H* —9L **105**
Timworth Clo. *Lut* —8M **47**
Tingeys Clo. *Redb* —1J **107**
Tingeys Top La. *Enf* —9M **143**
Tinkers La. *Wig* —8E **102**
Tinsley Clo. *Lut* —4D **66**
Tintagel Clo. *Hem H* —6N **105**
Tintagel Clo. *Lut* —5D **46**
Tintagel Dri. *Stan* —4L **163**
Tintern Av. *NW9* —9B **164**
Tintern Clo. *Hpdn* —3L **87**
Tintern Clo. *Stev* —1N **71**
Tintern Gdns. *N14* —9K **155**
Tinwell M. *Borwd* —7D **152**
Tippendell La. *Park* —7B **126**
Tippet Ct. *Stev* —6K **51**
Tippetts Clo. *Enf* —3A **156**
Tipplehill Rd. *Al G* —6B **66**
Tiptree Dri. *Enf* —6B **156**
Tiree Clo. *Hem H* —4D **124**
Titan Ct. *Lut* —8B **46**
Titan Rd. *Hem H* —8B **106**
Titchborne. *W Hyd* —5G **159**
Titchfield Rd. *Enf* —1J **157**
Tithe Barn Clo. *St Alb* —5D **126**
Tithe Clo. *NW7* —8G **164**
Tithe Clo. *Cod* —7F **70**
Tithe Farm Rd. *H Reg* —3E **44**
Tithe Farm Rd. *H Reg* —3E **44**
Tithelands. *H'low* —9K **117**
Tithe Wlk. *NW7* —8G **164**
Titian Av. *Bush* —9F **150**
Titmus Clo. *Stev* —3L **51**
Titmus Rd. *Hal* —7D **100**
Tiverton Ct. *Hpdn* —9F **88**
Tiverton Rd. *Edgw* —9N **163**
Tiverton Rd. *Pot B* —4C **142**
Toby Ct. N9 —9G **156** *(off Tramway Av.)*
Toddbrook. *H'low* —7L **117**
Toddington Rd. *Lut* —3L **45**
Todhunter Ter. *Barn* —6N **153**
Toland Clo. *Lut* —8M **45**
Tolcarne Dri. *Pinn* —9J **161**
Tollgate Clo. *Chor* —5J **147**
Tollgate Rd. *Col H* —5D **128**
Tollgate Rd. *Wal X* —8H **145**
Tollpit End. *Hem H* —8K **105**
Tolmers Av. *Cuff* —1K **143**
Tolmers Gdns. *Cuff* —2L **143**
Tolmers Rd. *Cuff* —1K **143**
Tolpits Clo. *Wat* —7H **149**
Tolpits La. *Wat* —1E **160**
Tomkins Clo. *Borwd* —3M **151**
Tomlinson Av. *Lut* —5H **45**
Toms Croft. *Hem H* —3A **124**
Toms Field. *Hat* —1E **128**
Toms Hill. *Ald* —2H **103**
Tom's Hill. *Chan X* —9A **136**
Toms Hill Rd. *Ald* —1H **103**
Tom's La. *K Lan* —2D **136**
Tonge Ct. *Brox* —2L **133**
Tooke Clo. *Pinn* —8N **161**
Toorack Rd. *Harr* —9E **162**
Tooveys Mill Clo. *K Lan* —1C **136**
Top Ho. Rise. *E4* —9N **157**
Topland Rd. *Chal P* —7A **158**
Topland Rd. *Chal P* —7A **158**
Topstreet Way. *Hpdn* —7D **88**
Torbridge Clo. *Edgw* —7M **163**
Tornay Ct. *Slap* —2B **62**
Torquay Cres. *Stev* —2H **51**
Torquay Dri. *Lut* —5N **45**
Torridge Wlk. *Hem H* —6B **106**
Torrington Dri. *Pot B* —4C **142**
Torrington Rd. *Berk* —1M **121**
Tortoiseshell Way. *Berk* —8K **103**
Torwood Clo. *Berk* —1K **121**
Torworth Rd. *Borwd* —3N **151**
Tot La. *Bis S* —6M **59**
Totteridge Comn. *N20* —2G **165**
Totteridge Grn. *N20* —2N **165**
Totteridge La. *N20* —2N **165**
Totteridge Rd. *Enf* —1H **157**
Totteridge Village. *N20* —1L **165**
Totternhoe Rd. *Dunst* —1B **64** (Dunstable)
Totternhoe Rd. *Eat B* —2H **63** (Eaton Bray)
Totton M. *Redb* —1K **107**
Totts La. *Walk* —9G **37**
Toulmin Dri. *St Alb* —7D **108**
Tovey Av. *Hod* —6L **115**
Tovey Clo. *Lon C* —8L **127**
Tower Cen. *Hod* —8L **115**
Tower Clo. *Berk* —2L **121**
Tower Clo. *L Wym* —7F **34**
Tower Ct. *Lut* —8J **47**
Tower Hill. *Chfd* —2H **135**
Tower Hill. *M Hud* —6J **77**
Tower Hill La. *Sandr* —1N **109**
Tower Rd. *Cod* —6E **70**
Tower Rd. *Lut* —9J **47**
Tower Rd. *Ware* —5J **95**
Towers Rd. *Hem H* —1A **124**
Towers Rd. *Pinn* —8N **161**
Towers Rd. *Stev* —5K **51**
Towers, The. *Stev* —5K **51**
Tower St. *Hert* —7A **94**
Tower Way. *Lut* —9J **47**
Towgar Ct. *N20* —9B **154**
Town Cen. *Hat* —8H **111**
Towne Rd. *R'ton* —8D **8**
Town Farm. *L Buzz* —9M **61**
Town Farm Clo. *G Mor* —1A **6**
Town Farm Cres. *Stdn* —7C **56**
Town Field. *Rick* —1M **159**
Town Fields. *Hat* —8G **111**
Town Hall Arc. Berk —1N **121** *(off High St. Berkhamsted,)*
Town La. *B'tn* —5J **53**
Townley. *Let* —7K **23**
Townmead Rd. *Wal A* —7N **145**
Townsend. *Hem H* —9N **105**
Townsend Av. *St Alb* —1F **126**
Townsend Cen., The. *H Reg* —5E **44**
Townsend Clo. *B'wy* —9N **15**
Townsend Clo. *Hpdn* —6A **88**
Townsend Dri. *St Alb* —8E **108**
Townsend Farm Rd. *H Reg* —6E **44**
Townsend Ind. Est. *H Reg* —6E **44**
Townsend La. *Hpdn* —6N **87**
Townsend Rd. *Hpdn* —5B **88**
Townsend Ter. *H Reg* —5D **44**
Townsend Way. *N'wd* —7H **161**
Townshend St. *Hert* —9C **94**
Townside. *Edl* —5K **63**
Townsley Clo. *Lut* —2G **66**
Town Sq. *Stev* —4K **51**
Town, The. *Enf* —5B **156**
Tracey Ct. Lut —2G **67** *(off Hibbert St.)*
Tracy Ct. *Stan* —7K **163**
Tracyes Rd. *H'low* —8D **118**
Trafalgar Av. *Brox* —3K **133**
Trafalgar Trading Est. *Enf* —6J **157**
Trafford Clo. *Shenl* —5M **139**
Trafford Clo. *Stev* —9L **35**
Trajan Ga. *Stev* —9C **36**
Tramerne Clo. *Hit* —5N **33**
Tramway Av. *N9* —9F **156**
Tranmere Rd. *N9* —9D **156**
Trap Rd. *G Mor* —1B **6**
Trapstyle Rd. *Ware* —5E **94**
Travellers La. *Hat & N Mym* —1G **129** (in two parts)
Treacle La. *Rush* —8L **25**
Treacy Clo. *Bush* —2D **162**
Trebellan Dri. *Hem H* —1B **124**
Treehanger Clo. *Tring* —2N **101**
Tree Tops. *Ger X* —5B **158**
Treetops. *Welw* —9L **71**
Treetops Clo. *N'wd* —5F **160**
Trefoil Clo. *Lut* —5J **45**
Trefusis Wlk. *Wat* —3G **149**
Tregelles Rd. *Hod* —5L **115**
Tregenna Clo. *N14* —7H **155**
Tremaine Gro. *Hem H* —7A **106**
Trenchard Av. *Hal C* —8C **100**
Trenchard Clo. *NW9* —8E **164**
Trenchard Clo. *Stan* —6H **163**
Trent Clo. *Shenl* —5M **139**
Trent Clo. *Stev* —1L **51**
Trent Gdns. *N14* —8G **154**
Trent Rd. *Lut* —6C **46**
Trentwood Side. *Enf* —5L **155**
Tresco Rd. *Berk* —9K **103**
Trescott Clo. *Lut* —7N **47**
Tresilian Av. *N21* —7L **155**
Tresilian Sq. *Hem H* —6C **106**
Tretawn Gdns. *NW7* —4E **164**
Tretawn Pk. *NW7* —4E **164**
Trevalga Way. *Hem H* —7A **106**
Trevellance Way. *Wat* —6M **137**
Trevelyan Way. *Berk* —8M **103**
Trevera Ct. *Enf* —7J **157**
Trevera Ct. Wal X —6J **145** *(off Eleanor Rd.)*
Trevor Clo. *E Barn* —8C **154**
Trevor Clo. *Harr* —7G **162**
Trevor Gdns. *Edgw* —8D **164**
Trevor Rd. *Edgw* —8D **164**
Trevor Rd. *Hit* —2A **34**
Trevose Way. *Wat* —3L **161**
Trewenna Dri. *Pot B* —5C **142**
Triangle Pas. *Barn* —6B **154**
Triangle, The. *Hit* —4N **33**
Trident Dri. *H Reg* —3G **45**
Trident Ind. Est. *Hod* —8N **115**
Trident Rd. *Wat* —7H **137**
Trigg Pl. *Saw* —5G **99**
Triggs Way. *C'hoe* —6N **47**
Trigg Ter. *Stev* —3L **51**
Trimley Clo. *Lut* —4L **45**
Trinder Rd. *Barn* —7J **153**
Tring By-Pass. *Tring* —3J **101**
Tring Ford Rd. *T'frd* —7L **81**
Tring Ho. *Wat* —9G **149**
Tring Rd. *Dunst* —6N **63**
Tring Rd. *I'hoe & Edles* —3D **82**
Tring Rd. *Long M* —3G **81**
Tring Rd. *N'chu* —7H **10**
Tring Rd. *Wend* —9B **10**
Tring Rd. *Wils* —6H **81**
Tring Rd. *W'grv* —6B **60**
Trinity Av. *Enf* —8D **156**
Trinity Clo. *Bis S* —2H **7**
Trinity Clo. *N'wd* —6G **1**
Trinity Ct. *Enf* —4A **156**
Trinity Ct. *Hert* —7A **94**
Trinity Gro. *Hert* —8A **94**
Trinity Hall Clo. *Wat* —5L
Trinity La. *Wal X* —5J **14**
Trinity M. *Hem H* —3F **1**
Trinity Pl. *Stev* —3K **51**
Trinity Rd. *Hert H* —3G **1**
Trinity Rd. *Lut* —4C **46**
Trinity Rd. *Stev* —3J **51**
Trinity Rd. *Stot* —5F **10**
Trinity Rd. *Ware* —5J **95**
Trinity St. *Bis S* —2H **79**
Trinity St. *Enf* —4A **156**
Trinity Wlk. *Hem H* —3F **1**
Trinity Wlk. *Hert H* —3G **1**
Trinity Way. *Bis S* —2H **7**
Tripton Rd. *H'low* —7A **1**
Tristram Rd. *Hit* —9A **22**
Triton Way. *Hem H* —9B
Trojan Ter. *Saw* —4G **99**
Troon Gdns. *Lut* —3G **46**
Trooper Rd. *Ald* —1G **103**
Trotters Bottom. *Barn* —1G
Trotter's Gap. *Stan A* —2E
Trotters Rd. *H'low* —9C **1**
Trout Rise. *Loud* —5L **14**
Troutstream Way. *Loud* —6K
Trouvere Pk. *Hem H* —9L
Trowbridge Gdns. *Lut* —7
Trowley. *Flam* —6D **86**
Trowley Bottom. *Flam* —7
Trowley Heights. *Mark* —
Trowley Hill Rd. *Flam* —7
Trowley Rise. *Ab L* —4G **1**
Truemans Rd. *Hit* —9L **21**
Truman Clo. *Edgw* —7C **1**
Trumper Rd. *Stev* —9L **35**
Trumpington Dri. *St Alb* —5E
Truncalls. Lut —3F **66** *(off Sutherland Pl.)*
Trundlers Way. *Bush* —1F
Truro Ct. *Stev* —8M **35**
Truro Gdns. *Lut* —4D **46**
Truro Ho. *Pinn* —7A **162**
Trust Rd. *Wal X* —7J **145**
Tucker's Row. *Bis S* —2H
Tucker St. *Wat* —7L **149**
Tudor Av. *Chesh* —4E **144**
Tudor Av. *Wat* —2M **149**
Tudor Clo. *NW7* —6G **165**
Tudor Clo. *Bar C* —7E **18**
Tudor Clo. *Chesh* —4F **144**
Tudor Clo. *Hat* —3F **128**
Tudor Clo. *Hun* —7G **96**
Tudor Clo. *Stev* —9J **35**
Tudor Ct. *Bass* —1B **8**
Tudor Ct. *Borwd* —4M **15**
Tudor Ct. *Dunst* —1G **64**
Tudor Ct. *Hit* —4L **33**
Tudor Ct. *Mill E* —1K **159**
Tudor Ct. *Saw* —4G **98**
Tudor Cres. *Enf* —3A **156**
Tudor Dri. *H Reg* —5H **45**
Tudor Dri. *Wat* —2M **149**
Tudor Enterprise Pk. *Harr* —9E
Tudor Gdns. *Harr* —9E **16**
Tudor Heights. *Hert* —7N
Tudor Ho. Pinn —9L **161** *(off Pinner Hill Rd.)*
Tudor Mnr. Gdns. *Wat* —5M
Tudor Orchard. *N'chu* —8J
Tudor Pde. *Rick* —9K **147**
Tudor Rise. *Brox* —3J **133**
Tudor Rd. *N9* —9F **156**
Tudor Rd. *Barn* —5N **153**
Tudor Rd. *Harr* —9E **162**
Tudor Rd. *Lut* —7D **46**
Tudor Rd. *Pinn* —9L **161**
Tudor Rd. *St Alb* —7F **108**
Tudor Rd. *Welw* —4H **91**
Tudor Rd. *Wheat* —7M **89**
Tudor Vs. *Chesh* —2C **144**
Tudor Wlk. *Wat* —1M **149**
Tudor Way. *N14* —9J **155**
Tudor Way. *Hert* —9M **93**
Tudor Way. *Rick* —1K **159**
Tudor Way. *Wal A* —6N **14**
Tudor Well Clo. *Stan* —5J
Tuffnell Ct. Chesh —1H **14** *(off Coopers Wlk.)*
Tuffnells Way. *Hpdn* —3M

Tumbler Rd.—Warners Clo.

nbler Rd. H'low —7C 118
field Rd. Hod —5M 115
nel Wood Clo. Wat —1H 149
nel Wood Rd. Wat —1H 149
nmeade. H'low —5C 118
La. G'ley —6H 35
n Rd. N9 —9G 156
key St. Enf —9E 144
more Dale. Wel G —1J 111
nberry Ct. Wat —3L 161
nberry Dri. Brick W —3N 137
ner Clo. H Reg —4G 44
ner Clo. Stev —8J 35
ner Rd. Bush —6D 150
ner Rd. Edgw —9M 163
ners Clo. B'fld —3H 93
ners Clo. Hpdn —3D 88
ners Cres. Bis S —4E 78
ner's Hill. Chesh —2H 145
ners Hill. Hem H —3A 124
ners Rd. N. Lut —7J 47
ners Rd. S. Lut —7J 47
ners Wood Dri. Chal G —3A 158
neys Orchard. Chor —7G 147
nford Cotts. Turn —8K 133
nford Ct. Turn —8J 133
nford Vs. Turn —8K 133
npike Clo. Dunst —2F 64
npike Dri. Lut —9E 30
npike Grn. Hem H —7B 106
npike La. Ickl —8L 21
nstone Clo. NW9 —9E 164
nstones, The. Wat —9N 137
pins Chase. Welw —9M 71
pins Clo. Hert —9L 93
pin's Ride. R'ton —8D 8
pins Ride. Welw —9L 71
pin's Rise. Stev —8M 51
pin's Way. Bald —4M 23
vey Clo. Ast C —1D 100
kford Clo. Borwd —2M 151
eed Clo. Berk —9M 103
eedy Clo. Enf —7D 156
elve Acres. Wel G —2L 111
elve Leys. W'grv —5A 60
ickenham Gdns. Harr —7F 162
igden Ct. Lut —4A 46
ineham Grn. N12 —4N 165
inn Rd. NW7 —6L 165
inwoods. Stev —5M 51
ist, The. Wig —4B 102
itchell La. Ast C —1D 100
itchell, The. Bald —3M 23
n two parts)
itchell, The. Shil —3N 19
itchell, The. Stev —2K 51
o Acres. Wel G —2M 111
o Beeches. Hem H —7B 106
o Dells La. Ash G —6K 121
o Gates La. Bell —6B 120
o Oaks Dri. Welw —1B 92
o Waters Rd. Hem H —4M 123
o Waters Way. Hem H —6M 123
yford Bury La. Bis S —4J 79
yford Bus. Cen., The. Bis S —4J 79
yford Clo. Bis S —3J 79
yford Dri. Lut —7M 47
yford Gdns. Bis S —4H 79
yford Mill. L Hall —5J 79
yford Rd. Bis S —3J 79
yford Rd. St Alb —7K 109
berry Rd. Enf —5F 156
burn La. Pull —3A 18
e End. Stev —9A 52
e Grn. H'low —8A 118
e Grn. Village. H'low —9B 118
field Clo. Chesh —3G 145
keswater La. Els —4K 151
ers. Hpdn —6E 88
ers Causeway. New S —5G 130
ers Clo. K Lan —1A 136
ersfield. Ab L —4H 137
ers Mead. Lut —4G 47
ers Way. Wat —6D 150
ers Wood. Welw —2B 92
ney Croft. H'low —8L 117
nedale. Lon C —9N 127
nemouth Dri. Enf —2E 156
oleden Clo. Hem H —9N 105
sea Clo. H'low —9B 118
sea Rd. H'low —9B 118
soe Av. Enf —9K 145
the M. Edl —5J 63
Tythe Rd. Lut —3M 45
Tyttenhanger Grn. Tyngr —5L 127

Uckfield Rd. Enf —1H 157
Ufford Clo. Harr —7C 162
Ufford Rd. Harr —7C 162
Ullswater Rd. Dunst —2E 64
Ullswater Rd. Hem H —4E 124
Ulverston Rd. Dunst —2D 64
Underacre Clo. Hem H —1C 124
Underhill. Barn —7N 153
Underhill Ct. Barn —7N 153
Underwood Clo. Lut —9B 30
Underwood Rd. Stev —8J 35
Union Grn. Hem H —1N 123
Union St. Barn —5L 153
Union St. Dunst —9D 44
Union St. Lut —2G 66
Union Ter. Bunt —3J 39
Unity Rd. Enf —1G 157
University Clo. NW7 —7F 164
University Clo. Bush —6B 150
Unwin Clo. Let —7E 22
Unwin Pl. Stev —6B 52
Unwin Rd. Stev —6B 52
Upcroft Av. Edgw —5C 164
Updale Clo. Pot B —6L 141
Up End. Saf W —2J 29
Uphill Dri. NW7 —5E 164
Uphill Gro. NW7 —4E 164
Uphill Rd. NW7 —4E 164
Upland Dri. Brk P —7A 130
Uplands. Crox G —8B 148
Uplands. Lut —1N 45
Uplands. Stev —1C 52
Uplands. Ware —5K 95
Uplands. Wel G —5J 91
Uplands Av. Hit —4B 34
Uplands Ct. N21 —9M 155
(off Green, The)
Uplands Ct. Lut —3G 66
Uplands Pk. Rd. Enf —4M 155
Uplands, The. Brick W —3N 137
Uplands, The. Hpdn —2B 108
Uplands Way. N21 —7M 155
Up. Ashlyns Rd. Berk —2M 121
Up. Barn. Hem H —5B 124
Up. Belmont Rd. Che —9F 120
Up. Cavendish Av. N3 —9N 165
Up. Clabdens. Ware —5K 95
Up. Crackney La. Ware —1F 96
Up. Culver Rd. St Alb —9G 108
Up. Dagnell St. St Alb —2E 126
Upperfield Rd. Wel G —2M 111
Up. George St. Lut —1F 66
Up. Green. Tew —4C 92
Up. Green Rd. Tew —4D 92
Up. Hall Pk. Berk —2A 122
Up. Heath Rd. St Alb —9G 108
Up. Highway. Ab L —6F 136
Up. Highway. K Lan —5E 136
Up. Hill Rise. Rick —8L 147
Up. Hitch. Wat —1N 161
Up. Hook. H'low —8B 118
Up. Icknield Way. Ast C —8B 100
Up. Icknield Way. Bul & I'hoe —7A 82
Up. Lattimore Rd. St Alb —2F 126
Up. Marlborough Rd. St Alb —2F 126
Up. Marsh La. Hod —9L 115
Up. Maylins. Let —8J 23
Up. Mealines. H'low —9C 118
Up. Paddock Rd. Wat —8N 149
Upper Pk. H'low —5L 117
Up. Sales. Hem H —3J 123
Upper Sean. Stev —6N 51
Up. Shot. Wel G —8N 91
Up. Shott. Chesh —8D 132
Up. Station Rd. Rad —8H 139
Upperstone Clo. Stot —6F 10
Up. Stonyfield. H'low —6L 117
Up. Tail. Wat —3N 161
Up. Tilehouse St. Hit —3M 33
Up. Wingbury Courtyard Bus. Cen. W'grv —3C 60
Uppingham Av. Stan —8J 163
Upton Av. St Alb —1E 126
Upton Clo. Lut —3F 46
Upton Clo. Park —7E 126
Upton End Rd. Shil —1N 19
Upton Lodge Clo. Bush —9D 150
Upton Rd. Wat —6K 149
Upway. Chal P —8C 158
Upwell Rd. Lut —7K 47
Uranus Rd. Hem H —9A 106
Urban Rd. Bis S —1K 79
Uvedale Rd. Enf —7B 156
Uxbridge Rd. Harr & Stan —7D 162
Uxbridge Rd. Pinn —9L 161
Uxbridge Rd. Rick —3J 159

Vache La. Chal G —2A 158
Vadis Clo. Lut —2A 46
Vale Av. Borwd —7B 152
Vale Clo. Chal P —8A 158
Vale Clo. Hpdn —3M 87
Vale Cotts. Ware —4H 55
Vale Ct. New Bar —6A 154
Vale Ct. Wheat —8L 89
Vale Dri. Barn —6M 153
Vale Ind. Pk. Wat —9D 148
Valence Dri. Chesh —1E 144
Valence End. Dunst —2G 64
Valencia Rd. Stan —4K 163
Valency Clo. N'wd —4H 161
Valentine Way. Chal G —2A 158
Valerian Way. Stev —9C 36
Valerie Clo. St Alb —2J 127
Vale Rd. Bush —7N 149
Vale Rd. Che —9G 121
Valeside. Hert —1M 113
Vale, The. N14 —8L 155
Vale, The. Chal P —8A 158
Vallans Clo. Ware —4H 95
Vallansgate. Stev —8A 52
Valley Clo. Hert —1B 114
Valley Clo. Pinn —9K 161
Valley Clo. Stud —9B 64
Valley Clo. Ware —5F 94
Valley Fields Cres. Enf —4M 155
Valley Grn. Hem H —5D 106
Valley Grn., The. Wel G —8J 91
Valley La. Mark —6M 85
Valleylink Est. Enf —8J 157
Valley Rise. R'ton —7E 8
Valley Rise. Wat —6K 137
Valley Rise. Wheat —5G 88
Valley Rd. Berk —8K 103
Valley Rd. Cod —7F 70
Valley Rd. Let —4D 22
Valley Rd. Rick —7K 147
Valley Rd. St Alb —7F 108
Valley Rd. Stud —3E 84
Valley Rd. Wel G —9H 91
Valley Rd. S. Cod —7F 70
Valley Side. E4 —9L 157
Valleyside. Hem H —2J 123
Valley, The. W'wll —1M 69
Valley View. Barn —8L 153
Valley View. G Oak —1A 144
Valley Wlk. Crox G —7E 148
Valley Way. Stev —7M 51
Valpy Clo. Wig —5B 102
Vanbrugh Dri. H Reg —4G 45
Vanburgh Ct. H Bar —5L 153
Vancouver Mans. Edgw —8B 164
Vancouver Rd. Edgw —8B 164
Vanda Cres. St Alb —3G 127
Vantorts Clo. Saw —5G 99
Vantorts Rd. Saw —6G 99
Vardon Clo. N3 —8L 165
Vardon Rd. Stev —1L 51
Varna Clo. Lut —6C 46
Varney Clo. Chesh —9E 132
Varney Clo. Hem H —2J 123
Varney Rd. Hem H —2J 123
Vaughan Mead. Redb —1J 107
Vaughan Rd. Hpdn —6C 88
Vaughan Rd. Stot —6E 10
Vauxhall Rd. Hem H —2C 124
Vauxhall Rd. Lut —3K 67
Vauxhall Way. Lut —6J 47
Vega Cres. N'wd —5H 161
Vega Rd. Bush —9D 150
Veitch Rd. Wal A —7N 145
Velizy Av. H'low —5N 117
Venetia Rd. Lut —5J 47
Venetia Rd. Footpath. Lut
(off Hitchin Rd.) —5J 47
Ventnor Av. Stan —8J 163
Ventnor Dri. N20 —3N 165
Ventnor Gdns. Lut —2B 46
Ventura Pk. Col S —2G 138
Venus Hill. Bov —4D 134
Vera Av. N21 —7M 155
Vera Ct. Wat —9M 149
Vera La. Welw —3A 92
Verdure Clo. Wat —5N 137
Verey Rd. Wood E —7F 44
Veritys Hat —9G 110
Verity Way. Stev —9N 35
Vermont Clo. Enf —6N 155
Verney Clo. Berk —9K 103
Verney Clo. Tring —1A 102
Vernon Av. Enf —9J 145
Vernon Ct. Bis S —4G 79
Vernon Ct. Stan —8J 163
Vernon Cres. Barn —8F 154
Vernon Dri. Hare —8M 159
Vernon Dri. Stan —8H 163
Vernon Pl. Dunst —8E 44
Vernon Rd. Bush —7N 149
Vernon Rd. Lut —9E 46
Vernon's Clo. St Alb —3E 126
Veronica Ho. Wel G —2A 112
Ver Rd. Redb —9L 87
Ver Rd. St Alb —2D 126
Verulam Clo. Wel G —9M 91
Verulam Gdns. Lut —3B 46
Verulam Pas. Wat —4K 149
Verulam Rd. Hit —2N 33
Verulam Rd. St Alb —1C 126
Verwood Dri. Barn —5E 154
Verwood Rd. Harr —9D 162
Vespers Clo. Lut —7K 45
Vesta Av. St Alb —5D 126
Vesta Rd. Hem H —9B 106
Veysey Clo. Hem H —4L 123
Viaduct Rd. Ware —6J 95
Viaduct Way. Wel G —6M 91
Vian Av. Enf —8J 145
Vicarage Causeway. Hert H —2F 114
Vicarage Clo. Arl —4A 10
Vicarage Clo. Bis S —1H 79
Vicarage Clo. Hem H —4M 123
Vicarage Clo. N'thaw —3E 142
Vicarage Clo. Shil —3N 19
Vicarage Clo. St Alb —5D 126
Vicarage Clo. Stdn —7B 56
Vicarage Clo. Wend —9A 100
Vicarage Gdns. Flam —6D 86
Vicarage Gdns. Mars —5M 81
Vicarage Gdns. Pott E —7E 104
Vicarage La. Ber —2D 42
Vicarage La. Bov —8E 122
Vicarage La. I'hoe —2D 82
Vicarage La. K Lan —2B 136
Vicarage La. Ugley —5N 43
Vicarage La. W'frd —4M 93
Vicarage Rd. Bunt —2J 39
Vicarage Rd. H Reg —4E 44
Vicarage Rd. Mars —5L 81
Vicarage Rd. Pit —3B 82
Vicarage Rd. Pott E —7D 104
Vicarage Rd. Ware —6J 95
Vicarage Rd. Wat —9J 149
Vicarage Rd. Wig —5B 102
Vicarage St. Lut —1H 67
Vicarage Wood. H'low —5C 118
Vicars Clo. Enf —4C 156
Vicars Moor La. N21 —9M 155
Vicerons Pl. Bis S —4F 78
Viceroy Ct. Dunst —9F 44
Victoria Av. N3 —8M 165
Victoria Av. Barn —6C 154
Victoria Clo. Barn —6C 154
Victoria Clo. Rick —9N 147
Victoria Clo. Stev —2K 51
Victoria Ct. Wat —5L 149
Victoria Cres. R'ton —6D 8
Victoria Dri. Stot —7G 10
Victoria Ho. Edgw —6B 164
Victoria Ho. Ger X —4B 158
(off Micholls Av.)
Victoria La. Barn —6M 153
Victoria M. Bayf —5M 113
Victoria Pas. Wat —6K 149
Victoria Pl. Dunst —8D 44
Victoria Pl. Hem H —2N 123
Victoria Rd. NW7 —5F 164
Victoria Rd. Barn —6C 154
Victoria Rd. Berk —2A 122
Victoria Rd. Bush —1C 162
Victoria Rd. Hpdn —6C 88
Victoria Rd. Wal A —7N 145
Victoria Rd. Wat —2K 149
Victoria St. Dunst —8D 44
Victoria St. Lut —2G 66
Victoria St. St Alb —2E 126
Victoria Way. Hit —2L 33
Victor Smith Ct. Brick W —4B 138
Victors Way. Barn —5M 153
Victory Rd. Berk —9L 103
Victory Rd. Wend —9A 100
View Av. Shil —2N 19
View Point. Stev —4G 51
View Rd. Pot B —5B 142
Vigar Ct. Barn —5L 153
Viga Rd. N21 —8M 155
Vigors.Croft. Hat —1F 128
Villa Ct. Lut —9F 46
Village Cen. Hem H —3E 124
Village Ct. St Alb —7L 109
(off Twyford Rd.)
Village Pk. Clo. Enf —8C 156
Village Rd. N3 —9L 165
Village Rd. Enf —9B 156
Village St. Hit —8F 50
Village Way. Amer —4A 146
Villa Rd. Lut —9F 46
Villiers Cres. St Alb —8L 109
Villiers Rd. Wat —8N 149
Villiers St. Hert —9C 94
Villiers-Sur-Marne Av. Bis S —2F 78
Vincent. Let —7J 23
Vincent Clo. Barn —5A 154
Vincent Clo. Chesh —1J 145
Vincent Ct. N'wd —8H 161
Vincent Rd. Lut —4N 45
Vincenzo Clo. N Mym —5J 129
Vine Clo. Wel G —7L 91
Vine Gro. Gil —1A 118
Vineries Bank. NW7 —5H 165
Vineries, The. N14 —8H 155
Vineries, The. Enf —5C 156
Vines Av. N3 —8N 165
Vines, The. Stot —6E 10
Vinetrees. Wend —9A 100
Vineyard Av. NW7 —7L 165
Vineyard Hill. N'thaw —2F 142
Vineyards Rd. N'thaw —3E 142
Vineyard, The. Ware —5L 95
Vinters Av. Stev —4M 51
Violet Av. Enf —2B 156
Violets La. Fur P —3L 41
Violet Way. Loud —6M 147
Virgil Dri. Brox —5K 133
Virginia Clo. Lut —6H 47
Viscount Clo. Lut —4C 46
Viscount Ct. Lut —8F 46
(off Knights Field)
Vista Av. Enf —4H 157
Vivian Clo. Wat —1J 161
Vivian Gdns. Wat —1J 161
Vixen Dri. Hert —9E 94
Vulcan Ga. Enf —4M 155
Vyse Clo. Barn —6J 153

Wacketts. Chesh —9E 132
Waddesdon Clo. Lut —7M 47
Waddington Clo. Enf —6C 156
Waddington Rd. St Alb —2E 126
Wade Ho. Enf —7B 156
Wades Gro. N21 —9M 155
Wades Hill. N21 —8M 155
Wadesmill Rd. Hert & Chap E —6A 94
Wadesmill Rd. Ware —4G 95
Wades, The. Hat —3G 128
Wade, The. Wel G —3N 111
Wadham Rd. Ab L —4H 137
Wadhurst Av. Lut —5E 46
Wadley Clo. Hem H —3B 124
Wadnall Way. Kneb —4M 71
Wadsworth Clo. Enf —7H 157
Waggoners Yd. Ware —5H 95
(off Baldock St.)
Waggon M. N14 —9H 155
Waggon Rd. Barn —1B 154
Wagon Rd. Barn —9A 142
Wagon Way. Loud —5M 147
Wagtail Clo. NW9 —9E 164
Wain Clo. Pot B —2A 142
Wakefields Wlk. Chesh —4J 145
Walcot Av. Lut —7J 47
Walcot Rd. Enf —4K 157
Waldeck Rd. Lut —9E 46
Waldegrave Pk. Hpdn —6E 88
Walden Ct. Bis S —9M 59
Walden End. Stev —5L 51
Walden Pl. Wel G —7K 91
Walden Rd. Wel G —7K 91
Walden Way. NW7 —6K 165
Waleran Clo. Stan —5G 163
Waleys Clo. Lut —1A 46
Walfield Av. N20 —9A 154
Walfords Clo. H'low —3E 118
Walgrave Rd. Dunst —7J 45
Walkern Rd. B'tn —6F 52
Walkern Rd. Stev —2J 51
Walkers Clo. Hpdn —8D 88
Walkers Ct. Bald —3M 23
(off High St. Baldock,)
Walkers Rd. Hpdn —8C 88
Walkley Rd. H Reg —5E 44
Walk, The. Pot B —5A 142
Wallace Dri. Eat B —2J 63
Wallace M. Eat B —2J 63
Wallace Way. Hit —9A 22
Waller Av. Lut —7B 46
Waller Dri. N'wd —9J 161
Waller Gdns. Wat —4K 149
Waller's Clo. Gt Chi —2J 17
Waller St. Mall. Lut —1G 66
(off Arndale Cen.)
Wallers Way. Hod —5M 115
Wallfield All. Hert —1A 114
Wallfields. Hert —1A 114
Wallingford Wlk. St Alb —5E 126
Wallington Rd. Bald —3N 23
Walmar Clo. Barn —3C 154
Walmington Fold. N12 —6N 165
Walnut Av. Bald —4N 23
Walnut Clo. Hit —4A 34
Walnut Clo. Lut —5K 47
Walnut Clo. M Hud —6J 77
Walnut Clo. Park —9C 126
Walnut Clo. R'ton —7D 8
Walnut Clo. Stot —6F 10
Walnut Cotts. Saw —4G 99
(off Station Rd.)
Walnut Ct. Wel G —3L 111
Walnut Dri. Bis S —5F 78
Walnut Grn. Bush —4A 150
Walnut Gro. Enf —7B 156
Walnut Gro. Hem H —2N 123
Walnut Gro. Wel G —3L 111
Walnut Ho. Wel G —3L 111
Walnut Tree Av. Saw —3G 98
Walnut Tree Clo. Chesh —4H 145
Walnut Tree Clo. Hod —8L 115
Walnut Tree Clo. Stev —5C 52
Walnut Tree Cres. Saw —4G 99
Walnut Tree Rd. Pir —8E 20
Walnut Tree Wlk. Gt Amw —8H 95
Walnut Way. Ickl —7M 21
Walpole Clo. Pinn —6B 162
Walpole Ct. Stev —1B 72
Walpole Way. Barn —7J 153
Walsham Clo. Stev —1B 72
Walsh Clo. Hit —3L 33
Walshford Way. Borwd —2A 152
Walsingham Clo. Hat —8F 110
Walsingham Clo. Lut —2F 46
Walsingham Rd. Enf —6B 156
Walsingham Way. Lon C —9K 127
Walsworth Rd. Hit —3N 33
Walters Rd. Enf —6G 157
Walter Wlk. Edgw —6C 164
Waltham Ct. Lut —6L 47
(off Cowdray Clo.)
Waltham Dri. Edgw —9A 164
Waltham Gdns. Enf —9G 145
Waltham Rd. Hit —4N 33
Waltham Way. E4 —9L 157
Walton Ct. Hod —6N 115
Walton Ct. New Bar —7B 154
Walton Gdns. Wal A —6M 145
Walton Rd. Bush —6M 149
Walton Rd. Hod —6M 115
Walton Rd. Ware —7H 95
Walton St. Enf —3B 156
Walton St. St Alb —1G 126
Walverns Clo. Wat —8L 149
Wandon Clo. Lut —5L 47
Wansbeck Ct. Enf —5N 155
(off Waverley Rd.)
Wansford Pk. Borwd —6D 152
Warburton Clo. Harr —6E 162
Ward Clo. Chesh —9E 132
Ward Clo. Ware —5G 94
Ward Cres. Bis S —2G 78
Wardell Clo. NW7 —7E 164
Wardell Field. NW9 —8E 164
Warden Hill Clo. Lut —1E 46
Warden Hill Gdns. Lut —1E 46
Warden Hill Rd. Lut —1E 46
Ward Hatch. H'low —3C 118
Wardlow Ct. Lut —7F 46
Wardown Cres. Lut —7G 46
Wards La. Els —4G 151
Wardswood La. Lut —8J 31
Wareham's La. Hert —1A 114
Warenford Way. Borwd —3A 152
Ware Pk. Rd. Hert —7B 94
Ware Rd. Gt Amw & Hail —3L 115
Ware Rd. Hert —9C 94
Ware Rd. Hod —4L 115
Ware Rd. Ton —9C 74
Ware Rd. Wat S —6K 73
Ware Rd. Wid —3G 96
Wareside. Hem H —5C 106
Wareside Clo. Wel G —1A 112
Warham Rd. Harr —9G 162
Warmark Rd. Hem H —9H 105
Warminster Clo. Lut —8A 48
Warneford Av. Hal —9C 100
Warneford Pl. Wat —8N 149
Warner Rd. Ware —7H 95
Warners Av. Hod —1K 133
Warners Clo. Stev —4F 52

Wheatley Clo.—Wood Grn. Clo.

eatley Clo. Saw —6E 98
eatley Clo. Wel G —2N 111
eatley Rd. Wel G —1N 111
eatleys. St Alb —9K 109
eatley Way. Chal P —6B 158
eatlock Mead. Redb —1J 107
eatsheaf Dri. Ware —4F 94
eatsheaf Rd. Hun —6G 97
eelers La. Hem H —4A 124
eelers Orchard. Chal P —6B 158
elwright Clo. Bush —8C 150
eel Wright Clo. Shil —2A 20
empstead La. Ware —2M 73
empstead Rd. B'tn —6L 53
etstone Clo. Welw —8L 71
etstone Ct. Welw —8L 71
nbush Gro. Hit —2N 33
nbush Rd. Hit —3N 33
ppendell Hill. Abb L —3M 135
ppendell Rd. Wat —7G 148
pperley Ct. Lut —3E 66
pperley Ring. Lut —2C 66
pperley Way. Lut —2D 66
psnade Rd. Kens —1C 64
sper Wood. Loud —5L 147
sperwood Clo. Harr —8F 162
stler Gdns. Edgw —9N 163
tby Gdns. NW9 —9A 164
tby Rd. Lut —8E 46
tchurch Av. Edgw —7N 163
tchurch Clo. Edgw —6N 163
tchurch Clo. Lut —7M 47
tchurch Gdns. Edgw —6N 163
tchurch La. Edgw —7L 163
tchurch Pde. Edgw —7A 164
ite Acre. NW9 —9E 164
itebarns. Fur P —5K 41
itebarns La. Fur P —6K 41
itebeam Clo. Wal X —8C 132
itebeams. Hat —3G 129
ite Beams. Park —1C 138
itebear. Stans —1N 59
itebroom Rd. Hem H —9H 105
itechurch Gdns. Let —8J 23
ite Craig Clo. Pinn —5B 162
ite Cres. Hal —7C 100
itecroft. St Alb —5J 127
itecroft Rd. Lut —9J 47
ite Crofts. Stot —5E 10
itefield Av. Lut —2M 45
itefield Ho. Hat —7J 111
itefields Rd. Chesh —1G 144
itefriars Av. Harr —9F 162
itefriars Dri. Harr —9E 162
itefriars Trading Est. Harr —9E 162
itegale Clo. Hit —4A 34
itegate Gdns. Harr —7G 162
itegates Clo. Crox G —6C 148
itehall Est. H'low —7H 117
itehall La. Bis S —8H 59
itehall Rd. Bis S —8G 59
itehands Clo. Hod —8K 115
ite Hart Clo. Bunt —2J 39
ite Hart Dri. Hem H —3B 124
ite Hart Rd. Hem H —3C 124
ite Hart St. Hem H —6N 123
itehaven. Chesh —1C 144
itehaven. Lut —9B 30
ite Hedge Dri. St Alb —1D 126
itehicks. Let —2G 22
ite Hill. B Hth —6C 160
ite Hill. Berk —6N 121
Ashley Green)
itehill. Berk —9A 104
erkhamsted)
ite Hill. Cro —7H 37
ite Hill. Flam —7D 86
ite Hill. Hem H —3J 123
ite Hill. Welw —5G 91
itehill Av. Lut —3F 66
itehill Clo. Hit —5A 34
itehill Cotts. Welw —4G 91
itehill Ct. Berk —9A 104
ite Hill Rd. Bar C —8E 18
itehill Rd. Hit —4A 34
ite Horse La. Lon C —8L 127
ite Horse La. Wool G —7A 72
Whitehorse St. Bald —3M 23
Whitehorse Vale. Lut —9A 30
Whitehouse Av. Borwd —5B 152
White Ho. Clo. Chal P —7B 158
Whitehouse Clo. H Reg —5E 44
Whitehouse Ct. B'wy —8A 16
White Ho. Dri. Stan —4K 163
Whitehouse La. Bedm —8K 125
Whitehouse La. Enf —3A 156
White Ho., The. Chesh —1H 145
Whitehurst Av. Hit —1N 33
Whitelands Av. Chor —5E 146
White La. Hit —3C 50
Whiteleaf Rd. Hem H —5M 123
Whiteley Clo. D End —1C 74
Whiteley La. Buck —4G 26
White Lion Ho. Hat —8H 111
(off Wellfield Rd.)
White M. Enf —5B 156
White Orchards. N20 —9M 153
White Orchards. Stan —5H 163
White Post Field. Saw —5F 98
White Shack La. Chan X —1B 148
Whitesmead Rd. Stev —2K 51
Whitestone Wlk. Hem H —8K 105
White Stubbs La. B'frd —2K 131
Whitethorn. Wel G —1A 112
Whitethorn Gdns. Enf —7B 156
Whitethorn La. Let —8G 22
Whitethorn Way. Lut —2C 66
Whitewaites. H'low —5A 118
Whiteway. Let —7J 23
Whitewaybottom La. Lut & Kim —2F 68
Whiteway, The. Stev —2B 52
Whitewebbs La. Enf —8C 144
Whitewebbs Rd. Enf —8N 143
Whitewood Rd. Berk —1L 121
Whitfield Way. Rick —1J 159
Whit Hern Ct. Chesh —3G 144
Whiting Clo. Hpdn —3E 88
Whitings Rd. Barn —7J 153
Whitlars Dri. K Lan —1B 136
Whitley Clo. Ab L —5J 137
Whitley Ct. Hod —6M 115
Whitley Rd. Hod —6M 115
Whitney Dri. Stev —9J 35
Whitney Wood. Stev —9J 35
Whittingham Clo. Lut —8A 48
Whittingstall Rd. Hod —6M 115
Whittington La. Stev —5L 51
Whittington Way. Bis S —5G 79
Whittlesea Clo. Harr —7D 162
Whittlesea Path. Harr —8D 162
Whittlesea Rd. Harr —7D 162
Whitwell Clo. Lut —1D 46
Whitwell Rd. Wat —8M 137
Whitworth Rd. Stev —7A 36
Whomerley Rd. Stev —5L 51
Whydale Rd. R'ton —8E 8
Whytingham Rd. Tring —2A 102
Wick Av. Wheat —7L 89
Wicken Fields. Ware —4G 95
Wickets, The. Lut —8F 46
Wickfield Clo. Wool G —6N 71
(in two parts)
Wickham Clo. Enf —5F 156
Wickham Clo. Hare —8N 159
Wickham Rd. Harr —9E 162
Wickhams Wharf. Ware —6J 95
Wickham Way. Puck —6B 56
Wick Hill. Kens —8J 65
Wicklands Rd. Hun —7G 97
Wickliffe Av. N3 —9L 165
Wickmere Clo. Lut —2E 46
Wick Rd. Wig —6A 102
Wickstead Av. Lut —6A 46
Wick, The. Hert —6A 94
Wickwood Ct. St Alb —9J 109
Widbury Gdns. Ware —6K 95
Widbury Hill. Ware —6K 95
Widford Rd. M Hud —1H 97
Widford Rd. Wel G —9A 92
Widford Rd. Wid & Hun —5G 96
Widford Ter. Hem H —5C 106
Widgeon Way. Wat —1N 149
Widmore Clo. Asher —8C 120
Widmore Cotts. Hem H —8H 85
Widmore Dri. Hem H —9C 106
Wieland Rd. N'wd —7J 161
Wiggenhall Rd. Wat —7K 149
Wiggington Bottom. Wig —6B 102
Wiggins Mead. NW9 —7F 164
Wigmore La. Lut —5K 47
Wigmore Pk. Cen. Lut —8N 47
Wigmores N. Wel G —8K 91
Wigmores S. Wel G —9K 91
Wigram Way. Stev —5A 52
Wigton Gdns. Stan —8M 163
Wilbury Clo. Let —4D 22
Wilbury Dri. Dunst —7H 45
Wilbury Hills Rd. Let —5C 22
Wilbury Rd. Let —4D 22
Wilbury Way. Hit —8A 22
Wilcot Av. Wat —9N 149
Wilcox Clo. Borwd —3C 152
Wild Cherry Dri. Lut —3F 66
Wildcroft Gdns. Edgw —6L 163
Wilderness, The. Berk —1N 121
(off Church La.)
Wildhill Rd. Hat —5L 129
Wild Marsh Ct. Enf —1J 157
(off Manly Dixon Dri.)
Wild Oaks Clo. N'wd —7H 161
Wildwood. N'wd —6F 160
Wildwood Av. Brick W —3A 138
Wildwood Ct. Chor —6J 147
Wildwood La. Stev —5M 51
Wilford Clo. Enf —5B 156
Wilford Clo. N'wd —7F 160
Wilga Rd. Welw —2G 91
Wilkin's Grn. La. Hat —1C 128
Wilkin's Grn. La. Smal —1C 128
Wilkins Gro. Wel G —1K 111
Willenhall Av. New Bar —8B 154
Willenhall Clo. Lut —2C 46
Willenhall Ct. New Bar —8B 154
William Allen Ho. Edgw —7N 163
William Ct. Hem H —6N 123
William Covell Clo. Enf —2L 155
William Pl. Stev —6N 51
Williamson Way. NW7 —6L 165
Williamson Way. Rick —1K 159
William St. Berk —1A 122
William St. Bush —5M 149
William St. Lut —8G 46
William St. Mark —2A 86
Williams Way. Rad —8J 139
Willian Chu. Rd. W'ian —9G 23
Willian Rd. W'ian —1F 34
Willian Way. Bald —5L 23
Willian Way. Let —7G 22
Willinghall Clo. Wal A —5N 145
Willis's La. Saf W —1M 43
Williton Rd. Lut —7K 47
Willoughby Clo. Brox —3J 133
Willoughby La. Mee —6K 29
Willoughby Rd. Hpdn —3C 88
Willoughby Way. Hit —4A 34
Willowbrook. Wend —7A 100
Willowby Ct. Lon C —8L 127
Willow Clo. Bis S —9G 58
Willow Clo. Chesh —8C 132
Willow Clo. Gt Hor —2D 40
Willow Clo. Reed —7H 15
Willow Corner. B'frd —9L 113
Willow Ct. Edgw —4M 163
Willow Ct. Harr —8G 163
Willow Ct. Lut —4A 46
Willow Cres. St Alb —2K 127
Willow Dene. Bush —9F 150
Willowdene. Chesh —9J 133
Willow Dene. Pinn —9M 161
Willowdene Ct. N20 —9B 154
(off High Rd.)
Willow Dri. Barn —6L 153
Willow Edge. K Lan —2C 136
Willow End. N20 —2N 165
Willow End. N'wd —6J 161
Willowfield. H'low —8N 117
Willowgate Trading Est. Lut —1L 45
Willow Grn. NW9 —8E 164
Willow Grn. Borwd —7D 152
Willow Gro. Wel G —4K 91
Willow La. Hit —4L 33
Willow La. St I —8B 34
Willow La. Wat —7J 149
Willowmead. Hert —1M 113
Willow Mead. Saw —6G 98
Willow Pl. H'wd —9H 119
Willow Rd. Enf —5C 156
Willows Clo. Pinn —9L 161
Willowside. Lon C —9M 127
Willowside Ct. Enf —5N 155
Willowside Way. R'ton —5C 8
Willows Link. Stev —9N 51
Willow Springs. Bis S —9F 58
Willows, The. Borwd —3A 152
Willows, The. Bunt —2H 39
Willows, The. Hem H —9D 106
Willows, The. Hit —5A 34
Willows, The. Rick —2K 159
Willows, The. St Alb —6J 127
Willows, The. Stev —8N 51
Willows, The. Wat —9K 149
Willow St. E4 —9N 157
Willow Wlk. N21 —8L 155
Willow Wlk. Welw —8J 71
Willow Way. N3 —7N 165
Willow Way. Hpdn —3D 88
Willow Way. Hat —3F 128
Willow Way. Hem H —9L 105
Willow Way. H Reg —3G 44
(off Kent Rd.)
Willow Way. Lut —4A 46
Willow Way. Pot B —6A 142
Willow Way. Rad —9F 138
Willow Way. St Alb —9B 126
Wills Gro. NW7 —5G 165
Wilmott Rd. Bass —1N 7
Wilsden Av. Lut —2E 66
Wilshere Cres. Hit —2C 34
Wilshere Rd. Welw —2G 91
Wilshire Av. St Alb —4D 126
Wilsmere Dri. Har W —7F 162
Wilson Clo. Stev —9K 35
Wilsons La. A'wl —9L 5
Wilson St. N21 —9M 155
Wilson Wlk. Stan —5K 163
Wilstone Dri. St Alb —6K 109
Wilton Clo. Bis S —1K 79
Wilton Cres. Hert —3A 114
Wilton Rd. Cockf —6E 154
Wilton Rd. Hit —1M 33
Wilton Way. Hert —3A 114
Wiltron Ho. Stev —3H 51
Wiltshire Clo. NW7 —5F 164
Wiltshire Rd. Stev —5N 51
Wimborne Clo. Saw —5F 98
Wimborne Dri. NW9 —9A 164
Wimborne Gro. Wat —1G 148
Wimborne Rd. Lut —9D 46
Wimple Rd. Lut —7K 45
Winch Clo. Cod —8F 70
Winchdells. Hem H —5C 124
Winches Farm Dri. St Alb —2L 127
Winchester Clo. Bis S —4F 78
Winchester Clo. Enf —7C 156
Winchester Clo. Stev —8A 36
Winchester Gdns. Lut —9A 30
Winchester Ho. St Alb —3D 126
Winchester Rd. N9 —9D 156
Winchester Rd. N'wd —9H 161
Winchester Way. Crox G —7D 148
Winchfield Way. Rick —9M 147
Winchmore Hill Rd. N14 & N21 —9J 155
Winch St. Lut —8H 47
Windermere Av. N3 —9N 165
Windermere Av. St Alb —4J 127
Windermere Clo. Chor —7G 146
Windermere Clo. Dunst —1E 64
Windermere Clo. Hem H —3E 124
Windermere Ct. Wat —4J 149
Windermere Cres. Lut —4B 46
Windermere Hall. Edgw —5N 163
Windermere Ho. New Bar —6A 154
Windhill. Bis S —2G 78
(in two parts)
Windhill. Wel G —8N 91
Windhill Fields. Bis S —1G 78
Windhill Old Rd. Bis S —1G 79
Windhill Rd. Hat —5L 129
Winding Hill. M Hud —4K 77
Winding Shot. Hem H —1K 123
Winding Shott. B'fld —3H 93
Windmill Av. St Alb —7K 109
Windmill Clo. B'wy —7N 15
Windmill Clo. I'hoe —2D 82
Windmill Cotts. Ware —1H 95
Windmill Dri. Crox G —8B 148
Windmill Field. Ware —7H 95
Windmill Fields. H'low —2H 119
Windmill Gdns. Enf —5M 155
Windmill Hill. Bunt —4K 39
Windmill Hill. Enf —5N 155
Windmill Hill. Hit —3N 33
Windmill Hill. K Lan —5J 135
(in two parts)
Windmill La. Barn —8F 152
Windmill La. Bush —1F 162
Windmill La. Chesh —3J 145
Windmill La. Hit —5J 33
Windmill Rd. B Grn —6E 48
Windmill Rd. Chal P —7A 158
Windmill Rd. Hem H —2A 124
Windmill Rd. Lut —1H 67
Windmill Rd. Mark & Pep —1B 86
Windmills. D End —9C 54
Windmill St. Bush —1F 162
Windmill Trad. Est. Lut —1H 67
Windmill Way. M Hud —7H 77
Windmill Way. Tring —2L 101
Windmore Av. Pot B —4J 141
Windridge Clo. St Alb —4B 126
Winds End Clo. Hem H —9C 106
Windsor Av. Edgw —4B 164
Windsor Clo. N3 —9L 165
Windsor Clo. Borwd —3A 152
Windsor Clo. Bov —1D 134
Windsor Clo. Chesh —3E 144
Windsor Clo. Hem H —4A 124
Windsor Clo. N'wd —9J 161
Windsor Clo. Stev —1A 72
Windsor Clo. Welw —4H 91
Windsor Ct. N14 —9H 155
Windsor Ct. K Lan —2D 136
Windsor Ct. Lut —2F 66
Windsor Ct. St Alb —3H 127
Windsor Dri. Barn —8E 154
Windsor Dri. Hert —9L 93
Windsor Dri. H Reg —4G 44
Windsor Gdns. Bis S —1E 78
Windsor Pde. Bar C —7E 18
Windsor Rd. N3 —9L 165
Windsor Rd. Barn —8K 153
Windsor Rd. Bar C —7E 18
Windsor Rd. Enf —9H 145
Windsor Rd. Harr —8D 162
Windsor Rd. R'ton —7F 8
Windsor Rd. Wat —2L 149
Windsor Rd. Welw —4H 91
Windsor St. Lut —2F 66
Windsor Wlk. Lut —2F 66
Windsor Way. Mill E —1K 159
Windward Clo. Enf —8H 145
Windy Rise. D End —1D 74
Winfields Mobile Home Pk. Wat —3C 150
Winfield St. Dunst —8E 44
Winford Dri. Brox —4K 133
Wingate Bus. Cen. N Mym —5J 129
Wingate Ct. Lut —7B 46
(off Wingate Rd.)
Wingate Gdns. Welw —2H 91
Wingate Ho. Lut —7B 46
Wingate Rd. Dunst —8H 45
Wingate Rd. Lut —7B 46
Wingate Way. St Alb —3H 127
Wingfield Ct. Wat —8E 148
Wingrave Rd. Gub —4H 81
Wingrave Rd. Tring —1N 101
Wingrove. E4 —9M 157
Winifred Rd. Hem H —6N 123
Winifred Ter. Enf —9D 156
Winkers Clo. Chal P —8C 158
Winkers La. Chal P —8C 158
Winkfield Clo. Lut —8L 45
Winnington Rd. Enf —2G 156
Winscombe Way. Stan —5H 163
Winsdon Rd. Lut —2F 66
Winslow Clo. Lut —5E 46
Winslow Rd. W'grv —4A 60
Winsmoor Ct. Enf —5N 155
Winston Clo. Harr —6G 162
Winston Clo. Hit —3L 33
Winston Ct. Harr —7C 162
Winston Gdns. Berk —1K 121
Winston Way. Pot B —6N 141
Winstre Rd. Borwd —3A 152
Winterscroft Rd. Hod —7K 115
Winters La. Walk —9H 37
Winterstoke Gdns. NW7 —5G 164
Winton App. Crox G —7E 148
Winton Clo. N9 —9H 157
Winton Clo. Lut —3F 46
Winton Cres. Crox G —7D 148
Winton Dri. Chesh —2J 145
Winton Dri. Crox G —8D 148
Winton Gdns. Edgw —7N 163
Winton Rd. Ware —6K 95
Wisden Ct. Stev —9M 35
Wisden Rd. Stev —9M 35
Wise La. NW7 —5G 164
Wiseman Clo. Lut —2G 46
Wisemans Gdns. Saw —6E 98
Wise's La. N Mym —9J 129
Wistlea Cres. Col H —4B 128
Wistow Rd. Lut —3C 46
Witchford. Wel G —9C 92
Withers Mead. NW9 —8F 164
Withy Clo. Lut —4L 45
Withy Pl. Park —1D 138
Witney Clo. Pinn —6A 162
Witneys, The. L Hall —8K 79
Witter Av. Ickl —7M 21
Wivelsfield. Eat B —2J 63
Wiveton Clo. Lut —2F 46
Woburn Av. Bis S —1E 78
Woburn Clo. Bush —8D 150
Woburn Clo. Stev —1B 72
Woburn Ct. Lut —4N 45
(off Vincent Rd.)
Wodecroft Rd. Lut —3D 46
Wolfsburg Ct. Lut —4M 45
(off Hockwell Ring)
Wolmer Clo. Edgw —4A 164
Wolmer Gdns. Edgw —3A 164
Wolseley Rd. W'stone —9F 162
Wolsey Av. Chesh —2D 144
Wolsey Bus. Pk. Wat —9F 148
Wolsey Gro. Edgw —7D 164
Wolsey Ho. K Lan —2C 136
Wolsey Rd. Enf —4F 156
Wolsey Rd. Hem H —3N 123
Wolsey Rd. N'wd —2E 160
Wolstonbury. N12 —5N 165
Wolston Clo. Lut —1E 66
Wolverton Rd. Stan —6J 163
Wolverton Way. N14 —7H 155
Wolvescroft. Wool G —6N 71
Wolvesmere. Wool G —6N 71
Woodacre Dri. Welw —8N 71
Woodall Rd. Enf —8H 157
Woodbank Dri. Chal G —3A 158
Woodberry Way. E4 —9N 157
Woodbine Clo. H'low —8M 117
Woodbine Gro. Enf —2B 156
Woodbridge Clo. Lut —5A 46
Woodbury Hill. Lut —7G 47
Woodbury Hill Path. Lut —7G 46
Wood Clo. Hat —9H 111
Woodcock Hill. Berk —9J 103
Woodcock Hill. Borwd —8B 152
Woodcock Hill. Sandr —5L 109
Woodcock Rd. Lut —1C 66
Woodcock Rd. Stev —7C 52
Wood Comn. Hat —6H 111
Woodcote Av. NW7 —6J 165
Woodcote Clo. Chesh —3G 145
Woodcote Clo. Enf —8G 157
Woodcote Ho. Hit —3N 33
(off Queen St.)
Woodcote Lawns. Che —9E 120
Wood Cres. Hem H —3N 123
Woodcroft. H'low —8M 117
Woodcroft. Hit —4M 33
(off Wratten Rd. E.)
Woodcroft Av. NW7 —6E 164
Woodcroft Av. Stan A —2A 116
Woodcroft Av. Stan —8G 163
Woodcroft Rd. Che —9H 121
Wood Dri. Stev —7A 52
Wood End. Park —1D 138
Wood End Clo. Hem H —1E 124
Woodend Gdns. Enf —6K 155
Wood End Hill. Hpdn —4M 87
Wood End La. St Alb —8N 85
Wood End Rd. Hpdn —4M 87
Woodfall Av. Barn —7M 153
Wood Farm Rd. Hem H —2A 124
Woodfield Av. N'wd —4G 161
Woodfield Clo. Enf —5C 156
Woodfield Clo. Stans —3N 59
Woodfield Dri. E Barn —9F 154
Woodfield Dri. Hem H —4F 124
Woodfield Gdns. Hem H —4F 124
Woodfield Ga. Dunst —2H 65
Woodfield La. Hat —5C 130
Woodfield Rise. Bush —9E 150
Woodfield Rd. Rad —9H 139
Woodfield Rd. Stev —9J 35
Woodfield Rd. Wel G —9M 91
Woodfields. Stans —3N 59
Woodfields. Wat —6L 149
(off George St.)
Woodfield Ter. Hare —9L 159
Woodfield Ter. Stans —3N 59
Woodfield Way. St Alb —8K 109
Woodford Cres. Pinn —9K 161
Woodforde Clo. A'wl —9N 5
Woodford Rd. Dunst —8H 45
Woodford Rd. Wat —4L 149
Woodgate. Wat —6K 137
Woodgate Cres. N'wd —6J 161
Woodgrange Av. Enf —8E 156
Woodgrange Ct. Hod —9L 115
Woodgrange Gdns. Enf —8E 156
Woodgrange Ter. Enf —8E 156
Wood Grn. Clo. Lut —4K 47

HOSPITALS and HEALTH CENTRES covered by this atlas

with their map square reference

N.B. Where Hospitals and Health Centres are not named on the map, the reference given is for the road in which they are situated.

lock Health Centre —3M **23**
rk Dri., Baldock,
ertfordshire, SG7 6EN
l: (01462) 892274

RNET GENERAL HOSPITAL —6K **153**
ellhouse La., Barnet,
erts, EN5 3DJ
l: 020 8440 5111

ford Road Health Centre —3M **33**
dford Rd., Hitchin,
ertfordshire, SG5 1HG
l: (01438) 781314

mont Health Centre —9H **163**
6 Kenton La., Kenton,
ddlesex, HA3 7LT
l: 020 8863 8647

HOPS WOOD HOSPITAL —6D **160**
ckmansworth Rd., Northwood,
iddlesex, HA6 2JW
l: (01923) 835814

HEY BUPA HOSPITAL —1G **162**
eathbourne Rd., Bushey,
atford, Hertfordshire,
D2 1RD
l: 020 8950 9090

hey Health Centre —8N **149**
ndon Rd., Bushey,
ertfordshire, WD2 2LA
l: (01923) 235322

L BARNES HOSPITAL —4K **127**
ghfield La., St Albans,
ertfordshire, AL4 0RG
l: (01727) 867211

ALFONTS & GERRARDS CROSS HOSPITAL, THE —8A **158**
ampden Rd.,
halfont St Peter,
errards Cross,
uckinghamshire, SL9 9DR
el: (01753) 883821

ASE FARM HOSPITAL —2M **155**
27 The Ridgeway, Enfield,
iddlesex, EN2 8JL
el: 020 8366 6600

ESHUNT COMMUNITY HOSPITAL —4H **145**
ng Arthur Ct., Cheshunt,
altham Cross,
ertfordshire, EN8 8XN
el: (01992) 628 656

LINDALE HOSPITAL —9E **164**
olindale Av.,
ondon, NW9 5HG
el: 020 8200 1555

mmunity Mental Health Centre —7M **137**
01 St Albans Rd., Watford,
ertfordshire, WD2 6LA
el: (01923) 894398

ffley Health Centre —2K **143**
laynard Pl., Station Rd.,
uffley, Hertfordshire,
N6 4JA
el: (01707) 875666

BENHAM HOUSE HOSPITAL —4B **158**
hesham La.,
halfont St Peter,
ucks, SL9 0RJ
el: (01494) 871588

East Barnet Health Centre —7C **154**
149 East Barnet Rd., Barnet,
London, EN4 8QZ
Tel: 020 8440 1251

EDGWARE GENERAL HOSPITAL —7B **164**
Burnt Oak Broadway, Edgware,
Middlesex, HA8 0AD
Tel: 020 8952 2381

ENFIELD COMMUNITY CARE CENTRE —3B **156**
Chase Side Cres., Enfield,
Middlesex, EN2 0JB
Tel: 020 8366 6600

FAIRFIELD HOSPITAL —9C **10**
Stotfold, Hertfordshire,
SG5 4AA
Tel: (01462) 730123

FARINGDON WING HOSPITAL —6M **45**
Calnwood Rd., Luton,
Bedfordshire, LU4 0FB
Tel: (01582) 494679

FARLEY HILL DAY HOSPITAL —2D **66**
Whipperley Ring,
Farley Hill, Luton,
Bedfordshire, LU1 5QY
Tel: (01582) 429441

Forest Road Health Centre —9F **156**
2a Forest Rd.,
London, N9 8RX
Tel: 020 8804 7757

Freezywater Primary Care Health Centre —9H **145**
2b Aylands Rd., Enfield,
Middlesex, EN3 6PN
Tel: (01992) 763794

GARDEN HOSPITAL, THE —9J **165**
46-50 Sunny Gdns. Rd.,
Hendon, London,
NW4 1RX
Tel: 020 8203 0111

Garden House Hospice —6H **23**
Gillison Clo., Letchworth,
Hertfordshire, SG6 1QU
Tel: (01462) 679540

GARSTON MANOR MEDICAL REHABILITATION CENTRE —4L **137**
High Elms La.,
Garston, Watford,
Hertfordshire, WD2 7JX
Tel: (01923) 673061

Grahame Park Health Centre —8F **164**
The Concourse,
Grahame Park Estate,
London, NW9 5XT
Tel: 020 8205 6204

GROVELANDS PRIORY HOSPITAL —9K **155**
The Bourne, Southgate,
London, N14 6RA
Tel: 020 8882 8191

Harefield Health Centre —8M **159**
Rickmansworth Rd.,
Harefield, Middlesex,
UB9 6JY
Tel: (01895) 823956

HAREFIELD HOSPITAL —8M **159**
Hill End Rd., Harefield,
Uxbridge, Middx,
UB9 6JH
Tel: (01895) 823737

HARPENDEN BUPA HOSPITAL —3B **88**
Ambrose La., Harpenden,
Hertfordshire, AL5 4BP
Tel: (01582) 763191

HARPENDEN MEMORIAL HOSPITAL —5C **88**
Carlton Rd., Harpenden,
Hertfordshire, AL5 4TA
Tel: (01582) 460429

HARPERBURY HOSPITAL —4K **139**
Harper La., Shenley,
Radlett, Hertfordshire,
WD7 9HQ
Tel: (01923) 854861/6

HEMEL HEMPSTEAD GENERAL HOSPITAL —3N **123**
Hillfield Rd., Hemel Hempstead,
Hertfordshire, HP2 4AD
Tel: (01442) 213141

HERTFORD COUNTY HOSPITAL —9N **93**
North Rd., Hertford,
Hertfordshire,
SG14 1LP
Tel: (01707) 328111

HERTS & ESSEX HOSPTAL —2L **79**
Haymeads La., Bishops Stortford,
Hertfordshire, CM23 5JH
Tel: (01279) 444455

HITCHIN HOSPITAL —2L **33**
Oughtonhead Way,
Hitchin, Hertfordshire,
SG5 2LH
Tel: (01462) 422444

Hospice of St Francis —9L **103**
27 Shrublands Rd.,
Berkhamsted, Hertfordshire,
HP4 3HX
Tel: (01442) 862960

Isabel Hospice —2A **112**
Douglas Tilbe House,
Hall Gro., Welwyn Garden City,
Hertfordshire, AL7 4PH
Tel: (01707) 330686

KING'S OAK HOSPITAL —2M **155**
The Ridgeway, Enfield,
Middlesex, EN2 8SD
Tel: 020 8364 5520

KNEESWORTH HOUSE HOSPITAL —1C **8**
Old North Rd.,
Bassingbourne, Royston,
Hertfordshire, SG8 5JP
Tel: (01763) 242911

LISTER HOSPITAL —8H **35**
Coreys Mill La., Stevenage,
Hertfordshire, SG1 4AB
Tel: (01438) 314333

Liverpool Road Health Centre —1F **66**
9 Mersey Pl.,
Liverpool Rd., Luton,
Bedfordshire, LU1 1HH
Tel: (01582) 424133

LUTON & DUNSTABLE HOSPITAL —7M **45**
Lewsey Rd., Luton,
Bedfordshire, LU4 0DZ
Tel: (01582) 491122

Mandeville Health Centre —5E **126**
Mandeville Dri., St Albans,
Hertfordshire, AL1 2LE
Tel: (01727) 858507

Marlowes Health Centre —2M **123**
The Marlowes,
Hemel Hempstead,
Hertfordshire, HP1 1HE
Tel: (01442) 228616

Marsh Farm Health Centre —2A **46**
Purley Centre, The Moakes,
Marsh Farm, Luton,
Bedfordshire, LU3 3SR
Tel: (01582) 573564

Michael Sobell House Hospice —6D **160**
Mount Vernon Hospital,
Rickmansworth Rd.,
Northwood, Middx,
HA6 2RN
Tel: (01923) 844531 / 844302

Moorfield Road Health Centre —3G **156**
Moorfield Rd.,
Enfield, EN3 5TU
Tel: 020 8805 5500

MOUNT VERNON HOSPITAL —6D **160**
Rickmansworth Rd., Northwood,
Middlesex, HA6 2RN
Tel: (01923) 826111

NAPSBURY HOSPITAL —9J **127**
Shenley La., Napsbury, St Albans,
Hertfordshire, AL2 1AA
Tel: (01727) 823333

NATIONAL SOCIETY FOR EPILEPSY, THE —4C **158**
Chalfont Centre, Chesham La.,
Chalfont St Peter,
Gerrards Cross, SL9 0RJ
Tel: (01494) 873991

Nevells Road Health Centre —5F **22**
Nevells Rd., Letchworth,
Hertfordshire, SG6 4TR
Tel: (01462) 684334

NORTH LONDON NUFFIELD HOSPITAL, THE —4M **155**
Cavell Dri., Uplands Pk. Rd.,
Enfield, Middlesex, EN2 7PR
Tel: 020 8366 2122

NORTHWOOD & PINNER COMMUNITY HOSPITAL —8J **161**
Pinner Rd., Northwood,
Middlesex, HA6 1DE
Tel: (01923) 824182

Northwood Health Centre —8J **161**
Neal Clo., Acre Way,
Northwood, Middlesex,
HA5 1TQ
Tel: (01923) 827744

Old Harlow Health Centre —2E **118**
Garden Terrace Rd., Old Harlow,
Essex, CM17 0AT
Tel: (01279) 418139

Peace Hospice, The —5J **149**
Cassiobury Dri., Watford,
Hertfordshire, WD1 3AD
Tel: (01923) 330330

PINEHILL HOSPITAL —3B **34**
Benslow La., Hitchin,
Hertfordshire, SG4 9QZ
Tel: (01462) 422822

POTTERS BAR HOSPITAL —5A **142**
Barnet Rd., Potters Bar,
Hertfordshire, EN6 2RY
Tel: (01707) 653286

Index to Hospitals and Health Centres

PRINCESS ALEXANDRA HOSPITAL, THE
—5M **117**
Hamstel Rd., Harlow,
Essex, CM20 1QX
Tel: (01279) 444455

Principal Health Centre —2E **126**
Civic Centre, St Albans,
Hertfordshire,
AL1 3JZ
Tel: (01727) 867184

QUEEN ELIZABETH II HOSPITAL —4N **111**
Howlands, Welwyn Garden City,
Hertfordshire,
AL7 4HQ
Tel: (01707) 328111

QUEEN VICTORIA MEMORIAL HOSPITAL
—3H **91**
73 School La., Welwyn,
Hertfordshire,
AL6 9PW
Tel: (01438) 714488

RIVERS HOSPITAL, THE —6E **98**
Thomas Rivers Medical Centre,
High Wych Rd.,
Sawbridgeworth,
Hertfordshire,
CM21 0HH
Tel: (01279) 600282

ROYAL NATIONAL ORTHOPAEDIC
HOSPITAL —2J **163**
Brockley Hill, Stanmore,
Middlesex,
HA7 4LP
Tel: 020 8954 2300

ROYSTON & DISTRICT HOSPITAL —9D **8**
London Rd., Royston,
Hertfordshire, SG8 9EN
Tel: (01763) 242134

Royston Health Centre —7D **8**
Melbourn St., Royston,
Hertfordshire, SG8 7BS
Tel: (01763) 247246

ST ALBANS CITY HOSPITAL —9D **108**
Waverley Rd., St Albans,
Hertfordshire, AL3 5TL
Tel: (01727) 866122

ST MARY'S DAY HOSPITAL —1F **66**
Vestry Clo., Luton,
Bedfordshire, LU1 1AR
Tel: (01582) 21261

St Nicholas Health Centre —8M **35**
Canterbury Way, Stevenage,
Hertfordshire, SG1 1QH
Tel: (01438) 742626

Southgate Health Centre —5K **51**
Southgate, Stevenage,
Hertfordshire, SG1 1HB
Tel: (01438) 781404

Stanmore Road Health Centre —2K **51**
Stanmore Rd., Stevenage,
Hertfordshire, SG1 3QA
Tel: (01438) 727161

Sundon Park Health Centre —2M **45**
Tenth Av., Sundon Park,
Luton, Bedfordshire, LU3 3EP
Tel: (01582) 575078

WATFORD GENERAL HOSPITAL —7K **1**
60 Vicarage Rd., Watford,
Herts, WD1 8HB
Tel: (01923) 244366

WESTERN HOUSE HOSPITAL —5H **95**
Collett Rd., Ware,
Hertfordshire,
SG12 7LZ
Tel: (01920) 468954

Wigmore Lane Health Centre —8N **47**
Wigmore La., Luton,
Bedfordshire,
LU2 8BG
Tel: (01582) 481292